Dora Heldt

Drei Frauen am See

D1108968

Dora Heldt

Drei Frauen am See

Roman

dtv

Für die Menschen,
die in meinem Leben an
Kreuzungen standen, an denen
ich mich entscheiden musste

Ungekürzte Ausgabe 2020
14. Auflage 2021
© 2018 dtv Verlagsgesellschaft mbH & Co. KG, München
Dieses Werk wurde vermittelt durch die Literarische Agentur
Thomas Schlück GmbH, Hannover
Umschlagbild: Lisa Höfner/dtv
unter Verwendung von Fotos von Getty Images/Nikada
und F1 online/Hans P. Szyska
Satz: Fotosatz Amann, Memmingen
Gesetzt aus der Aldus nova Pro 10,4 /14,6
Druck und Bindung: Druckerei C.H.Beck, Nördlingen
Printed in Germany · ISBN 978-3-423-21809-2

Das Haus am See

Friederike setzte einen Punkt hinter den letzten Satz und legte die beschriebenen Seiten umgedreht auf die Holzplanken. Die anderen drei saßen noch im Kreis, die Köpfe über die Schreibblöcke gebeugt. Marie hielt die Augen geschlossen, ein leichtes Lächeln bildete sich auf ihren Lippen. Jules Stift flog über das Papier, sie las lautlos vor, was sie gerade schrieb. Alexandras Hand glitt ruhig und gleichmäßig über die Zeilen, sie reihte Satz an Satz, das schöne Gesicht ganz entspannt, bis auf die kleine Falte über der Nase, die immer auftauchte, wenn sie sich stark konzentrierte.

Die letzten Sonnenstrahlen tauchten den Bootssteg in warmes Licht, eine Entenfamilie schwamm lautlos vorbei, der See glitzerte in der Abendsonne. Friederike streckte langsam ihre langen Beine aus und rutschte ans Ende des Stegs, um die nackten Füße in das kühle Wasser zu tauchen. Marie sah hoch. »Du bist fertig?«

Friederike nickte.

»Ich auch.« Jule legte ihre Blätter mit den leeren Seiten nach oben auf Friederikes und lächelte. »Alex, wie lange brauchst du noch?«

»Bin gleich so weit.« Alexandra hielt kurz inne, nur noch ein Satz, dann der Punkt. Sie überflog alles, nickte zufrieden und legte ihre Blätter auf die der anderen. Alle Augen waren jetzt auf Marie gerichtet, auch sie kam zum Ende, auch ihre Blätter landeten auf dem Stapel.

»Wo ist der Umschlag?«, fragte Marie. Friederike hielt ihn hoch, schob alle Blätter exakt zusammen und steckte sie in den Umschlag. Sie verschloss ihn, nahm ihren Stift und schrieb das Datum in großen Zahlen darauf.

»So. Das ist das heutige Datum. Und öffnen werden wir ihn erst wieder am gleichen Tag in dreißig Jahren. Keinen Tag vorher.« Ein seltsames Gefühl. Und wenn sie in die Gesichter der anderen schaute, war klar, dass nicht nur sie das so empfand. Friederike reichte Marie den Umschlag. »Es war deine Idee, du passt gut darauf auf. Und du wirst ihn dann auch öffnen.«

Maries Hand zitterte ein wenig, als sie den Umschlag an sich nahm. Dann sagte sie mit einem unsicheren Lächeln: »Wisst ihr was: Ich freue mich schon jetzt darauf.«

Es war kurz still, man hörte das Zwitschern der Vögel plötzlich überdeutlich, dann sagte Jule ernst: »Ihr wisst schon, dass wir dann alle über fünfzig sind? Soll man sich darauf wirklich freuen?«

»Ja.« Marie sah sie an. »Darauf sollten wir uns freuen. Und auf all die Jahre davor.« Sie presste den Umschlag an die Brust. »Wir haben uns. Wir werden das alles zusammen erleben. Was kann uns schon passieren?«

München
Mitte März

Alexandra

Alexandra legte den Stift zur Seite und schob ein Blatt Papier über das Foto, es war zu spät. Die Volontärin hatte ihre Albernheit gesehen. Und ihre Gedanken standen ihr auf der Stirn: Warum malte eine erfolgreiche Verlegerin die Schneidezähne ihres wichtigsten Autors schwarz? Weil, gab Alexandra ihr in Gedanken zur Antwort, das dann so schön von seinem arroganten Ausdruck ablenkte.

Natürlich würde sie das nie auf einem Originalfoto machen. Das war erstens zu teuer und zweitens wäre sie dann tot. Höchstpersönlich vom wichtigsten Autor erwürgt, das wäre doch ein standesgemäßer Abgang. Sie könnte sofort zum Mythos werden.

»Alexandra, was machen wir denn jetzt?« Die nachdrückliche Stimme von Ulrike holte sie in die Sitzung zurück, noch war sie kein Mythos, stattdessen saß sie hier mit sieben Frauen in der wöchentlichen Programmrunde und musste eigentlich dringend an ihren Schreibtisch.

»Sebastian weigert sich, den Umschlag auch nur anzusehen.« Ulrike hob ungeduldig die Hände. »Er besteht darauf, dass seine Patentochter einen Entwurf macht.«

»Seine Patentochter?« Alexandra hob die Augenbrauen. »Die arbeitet bei einem Tierarzt.«

»Die andere.« Ulrike blieb tatsächlich ernst. »Studiert Graphikdesign. Im zweiten Semester.«

»Wenigstens nicht die vom Tierarzt.« Alexandra tippte sich an die Stirn. »Aber was soll das? Ist er jetzt völlig übergeschnappt? Der Umschlag für das Buch ist fertig, und aus.« Ihr Blick fiel auf die Volontärin, wie hieß die noch? Ulrike hatte sie ihr vorhin vorgestellt, Alexandra hatte den Namen sofort wieder vergessen. Sie sah sie entschuldigend an. »Frau …, es tut mir leid, ich habe Ihren Namen vergessen, ich war vorhin so in Eile. Würden Sie ihn mir noch mal sagen?«

»Magnus«, antwortete die junge Frau und wurde ein bisschen rot. »Sophia Magnus. Und ich bin sehr froh, dass ich hier volontieren kann.« Sie senkte sofort den Blick und setzte noch nach: »Bei Ihnen.«

»Sophia Magnus«, wiederholte Alexandra langsam und nickte. »Ja, Frau Magnus, dann herzlich willkommen. Kennen Sie Sebastian Dietrich?«

»Ja, natürlich«, Sophia Magnus hob den Kopf. »Ich habe alles von ihm gelesen, ich finde ihn großartig.«

»Und dieser Umschlag?« Alexandra hielt eine Kopie des Schutzumschlages hoch. »Wie gefällt der Ihnen?«

»Sehr gut. Der ist toll. Man weiß sofort, um was es geht.«

»Sie finden den also gelungen? Er gefällt Ihnen?«

»Ja«, sie nickte heftig. »Unbedingt.«

»Sehr gut, vielen Dank.« Alexandra machte sich eine Notiz. »Sie sind schließlich die Zielgruppe. Ulrike, ich treffe mich ja nachher mit Sebastian und kläre das mit ihm. Was haben wir noch auf dem Zettel?«

»Die Ausstattung der Geschenkbücher, die Ladenpreise für die finnische Krimireihe und die Veranstaltung in Köln.«

»Dazu braucht ihr mich ja nicht unbedingt, wir hatten das schon soweit besprochen. Wir sehen uns morgen, ich muss los.«

Sie schob ihre Unterlagen zusammen, sprang auf und winkte lächelnd noch einmal kurz auf dem Weg zur Tür. Dann war sie weg.

Sophia Magnus sah ihr beeindruckt nach und merkte dann, dass Ulrike sie beobachtete. »Oh, Entschuldigung, ich hatte sie mir nur ganz anders vorgestellt.«

Die Frauen am Tisch warfen sich belustigte Blicke zu, bis die älteste von ihnen sagte: »Und wie?«

Sophia war es sichtlich unangenehm, dass sie plötzlich im Mittelpunkt stand. Sie verstand selbst nicht, warum sie so aufgeregt gewesen war, Alexandra Weise persönlich zu treffen. Aber sie musste sich jetzt zusammenreißen, wenn sie nicht wie ein blödes Groupie dastehen wollte. Sie räusperte sich. »Na ja, ich habe meine Abschlussarbeit über Frauen im Verlagswesen geschrieben. Und dafür hatte ich mir unter anderem Frau Weise ausgesucht. Ich habe so ziemlich alles über sie gelesen, was ich finden konnte, aber ich habe sie mir nicht so … schön vorgestellt. Und so nett.«

»Interessant.« Eine der Lektorinnen lächelte sie an. »Weiß Alex das? Also, dass Sie eine Arbeit über sie geschrieben haben?«

»Wahrscheinlich nicht«, Sophia schüttelte den Kopf. »Bitte entschuldigen Sie, ich will die Runde hier gar nicht sprengen, aber ich bin einfach total beeindruckt von ihr.«

»Das kann ich verstehen.« Ulrike nickte und warf einen Blick in die Runde. »Sie ist ja auch besonders. Ich schlage vor, dass wir jetzt trotzdem weitermachen. Falls Sie Fragen haben, Frau Magnus, einfach stellen, ja? Und wir reden jetzt mal über die Ausstattung der Geschenkbücher. Karla, hast du die Muster dabei?«

Zwei Stockwerke höher warf Alexandra ihre Arbeitsmappe auf den Schreibtisch und ließ sich auf den Stuhl fallen. Sie streckte mit einem leisen Stöhnen ihre Beine aus und streifte die Schuhe ab. Ein eindeutiger Fehlkauf, der Absatz war viel zu hoch, die Sohle zu dünn, das Leder zu hart, auf einer Ferse hatte sich schon eine eindrucksvolle Blase gebildet. Alexandra zog eine Schublade auf und suchte nach Blasenpflaster, irgendwo hatte sie einen Vorrat, es war nicht das erste Paar Schuhe, das trotz des Preises nicht richtig passte. Vorsichtig verarztete sie sich. Schöne Füße waren etwas anderes, egal, die sah heute ohnehin niemand.

Es klopfte an der Tür, die im selben Moment geöffnet wurde. »Ach, du bist ja schon wieder da! Möchtest du einen … Oh, was hast du denn gemacht?«

»Blase«, antwortete Alexandra knapp, während sie konzentriert den Strumpf über das Pflaster rollte. »Und ich verstehe nicht, warum du eigentlich an die Tür klopfst, wenn du doch sowieso sofort reinkommst.«

»Ich dachte, du wärst noch in der Sitzung.« Melanie war seit sieben Jahren Alexandras Sekretärin, oder wie sie es selbst nannte, ihre Assistentin. Und hatte den Hang, jede Kritik persönlich zu nehmen. Alexandra schob den behandelten Fuß langsam wieder in den Schuh, bevor sie sich zur Tür drehte. »Dann verstehe ich nicht, warum du überhaupt angeklopft hast.«

Melanie atmete tief durch und presste ihre Lippen kurz zusammen. Das tat sie immer, wenn sie beleidigt war. »Automatisch. Ich klopfe automatisch an. Und du sollst Magdalena anrufen. Die steht kurz vor einem Nervenzusammenbruch. Kaffee?«

»Kaffee wäre wunderbar, Melanie«, mit ihrem strahlenden Lächeln sah Alexandra sie an. »Wenn es keine Mühe macht. Und ich rufe Magdalena an. Sofort.«

Melanie knallte die Tür zu, und Alexandra fragte sich zum hundertsten Mal, warum sie diese kleine grauhaarige Giftspritze nicht einfach erwürgte. Die Antwort war immer dieselbe: Melanie war die perfekte Sekretärin, fehlerlos, zuverlässig, loyal und erfahren. Aber auf ihre Art eine Diva. Und sie gehörte zu den wenigen Menschen, die Alexandra zur Weißglut bringen konnten. Was Melanie nie merkte. Alexandra wurde nur nach innen wütend. Sie hasste unbeherrschte Szenen. Und laute Auseinandersetzungen.

Seufzend drehte sie ihren Schreibtischstuhl zurück und griff zum Telefon. Erst Sebastian Dietrich. Und jetzt auch noch Magdalena Mohr am Rande des Nervenzusammenbruchs. Was war das denn für ein Tag?

»Danke, dann haben wir alles.« Ulrike schloss die Sitzung, warf Sophia Magnus noch einen Blick zu und sagte: »Können Sie bitte nach der Mittagspause zu mir kommen, dann gehen wir Ihre Aufgabenbereiche noch mal in Ruhe durch, okay?«

»Natürlich«, Sophia lächelte sie an und bückte sich, um ihre überdimensionale Handtasche hochzuheben. Sie verharrte einen Moment, dann kam sie wieder hoch, strich sich die Haare aus dem Gesicht und begann, in ihrer Tasche zu kramen. »In einer halben Stunde?«

»Eine Stunde«, entgegnete Ulrike, die schon auf dem Weg zur Tür war. »Bis später.« Gefolgt von den anderen Kolleginnen verließ sie den Raum. Als auch die letzte draußen war, ließ Sophia die Tasche los und eilte zu Alexandras Platz. Unter dem Tisch lag das verunstaltete Foto von Sebastian Dietrich, es musste Alexandra Weise aus den Unterlagen gerutscht sein. Sophia ging in die Knie und nahm es hoch. Sie musste grinsen, als sie das alberne Zahnlückenlächeln sah. Als sie so was das letzte Mal gekritzelt hatte, was sie zwölf gewesen. Es war schon erstaunlich, dass eine Frau wie Alexandra Weise Sinn für solchen Unsinn hatte. In ihrem Alter. Und in ihrer Position.

Langsam verließ Sophia den Sitzungsraum und blieb unschlüssig draußen stehen. Eine Stunde Mittagspause. Sie hatte gar keinen Hunger. Und hatte auch keine Lust, das Verlagsgebäude zu verlassen. Zumal sie so gut wie nie in dieser Gegend Münchens war und weder ein Café in der Nähe noch irgendwelche Geschäfte kannte. Sie schlenderte, immer noch unentschlossen, durch das Foyer, als plötzlich die Fahrstuhltür aufging und Alexandra Weise auf sie zukam. Sophia blieb stehen und sah ihr entgegen.

»Frau Magnus«, Alexandra verlangsamte ihre Schritte. »Suchen Sie etwas?«

»Nein, ich habe jetzt Mittagspause und überlegt, was ich damit anfange. Und ich wollte Ihnen …«

Das Handy in Alexandras Tasche unterbrach Sophia. Alexandra zog das Telefon raus und hielt es sich ans Ohr. »Katja, ich bin gerade auf dem Sprung, warte mal kurz …«

Sie nahm das Handy vom Ohr. »Wenn Sie noch Fragen haben, gehen Sie einfach zu Ulrike. Ich bin jetzt weg, bis morgen. So, Katja, ich bin wieder da.«

Mit einem Lächeln und wieder auf das Telefonat konzentriert ging sie zum Ausgang und verschwand. Sophia sah ihr hinterher. Alexandra Weise, erfolgreiche Verlegerin. Nicht nur schön, sondern auch klug, charmant und wahnsinnig erfolgreich. Sophia hatte im Zuge ihrer Abschlussarbeit alle Informationen über sie nahezu eingeatmet. Alexandra war Anfang fünfzig, seit über zwanzig Jahren in diesem Verlag, verantwortlich für eine ganze Reihe großer Erfolge, befreundet mit den wichtigsten Autoren und Journalisten des Landes, Herausgeberin zahlreicher Bücher und Verfasserin von Beiträgen in Literaturzeitschriften, regelmäßiger Gast in Talkshows und

Büchersendungen und umtriebig wie keine Zweite. Doch trotz aller Recherche hatte Sophia so gut wie nichts über ihr Privatleben gefunden. Anscheinend gab es das nicht. Na ja, bei diesem Pensum blieb wohl auch keine Zeit dafür. Sophia dachte sehnsüchtig an Johannes, ihre eigene, noch ganz frische Liebe. Es wäre unvorstellbar, wenn sie ihn für die Karriere opfern müsste. Um jeden Preis wollte sie ein solches Leben wie Alexandra Weise nicht.

Die Ampel sprang um auf Rot, Alexandra verlangsamte dankbar ihre Schritte und blieb stehen. Trotz Blasenpflaster bereute sie diesen Schuhkauf immer noch zutiefst. Und dazu Katjas anklagende Stimme im Ohr. »Außerdem kann ich dich kaum verstehen. Wo bist du überhaupt?«

»Ich stehe gerade an einer vierspurigen Straße und warte darauf, dass die Ampel grün wird.« Alexandra entdeckte eine Uhr, die an einem Schmuckgeschäft hing. »In fünf Minuten habe ich einen Termin zum Mittagessen. Und München ist eine laute Stadt, das ist nicht so wie bei euch.« Sie biss sich auf die Lippe. »Können wir nicht heute Abend telefonieren? Ich kann von hier aus sowieso nichts machen.«

»Ja, und genau das ist das Problem.« Ihre Schwester hatte mittlerweile am Telefon dieselbe Stimme wie ihre Tante Ilse, die sie beide als Kind nicht leiden konnten. Immer etwas zu leise und mit einer leichten Hysterie unterlegt. Es war anstrengend. Und Katja war auch noch nicht fertig. »Du kannst nie was machen. Deshalb muss ich mich immer um alles kümmern. Aber das kann ich auch nicht mehr, ich habe schließlich noch ein anderes Leben, in dem ich gebraucht werde. Und Matthias …«

Die Ampel sprang um. »Katja, ich bin jetzt gleich vor dem Restaurant, ich rufe dich heute Abend an. Ich verstehe auch nur die Hälfte bei diesem Lärm. Bis später, mach's gut.«

Sie drückte das Gespräch weg und schob das Handy in die Tasche. Bevor sie noch einen Gedanken fassen konnte, sah sie auf der gegenüberliegenden Seite Sebastian Dietrich stehen. Er hatte sie schon entdeckt und blickte ihr mit seinem blasierten Gesichtsausdruck entgegen. Alexandra hob das Kinn, beschleunigte ihre Schritte und knipste ihr Lächeln an. Heute musste sie eine ganze Reihe Verrückter niederlächeln. Aber das würde sie schaffen. Manche Dinge im Leben bekam sie immer hin.

»Sei gegrüßt, meine Liebe.« Allein dieser Ton! Sebastian beugte sich zu ihr, um sie mit seinen viel zu feuchten Wangenküssen zu beglücken, und ließ seine Hand gleich mal auf ihrem Rücken liegen. »Habe ich etwas verpasst?«

»Was meinst du?«

»Dein Telefonat auf der anderen Straßenseite. Es wirkte sehr privat.« Er hob spöttisch die Augenbrauen. »Ist mir da was entgangen?«

Sie sah ihn an. »Es war privat. Meine Schwester. Gehen wir?« Sie deutete auf den Restauranteingang. »Sonst ist unser Tisch weg. Der Laden ist sehr angesagt.«

Er nickte knapp. »Meine Liebe. Ich kenne diesen Italiener. Es war schließlich mein Vorschlag.«

Das italienische Restaurant galt als Geheimtipp. Dabei war das Essen auch nicht besser oder schlechter als bei anderen Italienern, aber die hatten eben nicht das Glück gehabt, zufällig einen Journalisten bekocht zu haben, der ganz schnell einen Restaurant-Tipp schreiben musste. Er hatte die »unaufgeregte Speisekarte« gelobt, was für ein Geschwurbel. Und deswegen wollten die hippen Münchener jetzt alle hierher. Unaufgeregte Speisekarte, na ja, irgendwie auch ganz lustig. Worüber sollte sich eine Speisekarte auch aufregen?

Alexandra hatte gewartet, bis sie mit dem Essen fertig waren. Bis dahin hatte ausschließlich Sebastian erzählt: von seinem letzten Interview in einem großen Hochglanz-Magazin, von einem Verriss in einer Tageszeitung, von einem Telefonat mit seiner spanischen Übersetzerin – und dabei hatte er sich immer wieder umgesehen, in der Hoffnung, von irgendeinem Gast erkannt zu werden. Alexandra hatte ihre Antipasti gegessen, einen plötzlich aufkommenden Gedanken an Katja verdrängt und schließlich gleichzeitig mit Sebastian ihr Besteck auf den fast leeren Teller gelegt.

»Wir müssen über dein Cover sprechen.« Sie legte die Serviette zusammen und ließ ihre Hand darauf liegen. »Was ist das für ein Unsinn mit deiner Patentochter? Wir hatten einen exzellenten Grafiker beauftragt, falls du dich erinnerst. Der Umschlag ist fertig, und er ist grandios geworden.«

»Was heißt Unsinn?« Sebastian schüttelte empört den Kopf. »Josi ist sehr talentiert. Du musst auch mal jungen Leuten eine Chance geben. Sie kann es doch versuchen, und wenn es dir nicht gefällt, macht sie sofort einen neuen Entwurf. Sieh mal, sie kennt mich einfach sehr gut, liest gerade das Manuskript und findet es toll, sie wird etwas Einzigartiges machen, du wirst schon sehen. Sie …«, er brach ab, als er ihren Blick sah.

»Sebastian.« Sie beugte sich nach vorn, ihre Augen wirkten in diesem Licht sehr grün. Sie hatte dieses perfekte Gesicht, die großen Augen, die geschwungenen Wangenknochen, diesen schönen Mund. Und dazu dieser unnachgiebige Blick.

Er lehnte sich zurück. »Ja?«

»Ich bin die Letzte, die junge Talente verhindern will. Das solltest du, gerade du übrigens, wissen. Aber dieses Buch, *dein* neues Buch, soll sechsstellig verkauft werden. Wir machen hier kein betreutes Arbeiten. Deadline für die Vorschauen ist der nächste Mittwoch. Das Cover steht, und es ist perfekt. Es muss zum Buch, zum Verlagsprofil und zur Zielgruppe passen. Das alles ist gewährleistet. Wir arbeiten mit Profis, auch bei den Covern. Und jetzt stoßen wir auf dein phantastisches Buch an.«

Sie legte eine Hand auf seine. »Kannst du uns bitte einmal vertrauen?«

»Versteh mich nicht falsch, aber was wisst ihr schon von der Zielgruppe?«

»Marktforschung, mein Lieber. Und wir haben genügend Mitarbeiter im Verlag, die auch in diese Zielgruppe gehören. Unsere neue Volontärin zum Beispiel: Sie frisst deine Bücher. Sie fand das Cover von Anfang an super. Bildhübsches Mädchen übrigens, hat ihr Studium mit Bestnoten abgeschlossen.«

»Wirklich?« Sebastian griff nach seinem Glas. »Was hat sie denn über die Bücher gesagt?«

Alexandra musste sich beherrschen, nicht mit den Augen zu rollen. Er war ein so eitler Gockel geworden, nicht allen Autoren tat der Erfolg gut.

Vor sechs Jahren hatte sie zufällig eine Reportage von ihm gelesen. Er war Redakteur bei einem eher unbekannten Monatsmagazin und ein brillanter Erzähler. Das hatte sie sofort gespürt. Nach zwei Telefonaten und einem Abendessen hatte sie ihn überredet, seinen ersten Roman zu schreiben. Die Geschichte hatte sie ihm vorgegeben, die Stichworte geliefert, ihm bei der Recherche geholfen und alles zum Schluss in die richtige Ordnung gebracht. Sebastian hatte sich mit ihrer Begleitung in einen wahren Rausch geschrieben, das Ergebnis war tatsächlich mitreißend. Das Buch stand schon kurz nach Erscheinen auf allen Bestsellerlisten, bekam hymnische Kritiken, Sebastian Dietrich war der neue Shootingstar. Dem ersten Roman waren drei weitere Bücher gefolgt, zwei Liebesgeschichten und ein feiner psychologischer Kriminalroman, jedes war erfolgreich. Alexandra hatte ein Gespür für Themen, über die Sebastian schreiben konnte, sie musste ihm nur die Stichworte liefern, dann legte er los. Nur fing er jetzt langsam an, sich zu verändern. Er dachte schon an Erfolg, Kritiken und Literaturpreise, bevor er den ersten Satz des neuen Manuskripts auch nur gedacht hatte. Und er wurde zunehmend egozentrisch. Das belastete nicht nur die Zusammenarbeit mit dem Verlag, sondern auch Alexandras Geduld. Aber er war der Autor, sie war seine Verlegerin, sie wollte keine schlechte Stimmung. Nur musste er langsam mal begreifen, dass er nicht der Einzige war, mit dem sie arbeitete. Auch wenn er im Moment den größten Erfolg hatte.

»So. Und jetzt sieh ihn dir einfach mal an, dann wird sich jede weitere Diskussion ohnehin in Luft auflösen.« Sie nahm ihre Tasche von der Stuhllehne und zog eine Mappe heraus.

Sebastian war zu neugierig, um wegzusehen, Alexandra schob ihm einen Andruck zu und beobachtete ihren Starautor, der erst verhalten, dann erfreut das Motiv betrachtete. »Ach ja …«, er nickte, wobei ein kleines Lächeln auftauchte. »Die Schrift ist ja sehr schön.«

Zufrieden lehnte Alexandra sich zurück. Die Schrift. Natürlich. Sein Name und der Titel des Romans. Das beeindruckte ihn. Das Bildmotiv war ihm völlig egal. Sie hatte es gewusst. Es war alles so vorhersehbar.

»Also dann«, sagte sie und nickte. »Dann machen wir es so. Oder?«

Noch etwas zögernd nickte er, dann winkte sie dem Kellner. »Fein. Espresso?«

»Lieber noch einen Weißwein«, antwortete er und zeichnete, fast schon verliebt, immer noch seinen Namen auf dem Umschlag nach.

Als sie an der Bushaltestelle stand, zog sie ihr Handy aus der Tasche, um auf das Display zu sehen und den Ton wieder einzuschalten. Eine einzige SMS war eingetroffen, sofort öffnete sie die Nachricht: »*Hat es geklappt? Melde dich doch noch mal. U.*«

Alexandra atmete aus, bevor sie die Nummer ihrer Stellvertreterin drückte. »Hallo, Ulrike, alles okay.«

Am anderen Ende hörte sie einen Seufzer der Erleichterung. »Wunderbar, Alex, ich hatte zwar keinen Zweifel an deiner Überredungskunst, aber Karla ist natürlich supernervös. Dann gebe ich den Umschlag jetzt gleich frei. Kommst du eigentlich noch mal ins Büro?«

»Nein.« Alexandra sah auf die Uhr. »Es ist jetzt kurz nach halb fünf. Du kennst doch Sebastian, der hört nicht auf zu reden. Und das hippe Restaurant hat leider durchgehend auf, ich hatte gehofft, dass die uns nach dem Essen bitten zu gehen, aber das war nichts. Ich musste literweise Wasser und Espresso trinken, während unser Erfolgsautor sich gepflegt betrunken hat. Mir reicht es für heute. Ich fahre jetzt nach Hause und telefoniere mit Magdalena Mohr. Und dann muss ich noch ein paar Manuskripte durchsehen, zum Beispiel das von diesem Richard Clausen, ich glaube, der Junge ist richtig gut. Und dafür habe ich im Büro keine Ruhe. Wir sehen uns morgen.«

»Okay. Dann wünsche ich dir einen schönen Abend. Erhol dich gut.«

»Danke.« Alexandra lächelte. »Bis morgen.«

Nur drei Busstationen, dann war sie zu Hause. Und weil sie so früh in ihrem Viertel war, konnte sie tatsächlich noch einkaufen. Sie hatte lange nicht mehr gekocht, die letzten Wochen waren so hektisch gewesen, dass sie selten vor zwanzig Uhr zu Hause gewesen war. An den normalen Bürotagen. Außerdem hatte sie mindestens zwei Veranstaltungen oder Abendessen in der Woche gehabt, dann kam sie erst mitten in der Nacht in ihre Wohnung. Sie mochte dieses Leben, sonst würde sie das gar nicht alles schaffen. Sie liebte die Diskussionen über Bücher, die Kämpfe, die sie mit Autoren und Agenten ausfechten musste, auch weil sie die meisten gewann. Sie ging gern zu Lesungen oder Veranstaltungen, bei denen die Leser saßen, die Eintritt bezahlt hatten, um den Autor oder die Autorin zu sehen und zuzuhören bei dem, was in der Zusammenarbeit mit dem Verlag entstanden war. Das machte sie stolz, daher holte sie ihre scheinbar unendliche Energie. Das war ihr Leben.

Aber trotzdem war es auch mal schön, einen Abend nur mit sich selbst zu haben, etwas zu kochen, einen Rotwein zu öffnen, Musik zu hören und einfach mal nicht zu reden.

Der Besitzer des kleinen Feinkostladens, nur ein paar Meter neben ihrer Haustür, stand mit einer Zigarette vor seiner Ladentür. Als er Alexandra entdeckte, sah er ihr breit grinsend entgegen. »Die Sonne geht auf.« Er steckte die Kippe in einen mit Sand gefüllten Topf und ging auf sie zu. »Ich hatte schon Angst, du wärst weggezogen.«

»Wenn ich nicht so viel arbeiten würde, könnte ich mir deine Preise nicht leisten«, antwortete Alexandra und beugte sich runter, um ihm die Wange hinzuhalten. Franco war mindestens einen Kopf kleiner als sie. Mit diesen Schuhen sogar zwei.

»Aber man sieht dir den Stress gar nicht an, Bellissima, schön wie immer.«

»Du musst dich nicht anstrengen, mein Lieber, ich wollte sowieso bei dir einkaufen. Was soll ich denn kochen?«

Er warf ihr einen feurigen Blick zu. »Kochen? Für wie viele Leute? Oder was Romantisches zu zweit?«

»Was Romantisches für mich.« Alexandra lächelte und ging

an ihm vorbei in den Laden. »Wenn es zu viel ist, esse ich morgen Reste. Lass mal sehen …«

Sie ging mit einem kleinen Huhn, jeder Menge Gemüse, einer sehr teuren Flasche Rotwein und einem Strauß gelber Rosen nach Hause. Und jeder Menge Komplimente vom kleinen Mann hinter der Kasse.

Ihre Wohnung war groß, hell und lag auf zwei Ebenen. Die untere Ebene bestand aus einem einzigen Raum: Wohnzimmer, offene Küche und Essbereich. Ihre Möbel hatten sich im Laufe ihres Lebens angesammelt, neben der hochmodernen Küche stand ein großer Esstisch mit verschiedenen Stühlen, jeder Stuhl hatte schon mehrere Wohnungen gesehen. Die beiden Sofas standen sich gegenüber, sie hatte sie erst vor zwei Jahren gekauft, zwei Designerstücke aus braunem Leder, dazwischen ein antiker Couchtisch, ein Erbstück von ihrer Großmutter. Der Fernseher war schon ein paar Jahre alt, sie benutzte ihn zu selten, als dass sich ein moderner lohnte. An jeder Wand vollgestopfte Bücherregale, davor Bücherstapel, darin Bilder, Muscheln, Steine, kleine Kunstobjekte, Geschenke, Reisemitbringsel, Kitsch und Kunst – aber jedes Teil barg eine Geschichte.

Alexandra nahm eine Vase aus dem hohen Küchenschrank, ließ Wasser ein und schnitt die Rosen an. Der Strauß kam auf den Esstisch, bevor sie endlich aus den quälenden Schuhen schlüpfte und das Hühnchen aus der Tasche befreite. Mit routinierten Handgriffen füllte sie es mit Rosinen und Gewürzen, bestrich es mit Butter, schob es in den Ofen und stellte die Uhr ein. Den Rest schafft das Huhn allein, dachte sie. Sie hatte jetzt fast zwei Stunden Zeit für sich.

Langsam stieg sie die Treppe nach oben. Neben ihrem großen Schlafzimmer lag das Bad, daneben ein kleines Gästezimmer, das im Laufe der Jahre immer mehr zum Büro geworden war. Sie hatte selten Übernachtungsgäste, sie war aus dem Alter raus, in dem sie mit ihren Freundinnen nächtelang im Schlafanzug über das Leben philosophierte. Mittlerweile buchte sie für ihren Besuch gern ein Hotelzimmer, dann zog sich jeder abends zurück – und sie hatte kostbare Zeit für sich.

Alexandra schob die große Terrassentür im Schlafzimmer auf und trat in Strümpfen auf die Dachterrasse. Für März war das Wetter gar nicht so schlecht, auch wenn der Sommer noch lange nicht in Sicht war. Aber in den Kübeln blühten schon die Krokusse und Narzissen, zärtlich strich sie über eine der gelben Blüten, dann drehte sie sich um und ging zurück. Sie brauchte eine Dusche und ein großes Glas Rotwein, bevor sie Magdalena zum zweiten Mal anrief.

Auf dem Weg ins Bad zog sie sich schon aus, ließ die Klamotten achtlos auf den Boden fallen, drückte auf die Fernbedienung der Anlage, aus deren Boxen sofort gut gelaunte Popmusik drang. Dann stellte sie die Dusche an. Sie sang laut mit, während sie das Shampoo in die Haare massierte, und legte den Kopf in den Nacken, um das Wasser auf ihrem Körper zu spüren. Alexandra lächelte, als sie die Haare trockenrubbelte. Sie wischte sich die Reste des Make-ups aus dem Gesicht, cremte sich mit ihrer sündhaft teuren Bodylotion ein, danach das Gesicht mit einer anderen Creme. Anschließend betrachtete sie sich nackt und zufrieden in dem großen Spiegel.

Ja, sie hatte Glück. Und gute Gene. Sie hatte seit dreißig Jahren dieselbe Konfektionsgröße, selbst die Wechseljahre hatten daran nichts geändert. Andere Frauen bekamen plötzlich Bauch und runde Hüften, Alexandra hatte nur noch ein bisschen mehr Busen bekommen, was ihr aber ganz gut gefiel. Ansonsten musste sie eher aufpassen, dass sie in stressigen Zeiten kein Gewicht verlor, Probleme mit zu viel Pfunden hatte sie nie gehabt.

Sie trat näher an den Spiegel und musterte kritisch ihren Haaransatz. Der war fällig. Ihre goldbraune Haarfarbe lag seit Jahren in den Händen ihrer Friseurin. Mit der musste sie ganz dringend einen Termin machen. Gleich morgen.

Mit nackten Füßen, in einer alten Jeans und einem zu großen grauen Pulli, die noch feuchten Haare zu einem Zopf gebunden ging sie wieder runter, musterte das Huhn, öffnete endlich den teuren Rotwein, schnupperte am Glas und setzte sich damit auf eines der Sofas. Erleichtert ließ sie den Kopf an die Lehne sinken und schloss die Augen. Herrlich. Das war einer dieser Momente, in denen sie froh darüber war, alleine zu leben. Niemand wollte wissen, was sie denn tagsüber so alles gemacht hatte, niemand machte Essensvorschläge, niemand quälte sie mit seinem avancierten Musikgeschmack oder stellte den Fernseher an oder erzählte ihr Dinge, die sie gerade gar nicht hören wollte. Stattdessen duftete es jetzt wunderbar nach gutem Essen, sie genoss den Wein, die Stille, ihre Wohnung, das Gefühl, frisch geduscht zu sein. Schön war das.

Nach ein paar Minuten fiel Alexandra ein, dass sie ihr Handy laden und Magdalena anrufen musste. Beim Aufladen kontrollierte sie den SMS- und Maileingang. Nichts. Leere. Sie steckte das Ladekabel in die Steckdose, griff zum anderen Telefon und wählte Magdalenas Nummer. Sie hatte sie im Kopf.

»Mohr.«

»Hallo, Magdalena, hier ist Alexandra. Passt es jetzt?«

Statt einer Antwort kam nur ein tiefer Schluchzer aus dem Hörer, Alexandra nahm einen großen Schluck Wein und setzte sich in den Schneidersitz. Jetzt musste sie sich noch mal konzentrieren.

»Magdalena. Was ist denn los? Kannst du darüber reden?«

»Ich weiß nicht … ja … Ach, es ist alles so furchtbar.«

Alexandra hielt das Telefon weg vom Ohr, bis Magdalena

sich zu Ende geschnäuzt hatte. Sie wartete noch einen Moment, dann fragte sie geduldig: »Dennis?«

Ein lautes Schluchzen war die Antwort, Alexandra erhob sich langsam, um einen Blick auf das Huhn zu werfen. Es sah gut aus. Sehr gut sogar. Und roch noch besser.

»Er hat gesagt … er hat … er ist zu einem Freund … und wie soll ich denn jetzt … ich kann nicht …«

So wie es sich durchs Telefon anhörte, hatte Magdalena sich komplett verflüssigt. Klang alles mal wieder hochdramatisch. Alexandra griff zu ihrem Weinglas. »Erzähl mal in aller Ruhe«, sagte sie mit ihrer sanftesten Stimme. »Von Anfang an.«

Dieses Gespräch fand so oder ähnlich im Schnitt alle halbe Jahre statt. Magdalena schrieb Liebesromane, einen nach dem anderen, sie war Mitte vierzig, Tochter einer Französin und eines Bayern und hatte mittlerweile zehn Romane veröffentlicht, alle mit großem Erfolg. Von ihren Leserinnen wurde sie geliebt, weil sie so »authentisch« war, ein absoluter Modebegriff, fast so schön wie die »unaufgeregte Speisekarte«, fand Alexandra. Wie anders als »authentisch« sollte sie denn auch sein? Magdalena schrieb ja immer nur ihre eigenen Liebesgeschichten, ihre eigenen Sehnsüchte, ihre eigenen Krisen. Es ging immer um Frauen in Magdalenas Alter, sie hatten immer schwierige Mütter, waren immer auf der Suche nach der großen Liebe, es gab immer einen Todesfall und eine Hochzeit, und zum Schluss putzte die Leserin sich die Nase und seufzte glücklich. Wenn man Magdalena erlebte, war man allerdings verblüfft, dass diese durchgeknallte Person die Erfinderin solcher Liebesgeschichten war. Aber sie war es. Und sie schrieb am besten, wenn sie verzweifelt war. Und das war sie oft. Der Grund hieß Dennis und war ihr On-off-Freund. Alexandra hatte es nie verstanden. Dennis war ein etwas schlicht gestrickter, eher durchschnittlich aussehender, meist ungehobelter Mann, der seit zwölf

Jahren das Objekt von Magdalenas Begierde war. Was sie in ihm sah, war schwer zu begreifen. Er war fünf Jahre jünger als Magdalena, jobbte als Taxifahrer, Türsteher oder Pizzafahrer, und wenn sein Geld nicht reichte oder er eine Zeitlang nicht mehr arbeiten wollte, zog er wieder bei Magdalena ein. Dann war sie glücklich, schrieb wenig, weil sie es vorzog, neben ihm aufs Sofa gekuschelt Serien zu schauen. Nach wenigen Wochen reichte ihm dann wieder die Zweisamkeit, es gab Krach, er zog zu einem Freund, Magdalena bekam Weinkrämpfe, ging erst zu ihrer Therapeutin und verkündete dann eine Schreibblockade. Dann blieb sie einige Tage heulend im Bett, bis sie Alexandra anrief. Die hatte anfangs noch nach Lösungen gesucht, Abgabe-termine verschoben oder war hingefahren zum heulenden Elend, das machte sie heute schon gar nicht mehr. Es war nicht nötig. Irgendwann setzte Magdalena sich wieder an den Com-puter, um ihren geballten Frust in die Tasten zu hauen. Das waren die Zeiten, in denen sie ihre besten Kapitel schrieb.

Und genauso wäre es auch dieses Mal. Alexandra kannte das ja alles schon so gut.

»Er hat … gesagt, ich lasse ihm … gar keine Luft.« Magda-lena zog hörbar die Nase hoch. »Als wenn das stimmen würde. Er … er kann doch machen, was er will. Das ist mir doch egal. Aber, Alexandra … ich kann jetzt nicht schreiben. Ich bin nicht in der Lage, mich in eine Frau hineinzuversetzen, die auf ihren Liebsten wartet. Alles erinnert mich an … Dennis, ich sehe im-mer sein Gesicht, ich halte das nicht aus.«

Alexandra wartete, bis das Schluchzen leiser wurde. Dann sagte sie sanft: »Magdalena. Das geht doch jetzt schon seit Jah-ren so. Und du hast es ihm immer wieder gezeigt. Dass du es auch alleine schaffst. Und das machst du jetzt auch. Schreib dir deinen Kummer von der Seele. Schreib ein Kapitel, in dem eine Frau im Bus sitzt, und plötzlich sieht sie den Mann, den sie immer geliebt hat, mit einer anderen. Beschreibe diese Gefühle, dieses Leid, beschreibe ...«

»Er hat aber keine andere.« Magdalena schrie es fast. »Wie kommst du darauf? Wieso ...«

»Magdalena, ich habe ja nicht gesagt, dass *du* die Frau im Bus bist. Fühl dich in sie ein. Es ist doch egal, woher der Kummer, die Verzweiflung kommt, aber du spürst jetzt so ein Gefühl. Schreib es auf, lass deine Leserinnen mit dir leiden, das wollen sie. Deine Hauptfigur ist purer Schmerz und Verzweiflung. Sie liebt, sie hasst, sie sehnt sich, bespiel die ganze Tastatur. Du kannst das. Gerade in diesem Moment. Du musst nur anfangen.«

Das Schluchzen am anderen Ende wurde leiser, bis die Tränen versiegten. Alexandra stand langsam auf und ging zur Küchenzeile, wo die Rotweinflasche stand, und schenkte sich ein zweites Glas ein. Langsam stieg er ihr zu Kopf, sie müsste mal was essen. Die Backofenuhr zeigte noch eine halbe Stunde, sie würde schon mal anfangen, das Gemüse vorzubereiten. Das Handy zwischen Ohr und Schulter geklemmt, begann sie, die Karotten zu putzen.

»Wie soll denn die andere Frau heißen?« Magdalenas Stimme war zwar noch ganz zittrig von den Tränen, doch langsam schaltete sich ihr Hirn wieder dazu. »Meine Heldin heißt Lisa. Das wäre dann die, die im Bus sitzt. Wie findest du den Namen Lena? Nein, das wäre zweimal L. Oder Marie? Wie findest du Marie?«

Alexandra rutschte mit dem Messer ab und schnitt sich in den Finger. Sie ließ die Karotte fallen und riss ein Stück Küchentuch ab, das sie um die blutende Stelle wickelte. »Marie?«, fragte sie nach, dann machte sie eine kleine Pause. »Kannst du machen. Oder Nina. Ist auch schön. Und jeder kennt eine Nina.«

In diesem Moment fiel ihr ein, dass sie vergessen hatte, ihre Schwester zurückzurufen. Warum dieser Gedanke jetzt kam, wusste sie nicht. Und zu spät war es inzwischen sowieso.

»Ja, Nina, das ist gut.« Alexandra konnte Magdalena direkt vor sich sehen, wie sie bereits in die Geschichte tauchte. »Ein guter Name für eine Affäre. Danke, Alexandra, ich melde mich morgen noch mal, okay? Ich wünsche dir einen schönen Abend.«

Sie hatte aufgelegt. Verblüfft legte Alexandra den Hörer weg und wickelte das Küchentuch von ihrem verletzten Finger. Es blutete kaum noch, sie hielt den Finger unter den Wasserhahn und trocknete ihn anschließend ab. Nur ein ganz kleiner Schnitt. Aber sichtbar. Sie nahm das Messer und legte es gleich wieder zur Seite. Das Huhn war in zwanzig Minuten fertig. Sie hatte keine Lust mehr, Gemüse zu putzen, Brot als Beilage ging doch auch. Nachdenklich biss sie von der Karotte ab, nahm ihr Weinglas und schlenderte zu ihrem Handy. Sie nahm es in die Hand, gab die PIN ein, sah nach, ob SMS eingegangen waren. Keine. Nicht eine einzige. Ruhig legte sie das Handy wieder hin, ging zurück zum Backofen und stellte ihn aus. Dann zog sie eine Schublade auf und schob ein paar Servietten zur Seite. Ganz hinten fand sie eine Schachtel Zigaretten. Über dem Stuhl neben der Terrassentür hing ein großer Pashmina-Schal. Sie warf ihn sich um, griff nach den Streichhölzern und schob die Glastür auf. Neben der Tür stand eine leere Wasserkiste. Sie kauerte sich darauf, zündete die Zigarette an, hob das Weinglas und sah in den Himmel. Magdalena und ihre Scheißliebesgeschichte. Sie hatte doch keine Ahnung. Sie konnte einfach nicht allein sein, das war alles. Mit Liebe hatte das überhaupt nichts zu tun. Allein schon der empörte Aufschrei: »Er hat aber keine andere!« Als wenn das so absurd wäre. Die Tränen brannten plötzlich in ihrem Hals, mit aller Kraft schluckte

Alexandra sie runter. Sie wollte heute Abend nicht heulen. Nicht wegen dieser Scheißliebesgeschichte. Im Gegensatz zu Magdalena war sie nicht hysterisch. Sie behielt ihre Würde. Um jeden Preis. Wie zur Bestärkung meldete ihr Handy in diesem Moment eine eingetroffene SMS. Und sofort sprang Alexandra auf, um die PIN einzugeben. Irgendwann, schwor sie sich, irgendwann würde sie ihn mit einer Antwort warten lassen.

Weißenburg in Norddeutschland
Derselbe Tag

Jule

»Also, Frau Hartmann-Adler, dann sehen wir uns nächsten Mittwoch«, Jule gab ihrer Patientin die Hand und schob ihr den Terminzettel über den Tresen. »Und versuchen Sie sich die Zeit zu nehmen, die Übungen wenigstens einmal am Tag zu machen.«

»Ich bemühe mich.« Frau Hartmann-Adler sah sie resigniert an und steckte den Zettel in ihre Handtasche. »Bis Mittwoch. Tschüss.«

»Ja, Tschüss.« Jule sah ihr stirnrunzelnd nach, als Tina aus dem zweiten Behandlungsraum kam und sich neben ihre Chefin stellte. »Ist was? Du guckst so kritisch.«

»Echt«, Jule schüttelte den Kopf. »Sie quält sich durch die Physiotherapiestunden und anschließend hängt sie sich ihre Zwanzig-Kilo-Tasche über die lädierte Schulter. Und wundert sich, dass alles verspannt ist. Die macht mich echt wahnsinnig.«

»Hast du ihr nicht gesagt, dass sie einen Rucksack benutzen soll? Um die Schulter zu entlasten?«

»Natürlich, was denkst du denn? Gleich in der ersten Stunde. Aber sie findet Rucksäcke unsexy. Und kann sich ein schlechtes Styling nicht leisten, ihr Mann sei schließlich Sparkassenchef.«

»Das hat sie nicht gesagt!« Tina riss die Augen auf. »Das mit dem Sparkassenchef.«

»Nein.« Jule lachte und setzte sich auf den Stuhl hinter der Rezeption. »Das hat sie nur gedacht. Aber darauf könnte ich wetten. So, wer kommt denn als Nächstes?«

Bevor sie im Terminkalender nachsehen konnte, klingelte das Telefon. »Physio-Team am Markt, mein Name ist Jule Petersen, was kann ich für Sie …?«

»Mama, sag mal, kann ich morgen Abend den Bus leihen? Wir fahren auf ein Konzert nach Lübeck, und Monas Auto ist verreckt. In meine kleine Kiste kriege ich nur vier Leute, wir sind aber zu fünft.«

»Hallo, mein Schatz. Geht das auch mit einer höflichen Einleitung?«

»Ja, doch, also noch mal: Hallo, Mama, hier ist deine Tochter Pia, hättest du die unendliche Güte, mir morgen Abend deinen wunderbaren und vor allen Dingen sehr geräumigen VW-Bus zu leihen, weil wir zu fünft auf ein Konzert nach Lübeck fahren wollen und in meine Dreckskiste nur vier dünne Leute passen?«

Jule dachte einen Moment nach. »Morgen? Und wann willst du den Bus abholen? Ich muss morgen Vormittag in die Stadt, ich habe um elf Uhr einen Arzttermin. Und wollte danach noch einkaufen. Vor zwei bin ich nicht zu Hause.«

»Das ist blöd. Ich habe bis halb drei Uni. Wenn ich zuerst noch zu dir fahre und dann die anderen abhole, wird das zu spät. Wir wollten vorher noch essen gehen. Dann komme ich heute Abend vorbei und wir tauschen die Autos. Das ist am einfachsten.«

»Pia, ich habe doch noch gar nicht ja gesagt. Dann muss ich mit deiner, wie sagtest du so richtig, Dreckskiste in die Stadt?«

»Ich sauge die Karre noch aus. Das schaffst du schon. Bis heute Abend. Gegen sieben? Dann komme ich zum Essen. Danke, Mama, bis später.«

»Warte mal, ich …« Pia hatte schon aufgelegt, Jule ließ den Hörer kopfschüttelnd sinken. Jetzt musste sie auch noch irgendetwas zum Abendessen einkaufen, sie hatte nur noch Reste im Kühlschrank. Sie fuhr mit dem Finger über die eingetragenen Termine im Kalender. Der letzte Patient kam um 17.30 Uhr, das könnte sie schaffen. Auch wenn die Lebensmittelmärkte hier in diesem Vorort nicht so lange offen hatten wie die Supermärkte bei ihrer Tochter in Hamburg. Es würde gerade noch so klappen.

»Möchtest du einen Cappuccino?« Tina kam mit einer dampfenden Tasse aus der kleinen Teeküche, Jule sah sie erfreut an.

»Gern. Du kannst Gedanken lesen.«

Tina reichte ihr die Tasse und beugte sich über den Tresen.

»Und? Was wollte Pia? Warmes Essen und Geld?«

»Nein.« Jule ließ den Löffel durch den Milchschaum kreisen. »Warmes Essen und den Bus. Von Geld war noch keine Rede.«

Tina grinste. »Du lässt dich von ihr so dermaßen um den Finger wickeln. Warum machst du das?«

»Weil sie mein Kind ist?« Jule sah Tina an. »Und weil sie einen Kopf größer ist als ich? Außerdem sehe ich sie im Moment kaum, ich finde es ganz schön, wenn sie mal vorbeikommt. Das mit dem Kopf größer war ein Witz. Nicht, dass du dir Gedanken machst.«

»Sie ist sogar mehr als einen Kopf größer als du«, korrigierte Tina. »Und niemand käme auf die Idee, dass sie deine Tochter ist. Ihr seht euch überhaupt nicht ähnlich. Pia sieht aus wie ein spanisches Fotomodell und du wie eine kleine Schwedin. Schwarze lange Haare und braune Augen gegen blonde Locken, blaue Augen und Sommersprossen. Es gibt überhaupt keine Ähnlichkeit.«

»Tja«, achselzuckend trank Jule ihren Cappuccino aus und stand mit der Tasse in der Hand auf. »Ich war bei der Geburt dabei, sie fand zu Hause statt, weil es so schnell ging, also kann das Kind noch nicht mal im Krankenhaus verwechselt worden sein. Kleine blonde Frauen kriegen durchaus auch mal große dunkle Kinder.« Sie durchquerte den Raum und ging in die Teeküche, an der Tür drehte sie sich noch mal um. »Pia sieht aus wie die Schwester von Philipp. Von mir hat sie den guten Charakter.«

Die Tür ging auf, und die nächste Patientin kam herein. Jule trat einen Schritt zurück und lächelte ihr entgegen. »Hallo, Frau Becker, Sie können gleich durchgehen, der zweite Raum links ist unser. Ich komme sofort.« Sie stellte die Tasse und den Teller in die Geschirrspüle und kam wieder zur Rezeption. »Danke für den Cappuccino, ich gehe dann mal massieren.«

Tina sah ihr nach. Jule wirkte immer noch wie ein Mädchen: zierlich, durchtrainiert, die wilden blonden Locken zu einem lässigen Knoten gebunden. Normalerweise trug sie kaum Make-up, so dass einem sofort die Sommersprossen auffielen. Sie hatte tatsächlich schwedische Gene. Ihre schwedische Großmutter hatte einen Hamburger Hafenarbeiter geheiratet. Ihre Enkel, Jule und ihr Bruder Lars, sahen beide skandinavisch aus. Und anscheinend wurden Schweden nicht älter. Neidlos dachte Tina, dass sie viel darum geben würde, mit Mitte fünfzig noch so auszusehen wie ihre Chefin. Das würde ihr vermutlich nicht gelingen. Umso ärgerlicher war es, dass Jule nichts daraus machte.

Noch immer in Gedanken hörte sie das Telefon klingeln, nach dem dritten Läuten nahm sie endlich ab. »Physio-Team am Markt, Sie sprechen mit Tina Witt, was kann ich für Sie tun?«

Der Supermarkt war kurz vor Ladenschluss knallvoll. Jule stöhnte leise, als sie die ersten Gesichter erkannte. Einige waren Patienten von ihr, die meisten von ihnen Rentner. Sie hatten den ganzen Tag Zeit, warum mussten sie bitte jetzt ein-

kaufen gehen? Weil sie so lange Mittagsschlaf machten? Jule
schob den Einkaufswagen durch den Gang und kam keine zehn
Meter weit. Am Kühlregal vor der Butter stand Gesine Müller
und winkte ihr sofort zu. »Hallo, Jule, na, auch einkaufen kurz
vor Schluss?«

Das fehlte ihr auch noch. Smalltalk mit Gesine Müller. Und
schon ging es los: »Wir haben uns ja ewig nicht gesehen. Wie
geht es der Familie?«

»Danke«, Jule lächelte nur so viel, wie ihre anerzogene Höf-
lichkeit es befahl. Sie kannte Gesine seit der Grundschule und
hatte sie von Anfang an nicht leiden können. Gesine, die Angeberin. Früher hatte sie mit ihrem Vater geprotzt, der Geschäfts-
führer einer großen Reederei in Hamburg gewesen war. Und
als sie zu alt war, mit ihrem Vater zu punkten, hatte sie sich den
besten Typen der Schule gekrallt und mit dem angegeben.
Ihren Christian. Jule hatte nie verstanden, warum gerade Gesine ihn bekommen hatte. Inzwischen hatte Christian Geheimratsecken, aber Gesine war immer noch dieselbe Angeberin.
Tolle Ehe, toller Sohn, tolles Haus. Jule durchfuhr der Wunsch,
ihr kurz mit dem Einkaufswagen über die Lackballerinas zu
fahren. Stattdessen lächelte sie weiter und antwortete höflich:
»Alles gut. Ich bin im Moment etwas eilig, Pia kommt gleich
zum Essen, und ich habe nichts im Kühlschrank.«

»Wie geht es denn Pia? Ist sie noch in Hamburg? Ich glaube,
ich habe sie vor einem Jahr das letzte Mal gesehen, die Zeit
rennt aber auch.«

Jule verlagerte ihr Gewicht aufs andere Bein und heftete den
Blick auf das Kühlregal hinter Gesine. »Ja. Und es geht ihr gut.
Danke. Du, ich müsste jetzt mal …«

»Sie ist ja auch eine Hübsche. Hat sie eigentlich einen
Freund?« Es gab kein Entrinnen. »Ich weiß ja nicht, wie es dir
geht, aber ich fand es ganz komisch, als unser Patrick ausgezo-

gen ist. Da muss man sich doch als Mutter auch erst mal dran gewöhnen. Nach Jahrzehnten Mittagkochen, Aufräumen, Fahrdiensten und Waschen hatte ich auf einmal jede Menge Zeit. Am Anfang wusste ich gar nicht, was ich damit anfangen soll. Aber dann hat Christian mir einen Schnupperkurs in der Yogawerkstatt geschenkt. Und da gehe ich jetzt zweimal die Woche hin, das macht Spaß. Hast du nicht auch Lust?«

Jule bemühte sich, das Bild der pummeligen Gesine im neonfarbenen Yogaanzug aus dem Kopf zu bekommen. »Ich spiele zweimal die Woche Tennis, das reicht mir.«

»Ah ja«, Gesines Lippen wurden zu einem schmalen Strich. »Hat Pia einen Freund?«

»Keine Ahnung«, Jule hob die Schultern. »Vor zwei Wochen gab es jedenfalls niemanden.«

Gesine sah sie erstaunt an. »Wie? Du weißt das nicht? Also, Patrick hat eine Freundin. Eine ganz nette. Das ist was Ernstes.« Sie lächelte und nahm die Hand vom Einkaufswagen, um sich durch die Haare zu streichen. Jule schob ihn sofort aus ihrer Reichweite.

»Das ist schön«, antwortete sie und griff hinter Gesines Rücken zu einem Paket Butter. »Du kannst Christian bitte daran erinnern, dass er sein Rezept für die Massagen noch einreichen muss. Das hat er bisher nicht getan. Also, bis bald mal.« Sie warf die Butter in den Wagen und rangierte elegant an Gesine vorbei.

Die nickte und entgegnete schmallippig: »Und du grüß Pia.«

»Gerne«, Jule lächelte übertrieben und beeilte sich, aus der Gefahrenzone zu gelangen. Was für eine blöde Ziege, dachte sie, während sie den Wagen durch die Gänge schob. Sie schüttelte den Kopf und konzentrierte sich wieder auf die Überlegung, was sie für ihr Kind kochen wollte.

Jules Haus lag gut zwanzig Kilometer von der Praxis entfernt. Als sie damals zur Besichtigung hingefahren waren, hatte Jule sich schon in den Weg dorthin verliebt. Die erste Besichtigung war im Mai gewesen und Jule begeistert von dem strahlenden Gelb der Felder, dem zarten Grün der Kastanien und dem blauen Wasser im Kanal. Bereits während der Fahrt hatte sie gedacht, dass nur eine totale Bruchbude sie von dem Vorhaben, hier in der Nähe ein Ferienhaus zu kaufen, abbringen könnte. Es war ganz und gar keine Bruchbude, vor der die Maklerin sie empfing, sondern ein kleines, weißes, reetgedecktes Haus, das inmitten eines nicht einsehbaren großen Gartens lag. Darin blühten jede Menge Rosen, alte Obstbäume, ein Meer von Gänseblümchen. Jule dachte sofort an Bullerbü und war auf der Stelle schockverliebt. Vom Garten ging man durch eine windschiefe Pforte auf einem schmalen Weg direkt zum Kanal. Jule sah sich heute noch am Ufer stehen, und sie konnte jederzeit den unbändigen Wunsch von damals heraufbeschwören, dieses kleine Haus zu besitzen und in lauen Sommernächten mit einem Glas Wein in der Hand und den nackten Füßen im Wasser in den Sternenhimmel zu sehen.

Sie parkte den Bus neben dem Schuppen und stellte den Motor aus. Hätte man ihr damals gesagt, dass sie nicht nur in lauen Sommernächten am Kanal sitzen würde, sondern seit mittlerweile fast zwanzig Jahren hier lebte, hätte sie es nicht geglaubt. Außerdem wäre das romantische Gefühl von damals wohl relativ schnell verflogen: Bullerbü war im Sommer ein Traum, in kalten Herbst- und Winternächten aber verlor es seinen Zauber. Dennoch: Jule liebte dieses Haus, auch wenn Pia das überhaupt nicht verstehen konnte.

»Davon abgesehen, dass es am Ende der Welt liegt, Mama, dass man für jedes Brötchen, für jedes Bier ins Auto steigen muss, ganz abgesehen davon zieht es hier aus allen Ecken, die

Heizung gibt bald ihren Geist auf, und wenn du hier ermordet wirst, dauert es Jahre, bis dich jemand findet. Warum verkloppst du diese Hütte nicht und nimmst dir eine schicke Wohnung in der Nähe der Praxis. Allein schon die Fahrerei ...«

Pia hatte es immer gehasst, keine einzige Freundin mit dem Fahrrad besuchen zu können. Immer musste ihre Mutter sie hinbringen. Es gab zwar einen Bus, der ab und zu fuhr, aber die Betonung lag tatsächlich auf »ab und zu«. Für spontane nachmittägliche Verabredungen lebten sie zu weit ab vom Schuss. Und während Pia in ihren Teenagerjahren das Haus, ihre Mutter und die Fahrpläne des öffentlichen Nahverkehrs verfluchte, blieb Jule gelassen und machte den Fahrdienst. Sie wollte hier nicht weg, schon gar nicht wegen einer rebellierenden Tochter, die sowieso irgendwann ausziehen würde. Also hielt sie durch, bewahrte ihren Gleichmut und kutschierte ihr Kind durch die Gegend. Sobald Pia alt genug geworden war, den Führerschein zu machen, meldete Jule sie in der Fahrschule an. Das Auto bezahlte Philipp, er hatte Geld genug und ein grenzenlos schlechtes Vatergewissen, schließlich hatte er die Familie verlassen. Mit seinen Spendierhosen glaubte er vielleicht, sich ein wenig Absolution erkaufen zu können. Vor dem Kind hatten Philipp und sie das nie diskutiert.

Jule schloss die Tür auf und stellte die braunen Papiertüten an der Küchentür ab. Bevor sie die Jacke auszog, drückte sie auf den Knopf des Anrufbeantworters.

»Hey, Schwesterherz, hier ist Lars. Sei doch so gut und ruf mich mal zurück. Es geht um die Hochzeit deiner Nichte. Laura und ihr Zukünftiger haben jetzt alles so weit organisiert, vielleicht können wir mal darüber sprechen. Ansonsten ist hier alles noch entspannt, bis später.«

Piep.

»Hallo, Jule, Kerstin hier, du, wir treffen uns am Samstag um halb elf am Vereinsheim. Du spielst das erste Einzel und danach Doppel mit Eva, wie besprochen. Und wenn du noch einen Kuchen backen könntest, wäre das super. Irgendwas Trockenes, muss keine Torte sein, also, bis Samstag, Tschüss.«

Keine weiteren Nachrichten. Restspeicherzeit 52 Minuten.

Jule bückte sich nach den Tüten, trug sie in die Küche und hievte sie auf die Arbeitsplatte. Sie würde Pizza machen und mit dem Belag warten, bis Pia da war. Sie war nicht nur ahnungslos, was Pias Beziehungsstatus anging, sie hatte auch keine Ahnung, wovon sie sich gerade ernährte. Beim letzten Mal hatte sie nur Eiweiß gegessen. Das Mal davor nur Getreide. Weihnachten war sie vegan gewesen, Ostern hatte sie sich Lamm gewünscht. Jule war gespannt.

Sie streifte sich die Schuhe von den Füßen und ging auf Strümpfen zur Terrassentür, um sie zu öffnen. Das hatte sie sich schon als Kind gewünscht, eine große Küche, durch die man in den Garten gehen konnte. Und die hatte sie jetzt. Vor zwei Jahren hatte sie den Umbau endlich in Angriff genommen, gleich nachdem Pia ausgezogen war. Die Wand zwischen Küche und Wohnzimmer war eingerissen worden, jetzt bestand die ganze untere Etage aus einem einzigen Raum, was Jule jeden Tag begeisterte. Es war genauso geworden, wie sie es sich immer vorgestellt hatte. Ob es das Bild von Bullerbü war oder ihre schwedischen Gene, blieb dahingestellt, das Ergebnis passte. Eine große Wohnküche, in deren Zentrum ein überdimensionaler Esstisch für jede Menge Gäste stand. Rechts eine hochmoderne Küchenzeile, Regale voll buntem Geschirr, hübsche Tassen am Haken, ein alter Küchenschrank, helle Flickenteppiche auf dem honiggelben Holzboden, links ein altes Sofa, Ohrensessel mit gelben und blauen Kissen, der Fernseher, ein blauweißer Kachelofen, an den Wänden zahllose gerahmte Fotos – das Haus war durchsetzt von Erinnerungen. Pia fand dieses Zimmer viel zu voll und viel zu bunt, Jule solle doch endlich mal anfangen, Klarheit in ihr Leben zu bringen, sie selbst würde durchdrehen, wenn sie zwischen diesem ganzen Zeug leben müsste. Jule hatte gelächelt und gesagt, dass sie dann ja Glück habe, nicht mehr hier zu wohnen, sie selbst liebe es genau so, wie es war.

Jule blieb noch einen Moment in der geöffneten Terrassentür stehen und sah in ihren Garten. Noch ein paar Wochen, und alles würde hier wieder blühen. Sie freute sich auf den Sommer und Bullerbü. Zufrieden trat sie zurück in die Küche und begann, ihre Einkäufe auszupacken. Ihr Leben war gar nicht so schlecht.

Natürlich kam Pia wieder zu spät. Jahrelang hatte Jule sich über ihre trödelige Tochter aufgeregt, die es nie hinbekam, rechtzeitig und ohne Hektik eine Verabredung einzuhalten. Irgendwann hatte Jule es aufgegeben und Pia zu wichtigen Terminen eine Stunde vorher bestellt. Das hatte eine Zeitlang ganz gut geklappt, bis Pia es gemerkt hatte. Jetzt musste sie sich eine andere Strategie überlegen oder – wie immer – warten. So wie heute.

Jule wischte abschließend über die Arbeitsplatte und musterte das Blech mit dem Hefeteig, auf dem sie bislang nur die Tomatensauce verstrichen hatte. Es war mittlerweile zwanzig vor acht, als das Telefon klingelte.

»Mama? Ich bin's, du, ich verspäte mich ein bisschen, die ganze Stadt ist ein einziger Stau gewesen, ich kam kaum raus. Nur dass du Bescheid weißt.«

»Du bist jetzt schon vierzig Minuten zu spät, Pia.« Jule warf den Wischlappen in die Spüle. »Fahr doch einfach mal rechtzeitig los, das geht mir echt auf die Nerven. Ich habe mich auch beeilt.«

»Entspann dich, ich bin in einer Viertelstunde da.«

»Entspannen! Also wirklich. Ich habe übrigens Pizza gemacht, jetzt sag bitte nicht, dass du die nicht isst.«

»Doch, doch. Aber nicht so viel Käse. Und keine Zwiebeln und kein Paprika, keine Peperoni und keine Oliven. Ach, und Thunfisch nur, wenn er tierfreundlich gefangen ist.«

Jule verdrehte die Augen. »Salami? Pilze? Schinken?«

»Ja, egal, meinetwegen. Ich muss aufhören, meine Freisprechanlage ist kaputt und da vorn steht die Polizei, bis gleich.«

»Was denn jetzt?« Jules Frage lief ins Leere, Pia hatte sie schon weggedrückt.

Regungslos beobachtete Jule kurz darauf ihre Tochter, wie sie hochkonzentriert und äußerst effektiv sämtliche Champignons von ihrem Pizzastück pickte und ordentlich auf den Tellerrand legte. Dabei redete sie ununterbrochen. »Hanna war sich aber sicher, dass der Außenspiegel in Ordnung war, als sie ins Parkhaus gefahren ist, sie hätte noch an der Schranke beim Ticketziehen reingeguckt, da war noch alles okay, und erst als sie vom Shoppen zurück war, hat sie gesehen, dass der auf halb acht hing. Das muss der Arsch auf dem Parkplatz neben ihr gewesen sein, das ist doch Fahrerflucht, echt, eine Sauerei, aber Hannas Mutter macht jetzt einen riesen Stress.« Sie schob ein champignonfreies Stück Pizza in den Mund und sah Jule kauend an. »Ist was?«

»Ist was mit den Pilzen?«

Pia folgte ihrem Blick und schob angewidert mit der Gabel die aussortierten Champignons noch weiter zur Seite. »Ich finde sie fies. Willst du die?«

»Fiese Pilze?« Jule schüttelte den Kopf und griff zu ihrem

Wasserglas. »Herzlichen Dank. Ich habe dich aber vorhin gefragt, was auf die Pizza drauf soll. Und ich habe auch Pilze genannt. Und du hast gesagt, egal, meinetwegen. Ich hasse dieses Rumstochern im Essen. Das hättest du doch vorhin auch schon sagen können. Dann hätte ich mir die morgen gemacht und müsste sie heute nicht wegschmeißen.«

Pia ließ ihr Besteck sinken. »Ach, Mama, du bist so unentspannt. Was ist denn los? Es sind doch nur Pilze.«

»Es sind …«, Jule schloss sofort den Mund und schluckte alle weiteren Argumente runter. Das war genau die Art von Gespräch, die sie selbst als Jugendliche mit ihrer Mutter geführt und immer gehasst hatte. Damals hatte sie sich geschworen, niemals, wirklich niemals und unter gar keinen Umständen später mit ihrem eigenen Kind diese Diskussionen zu haben. Und jetzt, Jahre später, kamen die Sätze und Gedanken fast von selbst. Und leider schaffte sie es nicht immer, die Worte runterzuschlucken, bevor sie sich Bahn brachen. Wahrscheinlich schaffte das niemand, es sei denn, man war eine Heilige, die ihr Kind durchgehend großartig fand. Oder das Kind war ein heiliges, das durchgehend großartig war. In ihrem Fall traf keines von beiden zu.

Pia sah sie immer noch fragend an. »Es sind was?«

»Nichts.« Entschlossen legte Jule ihr Besteck auf den Teller und lehnte sich zurück. »Gar nichts. Willst du noch Nachtisch? Ich habe Eis in der Truhe.«

»Nein danke. Lieber einen Kaffee.«

»Jetzt noch? Kannst du danach schlafen?« Als sie Pias Gesichtsausdruck sah, winkte sie sofort ab. »Schon gut. Milchkaffee oder Espresso?«

»Milchkaffee.«

War klar, dachte Jule, während sie die Teller auf die Spüle stellte. Ein Arbeitsgang mehr. Aber Mutti machte den ja.

Sie blieb an die Küchenzeile gelehnt stehen und wartete darauf, dass es in der Espressokanne anfing zu blubbern. Pia saß gelassen am Esstisch, das Smartphone in der Hand, und wickelte eine Haarsträhne um den Finger. Plötzlich schüttelte sie den Kopf und hielt Jule das Gerät hin. »Hast du schon das Foto von Laura gesehen? Das ist echt unterirdisch.«

Jule trat näher und nahm das Handy in die Hand. Auf dem Display ein Bild ihrer Nichte Laura. In zartrosa Spitzennachthemd, die blonden Locken unter einem Blumenkranz, die Augen geschlossen, die Lippen zu einem Kussmund geformt. Darunter der Satz: »Die Hochzeitsglocken läuten …«

»Wie grauenhaft.« Jule schüttelte den Kopf. »Was ist das denn?«

Achselzuckend nahm Pia ihr das Smartphone wieder aus der Hand und starrte darauf. »Ihr neues Profilbild bei Facebook. Was meinst du, wie viele Likes sie dafür bekommt!«

»Das Bild könnte aus den Siebzigerjahren stammen, so sieht doch heute niemand mehr aus.« Jule war immer noch fassungslos. »Sie macht sich doch lächerlich.«

Der Espresso brodelte, aus der Kanne strömte der Dampf, mit wenigen Schritten war Jule wieder am Herd und stellte die Platte aus. »Ach so, du wolltest ja Milchkaffee.«

Pia gab keine Antwort, also füllte Jule die Milch in das Aufschäumgerät und drückte auf den Knopf, bevor sie sich wieder umdrehte. »Übernachtest du nach der Hochzeit auch im Hotel, oder fährst du nachts wieder zurück?«

Pia atmete tief aus, legte das Telefon auf den Tisch und sah ihre Mutter genervt an. »Ich habe überhaupt keinen Bock, da hinzugehen. Das wird eine solche Spießernummer, ich kriege schon Pickel, wenn ich mir das vorstelle. Ich überlege mir schon seit Tagen eine gute Ausrede.«

Die Milch war heiß, Jule füllte die Tasse und kam damit zurück an den Tisch. »Bitte«, sagte sie beim Abstellen und setzte sich Pia gegenüber. »Du kannst aufhören zu überlegen, du kommst mit. Laura ist deine Cousine, ich habe uns schon angemeldet, es ist ein Familienfest, da musst du durch. Tut mir leid, aber das Leben ist manchmal ungerecht.« Sie betrachtete ihre schöne Tochter, die selbst mit gekrauster Stirn umwerfend aussah. »Da musst du nicht so ein Gesicht machen. Es hilft nichts. Hey, es ist nur eine Hochzeitsfeier.«

»Ich weiß.« Pias Gesichtszüge entspannten sich, sie lächelte leicht, stützte das Kinn auf die Faust und richtete die großen braunen Augen auf ihre Mutter. »Aber ich sag es dir, es wird grauenhaft. Ich habe mich Montag mit der Brautschwester getroffen. Katharina hat mir die Details der Hochzeit erzählt, ich habe den totalen Lachkrampf bekommen. Kennst du schon den Ablauf?«

»Nein.« Jule schüttelte den Kopf. »Aber da fällt mir ein, dass Lars auf den Anrufbeantworter gesprochen hat, wahrscheinlich wollte er mir das erzählen. Der aufgeregte Brautvater.«

»Der ist nicht aufgeregt. Genauso wenig wie Katharina oder Tante Anja. Die Einzige, die durchgeknallt ist, ist unsere süße Laura. Die hatte nämlich einen Hochzeitsplaner. Weil ihre komische Schwiegermutter das so toll findet. Und deshalb gibt es jetzt eine Hochzeit wie bei Königs. Mit allem Drum und Dran: Kutsche, Kirche, Blumenkinder, weiße Tauben, lange Roben, Smoking, Sektempfang und Fünf-Gänge-Menü.«

»Das ist nicht dein Ernst?« Jule wusste zwar, dass das Ganze an der Ostsee stattfinden sollte, aber die Details waren ihr bislang schnuppe gewesen. »Ich dachte, das wird eine ganz normale Familienfeier.«

Pia grinste breit. »Katharina hat sich mit Laura schon in die Haare bekommen, weil Laura Brautjungfern in Pastell haben wollte. Das ist doch Hollywood, oder? Katharina hat abgelehnt, Fabians Schwester auch, zwei sind zu wenig, sagt der Hochzeitsplaner, deshalb sind die Jungfern gestrichen. Ich habe mich weggeschmissen vor Lachen.«

»Brautjungfern?« Jule war fassungslos. »Echt?«

»Ja«, Pia konnte nicht mehr ernst bleiben. »Ganz großes Kino. Es gibt ja auch eine Kleiderordnung. Herren in Smoking, Damen in Lang. Ich habe überhaupt kein langes Kleid. Und auch keine Lust, Geld dafür auszugeben.«

Jule beschloss, ihren Bruder anzurufen, sobald Pia weg war. Smoking und weiße Tauben, großer Gott.

»Papa kommt übrigens doch«, sagte Pia in Jules Gedanken hinein. »Er hat schon zugesagt.«

»Wann?«

»Keine Ahnung«, Pia hob die Schultern. »Er hat mir nur gesagt, dass er kommt. Und wollte wissen, was er als Hochzeitsgeschenk kaufen soll.« Sie warf ihrer Mutter einen vielsagenden Blick zu. »Ob Steffi mitkommt, weiß ich nicht. Ich glaube, die haben gerade wieder eine Krise. «

»Geld.« Jule überging die anderen Informationen. »Laura wünscht sich Geld. Für ihren Urlaub in Kanada. Wenigstens das weiß ich.«

»Das kann ich ihm ja sagen.« Pia trank den Kaffee aus und stellte die Tasse ab. »Dann kann ich auch gleich fragen, ob Steffi kommt. Vielleicht gibt es doch einen Lichtblick. Hast du irgendwas gehört?«

Jule erhob sich langsam, griff nach der Tasse und blieb einen Moment am Tisch stehen. »Dein Vater bespricht seine Ehekrisen eher selten mit mir. Was ziehst du denn jetzt an?«

»Das kommt darauf an, wer von euch beiden mir das Kleid sponsert.« Pia grinste. »Je mehr Geld, desto länger. Gehen wir zusammen einkaufen? Du brauchst bestimmt auch was Neues.«

Jule ging im Geist ihren Kleiderschrank durch und nickte zögernd. »Ja, vermutlich. Lass uns telefonieren, die Hochzeit ist ja erst im Mai. Möchtest du noch irgendwas?«

»Den Schlüssel und die Papiere vom Bully. Ich mach mich dann mal auf den Weg. Wann brauchst du den Bus zurück?«

»Übermorgen.« Jule sah sie an. »Ich fahre nicht länger als nötig mit deiner, wie nennst du sie? Dreckskiste. Also bitte übermorgen. Schlüssel und Papiere liegen auf dem Tisch in der Diele.«

»Okay.« Pia beugte sich runter, um Jule zu umarmen, sie war locker einen Kopf größer als ihre Mutter. »Danke für die Pizza, wir sehen uns übermorgen. Tschüss.«

»Tschüss.« Jule atmete den Pia-Geruch ein, einen der schönsten Düfte, die sie kannte. Sie ließ ihre Tochter los, als ihr noch etwas einfiel. »Wo sind deine Papiere? Und die Schlüssel?«

»Schlüssel steckt, und die Papiere klemmen hinter der Sonnenblende. Also, mach's gut.«

Jule hatte sie nach draußen begleitet, um Pias Autoschlüssel abzuziehen und den Wagen abzuschließen. Bullerbü hin oder her, man musste ja niemanden in Versuchung bringen. Sie blieb noch so lange vor der Haustür stehen, bis die Rücklichter nicht mehr zu sehen waren. Dann schloss sie langsam die Tür und ging zurück ins Haus. Weiße Tauben und Brautjungfern. Sie schüttelte den Kopf. Sie selbst hätte bei ihrer Hochzeit einen Anfall bekommen, wenn irgendjemand so etwas organisiert hätte. Sie hatte auch nicht kirchlich geheiratet. Stattdessen waren sie nach dem Standesamt mit der engsten Familie und Freunden in ihre Stammkneipe gegangen. Philipp konnte Familienfeiern nicht leiden, und sie selbst hatte damals noch die Krise mit ihrer Mutter und schon deshalb keine Lust auf dieses Heile-Welt-Getue.

Sie blieb vor einem Foto stehen: Philipp, Pia und sie während eines Urlaubs auf Kreta. Alle drei braungebrannt und fröhlich. Pia war damals vier, da war Jules Welt noch im Lot. Ihre Kollegin Tina hatte mal gesagt, dass Jule die einzige geschiedene Frau sei, die immer noch Fotos ihres Exmannes an der Wand hängen hatte. Jule hatte widersprochen. Die Bilder, auf denen Philipp allein oder nur mit ihr zu sehen war, hatte sie damals in langen Nächten voller Wut und Verzweiflung verbrannt. Nur die Familienbilder hatten überlebt, das war etwas ganz anderes. Sie hielt den Blick auf Philipp geheftet. Pia hatte seine Augen, groß, braun, schön, sowie den dunklen Teint. Er war genauso attraktiv wie seine Tochter, auch heute noch, obwohl die dunklen lockigen Haare langsam grau wurden und die schönen Augen mittlerweile eine Brille brauchten. Aber er hatte nichts, gar nichts mehr mit dem jungen Philipp zu tun, den sie so geliebt hatte, dass das Ende der Ehe sie fast umgebracht hätte.

Sie drückte ihren Rücken durch und ging entschlossen in die Küche. Sentimentales Zeug. Sie würde jetzt aufräumen, sich mit einem Tee in den Ohrensessel verziehen und ihren Krimi weiterlesen. Und sich freuen, dass sie nicht mehr 24 war, mit weißen Tauben und Brautjungfern heiraten musste und das ganze Elend noch vor sich hatte. Damit war sie durch. Die alten Zeiten, in denen sie im Gefühlswirrwarr kaum noch gewusst hatte, wo oben und unten war, hatten mit ihr gar nichts mehr zu tun. Jetzt war ihr Leben friedlich. Das dachte sie auch noch die nächsten zehn Minuten. Dann klingelte das Telefon.

Bremen
Derselbe Tag

Friederike

Sie überflog ein letztes Mal ihre Mail, nickte zufrieden und schickte sie ab. Ein ganzes Fernsehteam, vier Wochen, zweiundvierzig Zimmer, ein Sonderpreis, der gar nicht so besonders war, und kostenlose Werbung für das Hotel. Es lief doch. Friederike lächelte immer noch, als ihr Telefon klingelte. Gut gelaunt meldete sie sich: »Brenner.«

»Frau Brenner, hier ist Kathrin, ich bräuchte Ihre Hilfe.« Sie hatte ihre Stimme gesenkt.

»Um was geht es denn, ich habe eigentlich …«

»Frau Schubert steht schlecht gelaunt an der Rezeption und besteht darauf, Sie zu sprechen. Irgendwas mit ihrer Buchung hat nicht geklappt.«

»Marlene ist doch da. Wozu habe ich denn eine Stellvertreterin?«

»Frau Schubert will nur mit Ihnen sprechen.«

»Okay. Ich komme.«

Sie schlüpfte in ihr Jackett, griff nach dem Handy und verließ das Büro. Im Fahrstuhl zog sie die Lippen nach, warf einen abschließenden Blick auf die Spiegelwand und war mit dem, was sie sah, ganz einverstanden. Friederike gehörte nicht zu den Frauen, die mit ihrem Aussehen haderten. Zum einen, weil sie nicht besonders eitel war, zum zweiten, weil sie einfach

Glück hatte. Sie war groß, fast einen Meter achtzig, ihr rotbraunes Haar war zu einem exakten Bob geschnitten, sie hatte Busen und Hüften, manchmal drei, vier Kilo zu viel, aber insgesamt war sie sehr zufrieden. Sie war attraktiv genug, um bemerkt, aber nicht zu schön, um beneidet oder unterschätzt zu werden. Die Fahrstuhltür öffnete sich und gab den Blick auf die Rezeption frei. Friederike knipste ihr professionelles Lächeln an und ging mit langen Schritten auf die Gruppe zu, die sich vor ihr versammelt hatte.

»Guten Morgen, die Damen, Frau Schubert, wie schön, Sie zu sehen.«

Die Angesprochene fuhr sofort herum und reichte ihr anklagend die manikürte Hand, an der ein protziger Ring funkelte.

»Frau Brenner, Ihre Mitarbeiter scheinen erstens nicht zu wissen, wer ich bin, und zweitens scheint mir das hier alles nicht sonderlich gut organisiert.«

Marlene sah Friederike mit einer hochgezogenen Augenbraue an, während die kleine Kathrin mit hochrotem Kopf erleichtert das Feld räumte.

Unbeirrt lächelte Friederike weiter, während sie ihr erst die Hand schüttelte und dann um den Tisch herumging, um einen Blick auf den Monitor werfen zu können. »Dann wollen wir doch mal sehen, was für ein Missverständnis hier vorliegt.«

Marlene zeigte auf eine Zeile und erklärte: »Frau Schubert ist davon ausgegangen, dass ihr Mann die Suite gebucht hat, und wollte jetzt einchecken.«

»Ja, und zwar zügig, weil ich in einer halben Stunde einen Termin in Ihrem Spa habe. Den habe ich extra vorab gebucht.« Frau Schubert riss sich das Hermès-Tuch ungeduldig vom Hals, ihr Gesicht war gerötet und passte so gar nicht zu dem roséfarbenen Hosenanzug. »Das ist mir noch nie passiert, dass unsere Suite um elf Uhr noch nicht fertig ist. Sonst hätte ich um halb zwölf doch keinen Kosmetiktermin vereinbart, ich wollte mich noch frisch machen und auspacken.«

Friederike, noch über den Bildschirm gebeugt, hatte das Problem schon entdeckt und nickte verständnisvoll. »Das verstehe ich, Frau Schubert, aber es gibt tatsächlich ein kleines Problem. Ihr Mann hat die Suite erst ab morgen gebucht. Das hat Ihnen Frau Vogt sicher gesagt. Ist er denn auch schon da?« Sie richtete sich wieder auf und sah ihren Gast an. »Oder wann reist er an?«

»Der, also mein Mann … der kommt erst morgen.« Frau Schubert presste die Lippen zusammen. »Die Tagung beginnt ja erst morgen Abend. Aber ich habe ihm gesagt, dass ich das mit den Spa-Terminen sonst nicht schaffe und deshalb schon heute komme. Ich weiß auch nicht, warum er sich da vertan hat. Aber das ist doch kein Problem, dann buchen wir eben ab heute.«

Marlene deutete wieder auf den Bildschirm und sagte: »Die Suite wird leider erst morgen frei.«

Sie erntete einen giftigen Blick. »Lassen Sie das bitte mal Frau Brenner machen. Sie kennen mich doch gar nicht.«

Marlene öffnete den Mund, bevor Friederike ihr unauffällig einen kleinen Stupser gab. »Natürlich, Frau Schubert, dann wünsche ich noch einen schönen Tag.« Sie ging in das kleine Büro hinter der Rezeption.

»Marlene Vogt arbeitet übrigens seit acht Jahren in diesem Haus«, bemerkte Friederike freundlich, den Blick auf den Bildschirm gerichtet, während sie die Tastatur des Rechners betätigte. »Sie ist meine Stellvertreterin. Es wundert mich, dass Sie sie noch nie gesehen haben.« Die Schubert atmete tief. »So, Frau Schubert, es gibt eine Möglichkeit, die ich Ihnen anbieten kann: Sie lassen Ihr Gepäck hier, gehen in aller Ruhe in den Spa-Bereich, bekommen dort einen Bademantel und Kaffee, lassen sich von Theresa verwöhnen, und in der Zwischenzeit sorge ich dafür, dass ein schönes Doppelzimmer für Sie hergerichtet wird. Und morgen Vormittag bringen wir dann Ihr Gepäck in die Suite. Wäre das in Ordnung?«

»Ein Zimmer?« Frau Schubert klang, als hätte Friederike ihr angeboten, im Auto zu schlafen. »Statt der Suite? Das ist doch nicht Ihr Ernst?«

Friederike lächelte sie an. »Es ist die einzige Möglichkeit. Wir sind ausgebucht. Ich kann selbstverständlich versuchen, ein anderes Hotel für Sie zu finden. Für diese eine Nacht.«

»Auf gar keinen Fall.« Sie schüttelte energisch den Kopf. »Ich fahre doch nicht wieder los. Es gibt keine andere Möglichkeit? Sie wissen, dass der Preis keine Rolle spielt. Ich rufe mal meinen Mann an. Dann können Sie noch mal mit ihm sprechen.«

Friederike ballte unter dem Tisch ihre Hand zu einer Faust, während Frau Schubert ihr Handy mit albernem Plüschanhänger zückte und sich ein paar Schritte wegbewegte. Sie gehörte zu den Gästen, die von Zeit zu Zeit dafür sorgten, dass Friederike ihren Job am liebsten an den Nagel hängen würde. Das passierte leider immer öfter, sie fragte sich, ob es an ihrem Alter lag oder ob die Menschen immer unmöglicher wurden. »Schatz, ich reiche dich mal an Frau Brenner weiter, vielleicht kannst du was erreichen ...« Mit einem triumphierenden Blick hielt Frau Schubert das Handy über den Tisch. »Mein Mann möchte Sie sprechen.«

Friederike hielt den Blick auf sie geheftet und nahm ihr das Telefon ab. »Guten Morgen, Herr Schubert.«

»Meine liebe Frau Brenner.« Die sonore Stimme klang mehr resigniert als verärgert. »Können Sie denn wirklich nichts machen? Sie können sich vielleicht vorstellen, wie die nächsten Tage für mich verlaufen, wenn meine Frau verschnupft ist.«

»Was ich machen kann, habe ich Ihrer Frau schon gesagt,

eine Nacht in einem sehr schönen Doppelzimmer, und morgen kümmern wir uns um den Umzug. Das ist die einzige Möglichkeit.«

»Gut. Dann machen wir das so. Entschuldigen Sie die Unannehmlichkeiten, und wir sehen uns morgen.« Der arme Mann hatte sicher auch andere Sachen zu tun.

»Natürlich. Ich wünsche Ihnen eine gute Anreise. Soll ich Sie nochmal weiterreichen?«

»Nein, danke, bis morgen, Frau Brenner.« Er legte auf, und Friederike gab seiner Gattin das Telefon zurück. »Wie gesagt, es tut mir leid, aber das Doppelzimmer ist auch sehr schön. Soll ich Theresa jetzt anrufen, dass Sie da sind? Damit sie sich um Sie kümmert?«

»Es hilft ja nichts.« Beleidigt schob Frau Schubert das Handy in ihre Handtasche. »Ich gehe davon aus, dass wir etwas bei Ihnen guthaben. Rufen Sie Theresa an.«

Marlene war aus dem Büro gekommen und hatte die letzten Sätze gehört. Sie wartete, bis Friederike telefoniert hatte und Frau Schubert in Richtung Fahrstuhl marschierte. Ihr Gepäck hatte sie mitten im Raum stehen lassen.

»Unmöglich«, sagte sie leise zu Friederike, die nur knapp nickte und dann wieder zum Telefon griff. »Brenner hier. Serena, haben Sie schon die Nummer 23 fertig? … Machen Sie die bitte als Nächstes? Danke.«

Sie winkte einem jungen Mann im Foyer zu. »Fabian, sind Sie so nett und bringen dieses Gepäck nach hinten, danke.« Dann wandte sie sich wieder an Marlene. »Wo ist Kathrin jetzt eigentlich? Ach, da. Kathrin?«

Die junge blonde Frau im dunkelblauen Hotelkostüm kam langsam um die Ecke, erleichtert, dass die Situation geklärt war.

»Bleiben Sie jetzt wieder hier? Ich habe eine Besprechung mit Marlene. Wir sind mal für eine halbe Stunde im Bistro.«

»Ja. Natürlich.«

»Gut. Und das Gepäck von hinten muss nachher auf die 23 gebracht werden. Sagen Sie Fabian dann bitte Bescheid.«

»Auch das. Bis später.«

»Übrigens«, Friederike beugte sich zu ihr, »Sie müssen bei solchen Gästen cooler werden. Auch wenn Frau Schubert als Stammgast so tut, als gehöre ihr das Hotel. Sie dürfen sich von solchen Auftritten nicht verunsichern lassen. Okay?«

Kathrin nickte. »Ich bemühe mich. Danke, Frau Brenner.«

Auf dem Weg ins Bistro warf Friederike ihren Mitarbeitern noch ein paar Hinweise zu: verwelkte Blumen, stehen gelassene Gläser oder fehlende Zeitungen – sie hasste es, wenn die Dinge nicht perfekt waren. Das durfte in einem Hotel dieser Kategorie nicht passieren. »Irgendwie sind die heute alle blind.« Sie sah Marlene mit gespielter Verzweiflung an. »Kein einziges Blatt mehr an der Blüte, und die wischen nur die Krümel vom Tisch. Das sieht man doch.«

»Sie und ich schon. Aber hier hat heute Morgen auch die Hütte gebrannt. Zweiundzwanzig Abreisen, die Mädels hatten echt zu tun.«

»Die Blumen sind aber nicht heute Morgen verwelkt.« Friederike war unerbittlich. Und sie hatte gern das letzte Wort.

Im Wintergarten des Bistros waren nur wenige Tische besetzt. Friederike grüßte die anwesenden Hotelgäste mit Namen, nickte den Angestellten zu und steuerte einen ruhigen Tisch am Fenster an. Sie hatten kaum Platz genommen, als schon eine sehr junge Bedienung auf sie zuschoss. »Guten Morgen, Frau Brenner, Frau Vogt, was darf ich Ihnen bringen?«

Friederikes Blick fiel auf die weiße Bluse, auf der ein kleiner Fleck unterhalb des Kragens zu sehen war. Sie tippte auf die entsprechende Stelle bei sich. »Ist das Kaffee? Ziehen Sie sich bitte eine frische Bluse an? Und ich möchte gern einen grünen Tee. Marlene?«

»Einen Cappuccino bitte.«

Die sehr junge Bedienung wurde knallrot, sah an sich hinunter und legte sofort die Hand auf den Fleck. »Oh, das habe ich … Ja, also ein grüner Tee und ein Cappuccino. Kommt sofort.«

Sie ging zwei Schritte rückwärts, bevor sie sich umdrehte und in die Küche eilte. Friederike sah ihr nach. »Ich sage es Ihnen, Marlene, die sind heute alle blind. Wie auch immer, Sie wollten mit mir reden. Um was geht es?« Sie rückte ihren Stuhl so hin, dass sie Marlene genau gegenübersaß, und sah sie fragend an. Marlene hielt ihrem Blick stand.

Als sie vor acht Jahren den Termin zu ihrem Vorstellungsgespräch bei Friederike Brenner bekommen hatte, war ihr Blutdruck sofort in die Höhe geschnellt. Sie hatte sich diesen Job wie noch nichts zuvor in ihrem Leben gewünscht. Das Hotel war ein Fünf-Sterne-Haus, Bremen Marlenes Wunschstadt, und die Managerin Friederike Brenner galt als brillante Hotelchefin, die für Marlenes Karriere so ziemlich das Beste war, was ihr passieren konnte. Als sie ihr das erste Mal gegenübergesessen hatte, war ihre Euphorie ein wenig verflogen. Friederike hatte eine Form von Unverbindlichkeit, die Marlene so selten erlebt hatte. Sie war höflich, sehr professionell, pflegte beste Umgangsformen und hatte durchaus Charme, auch wenn dieser ziemlich spröde war. Aber ihr Interesse schien ausschließlich ihrem Job zu gelten. Sie hatte sich mit distanziertem Blick Marlenes Unterlagen angesehen, das Gespräch klar und professionell geführt und sie anschließend darüber informiert, dass sie sich bei ihr melden würde. Marlene hatte überhaupt kein Gefühl dafür bekommen, ob sie eine Chance hatte, Friederike Brenner ließ sich absolut nicht in die Karten schauen.

Zu ihrer Überraschung rief Friederike am nächsten Tag an und gratulierte ihr zum neuen Job.

Auch als sie schon einige Monate im Hotel gearbeitet und die ersten Freundschaften mit Kolleginnen geschlossen hatte, war sie immer noch nicht klug geworden aus »FB« – so nannten die Mitarbeiter ihr Vorgesetzte. Die Chefin mied private Treffen mit Mitarbeitern, sie sprach nie von Familie oder Freunden, man erzählte sich, dass sie öfter Städtereisen unternahm, vermutete aber, dass sie selbst dann nichts anderes tat als andere Hotels zu inspizieren. Aber FB war fair, trotz ihrer Strenge, sie stand hinter ihren Mitarbeitern, war selten schlecht gelaunt, deshalb konnte Marlene mittlerweile mit ihrer Unnahbarkeit umgehen. Und das war gut so – besonders jetzt, wo ihr ein besonderes Gespräch mit FB bevorstand.

Sie sah Friederike lange an, dann sagte sie: »Ich habe ein Angebot von der *Meerhotel*-Kette bekommen, das ich nicht ablehnen kann.«

Friederike nickte, ohne eine Miene zu verziehen. »Wann?«

»Zum nächstmöglichen Zeitpunkt.«

Mit einer schnellen Bewegung strich Friederike sich die Haare hinters Ohr. »Sie haben auch noch Resturlaub. Dann sind Sie ja quasi schon weg. Es ist das neue Ressort auf Norderney, nicht wahr?«

Marlene hob überrascht den Kopf. »Ja. Woher wissen Sie das?«

Friederike hielt die Antwort zurück, bis die Bedienung, mittlerweile in einer sauberen Bluse, die Getränke auf den Tisch gestellt hatte. Friederike sah lächelnd hoch. »Vielen Dank.« Sie wartete, bis die junge Frau außer Hörweite war. »Peter Engel hat mich letzte Woche angerufen. Er hat sich über Sie erkundigt.«

»Wie bitte?« Marlene war ehrlich verblüfft. »Er hat Sie angerufen?«

»Ja. Wir haben zusammen studiert. Ich hätte das an seiner Stelle auch gemacht.«

»Und wieso haben Sie mir nichts gesagt?«

Friederikes Lächeln war eine Spur süffisant. »Marlene. Warum soll ich Sie fragen, ob Sie kündigen wollen? Das ist doch ganz und gar Ihre Entscheidung. Ich habe Peter Engel gesagt, dass Sie eine gute Wahl für die Geschäftsführung sind. Und jetzt hat es ja auch geklappt. Ich wünsche Ihnen viel Glück.«

Sie nahm ein paar Schluck von ihrem Tee, sah auf die Uhr und stand auf. »Was sagt eigentlich Ihr Mann dazu?«

Marlene lächelte. »Oh, er freut sich. Er ist ja jetzt selbstständig und kann seinen Job auch von Norderney aus machen. Sonst hätte ich die Stelle auch nicht angenommen.«

Friederike ignorierte den Stich, den ihr dieser Satz versetzte.

»Das ist ja gut«, sagte sie stattdessen und sah Marlene freundlich an. »So, ich muss hoch. Ich sage Frau Zimmer, dass sie Ihre Papiere rechtzeitig fertig macht, und wir sprechen dann noch mal über den genauen Termin. Können Sie bitte gleich die Menüvorschläge für morgen abzeichnen? Die Küche braucht sie bis zwei.«

Marlene nickte stumm und sah ihr verblüfft hinterher, als sie mit langen Schritten das Bistro verließ. Kein Wort des Bedauerns, keine persönlichen Fragen, nichts. Es war typisch FB, die Menschen waren für sie nur interessant, wenn sie etwas mit dem Hotel zu tun hatten oder Friederike sie für etwas brauchte. Marlene hatte sich schon privilegiert gefühlt, dass Friederike sie als ihre Stellvertreterin beim Vornamen genannt hatte. Das war fast schon ein Ritterschlag, wenn auch kein Grund, das förmliche Sie aufzugeben. So viel Distanz sollte offenbar sein. Marlenes Gründe für ihre Entscheidung interessierten nicht. Seufzend stand sie auf und ging langsam zum

Ausgang. Auch wenn sie mit einer kühlen Reaktion gerechnet hatte, gewünscht hätte sie sich nach diesen acht Jahren Zusammenarbeit eine andere.

Der Traktor zuckelte jetzt schon seit einiger Zeit vor ihr her, er hatte etwas Einschläferndes, und sie musste sich stark konzentrieren, um den richtigen Abstand beizubehalten. Eigentlich war sie froh, so weit weg vom Hotel zu wohnen, sie brauchte über eine halbe Stunde mit dem Auto, erst Autobahn, dann die letzten zehn Kilometer über Land. Und diese Zeit brauchte sie auch, um genügend Abstand zu ihrem Job zu bekommen. Das redete sie sich zumindest ein. Gerade an Tagen wie heute, an denen sie ewig auf dieser kurvenreichen und schmalen Landstraße hinter irgendwelchen Traktoren klebte. Sie drehte das Radio leiser und ließ ihre Blicke über die Landschaft wandern. Felder, Felder, Felder, ganz hinten ein Deich und zwischendurch Kühe. Alles wie immer, verlässlich und langweilig, aber gerade das gab ihr die nötige Ruhe nach einem hektischen Tag. So wie heute. Erst die Schubert, dann Marlene. Friederike hatte durchaus gespürt, dass Marlene sich dieses Gespräch anders vorgestellt hatte. Vielleicht hatte sie einen Überredungsversuch erwartet zu bleiben. Aber dazu hatte Friederike keine Lust gehabt. Marlene hatte sich entschieden, warum sollte man dann noch irgendeinen Zirkus machen? Und dann Norderney. Friederike hätte ihr erzählen können, dass sie auf Norderney ihre Ausbildung gemacht hatte. Drei Jahre auf der Insel, in einem Sterne-Hotel mit einer Chefin, gegen die sie eine süße Maus war. Friederike hatte sie erst gehasst, dann gefürchtet und schließlich widerwillig bewundert. Aber sie hatte viel von ihr gelernt. Sie hatten bis zu ihrem Tod Kontakt gehalten. Als sie vor fünf Jahren gestorben war, hatte Friederike mehr getrauert, als sie es erwartet hatte. Aber warum hätte sie Marlene davon erzählen sollen? Es war dreißig Jahre her, das Hotel gab es nicht mehr, und alles andere ging niemanden etwas an.

Der Traktor bog in eine Hofeinfahrt, Friederike beschleunigte erleichtert. Sie musste aufs Klo, was ihre Geduld mit der Landbevölkerung sehr reduzierte. Nach knapp zehn Minuten war sie endlich am Ziel. Den alten Gutshof mit seinen Wohn- und Nebengebäuden hatte sie dreizehn Jahre zuvor gekauft. Inzwischen verband sie mit ihm eine Hassliebe.

Als sie das erste Mal zusammen mit Ulli und dem Makler auf dem Hof gewesen war, hatte es sie vor Begeisterung umgehauen. Das war schon lange her, aber die Bilder waren immer noch sehr präsent.

»Das ist aber jetzt nicht dein Ernst, Friederike«, hatte Ulli leise zu ihr gesagt, als der Makler ein Stück zu Seite ging, um zu telefonieren. »Das Ding ist ein Fass ohne Boden. Wo soll man denn hier anfangen?«

Doch Friederike hatte nur Augen gehabt für das Fachwerk an den Gebäuden, das eingewachsene Grundstück, den freien Blick, die Stockrosen an den Hauswänden und die Großzügigkeit des Wohnhauses.

Sie hatten das Haus durch die riesige Diele betreten, nach dem strahlenden Sonnenschein war es hier stockdunkel gewesen, aber Friederike hatte sich das gleich mit bodentiefen Fenstern vorgestellt, durch die man einen freien Blick in den alten Obstgarten haben würde. Der abgeplatzte Fliesenboden im Wohnzimmer war in Friederikes Kopf bereits durch Holzdielen ersetzt worden, auch die alten Badezimmer hatte sie sich mit modernen Fliesen, Chrom und Glas vorgestellt.

»Das kannst du vergessen«, hatte Ulli wiederholt und sich skeptisch umgesehen. »Der Garten ist zu groß, im Haus muss so gut wie alles neu gemacht werden, das ist doch total heruntergekommen. Oder wollen wir die nächsten Jahre mit einer Totalsanierung verbringen?«

Friederikes Blick aber war damals schon auf die Nebengebäude gefallen: groß genug, um sie zu Gästezimmern umzubauen, und nah genug am Wohnhaus, damit die Gäste, meistens vermutlich Ullis Kinder, im Schlafanzug zum Frühstück kommen konnten und trotzdem ihr eigenes Reich hatten. Ulli hatte den Arm um ihre Schultern gelegt, sie spürte seine warme Hand in ihrem Nacken und sah zu ihm hoch. Was hatte er gesagt? »Oder wollen wir die nächsten Jahre mit einer Totalsanierung verbringen?« Wir. Friederike lächelte zufrieden. Es fühlte sich an wie ein Versprechen. Ulli ließ sich überreden, und Friederike war sich sicher gewesen, dass ab jetzt alles gut werden würde.

Sie hatten den Hof gekauft, der Preis war niedrig, der Makler war froh, das Objekt endlich vermittelt zu haben. Friederike war überglücklich, auch wenn Ulli ihre Begeisterung nicht unbedingt geteilt hatte. Sie hatten damals schon eine schwierige Phase gehabt, Friederike hatte gehofft, dass der Hof ein gemeinsames Projekt werden könnte, das ihre Probleme löste. Sie hatte sich geirrt.

Die lange Zufahrt bestand eigentlich nur noch aus Schlaglöchern. Friederike biss die Zähne zusammen, während sie den Wagen im Schleichtempo auf den Hof rollen ließ. Sie musste sich dringend darum kümmern, es war eine Frage der Zeit, wann hier der erste Auspuff abfiel.

Friederike hatte damals nicht damit gerechnet, dass sie die hohen Kosten irgendwann einmal allein stemmen müsste. Aber so war es gekommen. Hätte sie das geahnt, hätte sie die Finger davon gelassen. Dieser alte Hof hatte sie finanziell völlig überfordert. Aber das war jetzt auch schon egal, sie musste es ja doch irgendwie hinbekommen. Natürlich verdiente sie gut, aber nicht genug, um in absehbarer Zeit ihre Kredite zurückzahlen zu können. Und immer, wenn es Licht am finanziellen Horizont gab, ging etwas anderes kaputt. Das ganze Unternehmen war tatsächlich ein Fass ohne Boden geworden. Aber Friederike war zu stolz und zu trotzig, um aufzugeben.

Sie stellte das Auto vor der Eingangstür ab und zählte die geparkten Wagen vor einem der Nebengebäude. Isabelle gab heute ihren Yogakurs, es waren mindestens sechs Teilnehmer da. Wenn jeder mit dem eigenen Wagen gekommen war. Vermutlich waren es mehr. Yogis sparten Sprit.

Friederike hatte das Nebengebäude acht Jahre zuvor an Isabelle vermietet. Nicht, weil es ihr hier zu einsam war, sondern weil sie das Geld brauchte. Die Renovierungen waren ins Stocken geraten. Die Diele hatte immer noch keine bodentiefen Fenster, von den zwei Badezimmern war nur eines mittlerweile ganz hübsch, man lief immer noch über die kalten Fliesen im Wohnzimmer. Nur der Garten war inzwischen ein Traum. Und das war Isabelle zu verdanken, die in ihrem Bestreben, eins mit der Natur zu werden, ungeheure gärtnerische Fähigkeiten entwickelte.

Isabelle selbst hatte sie in einer Phase kennengelernt, in der es Friederike nicht besonders gut gegangen war. Isabelle, die eigentlich Ingrid hieß, aber den Klang in ihrem Namen vermisste, war Heilpraktikerin, Achtsamkeits- und Yogalehrerin, sie kannte sich mit Kräutern, Steinen, Schwingungen, Ernährung und Traumdeutung aus und war über die Jahre zu Friederikes selbsternannter Beraterin geworden. Friederike war viel zu rational, um Isabelles esoterische Ratschläge ernst zu nehmen, aber vielleicht war es ja manchmal auch egal, warum die Dinge geholfen hatten. Und das Leben wurde einfacher, wenn man es nach Regeln lebte, die jemand anderes vorschrieb.

Sie stieg aus, angelte ihre Handtasche vom Rücksitz und warf die Autotür zu. Sofort schoss die graugetigerte Katze mauzend um die Ecke und drückte sich mit ganzem Körpereinsatz an Friederikes Beine. »Hey, Mrs. Beasly«, sie beugte sich runter und streichelte den kleinen Kopf. »Jetzt sau mir nicht die Hose ein.« Friederike schob das Tier ein Stück zur Seite, bevor sie zur Eingangstür ging. Mrs. Beasly drängte sich vor ihr ins Haus, Geduld war unter Katzen keine allzu verbreitete Tugend. Friederike liebte Katzen.

Die Küche kam mittlerweile dem Bild schon recht nahe, das Friederike sich damals davon gemacht hatte. Sie hatte die Wand zum Wohnzimmer rausnehmen lassen, und entstanden war eine große, helle und sehr moderne Landhausküche. Die Küchenzeilen hatte ihr einer der Küchenbauer des Hotels eingepasst, er hatte ihr dafür einen Freundschaftspreis gemacht. Isabelle fand den Raum zu kühl, sie hatte gesagt, er erinnere sie an eine Lehrküche für Kochkurse. Und das, obwohl Friederike so gut wie nie kochte und nur selten Gäste hatte. Die Einzige, die hier ab und zu den Hightech-Herd nutzte, war Isabelle.

Friederike versuchte, nicht über die aufgeregte Mrs. Beasly zu fallen, die ihr ungeduldig um die Beine strich, während sie das Katzenfutter aus dem Kühlschrank holte und den Napf füllte. Erst als die Katze versorgt war, zog Friederike ihre Jacke aus und ging langsam zum Fenster. Der Yogakurs lief noch. In der ersten Zeit hatte Friederike regelmäßig teilgenommen, aber dann gingen ihr die anderen immer mehr auf die Nerven. Es waren in der Mehrheit Frauen, die entweder etwas für ihren Rücken oder für ihre Seele tun wollten. Die Letztgenannten suchten auch meistens Anschluss. Und genau das hasste Friederike. Sie hatte keine Lust, sich mit fremden Frauen über Beziehungen, Kinder, Probleme im Job oder Ärger mit den alten

Eltern auszutauschen. Und genau das bezweckte Isabelle mit ihrer anschließenden Teerunde. Ihre Yogis sollten reden, sich öffnen, den Flow nach der Yogastunde nutzen, um sich näherzukommen und sich mit ihren Emotionen und Bedürfnissen zu konfrontieren. Friederike hatte es wirklich versucht, aber nach drei dieser Zusammenkünfte hatte sie Pickel bekommen und sich aus dem Kurs wieder verabschiedet. Yoga machte sie jetzt in Einzelstunden. Anders hielt sie es nicht aus.

Mit einem Blick auf die noch immer fressende Katze wandte sie sich ab und ging zum Kühlschrank. In der Flasche Weißwein vom gestrigen Abend war noch ein Rest, sie schenkte sich ein, setzte sich an den Küchentisch und legte die Beine auf den Stuhl. Der Wein war sehr kalt, Friederike schloss kurz die Augen, bevor sie schluckte. Herrlich, das hatte sie sich nach diesem Tag verdient.

Marlenes Kündigung kam ihr wieder in den Kopf. Sie konnte sie verstehen. Marlene wollte jetzt Karriere machen, Hotelchefin auf Norderney, das war ein Sprung in die richtige Richtung. Als Friederike in Marlenes Alter gewesen war, hatte sie die Karriereleiter schon weiter beschritten. Nicht, weil sie ehrgeiziger war, sondern weil es sich so ergeben hatte. Aber Marlene hatte viel Zeit mit ihrem Herzallerliebsten verbracht und deswegen auch einige lukrative Angebote abgelehnt. Weil sie nicht ohne ihren Mann sein wollte. Zu Beginn hatte sie Friederike in epischer Breite von ihrem Mann erzählt – bis sie irgendwann registriert hatte, dass Friederike sich generell nicht für das Privatleben ihrer Mitarbeiter interessierte. Und schon gar nicht für irgendwelche Liebesgeschichten. Wenn man der Meinung war, dass ein Partner das Wichtigste im Leben war und alle anderen Entscheidungen von ihm abhingen, dann bitte. Friederikes Leben war ein anderes. Und vielleicht würde Marlene es irgendwann auch noch mal bereuen.

Das Glas war leer, Friederike stand auf, um eine neue Flasche zu öffnen. Mrs. Beasly hatte den Napf inzwischen geleert, streckte sich, tapste zu Friederike, strich ihr zum Dank noch mal um die Beine und sprang auf das Kissen auf der Fensterbank, wo sie sofort begann, sich zu putzen. Ein Katzenleben war doch um so vieles leichter.

Friederike ging mit dem Weinglas wieder zurück an ihren Platz. Sie musste sich Gedanken um eine neue Stellvertreterin machen, aber nicht vor morgen.

Das Geräusch eines startenden Motors im Hof ließ Friederike auf die Uhr sehen. Der Yogakurs war vorbei, die anschließende Teerunde anscheinend auch, dann konnte es sich nur noch um Minuten handeln, bis Isabelle käme. Friederike ließ immer den Schlüssel von außen stecken, wenn sie noch Lust hatte, Isabelle zu sehen. Trotzdem klingelte Isabelle, bevor sie die Tür aufschloss. Sie waren ganz gut eingespielt.

Bunt wie immer, heute im dunkelroten Leinenkleid, mit grüner Strickjacke und blauen Schuhen, rauschte Isabelle herein. Die tiefschwarzen Haare hatte sie locker aufgesteckt, die langen silbernen Ohrringe schaukelten, als sie mit sanftem Lächeln die selbstgestrickte Tasche auf den freien Stuhl legte. »Guten Abend.« Ihr Blick fiel auf das fast leere Weinglas in Friederikes Hand. Stirnrunzelnd legte sie sich den gelben Schal um die Schultern und setzte sich. »Wie war dein Tag?«

Bei jeder Bewegung klimperte etwas, Armreifen an Isabelles schmalem Handgelenk, bunte Ketten unter dem Tuch, selbst die Ohrringe machten Geräusche. Isabelle liebte Schmuck. Und besaß reichlich davon.

Friederike trank den letzten Schluck Wein und stellte das Glas auf den Tisch. »Ein toller Deal mit einem Fernsehteam, der normale Wahnsinn im Haus, eine durchgeknallte Manager-Gattin, deren Mann vergessen hat, die Suite rechtzeitig zu buchen, und Marlenes Kündigung. Unterm Strich, auf der Skala von zehn (heißt sehr gut) bis eins (grauenhaft), würde ich sagen: vier. Möchtest du ein Glas Weißwein?«

»Nein, danke«, Isabelle schüttelte den Kopf. »Hast du überhaupt schon was gegessen? Oder ernährst du dich heute vom Wein?«

»Ich arbeite in einem Hotel mit Sternekoch. Warum fragst du? Wolltest du mir ein Ei braten?«

Isabelle lächelte und ignorierte demonstrativ Friederikes genervten Ton. »Ich stelle nur fest, dass du wieder dazu übergegangen bist, dir als Erstes ein alkoholisches Getränk zu holen, wenn du nach Hause kommst. Ich will ja nur dein Bewusstsein schärfen. Du weißt, dass das keine Lösung ist. Und gegen deine Abgespanntheit habe ich dir einen Tee mitgebracht.« Sie beugte sich zur Seite und zog eine braune Tüte aus ihrer Stricktasche. »Hier, bitte, Baldrian, Damiana, Hopfen, Melisse und Passionsblume. Zweimal täglich. Für eine aufgehellte Stimmung und besseren Schlaf.«

Friederike stöhnte leise und stützte ihr Kinn auf die Faust. »Ich habe kein Alkoholproblem, ich hatte nur einen anstrengenden Tag. Und ich habe weder dunkle Stimmungen, noch möchte ich mir dagegen einen Tee brühen. Und du musst mich auch nicht so besorgt ansehen, es gibt keinen Grund. Wenn ich deine therapeutische Hilfe benötige, dann sage ich dir einfach Bescheid, okay? Ich bin wirklich platt und kann nicht mehr reden.« Vielleicht hätte sie den Schlüssel heute besser nicht außen stecken lassen sollen.

Langsam stand Isabelle auf und schob die Tüte ein Stück näher zu Friederike. »Wie gesagt, zweimal täglich.« Sie umrundete den Tisch, strich Friederike kurz über die Schulter und ging zur Tür. »Ich bin morgen nur bis drei drüben in der Praxis, also schon weg, wenn du kommst. Aber du weißt ja, ruf an.«

Die Haustür klappte hinter ihr zu, und Friederike fragte sich wieder einmal, ob Isabelle eine Heilige oder nur eine gute Schauspielerin war. Kein Mensch konnte so stoisch und freundlich seine Gutmenschen-Nummer durchziehen wie sie. Friederike machte das manchmal richtig aggressiv. Andererseits war auf Isabelle Verlass, wenn man sie brauchte. Und das war in den letzten Jahren durchaus vorgekommen.

Friederike stand auf und streckte sich. Sie könnte sich auch etwas Bequemeres anziehen, sich aufs Sofa legen und durch die Fernsehkanäle zappen. Oder sie könnte die Steuerunterlagen aus dem Schrank nehmen und endlich mal Ordnung in ihre Finanzen bringen. Wobei das womöglich dazu führen würde, dass sie weiter Wein trank, weil das nüchtern nicht zu ertragen war. Also Sofa. Andererseits machte sie dieser Unsinn, der im Fernsehen lief, meistens schlecht gelaunt. Und anschließend schlief sie wieder schlecht, was ohnehin ein Problem war. Entmutigt ließ sie sich wieder auf den Stuhl sinken. Irgendwie steckte sie im Moment fest und hatte noch keine Idee, wie sie diesen Knoten entwirren konnte. Sie brauchte Geld, weil sich der Reparaturstau in diesem Haus und seinem Nebengebäude immer schneller vergrößerte. Sie brauchte eine neue Stellvertreterin, weil die alte heute gekündigt hatte. Sie brauchte mal wieder Bewegung, weil ihre Rückenschmerzen immer schlimmer wurden. Und sie brauchte jemanden, der sie jetzt sofort auf andere Gedanken brachte. Sie griff zum Telefon und tippte eine Nummer ein. »Hallo Tom, kannst du kommen?«

Lübeck

Marie

»Und hier«, Maries Stimme war schwach, Hanna musste sich zu ihr beugen, um sie besser zu verstehen. »Das bin ich mit Jule. Und das ist Blacky, ihr Kaninchen. Ich habe sie so darum beneidet, ich durfte ja kein Tier haben, wegen der Allergien.« Sie hustete, Hanna musterte sie besorgt und legte ihr sanft die Hand auf die Stirn. Marie kam erst langsam wieder zur Ruhe, trank mit einem dankbaren Blick das Wasser, das Hanna ihr hinhielt, und wandte sich gleich wieder dem Fotoalbum zu. »Das muss 1972 gewesen sein. Jule hat Blacky zu ihrem zehnten Geburtstag bekommen.«

Hanna hatte selten ein so dickes, hässliches Kaninchen gesehen. Aus dieser Perspektive fotografiert, ging es dem kleinen blondgelockten Mädchen bis zur Hüfte, was nicht sein konnte. Aber schön war das Tier nicht. »Ein ziemlich fettes Tier, oder?«

Marie lächelte mühsam. »Er ist auch ein Jahr später gestorben. Jule hat nicht allzu lange getrauert. Ich glaube, sie war ganz froh, dass sie nicht mehr bei jedem Wetter Löwenzahn suchen musste. Wir haben ihn unter einem Kirschbaum im Garten vergraben. Eine sehr stimmungsvolle Beisetzung. Jules Bruder hat ein Weihnachtslied auf der Blockflöte gespielt. Er konnte kein anderes.«

Sie strich vorsichtig mit dem Zeigefinger über das sommersprossige Gesicht des blonden Mädchens. Dann blätterte sie weiter. »Sommer am See 1972« stand auf der nächsten Seite in schwungvoller Kinderschrift über einer Gruppe Bilder in der typischen Farbigkeit verblassender Siebzigerjahre-Fotos. Auf einem Steg saßen zwei Mädchen, die nackten Füße im Wasser, die Abendsonne im Gesicht, eine blond, blass und zart, eindeutig Marie, die andere braungebrannt, groß und kräftig. »Wer ist das?«, Hanna tippte mit dem Finger auf das Bild. »Die mit dem langen dunklen Zopf?«

»Friederike.« Marie nickte. »Sie hat alle Sommer mit uns am See verbracht. Hier, siehst du, hier ist sie mit ihrer Mutter, das ist Esther, die beste Freundin meiner Mutter. Meine Mutter war auch Friederikes Patentante. Eigentlich sind wir aufgewachsen wie Geschwister.«

Zwei junge Frauen, vielleicht Mitte, Ende dreißig, an einem kleinen Holztisch unter Obstbäumen. Im Hintergrund sah man den See, auf dem Tisch einen Sommerstrauß, einen Krug mit einem Getränk, das aussah wie Bowle, und Gläser mit Henkeln. Laura van Barig hatte große Ähnlichkeit mit Marie, dieselben klaren Gesichtszüge, dieselben Augen. Nur war sie leicht gebräunt, nicht so blass, nicht so zart wie ihre Tochter. Das Haar fiel ihr offen über die Schultern, sie trug kurze Hosen und eine schmale, ärmellose Bluse. Esther hatte die dunklen Haare streng nach hinten gebunden, das lange schwarze Kleid passte nicht in diese sommerliche Umgebung, genauso wenig wie ihr ernstes Gesicht, zumal Friederike in einem gelben Badeanzug tropfnass hinter ihr stand.

»Da waren wir baden, und Esther wollte Fiedi abholen.«

»Und war anscheinend sauer, dass es so lange dauerte«, ergänzte Hanna. »Zumindest sieht sie so aus. Deine Mutter war eine schöne Frau. Du siehst ihr sehr ähnlich.«

Marie sah Hanna liebevoll an, dann wandte sie sich wieder

den Fotos zu. »Esther hat selten anders geguckt. Meine Mutter war ihr Leben lang mit ihr befreundet, deshalb hat sie es wohl nicht mehr bemerkt. Ich fand Esthers Launen schon als Kind anstrengend. Na ja.« Sie hing einen Moment ihren Gedanken nach. »In diesem Sommer war Esther nur ein paar Tage da. Dafür durfte Jule mit. Hier, sie konnte so gut schwimmen. Und hatte nie Angst vorm Wasser, im Gegensatz zu mir, ich habe mich ja immer schon vor Fischen und Seerosen gefürchtet. Und meistens war mir das Wasser auch viel zu kalt. Aber Jule …«, Marie zeigte auf ein Foto, auf dem ein Mädchen in hellblauem Badeanzug einen eleganten Kopfsprung vom Ruderboot machte. »Die hat sich immer alles getraut. Das habe ich vom Steg aus fotografiert. In dem Sommer hatte ich meinen ersten Fotoapparat bekommen. Deshalb gibt es davon auch so viele Bilder.«

Sie blätterte um, und Hanna spürte dem Sommer dreier zehnjähriger Mädchen nach. Die Fotos sprachen für sich: Jules Gesicht, von der Sonne bestrahlt, der glitzernde See, an dessen Ufer die Seerosen blühten, der Holzsteg, auf dem man abends auf den Sonnenuntergang wartete, gebräunte Beine voller Mückenstiche, Stockbrot im Lagerfeuer, die Mädchen auf Luftmatratzen im See, Friederike mit einer Katze im Arm, Marie hinter der großen Sonnenbrille ihrer Mutter, Jule mit ihren von der Sonne gebleichten Locken, das Gesicht übersät von Sommersprossen, ein Glas in der Hand, in dem eine gelbe Flüssigkeit funkelte.

»Pfirsicheistee.« Marie lächelte bei der Erinnerung. »Wir haben das Zeug sehr geliebt. Noch heute kann ich keinen Pfirsich riechen, ohne an die Sommer am See zu denken. Seltsam, ich glaube, wir haben es nur da getrunken, sonst nie.«

Als Hanna Marie vor fast zwanzig Jahren kennengelernt hatte, wusste sie nichts von dieser zarten, stillen und begabten Fotografin. Marie sollte Hanna im Rahmen ihrer Konzertreise für ein großes Magazin fotografieren. Sie war überpünktlich zum Termin gekommen und hatte über eine Stunde auf der Bank im Foyer des Konzertsaales gewartet. Schon als Hanna aus der Probe kam, war ihr Blick an dieser ruhigen Frau mit dem freundlichen Gesichtsausdruck hängengeblieben. Erst im Nachhinein hatte Hanna herausgefunden, was sie an dieser Fremden so fasziniert hatte: Marie hatte diese kühle, klare Aura von Menschen, deren innere und äußere Schönheit perfekt übereinstimmten. Es waren nicht nur ihre Zartheit, der blasse Teint und diese tief dunkelblauen Augen gewesen, irgendetwas ging von Marie aus, das Hanna in ihrem Innersten berührte: Hanna hatte sich in die elf Jahre jüngere Marie verliebt, bevor sie überhaupt erfahren hatte, wer sie war. Das anschließende Fotoshooting erlebte Hanna wie in Trance, ließ sich von Maries angenehm dunkler Stimme umhüllen, folgte den professionellen Anweisungen, während Marie sich zwischendurch immer wieder die Ergebnisse ansah. Dann hatte sie Hanna gebeten, sich vor die großen Fenster im Foyer zu stellen, nach draußen zu gehen, über die Schulter zu blicken und sie anzulächeln. Das war Hanna sehr leichtgefallen, und als sie die Fotos anschließend gemeinsam anschauten, wusste sie, dass es Marie nicht anders ergangen war.

»Ich habe dieses Haus am See immer geliebt.« Marie hustete wieder. »Ich weiß gar nicht mehr, wann wir zum ersten Mal zusammen da gewesen sind. Kannst du dich erinnern?« Der nächste Hustenreiz bahnte sich einen Weg. Hanna griff nach dem Glas, Marie winkte ab. »Danke, es geht gleich wieder.«

Hanna stellte es zurück. »Ich war, warte mal …, im Jahr 2000 das erste Mal mit dir am See.« Hanna strich Marie zärtlich eine Haarsträhne aus dem Gesicht. »Wir haben abends auf der Terrasse am See gesessen. Da hatte ich das Abschlusskonzert in Lübeck, weißt du noch, beim Schleswig-Holstein Musik

Festival. Und danach sind wir an den See gefahren, und du hast mir das Haus gezeigt. Und dann bist du auf dem Steg …«

»Ja«, Marie schloss die Augen. »Ach ja.«

Die Bilder waren sofort wieder da. Es war das Abschlusskonzert von Hannas Tournee gewesen, seit Monaten ausverkauft, aber Marie hatte an jenem Abend beglückt in der ersten Reihe gesessen und wäre vor Stolz auf diese schöne und begabte Frau am Klavier fast geplatzt. Die Leute im Saal lagen ihr zu Füßen, einer Pianistin auf dem Höhepunkt ihrer Karriere, die die Konzertsäle auf der ganzen Welt füllte.

Während sie damals mit Tränen in den Augen Hannas Virtuosität gelauscht hatte, überfiel sie eine grenzenlose Dankbarkeit für die Liebe zu dieser Frau. Marie hatte damals versucht, den Schwindel, der sie von Zeit zu Zeit befiel, zu ignorieren. Sie fühlte sich nicht besonders gut, schon Tage vor dem Konzert, aber sie wollte die Zeit, die sie nach langen drei Monaten endlich wieder mit Hanna verbringen konnte, nicht mit ihren gesundheitlichen Problemen belasten. Marie hatte viel um die Ohren gehabt, sie war als Fotografin gut ausgebucht und viel unterwegs gewesen. Jetzt war sie sehr müde, aber auch überglücklich, hier in diesem Konzertsaal in Lübeck, mit dem Wissen, im Anschluss mit Marie zum Haus am See zu fahren.

Nach dem Konzert hatte Hanna noch rasch das schwarze Abendkleid gegen eine helle Hose und einen weißen Pulli getauscht. Als sie aus ihrer Garderobe kam, hielt sie im Arm einen großen Rosenstrauß, den sie vorsichtig auf die Rückbank von Maries kleinem Auto legte, bevor sie einstieg und Maries Hand drückte. »Komm, lass uns fahren.«

Marie hatte Hanna bewusst noch nicht sehr viel von ihrer Herkunft erzählt. Es war nur so ein Gefühl gewesen, denn

Hanna waren materielle Dinge völlig gleichgültig, und Marie war sich nicht so sicher, wie Hanna reagieren würde, wenn sie wüsste, aus welch vermögender Familie sie stammte. Erst vor ein paar Wochen hatte Marie ihr erzählt, dass sie nicht von ihrer Fotografie lebte. Wie erleichtert war Marie gewesen, dass es Hanna überhaupt nicht zu interessieren schien. Sie kannten sich damals schon drei oder vier Jahre, ihre Beziehung war langsam und unter Ausschluss der Welt gewachsen, zunächst tauschten sie Briefe, dann trafen sie sich, wann immer Hanna in Deutschland auf Konzertreise war. Und dann gab es da noch so eine Sache, von der Hanna nichts wissen konnte.

Als sie eine knappe Stunde später durch das große Eisentor aufs Haus zufuhren, sah Hanna sich mit großen Augen um. »Oh«, flüsterte sie. »Ich hatte da eher das Bild von einem kleinen Holzhaus mit schiefer Veranda und bunten Fensterläden im Kopf …«

Marie lächelte. Die weiße Villa stand auf einem parkähnlichen Grundstück am See. Der abfallende Rasen grenzte ans Ufer, von der Terrasse aus sah man auf das Bootshaus und den Steg, an dessen Ende eine Badeleiter direkt in den See einlud.

»Gefällt es dir?« Marie stellte den Wagen vor dem Eingang ab und sah Hanna an. »Für mich ist das der schönste Ort der Welt.«

Hanna nickte und strich ihr zärtlich über die Wange. »Dann ist das ab sofort auch mein Lieblingsort.«

Später saßen sie in der lauen Sommernacht auf dem Bootssteg, tranken Champagner und schauten in den Sternenhimmel. Hanna ließ seufzend ihre Füße ins Wasser gleiten. »Es ist so wunderschön hier. Kann ich noch baden?«

»Jetzt?«

Sehnsüchtig sah Hanna auf die glatte Wasseroberfläche. »Es sieht so schön aus.«

»Dann hole ich dir mal Handtücher.« Marie stand auf, doch Hanna hielt sie fest.

»Gehst du nicht mit rein?«

»Nein.« Marie schüttelte den Kopf. Ihr war wieder schwindelig, vermutlich war sie zu schnell aufgestanden. »Mir ist das zu kalt.« Sie versuchte ein Lächeln.

Doch als sie fast schon am Ufer war, begann die Welt sich plötzlich zu drehen. Das Letzte, was sie mitbekam, war Hannas Schrei.

Das war jetzt siebzehn Jahre her.

Als es klopfte, öffnete Marie die Augen. Die gutgelaunte Schwester Feli stand in der Tür. »Alles in Ordnung? Brauchen Sie etwas?« Ihr Blick ging zu Hanna, die unmerklich den Kopf schüttelte, bevor Marie leise antwortete. »Nein, danke, es ist alles gut.«

»Fein. Sie sagen mir Bescheid, nicht wahr? Und, Frau Herwig, das gilt auch für Sie. Im Aufenthaltsraum steht übrigens frischer Kaffee. Also, bis später.«

Die Tür schloss sich sanft, Marie nahm Hannas Hand. »Ich musste gerade an unseren ersten Abend am See denken. Und was für ein Schock das für dich war. Nur weil ich dir damals noch nicht erzählt hatte, dass mein Herz so unzuverlässig ist. Das tut mir jetzt noch leid. Na ja, für dein erstes Treffen mit meiner Mutter hätte ich mir zwar einen schöneren Ort als das Krankenhaus gewünscht, aber ihr habt euch ja auf Anhieb gut verstanden.«

Hanna legte ihre Hand über Maries. »Ach ja, Laura.« Sie lächelte bei der Erinnerung. »Ich weiß noch, wie panisch ich in diesem Krankenhausflur saß, weil niemand mir was sagen konnte, und wie erleichtert ich war, als deine Mutter plötzlich auftauchte. Und nur ein paar Minuten später gab es ja Entwarnung.«

Ein Schatten legte sich über ihr Gesicht, sie betrachtete ihre Hand, die immer noch auf Maries lag, und biss sich auf die Lippe, bevor sie sich räusperte und Marie ansah. »Wie leicht es deine Mutter mir gemacht hat: Nimmt mich einfach in den Arm und sagt, wie sehr sie sich freut, mich kennenzulernen. Marie, wie gut, dass du ihr schon von uns erzählt hattest. Ich war so glücklich und erleichtert damals.«

Marie nickte. »Sie hat sofort verstanden, warum ich mich in dich verliebt habe. Und sie hat sich immer für uns gefreut.«

»Eine tolle Frau.« Hannas Stimme war ganz belegt. »Ich bin froh, dass ich sie noch kannte.«

Marie richtete sich ein kleines Stück auf. Hanna sprang sofort auf. »Soll ich dich ein bisschen hochfahren?«

»Ja, bitte. Ich möchte gern noch weiterblättern.«

Hanna half ihr in eine bequemere Position und spürte wieder mit einem Anflug von Verzweiflung, wie leicht Marie war. Ein kleiner, zarter Vogel.

Marie erriet ihre Gedanken. »Hanna«, sagte sie leise. »Wir haben so viel Glück gehabt. Das dürfen wir nicht vergessen.«

»Ja.« Langsam griff Hanna wieder nach dem Fotoalbum. »Wo warst du?«

»Hier.« Marie hatte die Aufnahme im Album sofort gefunden. »1975. Die Klassenfahrt nach Braunschweig. Da ist Alex das erste Mal dabei.«

Ein typisches Jugendherbergszimmer, auf einem Stockbett hocken vier Mädchen und lachen in die Kamera. Marie vorn, rechts von ihr die hellblonde Jule, daneben die dunkle Friederike, beide schon etwas älter als in den Kindersommern, Friederikes Haare kürzer, Jules länger, sie tragen beide gelbe T-Shirts mit ihren Namen. Hinter ihnen ein Mädchen, das man ohne weiteres für das BRAVO-Girl des Jahres halten konnte. Bildschön, mit langen, leicht gewellten braunen Haaren bis zur

Taille, einem makellosen Gesicht, frei von Hautunreinheiten, und einem spöttischen, aber sympathischen Lächeln.

»Sie kam in unsere Klasse, und alle waren sofort in sie verliebt«, sagte Marie leise. »Sie war das Schönste, was ich bislang gesehen hatte.«

Hanna nickte. Obwohl sie alle Geschichten kannte, war es doch etwas anderes, wenn die Personen plötzlich Gesichter bekamen. Marie sah seit ein paar Tagen schon jeden Tag ihre Alben durch, Seite um Seite, Foto für Foto. Sie war wie besessen, hörte nur auf, wenn es nicht mehr ging, suchte konzentriert bestimmte Fotos und Erinnerungen, machte sich Notizen. Seite um Seite füllten sich ihre schwarzen Notizbücher. Sie hatte Hanna nicht erzählt, um was es ging, und Hanna hatte auch nicht gefragt. Marie würde es ihr schon sagen, wenn die Zeit dafür gekommen war. Noch war es nicht so weit.

Ein plötzliches Keuchen ließ Hanna zusammenzucken. Marie rang panisch nach Luft, Hanna drückte sofort die Klingel und legte die Hand auf Maries Stirn. Sekunden später war Feli im Zimmer und griff nach der Sauerstoffmaske. »Alles gut, Marie«, sagte sie mit sanfter Stimme und beugte sich zu ihr. »Es wird gleich besser.« Sie sah Hanna an. »Sie muss eine kleine Pause haben. Und Sie brauchen die auch. Ich bleibe hier, und Sie gehen mal einen Kaffee trinken. Ich sage Ihnen Bescheid.«

Etwas später saß Hanna in einem bequemen Sessel, hielt eine Tasse zwischen beiden Händen und sah mit brennenden Augen hinaus in den Garten. Maries Zusammenbruch damals auf dem Steg war nur der Anfang gewesen. Erst da hatte Hanna erfahren, dass Marie seit ihrer Geburt unter einem schweren Herzfehler litt. Deshalb war sie so zart, so behütet, so zurückhaltend in allem, aber im selben Maße zäh und mutig. Trotz der vielen Krankenhausaufenthalte hatte sie einen unbändigen

Lebenswillen, trotz unzähliger Operationen, trotz all der Dinge, auf die sie verzichten musste. Die Ärzte hatten Marie kein langes Leben prognostiziert, niemand hätte damit gerechnet, dass es so lange so gut gehen würde. Und dass Hanna das Glück hatte, nun schon so viele Jahre lang ein Teil von Maries Leben sein zu dürfen. Aber vor zwei Jahren etwa hatte Maries Zustand begonnen sich zu verschlechtern, und Hanna hatte deshalb ihre Karriere beendet. Sie wollte alle Zeit, die ihnen blieb, am liebsten mit Marie verbringen. Und statt auf Konzerttournee zu gehen, waren sie gemeinsam gereist, wann immer Maries Zustand es zuließ. Sie hatten das Leben genossen, so gut und wann immer es ging. Hanna hatte in all den Jahren unzählige Tage und Wochen in Krankenhäusern an Maries Seite verbracht. Und sich trotzdem nie daran gewöhnt.

Sie stellte ihre Tasse auf den Boden, stand auf und trat drei Schritte ans Fenster. Der parkähnliche Garten, in den sie sah, wirkte normalerweise beruhigend auf sie: alte Bäume, Rosenstöcke, ein liebevoll angelegter Teich, über den eine kleine Brücke führte, alles war wunderschön. Das ganze Haus war schön. Warme Farben, lichte Räume, mitfühlendes Personal. Es gab nichts auszusetzen. Hanna holte tief Luft und lehnte ihre Stirn an die kühle Fensterscheibe. Marie. Schöne, kluge, zärtliche Marie. Und sie konnte nichts für sie tun. Sie atmete aus und spürte eine gewaltige Wut in sich hochsteigen. Sie hatten so lange auf ein Wunder gehofft. Aber Wunder gab es nicht. Dieses wunderschöne Haus war ein Ort des Abschieds. Und die Zeit, die sie hier verbrachten, war das Ende. Hanna drehte sich um, sie war ganz allein. Sie presste die Lippen zusammen, um die Tränen zurückzudrängen. Und dann trat sie voller Wut gegen die Tasse, die mit einem lauten Scheppern gegen die Tür flog. Das Leben war einfach nicht fair. Ganz und gar nicht.

München – Hamburg – Weißenburg
Drei Wochen später

Alexandra

»Guten Morgen, meine Damen und Herren, Ihr Flug LH 1023 nach Hamburg ist jetzt am Ausgang C17 zum Einsteigen bereit. Wir bitten Sie, Ihre Bordkarten bereitzuhalten …«

Alexandra zog langsam ihr Handy aus der Tasche und stellte den Flugmodus ein. Dann schob sie ihre Lesebrille ins Etui, verstaute es in der Handtasche und beobachtete die geschäftigen Mitreisenden, die sich sofort vor dem Bordkartenscanner drängelten, um die Ersten in der Maschine zu sein. Es würde ihnen nichts nützen, es gab keine freie Platzwahl, und das Flugzeug würde nicht früher abfliegen, nur weil sie schon saßen. Sie hatte noch nie verstanden, was der Grund für diese Hektik war. Die Menschen schoben sich in die Maschine, ließen sich dann im Gang alle Zeit der Welt, um ihr Handgepäck in Ruhe zu verstauen, die Jacke auszuziehen und zu falten, blockierten den Gang für alle nachkommenden Gäste, tranken über den Wolken Tomatensaft, was sie im normalen Leben nie taten, und standen sofort nach der Ankunft hektisch auf, um in unbequemer Haltung minutenlang auszuharren, bis jemand die Tür öffnete. Warum taten Menschen das? Es war ihr immer ein Rätsel.

Sie wartete noch ein paar Minuten, bis die Reihen sich gelichtet hatten. Dann stand sie auf und ging mit ihrer Bordkarte in der Hand zum Scanner. Sie ließ sich immer Plätze möglichst weit vorn buchen, zum einen war sie schnell ein- und ausgestiegen, und sie hasste es, sich an so vielen Menschen entlang durch den engen Gang zu quetschen.

Das Bordpersonal begrüßte sie am Eingang, Alexandra nickte freundlich und ging zu ihrem Platz gleich vorn am Gang. Aus dem Fenster wollte sie nicht sehen, und in der Mitte fühlte sie sich bedrängt. Am Rand war alles auszuhalten. Ein Paar, etwas älter als sie, saß schon: er am Fenster, seine Frau in der Mitte. Ein fröhliches »Guten Morgen« schallte Alexandra entgegen, bevor sie überhaupt Platz genommen hatte.

»Morgen«, entgegnete sie freundlich, suchte hinter sich nach dem Gurt und schnallte sich an, bevor sie ihre Brille und ein Branchenmagazin aus der Handtasche zog.

»Geht es so?«

Die Frage ihrer Sitznachbarin diente vermutlich eher der Kontaktaufnahme, Alexandra überlegte kurz, was sie denn machen würde, wenn die Antwort ein »Nein, geht nicht« wäre. »Danke, alles gut«, antwortete sie deshalb verbindlich, die Frau konnte ja nichts dafür, dass Alexandras Laune gerade im Sinkflug war. Sie rückte ihre Brille zurecht und schlug das Magazin auf. Ihre Sitznachbarin warf einen neugierigen Blick darauf. »Entschuldigen Sie, machen Sie was mit Büchern? Ich meine nur, weil ich gerade gesehen habe, was Sie lesen.«

»Ja«, Alexandra sah sie an. »Ich arbeite in einem Verlag.«

»Ach, wie interessant, ich …«

Der Beginn der Kabinendurchsage unterbrach sie. Sofort stieß sie ihren Mann an und deutete auf die Flugbegleiterin, die gerade demonstrierte, wie man einen Gurt schloss. »Hier, du musst mal aufpassen.«

Alexandra verkniff sich ein Lächeln. Die beiden waren keine

Vielflieger, deshalb würde sie in jedem Fall bis zum Erreichen der Reiseflughöhe ihre Ruhe haben. Und tatsächlich: Erst als hinter dem Vorhang die Geschäftigkeit des Kabinenpersonals zu hören war, kam wieder Leben in ihre Sitznachbarin.

»Puh, ich hasse dieses Abheben. Das geht ja so auf die Ohren.«

Sie sah Alexandra angestrengt an. »Macht Ihnen das nichts aus?«

»Es geht.« Alexandra klappte das Magazin zu, steckte es in die Sitztasche und schob ihre Brille auf die Stirn. »Man gewöhnt sich daran.«

»Dafür fliegen mein Mann und ich nicht oft genug.« Die Frau lächelte verlegen. »Ab und zu mal in den Urlaub, aber irgendwie ist das anders als diese Kurzflüge. Kommen Sie aus Hamburg? Oder machen Sie da auch nur einen Besuch?«

Alexandra blickte sie kurz an und entschied sich für eine einfache Antwort. »Ich lebe in München und mache einen Besuch. Halb beruflich, halb privat.«

»Ach ja, Bücher«, fiel es ihrer Nachbarin wieder ein. »Da waren wir gerade stehen geblieben. Wir besuchen ja unsere Tochter. Die ist Buchhändlerin. Und sie wohnt seit einem halben Jahr in Hamburg. Unser Schwiegersohn ist Lehrer und hat sich von Köln nach Hamburg versetzen lassen. Und jetzt fahren wir das erste Mal hin und sehen uns alles an. Ich bin ganz gespannt. Kennen Sie Hamburg ein bisschen?«

Alexandra zögerte. »Ein bisschen«, antwortete sie schließlich. Vermutlich war die Antwort ohnehin egal, ihre Nachbarin wollte sich einfach nur unterhalten. Sie hatte richtig gelegen.

»Also, wir haben uns richtig viel vorgenommen. Als Erstes natürlich die Elbphilharmonie, das ist klar, unsere Tochter hat es sogar geschafft, für übermorgen Konzertkarten zu bekommen. Dann wollen wir eine Hafenrundfahrt machen, eine Barkassenfahrt auf der Alster, uns den Stadtpark ansehen und natürlich ein bisschen durch die Geschäfte laufen. Unser Hotel ist in einer Gegend mit einem seltsamen Namen: Eimsbüttel. Wir haben uns nämlich ein Hotel gebucht, meine Tochter und mein Schwiegersohn haben eine Dreizimmerwohnung und einen Hund, das muss ich auch nicht mehr haben. Und das Hotel ist gleich um die Ecke. In Eimsbüttel. Ja, so heißt das. Wissen Sie, wo das ist?«

Eimsbüttel. Alexandra sah sich unvermittelt vor einem Haus in der Weidenallee stehen. Eine gelbe Fassade, ein paar Graffiti, die hohe Eingangstür, blaue Fliesen im Flur, die Briefkästen an der halb gefliesten Wand, Fahrräder, an denen man sich vorbeischlängeln musste, und die abgetretene, geschwungene Holztreppe. Im ersten Stock eine rote Haustür, zwei Namen am Klingelschild, der lange Wohnungsflur, von dem rechts und links je ein Zimmer abging, das winzige Bad, das früher vermutlich eine Vorratskammer gewesen war, die große, quadratische Küche, die auf einen kleinen Balkon führte, darauf ein Tisch, zwei Stühle und jede Menge Pflanzen. Auf diesem Balkon hatten sie in ihrer Erinnerung fast jeden Abend gesessen, Wein getrunken, manchmal Tee – und geredet, geredet, geredet, Pläne gemacht, dort waren sie sich immer ganz nah gewesen.

Alexandra riss sich zusammen und schüttelte den Kopf. »Ich glaube, ich war vor sehr langer Zeit mal da. Das wird heute vermutlich alles ganz anders aussehen. Ich würde es sicher nicht wiedererkennen.«

Die Frau nickte verständnisvoll. »Ja, ja, es verändert sich ja alles so schnell. Ach, da kommt der Kaffee. Ingo, was möchtest du trinken?«

Alexandra lehnte freundlich das Getränkeangebot ab. Sie mochte keinen Kaffee aus Plastikbechern, Wasser genauso wenig, und Durst hatte sie auch nicht. Stattdessen lehnte sie ihren Kopf zurück und schloss kurz die Augen.

Sie hätte auch einfach antworten können, dass in ihrem Ausweis Hamburg als Geburtsort stand. Aber das hätte sicherlich noch mehr Fragen nach sich gezogen, und letztlich war es doch auch egal, wo man geboren war. Und sie war nicht in Hamburg aufgewachsen, statt einer mondänen Großstadtkindheit war ihre eine kleinbürgerliche in einem der spießigen Vororte gewesen. Bis zum Abitur hatte sie Hamburg kaum gekannt.

Natürlich war sie in den letzten Jahren ab und zu in Hamburg gewesen, hatte Autoren besucht, sie zu Lesungen oder Literaturfestivals begleitet, zu Presseterminen und Veranstaltungen. Alles weit genug von ihrem alten Leben entfernt und in Gegenden der Stadt, in die sie damals eher selten gekommen war. Die alten Plätze würde sie kaum wiedererkennen, sie mied die Stadtteile, in denen sich ihr altes Leben abgespielt hatte. Seit über zwanzig Jahren war sie schon Wahlmünchnerin, ihr altes Hamburger Viertel hatte sich in dieser Zeit verändert. Fast ein Vierteljahrhundert. Ihre Kontakte von damals bestanden nicht mehr. Bis auf die, die sie nicht kappen konnte. Und wegen derer sie jetzt in diesem Flugzeug saß.

»Herzlich willkommen in Hamburg. Bitte bleiben Sie noch angeschnallt sitzen, bis wir unsere endgültige Parkposition erreicht haben. Kapitän Schumacher und die gesamte Crew verabschieden sich von Ihnen. Wir hoffen, Sie bald wieder bei uns an Bord begrüßen zu dürfen ...«

Alexandra schreckte hoch, als sie die Ansage hörte, sie war tatsächlich eingedöst, was ihr sonst nie passierte. Sie hatte den halben Flug verschlafen. Noch etwas benommen sah sie zu ihrer Sitznachbarin, die sie aufmunternd anlächelte. »Ausgeschlafen? Ich dachte schon, ich müsste Sie wecken.«

»Entschuldigen Sie.« Alexandra fuhr sich schnell durch die

Frisur. »Irgendwie hat mich die Müdigkeit übermannt. Ich hoffe, es wirkte nicht unhöflich.«

»Nein, nein«, sie lachte. »Mein Mann hat auch geschlafen. Ich kenne das.«

Kaum am Gepäckband, kam schon ihr Koffer. Ohne Wartezeit, sie war begeistert. Sie hob ihn vom Band, zog den Griff hoch und nickte ihren Sitznachbarn von vorhin noch mal zu. »Eine gute Zeit in Hamburg. Wiedersehen.«

Die Ausgangstür öffnete sich automatisch, Alexandra ging durch die Schleuse und sah sich sofort einer Menschentraube gegenüber, lauter Abholer, manche mit Blumen, andere mit Luftballons oder Transparenten, dicht gedrängt am Ausgang, um ihre Lieben sofort zu entdecken. Sie ging mit schnellen Schritten weiter, nach Blumen müsste sie nicht Ausschau halten, Luftballons waren zu kindisch und ein Transparent völlig übertrieben. Stattdessen hörte sie einen lauten Ruf. »Alex! Hier.«

Katjas Stimme hätte sie aus Hunderten erkannt. Ihre Schwester stand an einem Pfeiler, dicht am Terminalausgang, und winkte. Sie kam ihr keinen Meter entgegen.

Den Koffer hinter sich, ging Alexandra langsam auf sie zu. »Hallo, Katja«, sie beugte sich ein Stück nach vorn, um sie auf die Wange zu küssen. »Mein Koffer war der dritte auf dem Band, ich hatte schon Sorge, dass du warten musst.«

»Ihr wart ja pünktlich. Aber jetzt schnell, dieses Parkhaus ist dermaßen teuer und noch bin ich unter einer halben Stunde.«

Das Parkhaus war direkt vor dem Terminal, der Wagen stand gleich in der ersten Reihe. Katja hielt die Kofferraumklappe des Kombis hoch, bis Alexandra ihr Gepäck verstaut hatte, dann knallte sie ihn zu und umrundete den Wagen. »Und die Stadt ist dermaßen verstopft, das kannst du dir gar nicht vorstellen. Ich weiß wirklich nicht, was die hier alle wollen.«

Sie hatte den Wagen schon gestartet, bevor Alexandra ihre Tür geschlossen hatte. Noch während des Anschnallens fuhr Katja schwungvoll rückwärts und reihte sich in den Verkehr ein. Kurz danach musste sie bremsen, die Taxen, die von rechts auf die Hauptstraße fuhren, hatten Vorfahrt. Ungeduldig trommelte sie aufs Lenkrad. »Ich hasse dieses Gewühl am Flughafen. Und das wird gleich nicht besser, die ganze Stadt besteht nur aus Baustellen, ich habe für den Hinweg schon fast eine Stunde gebraucht, es macht echt keinen Spaß, in Hamburg Auto zu fahren.«

»Ich hatte dir doch gesagt, dass du mich nicht abholen musst.« Alexandra hatte genau das erwartet. »Ich hätte mir auch ein Taxi nehmen können, du hättest dir den Stress nicht antun müssen.«

»Taxi.« Katja sah ihre Schwester an, als wäre sie nicht bei Sinnen. »Da bezahlst du mindestens 80 Euro. Falls du damit auskommst, bei diesen ganzen Staus. Das kannst du vergessen. Nun fahr doch, du Idiot.«

Alexandra lehnte sich zurück und versuchte, Katja unauffällig zu mustern. Sie war fast genau zehn Jahre älter, die klassische große Schwester. Es gab eine gewisse Familienähnlichkeit, sie waren beide groß und schlank, hatten beide große, grau-grüne Augen und eine ähnliche Frisur. Allerdings sah man Katja die zehn Jahre, die sie älter war, auch an. Nicht nur weil sie ihre grauen Haare nicht mehr färbte, auch weil sie weniger Wert auf ihr Äußeres legte. Alexandra wäre niemals in so einer Strickjacke zum Flughafen gefahren, um jemanden abzuholen. Aber Katja war es immer schon egal gewesen, was sie trug. Hauptsache, es war waschmaschinengeeignet und alltagstauglich.

Als Alexandra klein war, hatte sie ihre große Schwester grenzenlos bewundert und wollte alles genauso machen wie Katja.

Sie folgte ihr überallhin, sie war stolz, wenn Katja sich mit ihr beschäftigte, sie himmelte sie an und ahmte sie nach. Das änderte sich später. Als Alexandra zwölf und Katja zweiundzwanzig war, verlobte sich Katja mit Jochen. Ein Jahr später zog die Familie aus dem Vorort Hamburgs in eine Kleinstadt etwa vierzig Kilometer entfernt, um gemeinsam mit Katja und Jochen ein Doppelhaus zu beziehen. Seither war für Alexandra das Wort Doppelhaus der Inbegriff deutscher Spießigkeit. Rechts wohnte die pubertierende Alexandra mit ihren Eltern, links die verlobte Schwester, die ein Jahr später tatsächlich heiratete. Ganz in Weiß mit Partyzelt im Garten. Alexandra fand das alles so peinlich, dass sie kaum Luft bekommen hatte. Sie selbst musste auf eine neue Schule gehen, sehnte sich nach ihrer alten Clique, nach dem alten Jugendzentrum, fand ihr neues Zuhause anfangs nur grauenvoll und musste dann noch zusehen, wie ihre einst so bewunderte Schwester zu einer jüngeren Ausgabe ihrer Mutter wurde. Sie hatten viel gestritten. Am meisten in der Zeit, in der Katjas glückliche Ehe mit Jochen in die Brüche ging.

Mittlerweile war Katja schon Großmutter, auch wenn man es ihr nicht ansah. Immerhin war sie seit zwei Jahren wieder verliebt. Alexandra war gespannt, wann das Wort »Matthias« das erste Mal fiel.

»Ach, übrigens«, Katja hupte ungeduldig, weil der Wagen vor ihr an der Ampel erst anfuhr, als es schon längst grün war. »Matthias und ich wollen dieses Jahr mal zum Oktoberfest. Können wir da bei dir übernachten? Nur eine Nacht, wir wollen am nächsten Tag nach Italien.«

Alexandra sah auf die Uhr. Zwölf Minuten. Beim letzten Gespräch war es gleich der zweite Satz gewesen. War hier schon Gewohnheit zu erkennen?

»Wieso grinst du so? Warst du überhaupt schon mal auf

dem Oktoberfest?« Katja richtete ihren Blick wieder auf die Straße.

»Ja, ich war schon mal auf dem Oktoberfest. Wenn man in München lebt, muss man das mal ausprobieren. Und wenn man volle Bierzelte, laute und schlechte Musik, fettiges Essen und Besoffene mag, die dir auf dem Heimweg über die Jacke kotzen, ist das super. Und ja, ihr könnt bei mir übernachten. Ich habe nicht gedacht, dass dein Matthias so ein Volksfesttyp ist. Er wirkt so seriös.«

»Das ist er ja auch.« Katja sah sie stirnrunzelnd an. »Seriös heißt nicht spaßfrei. Außerdem musst du auch gar nicht mit.«

»Danke«, entgegnete Alexandra. »Wie läuft es so mit euch? Haben deine Kinder sich mittlerweile daran gewöhnt, dass ihre Mutter einen Freund hat?«

»Es geht so. Torben kommt kaum nach Hause, Stuttgart ist einfach zu weit, und nur für ein Wochenende lohnt es nicht. Und er arbeitet so viel, dass er sowieso kaum Zeit für was anderes hat. Und Daniela …, na ja, die wird mit Matthias irgendwie nicht warm.«

»Ich glaube, die wird nicht warm mit der Tatsache, dass Mutti ihr nicht dauernd die Wohnung aufräumt. Das machst du doch hoffentlich nicht mehr, oder?«

»Natürlich nicht.« Katja klang sofort wieder beleidigt. »Das habe ich auch noch nie gemacht. Vielleicht mal geholfen, wenn irgendetwas Besonderes war. Aber mehr nie.«

Nein, nein, schon klar, dachte Alexandra und hielt sich mit einem Kommentar zurück. Ihre Schwester war eine Übermutter, das war sie von Anfang an gewesen, ihr Sohn Torben ein übergewichtiger Nerd, anders konnte man es nicht beschreiben. Er hatte eine schwäbelnde Grundschullehrerin geheiratet und gerade ein Haus gebaut. Seine Schwester Daniela, Mutter eines fünfjährigen Sohnes, arbeitete als Kosmetikerin und war meistens überfordert. Ihr Lebensgefährte jobbte als Taxifahrer mit wechselnden Schichten, und Daniela fand es unzumutbar, dass sie neben ihrem Job auch noch für den Haushalt und die Kindererziehung verantwortlich war. Deshalb hatte sie das alles zügig auf ihre Mutter übertragen, die jahrelang für Daniela und ihre Familie gekocht, gebügelt und gewaschen hatte. Alexandra war froh, keine so verzogene und nervige Tochter zu haben, aber das sollte man wohl auch als Tante besser für sich behalten.

Sie schwiegen beide, taten so, als würden sie die Nachrichten im Radio hören, bis sie sich der Autobahnabfahrt näherten. Katja drosselte das Tempo und setzte den Blinker. »Wann warst du eigentlich das letzte Mal hier?«

»Letztes Jahr Ostern?« Alexandra überlegte. »Nein, Blödsinn, im Juni. Nach der Veranstaltung in Lübeck.«

Katja nickte. »Dann erschrick gleich nicht, wenn du Mama siehst. Sie hat ziemlich abgebaut.«

»Sie wird im September neunzig. Ich wundere mich sowieso, dass sie noch so fit ist.«

»Wie willst du das denn beurteilen?« Da war Katjas hysterischer Ton wieder. »Du bist doch nie hier.«

»Katja, bitte, ich habe keine Lust auf Streit. Ich bin jetzt ja gekommen, bleibe zwei Tage und gut. Außerdem telefoniere ich jeden zweiten Sonntag mit Mama. Und dabei erscheint sie mir immer ziemlich fit.«

»Ziemlich fit.« Katja schnaubte empört und fuhr in ihre Wohnstraße. »Ich habe sie jeden Tag, und sie wird immer …, Ach, Matthias' Auto steht ja da.« Sofort hatten sich ihre Züge geglättet und ihre Stimme beruhigt. Sie parkte hinter seinem Audi und stellte den Motor ab. »Wir trinken erst mal einen Kaffee bei mir, bevor du zu Mama rübergehst, okay?«

»Von mir aus.« Alexandra war es egal. »Dann lasse ich meinen Koffer noch hinten, oder? Den muss ich ja nicht erst vorher bei dir reinschleppen.«

»Du schläfst bei mir.« Katja stieg aus und öffnete den Kofferraum. »Ich hatte keine Lust, dein altes Kinderzimmer sauberzumachen. Mein Gästezimmer ist gemacht und bequemer. Falls es dir recht ist.«

Es war Alexandra recht. Beim letzten Mal hatte sie tatsächlich in ihrem alten Zimmer im Elternhaus geschlafen und es furchtbar deprimierend gefunden. Ihre Mutter hatte dieses Zimmer überhaupt nicht verändert, von der bunten Tapete bis hin zum hellgrünen Einzelbett und dem weißen Schreibtisch war alles noch da. Das Bücherregal versammelte Tolkiens ›Herr der Ringe‹, Christiane F. ›Wir Kinder von Bahnhof Zoo‹, Sandra Paretti ›Das Zauberschiff‹, Martin Walser ›Ein fliehendes Pferd‹ bis zu Erica Jong ›Angst vorm Fliegen‹. Sogar Astrid Lindgrens ›Wir Kinder aus Bullerbü‹ stand noch da. Dazwischen jede Menge Schul- und Kinderbücher, Alexandras literarische Ausrichtung war hier noch nicht zu ahnen. An der Wand hingen Poster von Bob Marley neben Barbra Streisand und Audrey Hepburn, dazwischen Setzkästen, in denen Walt-Disney-Figuren neben Muscheln, Steinen, kleinen Parfümflacons und billigen Modeschmuckstücken präsentiert waren, von denen Alexandra überhaupt nicht mehr wusste, warum sie die jemals besessen hatte. Über dem Schreibtisch, vom Bett aus zu sehen, hing immer noch die Pinnwand aus Kork. Die Pins hatten bunte Plastikköpfe und hielten Kinokarten, Briefumschläge, Ansichtskarten, herausgerissene Zeitungsartikel, handgeschriebene Zettel und jede Menge alter Fotos. Streifen aus Fotoautomaten, auf denen viermal dieselben Mädchen in unterschiedlichen Posen abgebildet waren, unscharfe Bilder aus alten Zeiten, Freundinnen, die damals das Wichtigste auf der Welt gewesen waren. Spätestens beim Anblick dieser Anhäufung von Jugendsentimentalität hatte Alexandra es bereut, sich kein Hotelzimmer genommen zu haben.

»Das ist mir sehr recht«, antwortete Alexandra und hob ihren Koffer aus dem Auto. »Danke.«

Noch bevor Katja den Schlüssel in die Haustür stecken konnte, öffnete die sich. »Hallo, mein Schatz.« Matthias beugte sich zu Katja, um sie zu küssen, bevor er über sie hinwegsah und Alexandra begrüßte. »Hallo, Alex, hattest du einen guten Flug?«

»Danke, ja.« Alexandra kam langsam auf ihn zu und gab ihm die Hand, für familiäre Wangenküsse war er noch nicht lange genug Mitglied ihrer Familie. Auch wenn er bereits Alex statt Alexandra sagte, was nur sehr wenige Menschen taten. Sie war nicht mehr der Typ, dessen Name einfach abgekürzt wurde. »Hallo, Matthias.«

Er nahm ihr sofort den Koffer ab und brachte ihn nach oben ins Gästezimmer, Alexandra folgte ihrer Schwester durch den Flur. »Ist er hier eingezogen?« Sie ließ ihre Handtasche an der Garderobe stehen und zog ihre Jacke aus. Katja nahm sie ihr ab und schüttelte den Kopf. »Nein. Er hat noch seine Wohnung in Lübeck. Aber er ist die meiste Zeit hier.«

»Dann kann er doch auch ganz einziehen.« Alexandra betrat das Wohnzimmer und sah sich um. Es hatte sich kaum etwas verändert. Alles sah aus wie in den Neunzigern, bis auf ein paar neue Lampen und das eine oder andere Foto. Wenigstens hing das überdimensionale Hochzeitsbild von Katja und Jochen nicht mehr an der Wand. Ihre Schwester mit schlimmer Föhnfrisur, als Tüllexplosion mit strahlendem Lächeln, neben ihr Jochen, auf dessen Anzug die weißen Tauben gekackt hatten, und das ganze Elend im Format 70 x 100, im Messingrahmen. Alexandra hatte sich immer ein Lachen verkneifen müssen, wenn ihr Blick darauf gefallen war. Jetzt hing an der Stelle ein Foto von Danielas Hochzeit. Es war nur geringfügig besser, mittlerweile war Alexandra nur nicht mehr ganz so albern.

»Kaffee?« Katja war ihr gefolgt und stand jetzt neben ihr. »Oder was anderes?«

»Ach«, Alexandra riss sich vom Anblick ihrer Nichte im Brautkleid los. »Kaffee ist gut. Ich würde nur gern kurz meinen Koffer auspacken, mein Anzug für übermorgen ist sonst total zerknittert.«

»Dann mach das. Und ich habe für später eine Suppe gekocht. Oder hast du jetzt schon Hunger? Ich kann dir ein Käsebrötchen machen.«

Alexandra winkte ab. »Danke, Kaffee reicht.«

Katjas Gästezimmer war genauso, wie man sich Katjas Gästezimmer vorstellte. Ein Bett, das sonst zu einem Sofa zusammengeschoben war, ein Schrank, ein kleiner Tisch, auf dem eine Wasserflasche und ein Glas standen, eine Leselampe, ein Hocker und auf dem Laminat ein bunter IKEA-Teppich. Wenn kein Besuch kam, wurde hier gebügelt, das Bügelbrett stand hinter der Tür, vermutlich schaute Katja sich dabei Serien an und legte die Wäsche anschließend ordentlich auf dem Sofa ab. Alexandra sah es vor sich. Das Hausfrauenglück. Trotzdem war es besser, als im alten Kinderzimmer zu schlafen. Alexandra schüttelte die Gedanken ab, öffnete ihren Koffer, hängte den Anzug auf einen Bügel und ließ sich dann langsam auf das Sofa sinken. Sie war nicht gerecht, das merkte sie gerade selbst. Katja führte ein Leben, das Alexandra nie gekannt hatte und auch nicht hätte führen wollen. Das hieß aber nicht, dass es ein schlechtes Leben war. Und vermutlich würde ihre Schwester sich in Alexandras Leben ebenso wenig wohlfühlen. Großstadt, viele Menschen, Karriere, Abendtermine, aber auch eine leere Wohnung und niemand, der auf einen wartete. Alexandra mochte es, weil es ihr vertraut war und sie es sich selbst so eingerichtet hatte. Hätte sie heute noch einmal die Wahl, würde sie trotzdem viele Dinge anders machen. Ganz anders.

Entschlossen stand sie auf und ging zu ihrer Tasche. Sie hatte noch ein Geschenk für Katja. Auch wenn sie so unterschiedlich waren, sie waren schließlich Geschwister.

»So, Mädels«, Matthias schob seine Tasse zur Seite und stand auf. »Dann will ich euch mal allein lassen, ihr habt ja bestimmt viel zu bequatschen. Und du willst ja auch gleich zu Gertrud. Bis später, Schatz.«

Alexandra kaute immer noch auf einem trockenen Keks und verschluckte sich sofort. »Mädels«, »bequatschen« und »Schatz«, drei Wörter, die bei ihr auf der Todesliste standen. Mit Mühe unterdrückte sie den Hustenreiz und hob die Hand. »Tschüss.« Katja sprang auf, um ihn zur Tür zu bringen. Als sie zurückkam, waren ihre Wangen leicht gerötet, ihre Gesichtszüge ganz weich. Plötzlich fiel Alexandra wieder ein, wie sie als junges Mädchen ausgesehen hatte. Katja war so hübsch gewesen, das war sie heute immer noch, man sah es nur nicht sofort.

»Er fährt mein Auto waschen«, sagte sie etwas verlegen. »Er ist wirklich toll, er macht so viel für mich, ich weiß noch gar nicht, wie ich damit umgehen soll. Er hat auch den Garten gemacht, ich weiß nicht, ob du es schon gesehen hast, ich habe jetzt überall Rosen. Das ist das Glück, wenn man jemanden trifft, der in einem Gartenbaumarkt arbeitet. Und so kreativ ist.«

Erstaunt sah Alexandra sie an. Ihre Schwester schien richtig verliebt zu sein. Mit 65 und nach fast 20 Jahren Singledasein. Zumindest hatte Alexandra in der Vergangenheit nie etwas von einem Freund ihrer Schwester gehört. In den Gesprächen ging es immer nur um die Kinder und die Eltern. Allerdings hatte Alexandra auch nie gefragt. Seit Katjas Scheidung sprachen sie nicht mehr über Katjas Privatleben.

»Du bist ganz schön verknallt, oder?« Alexandra stützte ihr Kinn auf die Faust und musterte ihre Schwester. »Das finde ich toll.«

Katja sah sie erstaunt an. In ihrer Stimme klang Skepsis. »Meinst du das ernst?«

»Ja, mich freut das wirklich. Und Matthias ist ja auch echt sympathisch. Ihr passt gut zusammen. Wirklich.«

»Danke.« Katja war tatsächlich errötet. »Dann mach ich jetzt mal dein Geschenk auf, ja? Obwohl es nicht nötig gewesen wäre.« Sie stand auf und nahm das Päckchen von der Anrichte.

Katja hatte schon als Jugendliche ihre Geschenke immer so vorsichtig geöffnet, als wollte sie das Geschenkpapier noch einmal benutzen, das tat sie heute noch. Es dauerte Minuten, bis sie das kunstvoll verzierte Geschenk ausgepackt hatte und den silbernen Armreif mit großen Augen um ihr Handgelenk legte. »Alex, der ist ja schön! Vielen Dank, du sollst doch nicht so ...«

»... viel Geld ausgeben, ich weiß«, Alexandra nickte. »Mache ich aber gern. Ich glaube, ich gehe jetzt mal rüber.«

Langsam schob Katja den Armreif etwas höher, damit er enger saß. »Ja. Aber mach dich auf was gefasst, sie ist phasenweise wirklich total durcheinander. Wir müssen uns dringend unterhalten, wie es mit ihr weitergehen soll. Ich kann das so nicht mehr.«

Alexandra sah ihre Schwester an. Schon bei den letzten Telefonaten hatte sie angedeutet, dass ihre Mutter nicht mehr allein leben konnte. Sie hatte Handlungen ihrer Mutter beschrieben, die eindeutig auf eine fortgeschrittene Demenz deuteten. Katja war sich ihrer Diagnose so sicher, dass Alexandra inzwischen ganz beunruhigt war. Sie hatte die Befürchtung, dass das Ganze auch ein Vorwand war, damit Daniela und ihre Familie nebenan einziehen konnten. Auch wenn sie nicht so schlecht über ihre Schwester denken wollte. Es war nur so ein Gefühl.

Katja blieb an den Kühlschrank gelehnt stehen und starrte auf ihre Füße. Sie wollte etwas sagen, überlegte es sich aber anders und drehte sich um. »Mach dir selbst ein Bild. Wir reden danach. Und Mamas Schlüssel hängt am Haken der Garderobe. Sie hört das Klingeln nicht. Und wenn, dann geht sie nicht zur Tür.«

Alexandra atmete tief durch. »Okay. Dann bis später.« Auf dem Weg zur Haustür warf sie einen kurzen Blick in den Spiegel. Sie hatte Angst vor dem, was sie nebenan erwartete. Sie schüttelte das Gefühl ab, griff nach dem Schlüssel und ging. Es gab wenige Wege in ihrem Leben, die sie so oft gegangen war.

»Mama?« Alexandra ging zögernd ein paar Schritte in den Flur, bevor sie stehen blieb. »Ich bin's, wo bist du?«

»In der Stube. Und mach die Tür richtig zu.«

Langsam ging Alexandra den Flur entlang, vorbei an der Küche und der Gästetoilette. Die Tapeten klebten hier schon seit dreißig Jahren, auch die Fliesen waren immer noch dieselben. Die Tür zum Wohnzimmer war angelehnt, Alexandra drückte sie auf und trat ein.

»Alexandra.« Ihre Mutter saß in ihrem alten Lieblingssessel und ließ das Strickzeug sinken. Ein Lächeln breitete sich auf ihrem Gesicht aus, sie streckte die Arme aus. »Komm her, Kind, mein Bein ist heute so komisch, ich komme ganz schlecht hoch.«

Erleichtert, weil ihre Mutter eigentlich so aussah wie beim letzten Mal, hockte Alexandra sich neben den Sessel und umarmte sie. »Hallo, Mama, was ist denn mit deinem Bein?«

»Das ist ganz komisch.« Sie zuckte mit den Achseln. »Möchtest du Kaffee? Dann gehen wir in die Küche. Saft steht auf dem Tisch. Glas ist im Schrank.«

»Ich habe bei Katja Kaffee getrunken.« Alexandra ging zum Tisch und nahm die Saftflasche in die Hand. Beim Schütteln sah sie kleine Stücke durch die Flasche schwimmen, sie suchte das Verfallsdatum, es war schon vor einem halben Jahr abgelaufen. »Hast du den getrunken? Der ist ja schlecht.«

Ihre Mutter sah sie erstaunt an und drückte ihre Hand auf den Magen. »Dann ist mein Bein wohl deshalb komisch. Ist Jochen auch drüben?«

»Jochen? Nein, warum soll der drüben sein?«

»Ich denke, du warst bei Katja. Du siehst dünn aus, Kind, du arbeitest zu viel. Du musst mehr essen.«

Alexandra setzte sich auf das Sofa und nahm die Hand ihrer Mutter. »Mama, Jochen ist schon vor ewigen Zeiten ausgezogen. Katja hat doch jetzt einen Lebensgefährten. Er heißt Matthias.«

Erst kam ein unsicherer Blick, dann schüttelte ihre Mutter den Kopf. »Das weiß ich doch. Matthias. Er hat meinen Garten gemacht. Das war ziemlich teuer. Aber das war Katja ja egal, sie hat ihn einfach bestellt. Das hättet ihr auch selbst machen können. Ich kann das ja nicht mehr.«

Alexandra drückte leicht ihre Hand. »Aber der Garten ist so schön geworden. Das hätten wir selbst ja gar nicht so hinbekommen. Und Katja hat Matthias dabei kennengelernt. Das war doch auch gut.«

Ihre Mutter nickte, dann hielt sie inne und wandte ihren Blick zum Fenster. »Der Garten ist schön. Aber Matthias hat ja fast schon eine Glatze. Und Daniela mag ihn nicht. Die geht jetzt schon zur Schule. Wusstest du das?«

Alexandra schluckte. »Du meinst Danielas Sohn. Der kommt bald zur Schule. Dein Urenkel. Aber erst nächstes Jahr.«

Ihre Mutter streichelte ihr die Hand. »Ja, ja. Das dauert noch ein bisschen.« Sie lächelte sie an. »Ich kenne den kaum. Ich habe ihn erst zweimal gesehen. Du kannst mir gleich nochmal helfen, ich muss den Kaffeetisch decken, ich bekomme nachher Besuch von meiner Kartenrunde. Wir spielen heute hier.« Sie nickte bekräftigend. »Nimm mal das blaue Geschirr.«

Alexandra schloss kurz die Augen. Ihre Mutter hatte jahrelang mit drei Freundinnen Karten gespielt. Jeden ersten Freitag im Monat. Sie war die letzte der Runde, die anderen drei waren bereits vor einiger Zeit gestorben.

»Mach ich, Mama. Das blaue Geschirr.«

»Das ist nett von dir.« Sie zog plötzlich ihre Hand weg und strich sich über die Stirn. Ihr Blick veränderte sich, sie wirkte angestrengt, dann wandte sie sich wieder an ihre Tochter. »Liegt in München noch Schnee?«

»Nur noch auf den Bergen. Wir haben ja schon April.«

»In der Stadt nicht mehr?«

»Nein.«

Ihre Mutter nickte zufrieden. »Dann muss ich ja keine Angst haben, dass du bei Glatteis Auto fährst.«

Alexandra lächelte sie an. »Nein, Mama, das musst du nicht.«

»Wusstest du, dass deine Freundin Marie van Barig ganz krank ist? Die wird wohl auch nicht mehr gesund.«

Ein kalter Schauer lief über Alexandras Rücken. Marie. War das ein Hirngespinst? »Wie kommst du denn darauf?«

»Das habe ich im Wartezimmer vom Doktor gehört. Katja hat mich da hingebracht, als mir neulich immer so schwindelig war. Aber ich hatte nichts.« Sie nahm ihr Strickzeug wieder auf und stach mit der Nadel in die Maschen. Es sah aus wie eine überdimensionale Socke. »Ich stricke ein paar Socken für Papa. Das darf der aber nicht wissen. Sag ihm nichts.«

Alexandra verkniff sich die Bemerkung, dass ihr Vater vor sechs Jahren gestorben war. »Und was ist jetzt mit Marie?«

»Marie?« Ihre Mutter lächelte sie wieder an. »Welche Marie?«

Später saß Alexandra auf der Bank vor Katjas Gartenteich und rauchte. Sie hatte es sich vor vielen Jahren abgewöhnt, nur hin und wieder erlaubte sie sich eine Ausnahme. Das hier war eine, sie hatte sich nach dem Besuch bei ihrer Mutter am Kiosk Zigaretten gekauft. Jetzt trat sie die Zigarette halb geraucht aus und wischte sich die Tränen ab. Im selben Maße, wie Katja wütend über die Veränderung ihrer Mutter war, machte es sie todtraurig. Die Gespenster der Vergangenheit waren immer häufiger im Kopf ihrer Mutter. Es gab helle Momente, in denen man den Glauben haben konnte, alles wäre wie immer, dass Gertrud Weise eine alte Dame war, die nur manchmal Geschichten doppelt erzählte oder Zusammenhänge verwechselte. Aber dann kam plötzlich eine Bemerkung, die zeigte, dass sie im Kopf in einer ganz anderen Zeit war und sich in der realen Welt der Gegenwart überhaupt nicht mehr auskannte. Und das Schlimmste war, dass sie es selbst sogar hin und wieder ahnte.

Ihre Mutter sah noch aus wie ihre Mutter, sie hatte dieselbe Stimme wie ihre Mutter, und doch war sie bereits auf dem Weg, jemand anderes zu werden. Wo war ihre Mutter hin, ihre wunderbare Mutter, die früher an der Tür gestanden hatte, wenn sie nach Hause gekommen war, die Wert auf gute Tischmanieren und ordentliche Kleidung gelegt hatte, die trotz der Unverschämtheiten, die ihr Alexandra in ihrer ungezügelten Zeit an den Kopf geworfen hatte, nie beleidigt, wütend oder gar nachtragend gewesen war, die in Alexandras Augen zwar ein falsches Leben in ihrem spießigen Doppelhaus, in dieser spießigen Kleinstadt führte, die damit aber immer zufrieden gewesen war. Diese Mutter war gegangen. Sie war noch zu ahnen, hin und wieder, was die Sache aber nicht leichter machte, denn eigentlich war sie weg. Das Schlimmste dabei war, dass sie nicht wiederkommen würde. Und viele Dinge, die Alexandra ihr noch hatte sagen wollen, könnte sie jetzt gar nicht mehr verstehen. Es war zu spät. Zu spät für so vieles. Und zu allem Überfluss war dann noch der Name Marie gefallen. Plötzlich hörte sie leise Schritte hinter sich. Katja setzte sich zögernd neben sie, dann beugte sie sich nach vorn, hob die Kippe auf und legte sie auf einen Blumentopf. Alexandra sah sie an. »Ich hätte die hier nicht liegen gelassen, ich …«

»So war das auch nicht gemeint«, Katjas Stimme klang verlegen. »Hausfrauenreflex. Wie war dein Eindruck von Mama?«

»Schwer zu sagen«, Alexandra streckte ihre Beine aus und starrte auf ihre Füße. »Sie ist … was ist denn das für ein Geräusch?«

Das Knistern und Rauschen, das aus Katjas Richtung zu kommen schien, konnte sie überhaupt nicht einordnen. Katja drehte sich zur Seite und nahm ein Gerät in die Hand. »Das Babyphone«, sagte sie ruhig. »Damit ich weiß, was Mama drüben macht. Ich habe es immer in der Nähe. Wenn ich nicht da bin, müssen Daniela oder Matthias darauf achten. Hast du es vorhin nicht bemerkt? Es lag die ganze Zeit auf der Anrichte.«

Alexandra schüttelte den Kopf. Katja fuhr fort. »Weißt du, es ist nicht so, dass ich mich anstelle. Ich weiß, dass du denkst, unsere Eltern haben mir mit den Kindern so oft geholfen, du hast sie nie gebraucht, also ist es nur gerecht, wenn ich mich jetzt auch um sie kümmere. Aber Alex, ich kann das mit Mama nicht mehr allein schaffen und ich will auch nicht allein entscheiden, wie es weitergeht. Sie kann nicht mehr allein leben, es ist nicht nur so, dass sie Sachen vergisst oder durcheinanderbringt, sie läuft auch weg oder sie macht den Herd an und nicht wieder aus, ich habe dauernd Angst, dass sie mal aus Versehen das Haus abfackelt. Sie ist lieb dabei, meistens zumindest, aber es gibt auch Momente, da wird sie richtig aggressiv. Und ich fühle mich echt langsam überfordert. Wir müssen uns was überlegen.«

»Aber wir können sie doch nicht in ein Heim abschieben.« Alexandra verschränkte die Arme vor der Brust. »Da ist sie nach einer Woche tot. Und wir ...«

»Pst«, Katja hob die Hand und das Babyphone an ihr Ohr. »Sei mal still, da ist ...«

»Was?«

»Ich dachte, ich hätte ein Stöhnen gehört.« Katja lauschte immer noch angestrengt, dann ließ sie das Gerät wieder sinken. »Wohl doch nicht. Ich gehe gleich noch mal rüber.«

Sie wollte aufstehen, als Alexandra sie am Arm festhielt. »Warte kurz, ich habe noch eine Frage. Sie hat vorhin gesagt, dass Marie so krank ist. Marie van Barig. Allerdings hat sie vorher und hinterher alles durcheinandergebracht, das war nur so ein Zwischensatz. Weißt du da was?«

»Marie van Barig?« Katja überlegte. »Die ist doch nach dem Tod ihrer Eltern hier weggezogen, das ist bestimmt schon zehn Jahre her. Das kann sie ..., doch warte, ich war letzte Woche mit Mama beim Arzt, da saß die Wagner im Wartezimmer, die war doch früher als Haushälterin bei Maries Eltern. Vielleicht hat die noch Kontakt. Aber dass Mama das verstanden hat, das wundert mich. Ich habe nichts mitbekommen. Ich kann sie ...«

Aus dem Babyphone drang plötzlich ein dumpfes Geräusch, dann ein Schrei. Mit einem Satz war Katja auf den Beinen. »Da ist doch was, komm, schnell!«

Lübeck, Innenstadt
Derselbe Tag

Jule

»Das sieht ja total bescheuert aus.« Jule drehte sich vor dem Spiegel, um sich auch von der Rückseite betrachten zu können. »Das sitzt doch hinten und vorn nicht.«

Pia feixte auf einem Sessel vor der Umkleidekabine. »Du siehst aus, als hättest du dir was von Oma geliehen, um Verkleiden zu spielen. Du bist einfach zu klein für ein Abendkleid. Vielleicht solltest du auf Lauras Hochzeit lieber Blumen streuen. Dann kaufen wir dir einen flotten Matrosenanzug.«

»Sehr witzig.« Jule drehte sich zur anderen Seite und schüttelte den Kopf. »Ich finde hier nichts. Das ist doch schon das achte oder neunte Kleid, vergiss es.«

Ihre Laune wanderte gerade in den Keller, da nützte es auch nichts, dass die engagierte Verkäuferin um die Ecke kam und sich musternd vor sie stellte. »Und? Wie sieht es aus?«

»Scheiße.« Pia hatte schon geantwortet, bevor Jule sich einen höflichen Satz überlegen konnte. Sie warf ihrer Tochter einen sauren Blick zu. »Pia. Bitte.« Mit entschuldigender Geste wandte sie sich an die Verkäuferin. »Das gefällt mir auch nicht. Haben Sie noch eine andere Idee?«

»Was halten Sie denn von einem Abendanzug?« Mit schief gelegtem Kopf betrachtete die Verkäuferin das Elend. »Sie sind irgendwie nicht der Typ für ein langes Kleid. Ich kann aber mal schauen, was wir an Anzügen haben.« Sie verschwand, und Jule raffte das viel zu lange Kleid hoch, um ohne Sturz in die Umkleidekabine zu gelangen. »Du brauchst nichts zu sagen, Pia. Geh lieber mal gucken, ob du nicht noch was für mich findest. Es kann doch nicht sein, dass es nichts gibt.«

Sie zog den Vorhang hinter sich zu und ließ sich frustriert auf den Hocker sinken. Seit vier Stunden zogen sie jetzt schon durch die Innenstadt von Lübeck, hatten keinen Blick für die wunderschöne Altstadt, ignorierten die Kaufmannshäuser und die Spuren Thomas Manns, verzichteten auf ein Mittagessen oder wenigstens ein Stück Marzipantorte, stattdessen durchforsteten sie Boutique für Boutique, um Abendkleider zu finden, nach denen der Dresscode der Hochzeit verlangte. Pia hatte mit ihren Modelmaßen, den langen schwarzen Haaren und dem schönen Teint gleich im ersten Geschäft Glück gehabt. Das Kleid war lang, rückenfrei und zartgelb, sie sah darin aus, als wäre sie von einer Kinoleinwand geschwebt. Der Preis war genauso filmreif, Pia hatte nur lässig gelächelt und die Scheine auf den Tresen geblättert. »Wiedergutmachung von Papa«, sagte sie leise zu Jule. »Ich muss ihm nur sagen, dass mein Problem mit Männern daher rührt, dass ich quasi ohne Vater aufgewachsen bin, sofort geht sein schlechtes Gewissen direkt in die Brieftasche. Und außerdem musst du ihn neulich am Telefon ja auch mal wieder daran erinnert haben.« Pia grinste.

Jule hatte den Bezahlvorgang fassungslos beobachtet und beim Verlassen des Ladens gemeint: »Du weißt schon, dass du für das Geld auch ein paar Tage wegfahren könntest?«

»Sicher.« Pia hatte sich gut gelaunt bei ihrer Mutter eingehakt. »Aber ich verticke den Fummel anschließend ja wieder bei eBay, und ich sage dir, es reicht für beides. Schönste Frau im

Saal und ein langes Wochenende auf Amrum oder Sylt.« Jule hatte sich zum wiederholten Mal gefragt, woher ihr Kind diese Art hatte.

Und jetzt saß sie in Unterwäsche in der engen Kabine, betrachtete sich im brutalen Neonlicht im Spiegel und wollte nicht mehr als nötig für ein Hochzeitsoutfit ausgeben, das sie erst noch finden musste. Jule stand auf und steckte ihren Kopf durch den Spalt im Vorhang. Es konnte doch nicht sein, dass es so lange dauerte, einen blöden Anzug zu finden. Außerdem sank ihr Selbstvertrauen in dieser Umkleidekabine im Minutentakt. Frauen mussten sich selbst sehr mögen, um ihren Anblick in diesem Licht, vor diesem Spiegel, in Unterwäsche und mit winterweißer Haut lange aushalten zu können. Als wenn sie ihre Gedanken durch den Laden gebrüllt hätte, kam in diesem Moment die Verkäuferin mit mehreren Kleidungsstücken über dem Arm durch den Gang. Pia folgte ihr, auch sie trug irgendetwas Grünes am Bügel.

»Und?«

»Du hast schon wieder diese Falte über der Nase.« Pia zog den Vorhang auf, Jule machte ihn sofort wieder zu. »Pia, ich habe nicht die Absicht, hier das Unterwäsche-Model zu machen.«

»Meine Güte«, ihre Tochter nahm der Verkäuferin die Sachen ab und hängte sie in die Kabine. »Sei nicht so spießig. Du bist doch top in Form. Für dein Alter. Und auf dem Tennisplatz läufst du ja auch im kurzen Rock und mit nackten Armen rum. Wo ist der Unterschied?«

»Geh raus, ich kann mich noch alleine umziehen.«

Sie sah, dass die Verkäuferin sich das Grinsen kaum verkneifen konnte, und korrigierte den Spalt im Vorhang. Spießig. Ja. Vielleicht war sie das. Aber das war ja wohl allein ihre Entscheidung.

Knapp eine Stunde später saßen sie endlich in einem Café, Jule hatte die ersehnte Marzipantorte und einen Tee vor sich stehen und sah ihre Tochter erleichtert an. »Ich sag's dir, ich wäre in keinen weiteren Laden gegangen, wenn wir da auch nichts gefunden hätten.« Sie stach die Kuchengabel in das Tortenstück und schob sich den ersten Leckerbissen genüsslich in den Mund. »Einen derartigen Stress wegen einer Hochzeit. Unglaublich.«

»Ich fand trotzdem den grünen Anzug schöner«, meinte Pia, das Wasserglas in der Hand, mit einem bedauernden Gesichtsausdruck. »Der blaue Jumpsuit sitzt ja gut, aber das grüne Teil …«

»Das hatte einen Rückenausschnitt bis zum Hintern. Da hätte ich nicht mal was drunter anziehen können.«

»Was denn auch?« Pia hob die Augenbrauen. »Ein Unterhemd?«

»Unsinn. Aber da wäre nicht mal ein BH gegangen. Das war doch unmöglich. Und außerdem hat das Ding fast 400 Euro gekostet. Ich bin doch nicht wahnsinnig. Für einen Abend. Der blaue Anzug kostet die Hälfte.«

Jule warf energisch zwei Stücke Kandis in den Tee und rührte schwungvoll um. »Nein, so bin ich sehr zufrieden. Und ich kann auch meine blauen Sandalen dazu anziehen, ich brauche noch nicht einmal neue Schuhe. Sehr gut.« Sie sah auf ihre Uhr. »Wann fährt eigentlich dein Zug?«

»Um zehn nach vier«, antwortete Pia. »Und es ist jetzt … ach du Scheiße, ich muss sofort los. Kann ich dich hier sitzen lassen? Ich muss den unbedingt kriegen, Jannis kommt um halb sieben, wir müssen für die Klausur lernen.«

»Alles klar.« Jule sah ihrer Tochter zu, wie die hektisch ihre Jacke von der Stuhllehne riss und den Riemen ihrer Tasche über die Schulter schob. »Wir hören uns. Komm gut zurück.«

»Danke, Mama, bis bald.« Pia küsste sie flüchtig auf die Wange.

»Warte mal«, Jule hielt sie im letzten Moment am Ärmel fest. »Hast du dir eigentlich Gedanken über das Geschenk für Laura gemacht? Geld oder Gutschein? Ich finde, nur Geld zu schenken ist so unpersönlich.«

»Du, ich beteilige mich am Familiengeschenk. Du bist die Kreative, dir fällt schon was ein. Tschüss.«

»Aber …« Jule blieb keine Zeit für eine Antwort, ihre Tochter war bereits auf dem Weg.

Familiengeschenk. Sie presste die Lippen zusammen. Was für ein Schwachsinn. Es gab keine Familie mehr, also gab es auch kein Familiengeschenk. Jule verstand nicht, dass Pia in dieser Beziehung so unsensibel war. Es war ja gut, dass sie eine Beziehung zu ihrem Vater hatte, Jule war sehr froh darüber, aber Pia hatte anscheinend kein Gespür dafür, dass Jule dieses Bedürfnis nach regelmäßigem Kontakt nicht teilte. Und das tat sie nicht. Ganz und gar nicht.

Ihre Ehe war auseinandergegangen, als Pia fünf Jahre alt gewesen war. Es war alles so abgeschmackt, so voller Klischees gewesen, dass Jule niemals auf die Idee gekommen war, dass es so auch ausgerechnet ihnen passieren könnte. Doch es kam genau so, und es war der Tiefpunkt in ihrem Leben gewesen. Über all die Jahre hatte sie versucht, die Ereignisse von damals zu verdrängen, aber es gab Tage, an denen das Gefühl aus dieser dunklen Zeit sich wieder über sie legte, so als wären nicht schon Jahre seither vergangen. Sie hasste diese Tage und diese Gefühle, da reichte manchmal ein Stück im Radio, ein bestimmter Geruch, eine blöde Bemerkung oder ein surrealer Traum, um alles um sie herum in Frage zu stellen und die Welt wieder dunkelgrau zu machen.

»Darf es noch etwas sein?« Die Bedienung riss Jule aus ihren

Gedanken, deshalb kam ihr Lächeln etwas zu strahlend und ihre Antwort eine Spur zu laut: »Nein, vielen Dank, aber ich möchte zahlen.«

Sie gab viel zu viel Trinkgeld und beeilte sich, ins Parkhaus zu kommen. Sie wollte nach Hause. Vom Shoppen und Stadtleben hatte sie für heute genug.

Auf dem Rückweg nach Hause hörte sie ein Hörbuch. Sie wollte nicht über Familiengeschenke, Hochzeiten, abwesende Väter mit schlechtem Gewissen und schon gar nicht über ihr Leben nachdenken. Viel lieber wollte sie einer toughen Kommissarin folgen, die trotz einer verkorksten Affäre einen Serientäter jagte. Alles andere war wichtiger als Männer, die zu Enttäuschungen mutierten, alles, und Serientäter sowieso. Zumindest in Kriminalromanen.

Sie blieb noch einen Moment im Auto vor dem Haus sitzen, um das Kapitel zu Ende zu hören. Dann drehte sie den Zündschlüssel, zog ihn ab und stieg aus. Mit ihrer edlen Einkaufstüte in der Hand stieg sie drei Stufen zur Haustür empor. Aus dem Briefkasten ragte die Hälfte eines DIN-A4-Umschlags, ihr Briefträger musste im Urlaub sein, nur seine Vertretung stopfte Post, die augenscheinlich nicht in den Kasten passte, so brutal hinein. Jule versuchte, den Umschlag vorsichtig herauszuziehen, es ging erst mit Gewalt, dabei riss das Papier an der Seite auf. Kopfschüttelnd schloss sie auf, betrat ihr Haus, legte den Schlüssel in die Schale auf der Kommode und ging, die Augen auf den Umschlag geheftet, in die Küche. Es war ein Reisemagazin von Mallorca, das Ziel ihres diesjährigen Tennisurlaubs. Eine Woche mit acht Frauen, ein schönes Hotel, morgens und abends Tennisspielen, dazwischen Strand, gutes Essen, Sonne und Meer. Jule liebte es, davon abgesehen war es der einzige Urlaub, den sie machte. Und das seit Jahren. Es war nicht so, dass sie das störte, sie fand Urlaube ohnehin über-schätzt. Jule mochte ihren geregelten Alltag, ihr vertrautes Leben. Sie mochte ihren Job, ihre Praxis, ihre Patienten, sie spielte jeden Mittwoch um 17 Uhr Tennis, hatte am Wochen-ende Punktspiele, ging jeden zweiten Freitag zum Doppelkopf und regelmäßig mit ihrer Freundin Eva in die Sauna. Sie hatte selten Langeweile, sie liebte Gartenarbeit im Sommer und Netflix-Serien im Winter, sie las stapelweise Krimis und arbei-tete zur Entspannung gern alte Möbel auf, das hatte sie vor zwei Jahren in einem Kurs gelernt. Sie war zufrieden mit ihrem Leben, sie hatte sich genügend Dinge geschaffen und vorge-nommen, um zufrieden zu sein. Alles war gut.

Als das Telefon klingelte, lächelte sie. Unter Garantie war das ihre Freundin Eva, die wissen wollte, ob sie das Reisemaga-zin auch bekommen hatte. Und wie sie das Hotel fand. Das Lächeln verschwand, als Jule auf dem Display sah, dass die Nummer unterdrückt war. »Petersen.«

»Sag mal, wo warst du denn den ganzen Tag? Ich habe schon viermal angerufen. Wieso bist du denn an einem Donnerstag nicht in der Praxis?«

Mit dem Telefon am Ohr ging Jule langsam zu einem der beiden Sessel, in den sie sich sinken ließ und die Beine über die Armlehne legte. »Hallo, Mama. Ich war mit Pia einkau-fen, sie konnte wegen der Uni nur heute. Was wolltest du denn?«

»Apropos einkaufen, das ist das Stichwort.« Gesa atmete hörbar ein und aus. »Ich muss was Neues zu Lauras Hochzeit haben, ich wollte erst das dunkelblaue Kleid anziehen, aber das ist unmöglich. Du hast bestimmt auch noch nichts, dann können wir doch zusammen nach Hamburg fahren. Papa hat keine Lust, durch die Geschäfte zu ziehen. Und er meint, dass sein dunkelgrauer Anzug noch geht. Aber ich muss los. Am

Samstag. Du kannst mich um neun abholen, dann sind wir gleich da, wenn die Geschäfte aufmachen.«

»Ich kann Samstag gar nicht, und ich habe mir heute einen Anzug gekauft. Pia hat ein Kleid gefunden, also wir sind durch damit.«

»Einen Anzug?« Gesa war entsetzt. »Auf der Einladung stand Abendgarderobe, du kannst doch nicht im Hosenanzug zur Hochzeit deiner Nichte gehen, die auch noch auf einem Schloss stattfindet. Hat Pia denn wenigstens etwas Vernünftiges?«

Jule zwang sich, ruhig und besonnen zu bleiben. »Pia hat ein sehr schönes Abendkleid gefunden, das übrigens 590 Euro gekostet hat. Und mein Anzug ist ein sehr feiner Abendjumpsuit, falls dir das was sagt. Dunkelblau und sehr edel. Du kannst also ganz beruhigt sein, ich werde Laura und dir keine Schande machen.«

»590 Euro? Woher hat Pia denn so viel Geld? Oder hast du das etwa bezahlt?«

Es war nicht so einfach, in einem Gespräch mit Gesa die Ruhe zu bewahren. Gar nicht einfach. Noch schaffte sie es. »Philipp hat den bezahlt. Ich hätte nicht so viel Geld für einen Abend ausgegeben.«

»War Philipp etwa mit euch einkaufen?« Vor Begeisterung schraubte Gesa ihre Stimme höher. »Wie kommt das denn?«

Jule schwang ihre Beine zurück auf den Boden. In dieser bequemen Stellung konnte sie nicht mit ihrer Mutter telefonieren. »Nein, er war nicht dabei, aber er hat Pia vorher Geld gegeben.« Sie schlug die Beine übereinander. Abwehrende Körperhaltung, das hatte sie in einem Seminar gelernt. Die brauchte sie auch, obwohl ihre Mutter sie nicht sah. Aber Jule selbst fühlte sich so besser. »Also, zurück zum Anfang, ich kann nicht mit dir zum Einkaufen fahren. War noch was? Ich muss meine Buchführung fertig machen.«

Es war nur eine kleine Notlüge, aber Jule hatte überhaupt keine Lust, länger als notwendig mit ihrer Mutter zu telefonieren. Gesa merkte das anscheinend, sofort bekam ihr Ton etwas Beleidigtes. »Es war ja nur eine Frage, dann eben nicht. Irgendetwas wollte ich dir noch erzählen, warte mal ...«

Jule wartete ein paar Sekunden, dann räusperte sie sich hörbar. Es klappte. Gesa atmete laut aus. »Fällt mir nicht ein, na ja, dann will ich dich nicht länger von der Arbeit abhalten. Schönen Tag noch.« Ohne die Antwort abzuwarten, legte sie auf. Ohne Bedauern registrierte es Jule. Ihre Mutter. Es war traurig, aber eine Tatsache, ihr Verhältnis war schwierig. Es war in den letzten Jahren zu viel passiert, als dass Jule so tun konnte, als sei alles in Butter. Das war es nicht. Und das würde es auch nicht mehr werden. Mittlerweile war es ihr gleichgültig. Sie selbst hatte sich sehr bemüht, die Fehler ihrer eigenen Mutter bei Pia nicht zu machen. Und es hatte sich gelohnt, das Verhältnis zu ihrer Tochter war gut. Nicht immer, aber meistens. Und je älter Pia wurde, desto öfter war es gut. Das reichte ihr. Und ihre Mutter hatte ja Lars, den Prinzen, den perfekten Sohn mit der perfekten Frau und den perfekten Töchtern. Dabei hatte er als Jugendlicher oft genug über die Stränge geschlagen, aber das war alles längt vergeben und vergessen. An Lars und seine Bilderbuchfamilie konnte die alleinerziehende Jule trotz der selbstbewussten und klugen Pia nicht heranreichen. Egal, was sie tat oder geschafft hatte. Lars war einfach der Beste. Es hätte Jule sicherlich etwas ausgemacht, wenn sie ihren Bruder nicht so mögen würde. Das tat sie aber. Deshalb war ihr die Ungerechtigkeit ihrer Mutter egal. Und bot ihr sogar die Möglichkeit, sich aus ihrer Verantwortung den Eltern gegenüber rauszuziehen. Da musste Lars ran, da half nichts. Kaputte Waschmaschinen, nicht programmierbare Fernseher, Ärger mit dem Telefonanbieter, Termine bei Ärzten oder fällige

Steuererklärungen: Lars kümmerte sich darum. Und das auch noch relativ ruhig. Jule konnte ihn dafür nur bewundern.

Sie stand langsam auf und sah sich unschlüssig um. Irgendetwas musste sie jetzt machen, sonst ginge ihr die beleidigte Stimme von Gesa nicht aus dem Kopf. Irgendetwas draußen und mit Kraft. Die Kommode abschleifen, das war es. Sie hatte sie vor ein paar Wochen auf einem Flohmarkt entdeckt, eine kleine Holzkommode mit geschwungenen Beinen und drei Schubladen. Allerdings völlig abgewrackt und deshalb auch für zwanzig Euro zu haben. Jule hatte sich beim Kauf sofort vorstellen können, wie sie aussehen würde, nachdem sie abgeschliffen und neu gestrichen war. Und das würde sie jetzt in Angriff nehmen. Sie zog sich eine alte Jeans und ein nicht mehr ganz sauberes Sweatshirt an, dann ging sie im Schuppen erfolgreich auf die Suche nach Schmirgelpapier. Sie schleppte die Kommode auf die kleine Terrasse und schob die Ärmel hoch. Noch bevor sie das Schmirgelpapier angesetzt hatte, klingelte wieder das Telefon. Jule war kurz versucht, den Anruf einfach zu ignorieren, wahrscheinlich war es ihre Mutter, der eingefallen war, was sie ihr noch erzählen wollte. Aber sie würde es immer wieder versuchen, sicher in der Annahme, dass ihre Tochter zu Hause war und ihre Buchführung machte. Seufzend legte Jule das Papier weg und nahm das Telefon hoch. Unterdrückte Nummer. War ja klar. »Na? Ist es dir jetzt eingefallen?«

»Was ist mir eingefallen? Habe ich wieder was vergessen?«

»Philipp, du bist das.« Manchmal gingen Jule die Menschen, die ihre Telefonnummern unterdrückten, wahnsinnig auf den Geist. »Ich dachte, es wäre nochmal Gesa. Die hat auch eine Rufnummernunterdrückung.«

Er lachte, und Jule presste automatisch ihre Lippen aufeinander. Es war ein Reflex. »Was gibt es denn?«

»Du, zwei Dinge.« Philipp gehörte zu den Männern, in deren

Telefonstimmen man sich verlieben könnte. Wenn man ihn nicht kannte. »Zum einen wollte ich wissen, ob ihr fündig geworden seid. Pia hat mir erzählt, dass ihr zusammen Hochzeitsklamotten kaufen wolltet. Und die zweite Frage ist: Was schenken wir Laura eigentlich?«

Typisch Philipp. Er machte sich alles leicht. Jule schloss kurz die Augen. Die zweite Geduldsprobe für heute, aber sie blieb entspannt. Wollte entspannt bleiben. »Erstens: ja, wir haben was gefunden, was auch kein großes Problem war, da du Pia genug Geld mitgegeben hattest. Ob man für einen Abend so viel Kohle ausgeben muss, sei dahingestellt, aber gut. Zweitens, was genau meinst du mit ›Was schenken *wir* Laura eigentlich‹? Suchst du ein Geschenk für Steffi und dich? Den Zahn mit dem Familiengeschenk habe ich Pia schon gezogen. Aber euch fällt bestimmt noch was ein. Und im Übrigen wünschen sie sich sowieso Geld. Ganz einfach.«

»Komm, Jule, nur Geld zu schenken ist doch unpersönlich. Und ich sehe Laura kaum, ich habe keine Ahnung, über was die sich freut. Du bist doch viel näher dran.«

Das war damals seine Entscheidung gewesen, schoss es Jule durch den Kopf. Wären sie noch verheiratet, würde er Lauras Familie öfter sehen. Dafür konnte Jule nichts. Aber sie hatte sich schon vor Jahren abgewöhnt, solche Gedanken laut zu formulieren. Es brachte nichts außer einem bitteren Gefühl. Deshalb hob sie nur den Kopf und antwortete: »Steck Geld in einen Umschlag. Ich weiß auch nichts anderes. War sonst noch was? Ich bin echt unter Zeitdruck.«

»Okay.« Philipp kannte sie gut genug, um zu wissen, wann seine Charmeoffensiven vergeblich waren. »Dann frage ich mal Lars, ich gehe Mittwoch mit ihm mittagessen. Vielleicht fällt dem was ein. Soll ich dir dann Bescheid sagen?«

»Philipp, ich kann meinen Bruder selbst fragen und ich will

kein Gemeinschaftsgeschenk mit euch machen, das ist doch nicht so schwer zu verstehen. Steffi hat doch immer so gute Ideen. Also dann, ich muss hier weitermachen, hab einen schönen Abend.«

Sie legte das Telefon mit mehr Schwung als nötig auf den Tisch. Typisch Philipp, er spielte aus Bequemlichkeit gern heile Welt. Da war er sehr konsequent. Und er war jedes Mal erstaunt, wenn Jule da nicht mitmachen wollte. Wenn er doch nur mal begreifen würde, wie sehr ihr das auf die Nerven ging. Bevor weitere böse Gedanken folgen konnten, ging sie lieber zurück auf die Terrasse und nahm die Arbeit an der Kommode wieder auf. Mit aller Kraft, die sie hatte, mit zusammengebissenen Zähnen und den Bildern ihres Exmannes im Kopf.

Sie hatte Philipp vor sechs Wochen das letzte Mal gesehen. Er hatte Pia vom Flughafen abgeholt, sie war auf der Hochzeit einer Freundin auf Ibiza gewesen. Auf dem Weg in ihre Wohnung war Pia eingefallen, dass sie ihren Hausschlüssel im Hotel vergessen hatte. Ihre Nachbarin war nicht zu erreichen, also musste Philipp sie zu Jule fahren, die einen Schlüssel hatte. Philipp war kurz mit reingekommen, Pia wollte gern einen Kaffee und erst mal in aller Ausführlichkeit von der Mörderparty erzählen, also saßen sie zu dritt in Jules Küche. Wenn Vater und Tochter nebeneinandersaßen, war die Ähnlichkeit zwischen ihnen nicht zu übersehen: dieselben braunen Augen, das dunkle, dichte Haar, beide waren groß und schlank, und beide waren wahnsinnig schön. Philipp gehörte zu den Männern, die im Alter eher noch gewannen. Sein dunkles Haar war mittlerweile von Grau durchzogen, seine Gesichtszüge schärfer geworden, aber das stand ihm ausgezeichnet. Er hatte immer noch etwas Jugendliches, glich dem smarten, hübschen Assistenzarzt, in den Jule sich damals verliebt hatte, inzwischen aber nur noch entfernt. Tatsächlich war er eher noch interessanter geworden. Jule hatte ihn unauffällig gemustert, während er mit aufgestütztem Kinn und leicht geneigtem Kopf seiner Tochter gegenübersaß und ihr hingerissen zuhörte. Pia war seine große Liebe, das wusste Jule. Und das war der einzige Grund, warum sie es überhaupt noch ertragen konnte, mit ihm an einem Tisch zu sitzen. Er hatte so viel zerstört, in seinem und ihrem Leben, aber er war ein toller Vater. Zumindest war er das in den letzten Jahren geworden. Und mehr erwartete Jule ja gar nicht mehr von ihm.

Sie bearbeitete die Kommode mit einer solchen Kraft, dass das Schmirgelpapier ganz warm wurde. Pia hatte ihr schon oft vorgeworfen, dass sie immer so abweisend würde, wenn Philipp kam. Und dass sie sich überhaupt nicht vorstellen konnte, wie Jule und Philipp jemals verliebt gewesen sein konnten. »Du benimmst dich, als würdest du ihn weiterhin abstrafen wollen«, hatte Pia mal gesagt. »Meine Güte, eure Geschichte ist zwanzig Jahre her. Steffi hat doch jetzt den Stress mit ihm, du kannst ja eigentlich ganz entspannt sein.«

Jule hatte es immer vermieden, mit Pia über die Zeit der Trennung zu sprechen. Wozu Pia mit all den unschönen Details belasten, es war ohnehin schwer genug für alle gewesen. Inzwischen hatte sie sich ohnehin ein eigenes Bild von ihrem Vater gemacht, das war das Einzige, was für sie eine Bedeutung hatte. Wie Philipp als Ehemann gewesen war, war nichts, was Jule mit ihrer Tochter besprechen wollte. Und natürlich hatte Pia recht: Die gute Steffi konnte sich jetzt damit auseinandersetzen, dass ein Mann wie Philipp sich nie so ganz festlegen wollte. Jule und Pia hatten die zweite Frau von Philipp nie so richtig leiden können, und ihr Mitleid mit ihr hielt sich somit auch in Grenzen …

Das Schmirgelpapier war mittlerweile so abgearbeitet, dass es fast glatt war. Jule trat einen Schritt zurück und musterte ihr

Werk. Finstere Gedanken mobilisierten bei ihr immer unge-
ahnte Kräfte. Davon zeugten dieses Haus und auch ihre Praxis.

Sie war gerade auf dem Weg zur Werkstatt, um neues
Schmirgelpapier zu holen, als das Telefon erneut klingelte.
Wieder eine unterdrückte Nummer.

»Ja?«

»Ich bin es nochmal. Mir ist wieder eingefallen, was ich dir
erzählen wollte.«

»Und?«

Gesa holte Luft, es würde mehr als ein Satz folgen. »Also
erst mal wollte ich wissen, ob Philipp auch zu Lauras Hochzeit
eingeladen ist. Und ob er kommt.«

»Ja, er ist eingeladen. Schließlich ist er Lauras Patenonkel,
der Vater von ihrer Cousine, und Lars ist sein Anwalt. Und: ja,
er kommt.«

»Aha.« Gesas Antwort klang zufrieden, sie hatte ihren
Schwiegersohn immer angebetet. »Dann hoffe ich, dass du
dich ihm gegenüber ein bisschen freundlicher benimmst als
bei Papas Geburtstag. Du warst immerhin mal mit ihm verheiratet, da musst du ihn doch nicht immer so ignorieren. Er ist
ein toller Mann, anstatt froh zu sein, dass er immer noch den
Kontakt zu dir hält, bist du so abweisend.«

»Mama, wir sind seit zwanzig Jahren getrennt. Wir haben
ein gemeinsames Kind. Mehr hält uns nicht zusammen. Er hat
sich damals weiß Gott nicht mit Ruhm bekleckert.«

»Jule, meine Güte, du bist so wahnsinnig stur. Kannst du
nicht mal ein bisschen versöhnlich sein? Du kaust ewig und
drei Tage auf Dingen rum, die in der Vergangenheit liegen, die
kannst du doch sowieso nicht mehr ändern. Aber du verstößt
alle Leute, die dir, deiner Meinung nach, etwas getan haben.
Und du fragst sie nicht mal nach den Gründen. Die reimst du
dir alle selbst zusammen und urteilst dann über sie. Als wenn

du nie Fehler gemacht hättest. Und das machst du nicht nur bei Philipp so.« Ihre Mutter schnaubte bedeutungsvoll.

Jule schnappte nach Luft, so plötzlich stieg die Wut in ihr hoch. »Was soll das denn jetzt? Nur weil du die Weltmeisterin im Verdrängen bist, soll ich das auch machen? Ich war damals dabei, Mama, du hast doch keine Ahnung, was passiert ist, du kannst es ruhig mir überlassen, wen ich in meinem Leben haben will und wen nicht. Dass du zu Gunsten deiner heilen Welt immer so tust, als wäre nichts, ist ja dein Problem. Mach doch so weiter, aber erzähl mir nicht, wie ich leben soll.«

Nach diesem Ausbruch, über den Jule selbst erschrocken war, würde Gesa bestimmt sofort auflegen. Zu ihrer Überraschung tat sie das aber nicht, sondern sagte: »Und wie gesagt, damit meine ich nicht nur Philipp.«

Jule atmete tief durch. »Ich weiß wirklich nicht, was du gerade von mir willst, Mama. Was soll diese Küchenpsychologie?«

»Das ist keine Küchenpsychologie.« Gesas Stimme klang triumphierend. »Das ist das, was ich dir vorhin schon erzählen wollte. Und nicht drauf kam. Die Marie van Barig zum Beispiel, die war jahrzehntelang deine Freundin. Was habt ihr für schöne Ferien zusammen gehabt, und sie hat dir immer so teure und schöne Dinge geschenkt. Und dann ist anscheinend irgendetwas vorgefallen, was auch immer das war, und seitdem tust du so, als würdest du sie gar nicht kennen und hättest nie was mit ihr zu tun gehabt. Ich will ja gar nicht wissen, worüber ihr damals gestritten habt, aber ich sehe die kleine Marie noch vor mir, die konnte niemandem etwas zuleide tun, so eine sanfte, liebe Maus. Aber du …«

»Mama, bitte.« Jule unterbrach den Monolog mit scharfer Stimme. »Marie ist vor Jahren hier weggezogen. Ich weiß nicht mal, wo sie jetzt wohnt. Und soll ich dir was sagen: Ich habe keine Ahnung, warum du jetzt mit diesen ollen Kamellen um die Ecke kommst. Aber es interessiert mich auch nicht die Bohne.«

»Bist du jetzt fertig? Marie ist ganz schwer krank.« Gesas Stimme vibrierte vor Genugtuung. »Das habe ich gestern bei Ullas Geburtstag gehört. Ullas Putzfrau hat früher bei Marie saubergemacht, die heißt Wagner oder so ähnlich und hat noch ab und zu Kontakt. Und sie hat erzählt, dass Marie schon seit Monaten in irgendeinem Krankenhaus oder Hospiz ist. Da geht man doch nur zum Sterben hin. Oder? Falls dich das überhaupt interessiert. Bei deiner Ignoranz für alte Freunde.«

»Ich lege jetzt auf.« Jule hatte das Gefühl, als würde in ihrem Inneren etwas explodieren. »Ich habe keine Lust auf deine Abrechnungen. Schönen Tag noch.« Sie legte das Telefon langsam auf den Tisch und ging wie betäubt in den Schuppen. Dort nahm sie den nächsten Bogen Schmirgelpapier und ging zurück zur Kommode. Mit angehaltenem Atem begann sie zu schleifen. Erst langsam, dann immer schneller und mit immer mehr Kraft. Erst als eine Fingerkuppe anfing zu bluten, hörte sie auf. Sie trat einen Schritt zurück, lehnte sich an die Hauswand und ließ das Schmirgelpapier achtlos auf den Boden fallen. Sie sah in ihren Bullerbü-Garten, in dem jetzt im April schon die Tulpen blühten und über den sich langsam die Dämmerung legte. Sie sah Maries Gesicht, den See, eine große Feier, Marie, die glücklich mit einem Champagnerglas auf einem Steg saß und sie anlächelte, sie spürte den Gefühlen von damals nach, rutschte an der Wand hinunter in die Hocke und ließ nach so langer Zeit den Tränen endlich wieder freien Lauf.

Bremen
Ein paar Tage später

Friederike

Sie wachte von einem Geräusch auf, das sie zunächst gar nicht einordnen konnte. Ihr Blick fiel auf eine weiße Jalousie, die nur wenige Sonnenstrahlen durchließ. Aber es waren eindeutig Sonnenstrahlen, die Friederike hektisch hochfahren und auf ihre Uhr sehen ließen. Neun Uhr, verdammt, sie hatte verschlafen! Das Geräusch blieb, es war Tom, der tatsächlich leise schnarchte. Mit einem Stöhnen schwang Friederike die Beine aus dem Bett und presste sofort beide Hände an ihren Kopf. Der Puls hämmerte in ihren Schläfen, sie schwor sich, nie wieder Alkohol zu trinken, und wenn doch, dann wenigstens nicht durcheinander. Sie unterdrückte das nächste Stöhnen und stand vorsichtig auf, nicht vorsichtig genug, mit der Hüfte touchierte sie den kleinen Tisch neben dem Bett, das halbvolle Weinglas darauf zerschellte, als es auf den Holzfußboden fiel.

»Was …«, schlaftrunken drehte Tom sich auf die Seite und öffnete die Augen.

»Nur das Glas«, Friederike rieb sich die Hüfte. »Aber wir haben verschlafen.«

Tom setzte sich auf und rieb sich die Augen. »Tritt nicht in die Scherben.«

Er sah aus wie Hugh Grant, dachte Friederike. Und gehörte auch noch zu der Sorte Männer, die im Alter immer attraktiver wurden. Eine Eigenschaft, die den meisten Frauen fehlte. Wobei es natürlich Ausnahmen gab. Helen Mirren zum Beispiel, um beim Film zu bleiben. Friederike war nicht beim Film und hatte auch nie dahin gewollt. Und deshalb streckte sie jetzt den Rücken durch, ohne an schlaffe Haut oder schwaches Bindegewebe zu denken. Dieser schöne, acht Jahre jüngere Mann, der hier im Bett lag, fand sie wahnsinnig sexy. Punkt. Das reichte.

Tom hatte vor zehn Jahren als Barkeeper die Hotelbar übernommen. Nicht zufällig, Friederike hatte ihn in einer Münchener Bar erlebt und ihm ein Angebot gemacht, das er schlecht hatte abschlagen können. Es hatte sich gelohnt. Tom hatte den Umsatz ihrer Bar erheblich gesteigert, dem Hotel mehrere Artikel in Gastro-Zeitschriften und eine Filmdokumentation eingebracht. Tom hatte schon zahlreiche Preise und Auszeichnungen gewonnen, er glänzte durch Charme, Witz und Schlagfertigkeit hinter dem Tresen, die Hotelgäste standen Schlange, um einen Platz an der Bar zu ergattern. Friederike hatte ihm völlig freie Hand gelassen, und er hatte sie nicht enttäuscht. Ihr Verhältnis war zunächst genauso freundlich-distanziert, wie sie es mit allen anderen Mitarbeitern hielt. Natürlich hatte sie seine Blicke registriert, mit denen er sie unverhohlen musterte, sobald sie die Bar betrat. Doch sie hatte das auf seinen professionellen Barkeeper-Charme geschoben, schließlich war sie seine Chefin. Sie ließ sich ausschließlich alkoholfreie Cocktails von ihm mixen und fragte sich irgendwann, ob sie ihr Prinzip, niemals mit einem Mitarbeiter zu schlafen, tatsächlich befolgen wollte. Tom war einfach zu anziehend. Und sein Interesse an ihr nicht mehr zu übersehen. An dem Abend nach seiner Titelverteidigung bei der Barkeeper-WM hatte die ganze Belegschaft bei Champagner und Sieger-Cocktails in der Bar ausgelassen gefeiert. Erst gegen halb vier morgens hatte sich die Party aufgelöst, Friederike hatte sich ein Taxi bestellt. Als der

Wagen gekommen war, hatte Tom wie selbstverständlich neben ihr gewartet und war mit ihr ins Taxi gestiegen. Es war das erste Mal gewesen, dass Friederike ihr Prinzip über den Haufen geworfen hatte. Am nächsten Tag hatte sie natürlich die Reißleine gezogen. Sie wollte keine Komplikationen im Hotel, hatte sie ihm gesagt, sie wäre schließlich seine Chefin, außerdem wäre er ihr viel zu jung. Tom hatte das sehr gelassen genommen, auch er war nicht der Typ für romantischen Firlefanz in komplizierten Verhältnissen – aber waren sie nicht beide erwachsen? Was war schon gegen so großartigen Sex hin und wieder einzuwenden? Irgendwie gefiel Friederike genau diese Mischung aus Unverbindlichkeit und Leidenschaft. Und wen störte es schon?

Tom stützte sich auf seinen Unterarm und sah sie an. »Hey, du bist der Boss. Ruf an und sag, du kommst später.«

»Super Idee, vielen Dank.« Friederike humpelte an ihm vorbei in den Flur und suchte das Handy in ihrer Handtasche. Sie räusperte sich und tippte die Nummer ein. »Brenner, guten Morgen, Marlene, ich habe vergessen, dass ich noch einen Außentermin habe. Ich bin gegen zwölf im Haus. War etwas Wichtiges?«

Während sie sich umdrehte und Tom betrachtete, der schon wieder mit geschlossenen Augen auf dem Rücken lag, hörte sie Marlene zu. »Okay, das können Sie mir hinlegen, ich kümmere mich später drum. Also, bis nachher.« Sie ließ das Telefon in die Tasche fallen und ging zurück ins Schlafzimmer, wo sie sich aufs Bett setzte. Toms Hand wanderte ihren Rücken hoch. »Um zwölf? Heißt das, du legst dich nochmal hin, und wir frühstücken später in Ruhe?«

»Nein.« Friederike beugte sich nach vorn und griff nach ihrem Slip neben dem Stuhl. »Das heißt, ich fahre jetzt nach Hause, dusche und ziehe mich um. In Ruhe. Ich kann doch nicht in den Klamotten von gestern ins Hotel fahren.«

»Ach ja.« Tom ließ seine Hand sinken und setzte sich auf. »Ich hatte es für einen Moment vergessen, Mrs. Perfect darf nicht zerknittert sein. Hier ist übrigens dein BH, falls du den suchst.« Er reichte ihn ihr, als balanciere er ein Tortenstück. »Ich mache uns einen Kaffee.«

Sie hatte sich umgedreht und ihm nachgesehen, wie er nackt und noch leicht gebräunt von seinem letzten Urlaub aus dem Zimmer ging. Ein unglaublich attraktiver Mann, der jüngere Frauen tatsächlich uninteressant fand. Friederike hatte genügend Selbstvertrauen, um sich nicht mit Frauen seines Alters zu vergleichen. Sie war gut in Schuss, dreimal in der Woche Yoga, sie musste sich nicht verstecken. Außerdem hatte sie eine schöne ebenmäßige Haut und verfügte über eine ganz wichtige Eigenschaft, die ihn offenbar schwach werden ließ: Sie hatte Macht. Und sie war unabhängig, wollte nicht umsorgt werden und kam nicht unangemeldet vorbei. Ideale Voraussetzungen für eine Affäre, die den Moment wollte und nicht die Ewigkeit. Zumindest war das so gewesen, als es begonnen hatte. Friederike hatte damals eine langjährige und schwierige Beziehung hinter sich, sie hatte eigentlich die Nase voll, auf der anderen Seite einen großen Widerwillen gegen das unattraktive Wort Single. Tom war der ideale Kompromiss. Er war angenehm unkompliziert, stellte keine Forderungen, hatte keine Altlasten, und sie gewöhnte sich im Lauf der Zeit an ihn. Sie hatte nur überhaupt keine Lust, Privat- und Berufsleben miteinander zu vermischen, deshalb war sie erleichtert gewesen, als er nach einem knappen Jahr im Hotel gekündigt hatte und in einer neuen hippen Bar in der Innenstadt von Bremen anfing. Nach kurzer Zeit war die Bar in aller Munde und sie nun nicht mehr seine Chefin.

Sie zog sich schnell an, bevor sie ihm in seine kleine Küche folgte. Tom stellte ihr einen Milchkaffee auf den Tisch und küsste sie beiläufig, bevor er sagte: »Ich ziehe mir dann auch mal was über.«

Mit der Tasse in der Hand stellte Friederike sich an das Küchenfenster. Tom wohnte mitten in Bremen, in einem kleinen Stadthaus mit Blick auf die Weser. Eine typische Männerwohnung, spärlich möbliert, mit wenigen persönlichen Dingen, dafür einer sehr teuren Anlage, einem überdimensionalen Flachbildschirm und der neuesten Technik in der Küche. Friederike gefiel die Wohnung nicht. Sie war ihr zu kahl, zu unpersönlich, zu hell, zu stylisch. Aber sie blieb ohnehin nie lange, meistens kam Tom zu ihr. Weil sie nicht gern in anderen Betten schlief und ihre Katze gern selbst fütterte. Tom war es egal, dann kam er eben zu ihr.

Sie trank ihren Kaffee aus und stellte die leere Tasse auf die Spüle. »Danke für den Kaffee, dann mache ich mich mal auf den Weg.« Sie hob den Kopf und registrierte, dass Tom sie seltsam ansah. »Was ist?«

Er hielt den Blick auf sie gerichtet, während er seine Tasse zwischen den Händen drehte. »Ich denke darüber nach, meine Wohnung zu vermieten. Dieser Anwalt, von dem ich dir erzählt habe, der hat sich gerade getrennt und sucht eine Wohnung. Vorzugsweise in Schwachhausen, mindestens hundert Quadratmeter, Balkon und saniert.« Er breitete seine Arme aus. »Voilà. Ich habe das, was er will.«

»Und wo willst du hin?« Verständnislos sah sie ihn an. »Oder machst du eine Männer-WG auf?«

Er verschränkte die Arme vor der Brust. »Na, zu dir? Deine Eso-Isabelle kann ich mir ja zur Not schöntrinken.«

Friederike lehnte sich langsam an den Türrahmen. »Was wird denn das jetzt für ein Gespräch?«

»Eines, das wir langsam mal führen sollten.« Tom stieß sich vom Tisch ab und stellte sich vor sie. »Friederike, mir geht dieses Hin und Her mit der Fahrerei langsam wirklich auf den Geist. Du rast jetzt schon wieder nach Hause, weil du duschen und dich umziehen musst. Wir müssen immer alles absprechen, dauernd braucht man was, das aber in der anderen Wohnung liegt, das machen wir jetzt seit Jahren. Lass uns doch zusammenziehen. Endgültig. Deine Ängste, spießig zu werden, erfüllen sich nicht mehr. Es wäre nur alles einfacher.«

Reglos hatte Friederike ihm zugehört. Nach einer kleinen Pause schüttelte sie den Kopf. Ihr Blick auf ihn war fest. »Tom, wir haben es doch gut miteinander, wieso müssen wir was ändern? Ich habe keine Lust, mit dir zu diskutieren, wer den Einkauf macht oder den Müll rausbringt. Ich möchte ins Bett gehen, wann ich will, essen, wo ich will, und Filme sehen, die ich will. Das geht doch alles nicht mehr, wenn man zusammenwohnt. Und irgendwann hat die Alltagsroutine uns so fest im Griff, dass wir uns nur noch anöden und selbstverständlich sind. Was glaubst du, was dann passiert? Es gibt so viele Menschen, die einem dann spannender erscheinen. Nicht weil sie spannender sind, sondern weil sie noch Geheimnisse haben. Nein, danke, ich will dieses Alltagselend nicht. Auch nicht mit dir.«

Tom sah sie kopfschüttelnd an. »Wir sind seit Jahren zusammen. Du sagst mir jetzt nicht, dass du das als reine Affäre betrachtest?«

Sie zuckte mit den Achseln. »Jedenfalls ist unsere Beziehung nicht langweilig. Aber das wird sie, wenn sie im Alltagsleben versumpft. So, ich muss los. Sag Kaltenbach, er soll sich einen Makler suchen.«

Sie schob ihn mit einer Hand sanft zur Seite, ging an ihm vorbei und griff nach Jacke und Tasche. Als sie sich umdrehte, stand Tom dicht neben ihr. »Friederike, du kannst doch nicht so …«

»Tom, bitte«, mit einem Kopfschütteln trat sie einen Schritt zurück. »Ich habe jetzt weder Lust noch Zeit für so eine unnötige Diskussion. Erspar es uns. Tschüss. Ich rufe dich an.«

Sie öffnete die Haustür, küsste ihn flüchtig auf den Mund, dann war sie weg.

Nur Isabelles Auto stand auf dem Hof, Friederike registrierte das zufrieden und parkte ihren Wagen daneben. Keine Yogagruppe, kein Frauenkreis, nur Isabelle. Friederike schloss ihr Auto ab und überquerte den Hof mit langen Schritten. Die Tür zum Nebengebäude stand offen, Friederike trat ein und rief: »Hallo, ich bin's.«

Isabelle kam um die Ecke, die Lesebrille hielt die schwarzen Haare zurück, sie trug ein weites, zeltartiges Kleid, auf dem sich bunte Schmetterlinge tummelten. »Hallo, was machst du denn so früh hier? Bist du krank?«

»Nein.« Friederike blieb an der Tür stehen. »Ich wollte nur schnell duschen und mich umziehen, bevor ich ins Hotel fahre. Und bei dir? Alles gut?«

Ein wissendes Lächeln breitete sich über Isabelles Gesicht. »Ach, eine schöne Nacht gehabt?«

Friederike lächelte nicht. »Na ja, wie man's nimmt. Tom will hier einziehen. Das fehlt mir noch. Und ich weiß nicht, wie ich ihm den Zahn ziehen soll.«

»Oh.« Isabelle sah sie forschend an. »Du weißt, dass ich ein Problem mit seiner Aura habe. Es ist etwas in ihm, was ich nicht einschätzen kann. Wir müssen sehen, was es mit dir macht. Sollen wir heute Abend einen Tee trinken?«

»Ja, wenn ich statt Tee auch was anderes trinken kann. Jetzt muss ich duschen. Um acht?«

»Halb neun ist besser«, entgegnete Isabelle. »Bis acht sind meine Yogaschüler hier, ich brauche dazwischen eine halbe Stunde für mich. Sonst kann ich mich nicht genügend auf dich einlassen. Bis heute Abend dann, wir bekommen das hin.«

Friederike nickte. »Ja, bis später.«

Es war kurz vor halb zwölf, als Friederike das Hotel betrat. Marlene stand an der Rezeption und hob kurz die Hand, Friederike drehte auf dem Weg zum Fahrstuhl ab und ging zu ihr.

»Guten Morgen, Marlene, hat sich Dr. Andresen gemeldet?«

»Nein, noch nicht.« Marlene schüttelte den Kopf und blätterte dabei einen Stapel Gesprächsnotizen durch. »Aber Ihre Mutter hat angerufen und um Rückruf gebeten. Es sei dringend.«

»Gut.« Friederike nickte. »Noch was?«

»Ja, die Produktionsassistentin der Filmgesellschaft, diese Frau Beller, möchte Sie noch mal sprechen, und das dritte … Wo ist es denn? Ach hier, das ist die Anfrage von diesem Reisemagazin, die wollten gern ein Interview. Das war alles.« Sie reichte ihr die Notizen über den Tresen.

Friederike steckte die Zettel in die Handtasche. »Danke, dann bin ich jetzt in meinem Büro.«

Im Fahrstuhl lehnte sie kurz ihren Kopf an die Wand und schloss die Augen. Ihre Mutter. Und es sei dringend. Wie sie diese Anrufe hasste. Es waren immer Vorboten irgendeiner neuen Katastrophe. Das fehlte ihr heute gerade noch.

In ihrem Büro angekommen, griff sie sofort zum Hörer, noch bevor sie ihre Jacke ausgezogen hatte. Unangenehme Dinge erledigte sie immer sofort.

»Esther Brenner.«

Ihre Mutter meldete sich immer mit Vor- und Nachnamen. Wie ein kleines Kind. Das war Friederike bereits peinlich gewesen, als sie noch zu Hause wohnte. Sie hatte es Esther schon ein paar Mal gesagt. »Melde dich doch einfach mit Brenner. Du bist doch erwachsen, die Leute denken, du seist zwölf.«

Sie reagierte nicht darauf. So wie sie nie auf etwas reagierte, was von ihrer Tochter kam. Weil Esther ohnehin davon überzeugt war, dass sie als Einzige wusste, wie das Leben lief. Und darüber hinaus total beratungsresistent war.

»Hier ist Friederike. Was gibt es denn Dringendes?«

»Ach, du lebst noch?« Aus jeder Silbe drang die Anklage. »Ich habe gedacht, dich gibt es gar nicht mehr, so lange, wie du dich nicht gemeldet hast.«

»Du bist ja offenbar davon ausgegangen, dass ich noch lebe, sonst hättest du nicht im Hotel angerufen. Und falls ich umgekommen wäre, hätte man es dir mitgeteilt. Also, was gibt es Dringendes?«

»Meine Waschmaschine ist kaputt. Die Reparatur kostet 400 Euro, das lohnt sich nicht mehr, also brauche ich eine neue. Kannst du mir eine besorgen? Du kriegst die doch bestimmt billiger übers Hotel.«

Friederike setzte sich auf ihren Stuhl und streckte ihre Beine aus. »Wieso sollte ich übers Hotel eine Waschmaschine billiger bekommen? Ich habe mir meine auch selbst gekauft. Geh doch zu Elektro-Schröder, der schließt sie dir auch gleich an.«

Sofort bekam ihre Mutter diese fordernde Stimme. »Und wie soll ich die bezahlen? Du weißt doch, was ich an Rente kriege, da ist ja wohl keine neue Waschmaschine drin. Das ist doch genau die Sauerei, da kümmert man sich als Alleinerziehende um sein Kind, macht und tut und strengt sich an, verzichtet auf ein schönes Leben, bekommt keinerlei Unterstützung, und dann, wenn man alt ist, muss man dafür büßen. Ich kann keine neue Maschine bezahlen, wovon denn? Nein, Friederike, da musst du mir mal ein bisschen unter die Arme greifen, schließlich habe ich auch genug für dich getan.«

Friederike lehnte sich in ihrem Stuhl zurück und biss sich auf die Faust. Es war immer dasselbe, jeder Anruf ihrer Mutter kostete Geld. Esther brauchte immer etwas, jetzt war es eine Waschmaschine, beim letzten Anruf hatte sie eine größere Zahnbehandlung gehabt, davor einen Heizungsschaden. Friederike selbst hatte keine Ahnung, wie sie ihr Haus halten sollte, und musste auch noch ständig ihre Mutter mitfinanzieren, die ihr ganzes Leben lang lamentiert hatte, wie ungerecht es in der Welt zuging. Weil sie nie genug Geld gehabt hatte, ganz im Gegensatz zu anderen, die ihr aber nicht genug halfen. Esthers beste Freundin Laura zum Beispiel, die immer viel mehr Geld gehabt hatte und ihr doch ruhig ab und zu was hätte abgeben können. Oder ihr Lebensgefährte Otto, der sie zum Glück irgendwann verlassen hatte, weil er ihre ständigen Forderungen nicht mehr ertragen hatte. Jetzt hatte Esther nur noch Friederike, und auch die hatte langsam die Nase voll. Und zwar gestrichen.

»Esther, ich kann dir im Moment nicht helfen.« Friederike hatte keine Lust mehr. Und auch keine Kraft. »Rede doch mal mit Elektro-Schröder, die verkaufen doch auch Waschmaschinen auf Raten. Das bekommst du hin. Und notfalls hast du ja auch noch ein Sparbuch.«

»Das ist für die Kreuzfahrt, die ich im Herbst machen will. Da hebe ich doch nichts ab.« Friederike hasste Esthers schrillen Tonfall. Es wurde Zeit, das Gespräch zu beenden.

»Dann gehst du eben in den Waschsalon. Und ich muss jetzt Schluss machen, ich habe gleich eine Besprechung, also, mach's gut.« Sie legte auf und stützte ihre Stirn auf die Hand. Minutenlang. Meine Güte, war sie müde. Und sie war es so leid. Ihre Mutter war eine unerträgliche Person. Das sollte man zwar als Tochter niemals aussprechen, aber es war so. Und es war immer schon so gewesen. Das Telefon riss sie aus ihren Gedanken, auf dem Display stand »Rezeption«. Sie nahm den Hörer ab. »Ja?«

»Hier ist Marlene, ich habe ein Gespräch für Sie, eine Frau Weise, darf ich durchstellen?«

»Um was geht es denn?« Friederike hatte begonnen, die Post durchzusehen, deshalb hörte sie nicht richtig zu.

»Es ist privat.«

»Ja, gut.« Friederike setzte sich aufrecht und knipste ein professionelles Lächeln an. Sie hatte in einem Führungskräfteseminar gelernt, dass Stimmen beim Lächeln freundlicher klangen. »Brenner.«

Am anderen Ende war zuerst ein Räuspern zu hören, dann eine kleine Pause, dann eine Stimme, die sie sofort und überall erkannt hätte. »Friederike? Hier ist Alexandra. Alexandra Weise.«

Friederikes erster Gedanke war, dass sie sich verhört hatte. Ihr zweiter Impuls war aufzulegen. Nach einem kleinen Schockmoment atmete sie tief durch. »Ach. Alexandra. Das … das ist ja eine Überraschung. Ich habe bei deinem Namen erst gar nicht geschaltet.«

Es gab kaum schwerfälligere Gespräche als die, die man nach jahrelangem Schweigen beginnen musste. Nach einer gefühlten Ewigkeit übernahm wieder Alexandra: »Ich hoffe, ich störe dich nicht.«

»Nein, nein, ich bin sowieso im Büro.«

Eine blöde Antwort, aber Friederike war so überrascht, dass sie erst mal ihre Fassung wiederfinden musste. Es war fast unwirklich, Alexandras Stimme nach über zehn Jahren wieder zu hören, es musste einen schwerwiegenden Grund geben, einfach hier anzurufen. Friederike überlegte, ob sie den wirklich wissen wollte. Sie hatte keine Lust auf schlechte Nachrichten, aber Alexandra kam ihr zuvor.

»Du wunderst dich bestimmt, dass ich so völlig unvorbereitet anrufe. Nach all den Jahren. Aber ich habe etwas gehört, was mir nicht aus dem Kopf geht, und ich weiß nicht, wen ich sonst fragen könnte.«

»Aha. Und was hast du gehört?«

Alexandra zögerte einen Moment. Und fragte plötzlich: »Hast du noch Kontakt zu Marie?«

Marie. Friederike ließ den Kugelschreiber in ihrer Hand fallen. Er rollte an die Schreibtischkante und fiel auf den Boden, sie folgte ihm mit dem Blick und wandte sich erst ab, als er liegengeblieben war. »Ehrlich gesagt habe ich länger nichts von ihr gehört. Das hat sich in letzter Zeit nicht mehr ergeben. Wieso?«

»Weil …«, plötzlich sah Friederike Alexandras Gesicht vor sich, diesen bestimmten Ausdruck, wenn sie nachdachte. Sehr ernsthaft und mit dieser kleinen Falte über der Nase. Friederike versuchte sich vorzustellen, wie Alexandra wohl inzwischen aussah. Es wollte ihr nicht so recht gelingen.

»Weil ich vor kurzem bei meiner Mutter war. Sie wird leider dement, hat aber immer noch ab und zu ganz klare Momente, und in einem dieser Momente hat sie mir erzählt, dass Marie sehr krank sei. Auf Nachfragen hat sie aber nicht mehr reagiert, und ich dachte, dass ihr beide vielleicht …«

Sie beendete den Satz nicht, Friederike versuchte, die Information zu verarbeiten. »Lebt deine Mutter auch noch?« Hatte sie wirklich diese Frage gestellt? Sie schüttelte den Kopf und konzentrierte sich. »Entschuldigung, blöde Frage, aber dieser Anruf hat mich jetzt so überrascht. Also Marie. Wann habe ich denn das letzte Mal von ihr gehört? Sie hat mich an meinem Geburtstag angerufen, also an ihrem, wir haben ja am selben Tag. Das war das letzte Mal.«

Alexandra klang überrascht. »Also letztes Jahr im Juli?«

Sie wusste tatsächlich noch ihren Geburtstag. Friederike nickte, dann besann sie sich. »Ja, also, nein, das war ja schon vor zwei Jahren. Seitdem nicht mehr.« Sie vertrieb die Erinnerung an dieses Telefonat. Marie hatte vermutlich einen Anfang machen wollen, was Friederike damals überfordert hatte. Sie hatte es gerade mal geschafft, ihr knapp zu gratulieren. Ohne eine Frage zu stellen, ohne irgendeine Form von Verbindlichkeit. Es hatte zu viel im Raum gestanden. Alexandras Stimme riss sie aus ihren Gedanken.

»Ich dachte, ihr hättet vielleicht aus familiären Gründen noch Kontakt. Dann entschuldige, ich wollte es wenigstens mal versuchen.«

Friederike drehte sich abrupt mit ihrem Stuhl um und sah aus dem Fenster. »Wir sind ja nicht verwandt. Ich war das Patenkind ihrer Mutter, und Laura ist ja schon seit einigen Jahren tot. Hast du mal versucht, anzurufen?«

»Ja. Klar. Aber es lief nur eine Ansage, dass diese Nummer nicht vergeben ist. Schade, ich dachte, du wüsstest vielleicht etwas.«

Beide schwiegen. Friederike dachte darüber nach, ob sie Alexandra irgendetwas fragen sollte. Wo sie jetzt wohnte, was sie machte oder ganz einfach, wie es ihr ging. Sie verpasste den Moment. Gerade, als sie anfangen wollte, hörte sie Alexandra sagen: »Okay, dann entschuldige den Überfall, ich wünsche dir alles Gute. Tschüss, Friederike.« Dann legte sie auf. Mit dem Hörer in der Hand starrte Friederike auf die vorbeiziehenden Wolken. Weiße und graue Wolken auf einem zartblauen Frühlingshimmel, die sich übereinander, nebeneinander und hintereinander am Fenster vorbeischoben. Der Himmel war in Bewegung. Erst die Sache mit Tom. Dann ihre Mutter. Dann Alexandra und die Frage nach Marie. Was war denn das für ein Tag heute? Vor einer halben Stunde hatte sie noch gedacht, dass Tom das Problem des Tages war. Aber in dieser Gefühlswelle, die sie gerade überrollte, kam er schon kaum mehr vor.

Maries Tagebuch

Wie fängt man ein Tagebuch an? Schreibt man da »Liebes Tagebuch« oder »Hallo, Tagebuch« oder einfach gar nichts, sondern nur den ersten Satz? Und was genau ist der erste Satz? Schreibt man einfach drauflos oder sortiert man vorher alles? Das sind viele Fragen, aber ich finde sie wichtig, weil ich das ordentlich machen möchte, ich mag keine durchgestrichenen Sätze oder rausgerissene Seiten. Die anderen machen sich meistens darüber lustig, aber ich kann es nicht leiden, wenn Hefte oder Notizbücher hässlich aussehen. Und dieses Buch mit einem roten Ledereinband sieht toll aus, ich will da keine Seiten rausreißen, das geht auch gar nicht, weil sie in der Mitte mit einem Faden zusammengehalten werden, ich muss da gleich mehrere Seiten rausreißen, und dann ist das Buch kaputt. Meine Mutter hat es mir gestern geschenkt. Zum Geburtstag. Ich bin jetzt dreizehn und Teenager. Sagt meine Mutter. Ich finde das Wort Teenager irgendwie gut. Mit dreizehn hat meine Mutter auch angefangen, Tagebuch zu schreiben. Heute liest sie es noch manchmal, dann denkt sie sofort wieder an früher. Meine Mutter, sie heißt übrigens Laura, hat jeden Tag eine Seite geschrieben. Da steht jetzt, wie das Wetter an diesem Tag war, was es zu essen gab, mit wem sie sich getroffen hat, was in der Schule war und zum Schluss in Rot: »Das Blödeste des

Tages« und »Das Schönste des Tages«. Ich habe mir überlegt, dass ich das nicht jeden Tag schaffe, ich werde also immer schreiben, wenn etwas Besonderes passiert ist, und dann den Rest der Zeit zusammenfassen. Das ist, glaube ich, eine gute Idee. Also, dann geht es los:

Heute ist das Wetter schmuddelig. Es hat ein bisschen gewittert, dann geregnet, dann beides zusammen. Meine Mutter hat mich in die Schule gefahren, das macht sie bei schlechtem Wetter meistens. Ich finde das nicht so gut, ich fahre lieber mit dem Bus, da treffe ich ja auch die anderen, aber es hilft nichts. Ich bin ja, wie sagt man so schön: »kränklich« und muss auf mich aufpassen. Letztes Jahr wurde schon mal aus einer Erkältung eine Lungenentzündung, und ich musste ins Krankenhaus. Fünf Wochen fehlen in der Schule, das war schon nervig. Und wenn ich Friederike nicht gehabt hätte, wer weiß, ob ich die Klasse nicht hätte wiederholen müssen. Aber Friederike hat mit mir gelernt, sie kann immer alles, ich habe keine Ahnung, wie sie das macht. In der Schule denken die meisten, wir wären miteinander verwandt, ich kläre das nie auf, weil es ja auch fast so ist. Aber nur fast. Meine Mutter Laura und Friederikes Mutter Esther sind allerbeste Freundinnen. Sie waren zusammen auf einem Internat und haben da alles zusammen gemacht. Und das hält für ein Leben. Nach dem Internat hatte Tante Esther furchtbar viel Schicksal. Ihre Eltern sind gestorben, als sie gerade mal zwanzig war. Bei einem Autounfall. Da hat sie dann eine Zeitlang bei meinen Großeltern und meiner Mutter gewohnt. Bis mein Opa gestorben ist. Danach ist sie nach Lübeck gezogen, da hat sie als Schneiderin gearbeitet. Sie war eine richtig gute Schneiderin früher, das hat auch ein Modegeschäft gesehen und sie eingestellt. Da arbeitet sie heute immer noch. Aber sie verdient nicht so viel, und deshalb hilft meine Mutter ihr ein bisschen. Weil wir ja ziemlich viel

Geld haben. Das meiste kommt noch von Oma und Opa, die hatten ja eine große Fabrik, und mein Vater verdient als Rechtsanwalt auch gut. Ich glaube, das kann Tante Esther nicht besonders gut aushalten. Egal, ich schweife ab. Jedenfalls war der größte Witz, dass meine Mutter und Tante Esther gleichzeitig schwanger geworden und Friederike und ich am selben Tag geboren sind. Im selben Krankenhaus. Meine Mutter und Tante Esther haben sogar im selben Zimmer gelegen. Deshalb kennen Friederike und ich uns auch schon vom ersten Tag an. Das ist doch wie verwandt. Natürlich sind wir es nur im Geiste, das sieht man auch. Fiedi, so darf ich sie nur heimlich nennen, weil sie Abkürzungen hasst, ist über einen Kopf größer als ich, wird im Sommer sofort braun, hat dunkles Haar und ist wahnsinnig klug. Das heißt jetzt nicht, dass ich dumm bin, aber ich muss für die Schule lernen, während Fiedi nur ins Buch guckt und danach alles kann. Aber sie ist keine Streberin, ganz im Gegenteil, ich glaube, es ist ihr egal. Dafür hilft sie mir oft, und, ich gebe es hier mal zu, sie hat mir auch schon zwei Arbeiten geschrieben. Ich war nach der Lungenentzündung im letzten Jahr echt ein bisschen zurück und habe Physik und Mathe überhaupt nicht geschnallt. Wir sitzen in der Schule ja nebeneinander und hatten bei den Klassenarbeiten verschiedene Gruppen. Und dann hat Fiedi erst ihre Arbeit geschrieben und danach meine. Sie war sogar als Erste fertig und hat glatt einmal eine 1 und einmal eine 2 geschrieben. Ihre eigene Arbeit war die 2, da hatte sie einen Flüchtigkeitsfehler drin. Da war Frau Sellmann ganz überrascht. Dafür war es in Physik umgedreht, da hatte sie für mich eine 2 und für sich eine 1 bekommen. Das wäre sonst auch aufgefallen. Aber ich bin versetzt worden. Dank Fiedi. Und keiner hat es gemerkt, weil sie beim Austausch der Arbeiten so unbeteiligt geguckt hat. Die hat so ein Pokerface, das ist wirklich spitze.

Dabei hat sie es zu Hause echt nicht leicht. Nichts gegen Tante Esther, aber ich glaube, als Mutter ist sie ziemlich schwierig. Friederike, ich muss wieder Friederike schreiben, sonst gewöhne ich mich so an dieses Fiedi und wie gesagt, sie hasst es. Also: Friederike hat ja keinen Vater. Also natürlich hat sie einen, aber der hat Tante Esther und sie verlassen, als Friederike drei war. Ich kann mich nicht an ihn erinnern, habe aber mal gehört, dass meine Mutter zu meinem Vater gesagt hat, Esther könnte wirklich froh sein, dass der alte »Suffkopp« weg ist. Das hat mich gewundert, meine Mutter redet sonst nie so, aber den konnte sie anscheinend nicht leiden. Den Dieter Brenner. Der ist auch verschollen und kümmert sich um gar nichts mehr. Das hat Friederike mir erzählt. Weil Tante Esther das so wollte. Aber deshalb zahlt er auch nichts, und das findet Friederike blöd. Weil ihre Mutter sich dauernd darüber beschwert, dass sie nicht genug Geld haben. Und auch deshalb hilft meine Mutter ihr manchmal. Aber für Fiedi ist das blöd. Sie sagt natürlich nichts, aber wir waren zum Beispiel in den letzten Herbstferien zwei Wochen auf einem Reiterhof. Wir wollten beide so gerne reiten, aber dann habe ich so eine doofe Pferdehaarallergie bekommen, deswegen musste ich aufhören. Fiedi hätte weitermachen können, sie hatte auch ganz große Lust, sie hat trotzdem mit mir aufgehört. Und gesagt, sie könne ja nicht anderer Leute Geld ausgeben. Nur deshalb weiß ich, dass meine Eltern das für sie bezahlt hatten. Tante Esther hat zu ihr gesagt, sie soll unbedingt weitermachen, es wäre schließlich alles bezahlt und das hätte sie sich verdient. Da war Friederike aber dann komisch. Das nur nebenbei.

Friederike will später mal Mathematik studieren. Oder Physik. Oder Geographie. Das ist natürlich das Problem, wenn man in allen Fächern so gut ist, dann kann man sich gar nicht entscheiden. Bei mir ist das leichter. Ich möchte Fotografin werden. Mein Vater hat mir im letzten Jahr in den Sommerferien seine alte Kamera geschenkt. Und ehrlich, das war das beste Geschenk meines Lebens. Wir waren wieder im Haus am See, die ganzen Ferien lang, und ich habe alles und dauernd fotografiert. Das Haus, den Steg, den See, alle Blumen, meine Eltern und natürlich auch Fiedi und Tante Esther. Jule auch, aber von der erzähle ich beim nächsten Mal, sonst wird das so ein Durcheinander. Ich habe von Fiedi Fotos gemacht, da sieht sie wirklich aus wie Fiedi und nicht wie Friederike. Friederike ist nämlich immer ganz ernst und wirkt oft beleidigt. Wahrscheinlich weil Tante Esther auch viel beleidigt ist. Einfach so, sie muss gar nicht immer einen Grund haben. Mein Vater hat gesagt, sie sei einfach gern beleidigt. Na ja, und das färbt vermutlich auf die Tochter ab. Da kann Fiedi gar nichts dafür. Jedenfalls sieht sie auf meinen Fotos immer aus wie Fiedi, weich, schön, lachend, nicht auf einem Bild hat sie diese gepressten Lippen, so wie Friederike. Ganz schön sieht sie aus. Das kann aber auch am Haus am See liegen, da ist es immer schön. Und Fiedi ist so gerne da. Viel lieber als zu Hause, das weiß ich.

Sie hat mir zum Geburtstag eine Platte von den Les Humphries Singers geschenkt, obwohl sie die total peinlich findet. Ich mag die, lauter Freunde, die zusammen echt schöne Musik machen, ich überlege immer, ob die auch alle in einem Haus wohnen, das würde mir gefallen. Friederike mag im Moment Pink Floyd am liebsten, ich finde die Musik komisch, so durcheinander irgendwie. Aber das ist ja egal. Ich lese auch andere Bücher als Fiedi, übrigens im Moment den zweiten Band von ›Angélique‹, da hat Fiedi auch nur den Kopf geschüttelt, sie liest nämlich zurzeit die Erwachsenenbücher von Erich Kästner, weil der doch gerade gestorben ist, da war sie ganz unglücklich. Und das sei nicht so ein Kitsch wie meine ›Angélique‹. Mag sein, aber ich finde sie trotzdem toll.

So, ich komme für heute zum Schluss. Das Blödeste an diesem Tag war, dass in der Nähe von Paris ein türkisches Flugzeug abgestürzt ist und über 300 Menschen dabei gestorben sind. Ich musste weinen, als ich das gehört habe, so viele Menschen, und Papa fliegt doch auch so oft. Ganz traurig ist das. So ungerecht.

Das Schönste heute war, dass ein neues Mädchen in die Klasse gekommen ist. Das schönste Mädchen, das ich je gesehen habe. Sie hat Haare, die bis zur Hüfte gehen, und grüne Augen. Und sie ist, das glaubt man kaum, auch noch total nett. Sie heißt Alexandra, und ich wäre sehr gern ihre Freundin.

So, das war es für heute. Also bis zum nächsten Mal, Deine Marie

Hamburg
2. Mai

Alexandra

Der Taxifahrer trug einen Turban und warf ihr ab und zu einen forschenden Blick im Rückspiegel zu. Er hatte sie angestrahlt, als sie am Flughafen in sein Taxi gestiegen war, und sofort versucht, ein Gespräch anzufangen. Alexandra hatte sich zusammengerissen, antwortete höflich, aber knapp, und nach zehn Minuten war das Gespräch versiegt. Jetzt fuhr er schweigend in Richtung City, das Radio lief leise, Alexandra hatte die Sonnenbrille aufgesetzt und sah angestrengt aus dem Fenster. Seit Wochen war sie jetzt fast jedes Wochenende nach Hamburg geflogen, war zwischen der Klinik in der Innenstadt und dem heimatlichen Weißenburg hin- und hergependelt, um Katja zu entlasten, die ihre Mutter in der Woche besuchte und die Gespräche mit den Ärzten führte. Sie war platt, richtig platt, und träumte im Moment in jeder zweiten Nacht von langen weißen Stränden und bunten Cocktails. Inzwischen auch mitten am Tag. Sophia Magnus, die süße Volontärin, hatte sie zweimal während einer Sitzung unauffällig angestupst und damit rechtzeitig verhindert, dass sie einnickte. Und als ob das nicht reichte, hatte sie auch noch diesen Brief bekommen. Irgendjemand musste eine Voodoo-Puppe, die ihr ähnlich sah, gerade sehr malträtieren. Sie fragte sich nur, wer da am Werk war und warum. Und sie gähnte, ohne die

Hand vor den Mund zu halten. Manchmal war es egal, was der Taxifahrer dachte.

Alexandra hatte ganz vergessen, wie grün Hamburg im Mai war, wie viele Bäume und Rhododendren überall standen, in den letzten Jahren war sie privat immer nur im Herbst oder Winter hier gewesen. Ihre Mutter hatte Anfang November Geburtstag, ihre Schwester Mitte Januar, das waren die Anlässe. Auch die anderen Ereignisse, wie die Geburt von Katjas Enkel oder die Hochzeit ihrer Tochter, hatten nicht in der schönen Jahreszeit stattgefunden. Und jetzt, zu diesem überraschenden Termin, sah die Stadt so frühlingshaft aus. Es fühlte sich falsch an.

Sie presste die Hand auf den Magen und atmete tief durch die Nase ein und durch den Mund wieder aus. Ihr war schon den ganzen Morgen übel, sie war bereits mit diesen Magenschmerzen aufgewacht und hätte sich am Flughafen fast übergeben, als ein Japaner ihr gegenüber im Bistro eine Weißwurst gegessen hatte. Um halb neun morgens. Sie hatte noch nicht einmal ihren Tee austrinken können, sondern hatte das Bistro fluchtartig verlassen. Und stattdessen eine halbe Stunde an einen Pfeiler gelehnt am Gate aufs Einsteigen gewartet. Die Maschine war wenigstens pünktlich gewesen, der Flug ruhig und der Platz neben ihr nicht besetzt. Trotzdem hatte sie weder etwas trinken noch etwas lesen können. Dieser Termin und alles andere lagen ihr im wahrsten Sinne des Wortes im Magen, sie hätte sonst was dafür gegeben, es schon hinter sich zu haben.

Das Taxi fuhr jetzt über die Kennedybrücke, die über die Alster führte, Alexandra hatte plötzlich einen freien Blick auf die Segelboote und die Alsterbarkassen. Mitten in der Stadt gab es diese Idylle, das war damals einer der Gründe für sie gewesen, nach Hamburg zu ziehen.

Das Taxi bog in die Rothenbaumchaussee ein, nach einigen

Metern verlangsamte es seine Fahrt und hielt schließlich vor einem kleinen Bistro. »So, hier sind wir. Das macht siebenunddreißig Euro, brauchen Sie eine Quittung?«

»Nein, danke.« Alexandra gab ihm vierzig und öffnete die Tür. »Stimmt so.« Er war trotz allem so freundlich gewesen. Sie sah dem Wagen nach, dann drehte sie sich um und ging zum Eingang. Sie hatte einen frühen Flug genommen, weil sie auf keinen Fall zu spät zu ihrem Termin erscheinen wollte. Und weil sie Verspätungen lieber von vornherein einplante. Natürlich war heute alles pünktlich gewesen, deshalb hatte Alexandra noch vom Flughafen in München ihre Freundin Lina angerufen. Die Idee war ihr schon ein paar Tage vorher gekommen, Linas Büro lag in der Nähe der Adresse, zu der sie später musste. Und Lina, mit ihrem sonnigen Gemüt und ihrer warmen Zuneigung, würde ihr vielleicht die Nervosität nehmen. Lina hatte sofort zugesagt, Alexandra war erleichtert. Noch bevor sie die Tür erreicht hatte, hörte sie Linas Stimme: »Alexandra, hier bin ich.«

Lina Hansen war aufgestanden und kam jetzt mit strahlendem Lächeln auf sie zu. »Wie schön, dass es geklappt hat.« Sie umarmten sich herzlich, dann trat Lina einen Schritt zurück. »Du siehst sensationell aus, wie machst du das?«

»Danke.« Alexandra lächelte. »Du kannst dich aber auch nicht beklagen.«

Lina trug ein enges blaues Kleid, in dem ihre trainierte Figur perfekt zur Geltung kam. Die kurzen blonden Haare umspielten das schmale Gesicht, die Farbe des Kleides war dieselbe wie die ihrer Augen. Sie war der Inbegriff der nordischen Schönheit, Alexandra war jedes Mal beeindruckt.

»Wollen wir draußen sitzen?« Lina wies auf den Tisch, an dem sie schon gesessen hatte. »Oder magst du lieber rein?«

»Nein, draußen ist gut.«

Der Tisch stand in der Sonne, Alexandra zog ihre Jacke aus und hängte sie über die Stuhllehne, bevor sie sich setzte. »Es ist ja ein Traumwetter«, meinte sie, bevor sie die Getränkekarte überflog und sie wieder hinlegte. »Fast schon Sommer.«

Sie hatten sich vor knapp zehn Jahren auf einer der zahlreichen Buchmesse-Partys kennengelernt. Alexandra hasste diesen Zirkus, trotzdem nahm sie die meisten Einladungen an und fuhr nach einem zehnstündigen Messetag, an dem sie fast ununterbrochen geredet und verhandelt hatte, mit einem Taxi, auf das man meistens ewig warten musste, zu irgendeinem Hotel oder in irgendeine Bar. Dort traf sie auf dieselben Leute, die sie schon auf der Messe gesehen hatte, mit dem Unterschied, dass die meisten von ihnen jetzt Alkohol statt Kaffee tranken, was im Lauf der Abende nicht unbedingt dazu führte, das Niveau der Unterhaltungen anzuheben. Also stand sie stundenlang auf hohen Absätzen in irgendwelchen Gruppen, in denen gelästert, getratscht oder angegeben wurde, sah unauffällig auf die Uhr und kippte den Wein, den ihr immer mal wieder jemand in die Hand drückte, in umstehende Blumenkübel. Aber auf diesen Partys wurden Kontakte geknüpft. Und natürlich traf man dort auch hin und wieder Kollegen, die man mochte, aber nur selten sah. Alles in allem handelte es sich um Veranstaltungen, die notwendig, meistens anstrengend, oftmals aber auch spannend waren. Das Kennenlernen von Lina hatte zu den spannenden gehört. Ein gemeinsamer Kollege hatte sie einander vorgestellt, sie waren sich sofort sympathisch gewesen. Lina war Pressechefin des Hamburger Verlages, in dem Alexandra vor Jahren gearbeitet hatte. Sie hatten zwar viel übereinander gehört, sich vor diesem Tag aber noch nicht persönlich kennengelernt, verbrachten den Rest des Abends auf der Terrasse des Hotels und hatten das Gefühl, sich schon seit Ewigkeiten zu kennen. Aus diesem Abend hatte sich eine Freundschaft entwickelt, die nun schon lange dauerte und enger war, als Alexandra es sonst zuließ. Lina war die Einzige, die von Alexandras Liebesleben wusste.

»So schön, dich zu sehen. Aber sag mal: Wie geht es deiner Mutter? Ist sie noch in der Klinik?« Lina stützte ihr Kinn auf die Hand. Alexandra schüttelte den Kopf. »Nein, sie ist seit einer Woche wieder zu Hause. Es war eine Scheißzeit, ich bin in den letzten acht Wochen sechsmal hier gewesen, meine Schwester war jeden Tag im Krankenhaus. Meine Mutter hat sich die Schulter dermaßen kompliziert gebrochen, sie musste ja zweimal operiert werden. Und das bei einer beginnenden Demenz, sie hat zum Teil überhaupt nicht gewusst, wo sie ist. Die Ärzte waren ohnehin überrascht, dass sie sich so rasch erholt hat. Und dass bei dem Sturz nicht mehr passiert ist. Jetzt müssen wir morgen besprechen, wie es weitergehen soll, im Moment macht meine Schwester ja alles. Das geht auf Dauer natürlich nicht. Aber lass uns das Thema wechseln, ich denke seit Wochen an kaum was anderes.«

Lina strich ihr über den Oberarm. »Ach je, das tut mir leid. Dann lass uns von was anderem reden. Es war übrigens richtig schade, dass du beim letzten Mal keine Zeit hattest. Eine tolle Veranstaltung in der Hafencity, das hätte dir gefallen. Ich saß übrigens am selben Tisch wie dein durchgeknallter Autor, dieser Sebastian Dietrich, sag mal, der hat doch einen an der Waffel, oder? So ganz unter uns. Er ist später mit der neuen Lektorin vom Becker Verlag abgehauen, ich glaube, da ging noch was. Pass bloß auf, dass der dir nicht abspenstig wird. Willst du eigentlich was essen?«

Alexandra lächelte müde und schüttelte den Kopf. »Nein danke, mir ist ganz flau im Magen, ich habe keinen Hunger. Und Sebastian hat noch einen Drei-Buch-Vertrag, der bleibt bei uns. Aber danke für den Hinweis. Wie war denn eurer Urlaub?«

»Super.« Lina holte nur kurz Luft und begann ohne Punkt und Komma von Korsika zu schwärmen. Nach wenigen Minuten stoppte sie ihren Redefluss.

»Du hörst mir ja überhaupt nicht zu. Was ist denn los?«

»Nichts«, beeilte sich Alexandra zu sagen. »Ich war gerade in Gedanken bei Sebastian.« Sie fand diese Notlüge im Moment völlig in Ordnung. »Erzähl weiter.«

Lina schaute sie skeptisch an. Ihr fiel auf, wie müde Alexandra aussah. Darüber täuschten auch nicht das sorgfältige Make-up und der teure Hosenanzug hinweg. Unter ihren Augen lagen Schatten, sie schien schmaler als sonst, und ihren Augen fehlte irgendwie der Glanz. Lina legte ihre Hand auf Alexandras. »Du siehst ganz schön erschöpft aus. Kein Wunder bei diesem Pensum. Läuft denn im Verlag alles rund? Oder machen sie dir da auch Stress?«

»Nur den üblichen. Sebastian hast du ja kennengelernt, eine meiner Lieblingsautorinnen hat mal wieder schweren Liebeskummer und eine Schreibblockade, drei Krankmeldungen in meinem Team, obwohl sowieso die Hütte brennt, und die Vertreterkonferenz wurde um zwei Wochen vorgezogen. Du kannst dir vorstellen, wie gerade alle durchdrehen.« Sie zog die Hand zurück und griff zu ihrem Wasserglas. »Eigentlich alles wie immer. Und bei euch?«

»Bei uns?« Lina überlegte. »Auch der ganz normale Wahnsinn. Apropos Magdalena Mohr, ich habe letzte Woche ein Interview mit ihr gelesen. Könnt ihr die nicht mal ein bisschen schulen? Die redet sich ja um Kopf und Kragen! Ich fand ihre Antworten dermaßen unsympathisch, damit tut sie sich und euch ja echt keinen Gefallen. Meine Güte, wie größenwahnsinnig kann man werden?«

»Wirklich?« Erschrocken sah Alexandra sie an. »Wo ist das denn erschienen? Das ist völlig an mir vorbeigerauscht. Na ja, wahrscheinlich der Hektik der letzten Wochen geschuldet.«

»Es war in der ›Femme‹, ich schick's dir.« Lina zuckte mit den Achseln. Sie spielte mit ihrem Kaffeelöffel, während sie Alexandra neugierig musterte. »Und privat? Alles unverändert?«

Alexandra nickte und deutete ein kleines Lächeln an.

Vor ein paar Jahren hatten sie sich nach einer Veranstaltung in München noch auf einen Absacker in einer Bar verabredet. Aus einem Cocktail wurden mehrere, irgendwann hatten sie ziemlich angetrunken in den bequemen Sesseln gesessen, als Lina sie plötzlich völlig unumwunden fragte, warum es in Alexandras Leben eigentlich keinen Mann gab.

Alexandra war schlagartig wieder nüchtern. Und wenn sie Lina nicht so gemocht hätte und nicht schon so angeschickert gewesen wäre, hätte sie sich vermutlich ganz schnell verabschiedet. Aber irgendetwas reizte sie plötzlich, Lina einzuweihen. Sie sah Lina an und sagte mit einem Lächeln um die Augen: »Ich habe ja einen.« Jetzt war es raus. Und Alexandra spürte sofort: Es tat gut, es in diesem Moment auszusprechen. »Seit Jahren. Aber wir halten es privat und wollen es für uns haben. Das geht niemanden etwas an.«

Lina sah sie an. »Er ist ... verheiratet?«

»Wieso?«

»Weil es so klingt. Ihr ›haltet es privat und wollt es für euch haben‹.« Lina lächelte. »Aber das hat sicher Vorteile. Kein Alltag, genügend Sehnsucht, entspannten Sex, keine Kompromisse, warum nicht?«

Dankbar, dass Lina auf die üblichen Sätze wie »Das hast du doch nicht nötig«, »Er muss sich doch entscheiden«, »Das ist doch keine richtige Beziehung« verzichtete, erzählte Alexandra in der Bar zum ersten Mal von ihrer großen Liebe. Und es fühlte sich schön an, fast so, als wäre es jetzt offiziell. Natürlich hatte sie ein paar Dinge weggelassen und anderes beschönigt. Es war trotzdem gut gewesen. Damals, in dieser Bar.

Jetzt allerdings hatte sie keine Lust, darüber zu reden. »Alles unverändert«, antwortete sie deshalb nur kurz. »Im Moment habe ich aber überhaupt keine Zeit für ihn. Es ist ja nicht nur meine Mutter, ich habe gleich einen Termin, der mir schon seit Wochen im Magen liegt. Ich habe das Gefühl, mein Leben gerät gerade total aus den Fugen.«

»Was denn für einen Termin?«

»Ich muss gleich zu einem Notar, hier um die Ecke. Vor vier Wochen ist eine … eine ehemalige Freundin von mir gestorben. Sie ist ein Jahr älter als ich. Wir hatten in den letzten Jahren kaum noch Kontakt, aber ich habe oft an sie gedacht. Kennst du das, du meldest dich eine Zeitlang nicht bei jemandem, egal aus welchen Gründen, und irgendwann ist der Punkt verpasst, an dem du einfach anrufen könntest? Ich hatte den Punkt verpasst. Und jetzt ist Marie tot. Und ich fühle mich total elend.«

»Ach, Alexandra«, Lina beugte sich zu ihr. »Das tut mir leid. Marie? Von ihr hast du mir nie erzählt. Wer war denn das? Willst du darüber reden?«

»Nein.« Alexandra schüttelte den Kopf. »Das ist eine zu lange Geschichte. Das schaffe ich jetzt nicht, ich muss mich ohnehin schon zusammenreißen, nicht gleich loszuheulen. Ein anderes Mal.«

»Und warum musst du zum Notar?«, fragte Lina. »Was wird denn da besprochen?«

Alexandra stützte ihr Kinn auf die Hand und blickte an Lina vorbei. »Wenn ich das wüsste«, sagte sie leise. »Ich habe keine Ahnung. Das ist ja das Seltsame.«

Hamburg
2. Mai

Jule

»Nächste Station: Schlump.«

Es dauerte ein paar Sekunden, bis Jule die Ansage im Bus begriffen hatte. Sie fuhr tatsächlich in die falsche Richtung. »Scheiße«, zischte sie, die Frau gegenüber sah sie erstaunt an. »Ich bin zu blöd, Bus zu fahren«, erklärte Jule ihr überflüssigerweise und stieg aus. Sie sah dem Bus hinterher und ging zur nächsten Fußgängerampel. Der Bus Richtung Alsterchaussee fuhr genau gegenüber. Wo hatte sie eigentlich ihr Hirn?

Sie musste nur vier Minuten warten, bis der richtige Bus kam, trotzdem fragte Jule den Fahrer diesmal: »Halten Sie an der Hallerstraße?«

Er nickte. Na bitte, dachte sie, es ging doch. Man sollte einfach immer fragen. Sie hätte die Strecke auch laufen können, die Fahrzeit betrug nur fünf Minuten, Zeit genug hätte sie allemal gehabt, sie war wieder mal viel zu früh dran. Irgendwie fiel ihr Alex ein, bei der war das auch immer so gewesen. Doch sie schob die Erinnerung gleich wieder ganz weit weg. Etwas unschlüssig blieb sie einen Moment an der Bushaltestelle stehen, dann sah sie sich um. Ein paar Meter vor ihr war die Tennisanlage am Rothenbaum. Langsam setzte Jule sich in Bewegung und schlenderte zum Eingang, vor dem sie stehen blieb. Sie war vierzehn gewesen, als sie hier das erste Mal Tennis gespielt hatte, aufgeregt, zitternd vor Nervosität, das erste Mal in der norddeutschen Jugendauswahl, ehrfürchtig, freudig und schüchtern zugleich. Sie hatte ihre beiden Spiele krachend verloren und anschließend in der Umkleidekabine geheult. Und dann war plötzlich Marie reingekommen, hatte sich neben sie gesetzt und ihren Rücken gestreichelt. »Du hast toll gespielt«, hatte sie gesagt. »Aber die andere war ja auch viel größer und älter als du. Ich bin total stolz auf dich.« Ein wehmütiges Lächeln huschte Jule über das Gesicht.

Gegenüber dem Eingang entdeckte sie ein kleines Café. Sie hatte noch über eine Stunde Zeit bis zum Termin. Als sie auf der gut besuchten Terrasse stand, erhob sich gerade ein junger Mann. »Ich gehe«, sagte er. »Sie können meinen Platz haben.« Sie bedankte sich und stellte fest, dass sie ihm gerade mal bis zur Brust reichte.

»Schönes Kleid.« Er lächelte sie an. »Dann noch einen schönen Tag.«

Jule sah ihm verblüfft hinterher. Süß. Aber er könnte glatt ihr Sohn sein. Es nützte also doch etwas, ein Kleid anzuziehen. Zu ihrer Verblüffung hatte sie dieses Kleid von Pia geschenkt bekommen. Es war hellblau, ohne Schnickschnack, ging ihr bis knapp übers Knie und passte tatsächlich, als wäre es für sie genäht worden. Pia hatte es in Hamburg in einer Boutique gesehen, ein Superschnäppchen, und sie hatte es, ohne groß zu überlegen, für ihre Mutter gekauft. »Eine Kundin hatte es in der Hand und gesagt, dass sie sich frage, was für ein Kind das tragen könnte«, hatte sie grinsend gesagt. »Und da habe ich sofort gesagt: meine Mutter. Ich hatte noch Geld von Papa, also hat er dir das eigentlich geschenkt. Müsste passen.«

Jule trug es heute zum ersten Mal. Erst hatte sie überlegt, etwas Schwarzes zu tragen, sie hatte keine Ahnung, was man zu so einem Anlass anziehen sollte. Das einzige Schwarze, das sie besaß, war ein Hosenanzug, den sie sich vor ein paar Jahren zu einer Beerdigung gekauft hatte. Er passte zwar irgendwie, aber Jule war unsicher, also hatte sie ihn mit in die Praxis genommen und Tina gefragt. Die hatte sie gemustert und nach einiger Überlegung gesagt: »Du gehst doch nicht zur Beerdigung, das ist ein Notartermin. Du musst ja keine Jeans anziehen. Aber Schwarz doch nun auch nicht.«

Deshalb trug Jule nun Blau, strich das Kleid glatt, bevor sie sich setzte, und tauchte in Gedanken noch mal in den Tag ein, an dem die Nachricht gekommen war. Er lag nur ein paar Wochen zurück …

Jule stand auf der Terrasse, hatte die Kommode dunkelrot gestrichen und blickte gerade zufrieden auf ihr Werk, als sie ein Geräusch aus dem Haus hörte. Sie trat einen Schritt zurück und spähte durch die offene Terrassentür. Sie musste nicht lange warten, Pia kam in diesem Moment um die Ecke, einen Stapel Post unter dem Arm. »Hallo, Mama, ich bin auf dem Weg zu Oma und wollte meine Jacke abholen. Die muss noch hier hängen.« Sie legte den Poststapel auf den Wohnzimmertisch und kam auf die Terrasse. »Der Briefträger hat mir deine Post in die Hand gedrückt. Und du hast Farbe in den Haaren und im Gesicht.« Sie küsste ihre Mutter trotzdem auf die Wange und begutachtete dann die Kommode. »Hübsch«, meinte sie und nickte anerkennend. »Das wäre doch auch ein gutes Hochzeitsgeschenk für Laura.«

»Nichts da.« Jule korrigierte mit dem Pinsel noch die letzten Stellen. »Die kommt in die Praxis, das ist meine. Was willst du denn bei Oma?«

»Ich gehe mit ihr ein Kleid für die Hochzeit kaufen.« Pia war mit Gesa geduldiger als Jule. »Sie hat mich angerufen und gefragt, ob ich heute mit ihr fahren kann. Du hättest ja keine Zeit.« Pia grinste.

»Ganz richtig.« Jule sah ihre Tochter anerkennend an. »Du bist einfach eine Heldin.«

»Schon klar. Aber ganz ehrlich: bei mir ist sie ja auch nicht so anstrengend wie bei dir. Das geht schon. Bekomme ich bei dir vorher noch einen Tee? Ich soll Oma erst um zwölf abholen.«

Während das Wasser im Wasserkocher langsam zu sprudeln anfing, blätterte Jule den Stapel mit der Post durch. Rechnungen, Werbung, eine Einladung zum Tennisturnier an Pfingsten in Kiel, die Fernsehzeitschrift, dazwischen ein weißer DIN-A5-Umschlag. Jule drehte ihn um und wurde blass. Die Adresse. Mit einem anderen Namen. Langsam setzte sie sich an den Tisch und riss den Umschlag auf.

Die Erinnerung ist ein Fenster,
durch das wir dich sehen können,
wann immer wir wollen.

Marie van Barig
3. Juli 1961 – 22. April 2017
Ich bin dankbar für die Zeit mit dir.

In tiefer Trauer
Hanna Herwig
Traueranschrift: Deichweg 2, 22233 Seeburg

Der laute Schrei kam unvermittelt. Erst als Pia erschrocken herumfuhr und sie entsetzt ansah, begriff Jule, dass sie ihn ausgestoßen hatte. Ihr Magen hatte sich zusammengekrampft, ihre Hände zitterten, sie versuchte, etwas zu sagen. Es ging nicht. Sie hatte keine Stimme, ihr Kopf weigerte sich zu begreifen, was passiert war.

»Mama!« Pia war mit einem Satz bei ihr. »Was ist denn?«

»Ich …« Jule spürte die Säure in den Hals steigen. »Mir …«, sie sprang auf und lief ins Bad. Sie schaffte es gerade noch rechtzeitig, den Toilettendeckel hochzuklappen. Pia war ihr gefolgt, sie hielt ihr die Haare aus dem Gesicht und wartete ab, bis nichts mehr kam und Jule endlich, mit dem Rücken an die Badewanne gelehnt, erschöpft auf dem Boden sitzen blieb. Pia half ihr hoch, machte einen Waschlappen nass und gab ihr ein Glas Wasser. Sie war vor Schreck ganz blass geworden. »Geht es wieder?«

Jule nickte. Und dann kamen die Tränen.

Nach einer gefühlten Ewigkeit und dem Cognac, den Pia ihr großzügig eingeschenkt hatte, bekam Jule sich langsam wieder in den Griff. Pia hatte sich neben sie an den Tisch gesetzt und ihrer Mutter den Brief vorgelesen, der neben der Todesanzeige im Umschlag gewesen war.

Liebe Jule Petersen,
ich habe die traurige Pflicht, Ihnen mitzuteilen, dass Ihre Freundin Marie van Barig am 22. April im Hospiz in Lübeck friedlich eingeschlafen ist. Ich bin sehr traurig, möchte Sie aber bitten, sich am 2. Mai um 16 Uhr im Notariat Dr. Eisendorf in Hamburg in der Hallerstr. 5 einzufinden, da es noch ein paar Punkte gibt, die ich gern mit Ihnen besprechen würde. Bitte tun Sie mir – und vor allen Dingen Marie – diesen Gefallen und bestätigen den Termin per Mail oder telefonisch. Besten Dank und mit freundlichen Grüßen, Ihre Hanna Herwig

»Hanna Herwig?« Pia sah mit großen Augen hoch. »Die Hanna Herwig? Die Pianistin?«

»Ich glaube, ja«, Jule zuckte die Achseln. »Sie war mit Marie befreundet. Das hat Marie mir mal erzählt. Aber das kann doch alles nicht wahr sein.« Sie wischte sich wieder die Tränen aus dem Gesicht, Pia strich ihr sanft über den Rücken. »Wusstest du, dass Marie so krank war?«

»Nein, das heißt: ja.« Jule zog die Cognacflasche näher und goss sich nach. Am helllichten Tag. Aber das war jetzt auch egal. »Sie war ja nie ganz gesund. Und Oma hat mir neulich schon am Telefon angedeutet, sie hätte gehört, dass Marie im Hospiz sei, aber du weißt ja, wie Oma ist, die hört ständig irgendwas, und nicht alles stimmt.«

»Oh Gott!«, Pia fuhr hoch und sah hektisch auf die Uhr. »Es ist Viertel vor zwölf, in fünfzehn Minuten muss ich sie abholen. Soll ich absagen?«

»Nein.« Jule bemühte sich um ein schwaches Lächeln. »Fahr nur. Aber erzähl ihr bitte nichts. Sonst hab ich sie gleich in der Leitung, das brauche ich gerade nicht.«

»Kann ich dich wirklich allein lassen?« Besorgt sah Pia sie an, Jule nahm sie schnell in den Arm. »Ja, Süße, mach dir keine Sorgen, ich war nur gerade so geschockt. Danke dir, und jetzt fahr los. Ich bin ganz gern mal allein.«

»Okay.« Noch immer etwas skeptisch betrachtete Pia ihre Mutter. »Ich rufe dich später an. Und stell die Cognacflasche weg, ja? Bis nachher.«

Der Rest des Tages war an Jule vorbeigegangen, sie wusste nicht mehr, was sie eigentlich noch gemacht hatte. Nur dass sie diesen Tag irgendwie überlebt hatte. Trotz vieler Erinnerungen, alter Bilder und einer überwältigenden Trauer um Marie, um ihre Freundschaft.

Das Kleid hatte Pia ihr am nächsten Tag gekauft, das war ihre Art des Trostes. Jule sah an sich hinunter und strich eine Falte glatt. Sie hatte ein paar Tage überlegt, ob sie überhaupt diesen Termin wahrnehmen wollte. Sie hatte richtig Angst davor, das musste sie sich eingestehen. Aber letztlich war das Verlangen, zu erfahren, was eigentlich passiert war, größer gewesen. Jule hatte keine Ahnung, warum gerade Hanna Herwig ihr geschrieben und was genau sie mit Marie zu tun gehabt hatte. Natürlich wusste sie, wer Hanna Herwig war, die geheimnisvolle Pianistin, die von heute auf morgen ihre Karriere aufgegeben hatte. Sie hatte sie damals bei Lauras Beerdigung gesehen. Jule konnte sich dunkel daran erinnern, dass Marie sie einmal fotografiert und sie sich später offenbar angefreundet hatten. Marie hatte aber kaum etwas von sich erzählt, von ihr bekam man eigentlich immer nur Andeutungen, egal worum es ging. Und keine von ihnen hatte jemals nachgefragt. Noch ein loser Faden. Aber jetzt würde sie gleich Hanna Herwig treffen und hoffentlich von ihr ein paar Antworten bekommen.

Die Bedienung brachte den Tee und fragte, ob sie gleich kassieren könne, sie hätte jetzt Schichtwechsel. Das war etwas, das Jule hasste. Dann sollte die andere Schicht doch die Bestellung bringen, sie hatte keine Lust, gehetzt zu werden. Und schon gar nicht heute. Weil sie sowieso schon so nervös war.

Jule gab trotzdem Trinkgeld, obwohl sie keine Lust hatte. Aber die Bedienung konnte ja auch nichts für dieses bescheuerte System. Außerdem machte Jule sich gern beliebt, sie wollte am liebsten von allen immer gemocht werden, selbst von einer unbekannten Bedienung vor dem Schichtwechsel. Das war schon immer ihr Problem gewesen. Zum Glück war das ein Wesenszug, der ihrer Tochter völlig abging. Die mochte sich selbst genug, Pia brauchte keine Bestätigung von Gott und der

Welt, was für eine Freiheit! Auch Marie war in dieser Hinsicht völlig autark gewesen. Dafür hatte Jule sie immer bewundert.

Sie schlug ihre Beine übereinander, strich wieder den Stoff glatt und wappnete sich innerlich für das Treffen. Sie sagte sich, dass es keinen Grund für ihre Nervosität gab. Außerdem würde sie gleich erfahren, worum es eigentlich ging. Andererseits: War das nicht egal? Das Schlimme war doch, dass Marie tot war und dass Jule sich seit Jahren nicht mehr um ihre ehemals beste Freundin gekümmert hatte. Dass sie einfach so getan hatte, als wäre es nicht wichtig. Was für eine große Dummheit. Nein, Jule war nicht nervös. Sie hatte ein unfassbar schlechtes Gewissen.

Hamburg
2. Mai

Friederike

Bereits an der Ampel der Rechtsabbiegerspur in die Rothenbaumchaussee sandte Friederike wie immer ihren Wunsch an die Sterne, sie möge einen Parkplatz finden. Am liebsten direkt vor der Kanzlei. Isabelle schwor auf diese Methode, sie hatte angeblich noch nie länger als fünf Minuten gesucht, egal in welcher Stadt sie ihr Auto abstellen wollte. Die Ampel sprang auf Grün, Friederike beschleunigte und blieb auf der rechten Spur, die Kanzlei lag im ersten Drittel der Straße, sie wollte den von den Sternen bereitgestellten Parkplatz nicht verpassen. Vier Hausnummern vor der angegebenen Adresse leuchteten die Rücklichter eines Mercedes auf, er parkte gerade aus. Friederike hielt an, setzte den Blinker und wartete, bis der Fahrer sich in den Verkehr eingefädelt hatte, dann parkte sie lächelnd ein. Es klappte. Und zwar fast jedes Mal.

Tom hatte sich schon so oft darüber lustig gemacht. Für Isabelles Spinnereien hatte er überhaupt keinen Sinn. »Wenn sie dir erzählen würde, dass du ein Meerschweinchen an die Kühlerhaube nageln müsstest, um einen Parkplatz zu finden, würdest du das auch tun?«, hatte er Friederike schon mal gefragt und gelacht, nachdem sie ihn mit ihrem Blick fast getötet hatte. Er hatte einfach keine Antennen für Dinge, die man nicht rational erklären konnte, die aber trotzdem existierten. Also vermied Friederike diese Themen einfach, es hatte ja doch keinen Sinn.

Dafür hatte sie jetzt einen fabelhaften Parkplatz und noch eine gute Stunde Zeit, sich die Gegend anzusehen. Und sich in aller Ruhe auf das Gespräch mit Hanna Herwig vorzubereiten.

Sie zog einen Parkschein, legte ihn hinter die Scheibe und verschloss den Wagen, bevor sie sich umsah. Ein paar Häuser weiter entdeckte sie ein Café, doch die Tische und Stühle standen fast auf der Straße, und Friederike konnte es nicht leiden, wenn die vorbeifahrenden Autofahrer ihr auf den Teller starrten. Sie beschloss, lieber noch eine Runde spazieren zu gehen. Sie hatte sowieso viel zu wenig Bewegung, außerdem konnte sie beim Laufen besser denken.

An dem Tag, an dem die Traueranzeige und Hanna Herwigs Brief auf ihrem Schreibtisch gelegen hatten, war im Hotel die Hölle los gewesen. Das Fernsehteam war gerade eingetroffen, das ganze Foyer war vollgestellt mit riesigen Alukoffern, Stativen und Lampen, die Rezeptionsmitarbeiter hatten mit der Vergabe der Zimmer alle Hände voll zu tun, während Friederike das Team charmant empfing und versuchte, Sonderwünsche zu erfüllen und den Überblick zu behalten. Nachdem der Ansturm vorbei war, sagte sie zu Marlene: »Den Rest schaffen Sie allein, oder? Dann bin ich jetzt in meinem Büro. Sie können mich jederzeit rufen, bis nachher.«

»Frau Beller von der Produktion kommt etwas später.« Marlene sah auf die Uhr. »Zusammen mit ihrem Chef und dem Regisseur. Ich sage Ihnen Bescheid, wenn sie da sind. Ach, und Ihre Post liegt noch hier, ich habe es nicht geschafft, sie raufzubringen.«

»Okay, danke.« Friederike ging an ihr vorbei und griff nach dem Poststapel, bevor sie sich auf den Weg machte. Im Aufzug blätterte sie die Umschläge flüchtig durch und stutzte, als sie einen weißen Brief sah, der handschriftlich an sie persönlich gerichtet war. Sie drehte ihn um, die Adresse des Absenders kannte sie nur zu gut. Aber was war denn das für ein Name? Plötzlich wurde ihr heiß und kalt, sie nahm die Traueranzeige aus dem Umschlag und versuchte irgendwie zu begreifen, was sie da las. Minutenlang starrte sie auf den Brief in ihrer zitternden Hand. Sie merkte nicht, dass der Aufzug anhielt und wieder nach unten fuhr.

»Guten Morgen, Frau Brenner.« Die Tür ging auf, und die Stimme des Kochs riss sie aus ihrer Starre. Langsam hob sie den Blick und merkte, dass sie im Keller angekommen war. »Wollten Sie ins Lager?«

»Nein.« Um sie herum lief alles in Zeitlupe. Friederike schüttelte langsam den Kopf. »Nein, ein Versehen.«

Besorgt sah der Koch sie an. »Alles in Ordnung?«

»Ja, ja.« Sie räusperte sich. »Ich war nur in Gedanken. Wollen Sie mit hoch?«

Sie riss sich zusammen, bis sie in ihrem Büro ankam. Als sie endlich am Schreibtisch saß und wieder und wieder die Zeilen las, kamen die Tränen. Heiße, wütende Tränen. Sie war fassungslos.

Jetzt beschleunigte Friederike ihre Schritte, als ob sie die Bilder abschütteln wollte. Sie war an dem Tag gleich nach Hause gefahren, zum Erstaunen Marlenes, die noch nie erlebt hatte, dass ihre Chefin wegen plötzlichen Unwohlseins das Hotel verließ. Das hatte Friederike ihr zugerufen, »plötzliches Unwohlsein«. Was Besseres war ihr nicht eingefallen.

Es fühlte sich sehr unwirklich an, was ihr da gerade passierte. Sie hatte doch so vieles aus ihrem alten Leben erfolgreich verdrängt. Dann dieser Anruf von Alex und nur wenige

Wochen später die Mitteilung von Maries Tod. Nach über zehn Jahren, in denen sie so gut wie alle Gedanken an die alten Zeiten erfolgreich verbannt hatte.

Tom hatte ein paar Tage zuvor die Traueranzeige bei ihr auf der Kommode liegen sehen und sie erschrocken gefragt, ob das eine Freundin von ihr gewesen sei.

»Ja, vor einer Ewigkeit«, hatte sie nur kurz angebunden gesagt. »In einem anderen Leben.«

Sie erinnerte sich daran, dass sie Tom ziemlich am Anfang ihrer Beziehung mal erzählt hatte, dass sich wenige Freundschaften in ihrem Leben gehalten hatten. »Weißt du«, hatte sie damals gesagt, »ich bin ja dauernd umgezogen. Lübeck, Norderney, Hamburg, Berlin, Mallorca, Andalusien, dann Bremen. Wie soll man denn da Freundschaften pflegen? Ich hatte doch nie Zeit.«

Sie verschwieg, dass es auch noch andere Gründe gegeben hatte, Weggefährten von damals aufzugeben. Und Tom hatte nicht nachgefragt.

Zwei junge Frauen kamen ihr entgegen, eingehakt und leise kichernd. Sie sahen auch noch ähnlich aus, beide trugen lange blonde Haare, pinkfarbene T-Shirts, Jeans. Friederike hatte die Uniformierungen ganzer Generationen noch nie verstanden. Sie selbst hatte schon damals gut und gerne auf Minirock, Bundeswehr-Parka, Palästinensertuch, Jeansjacke und Plateausohlen verzichtet. Alles, was jemals im Trend gewesen war, hatte sie nie leiden können. Sie war anders. Und hatte es immer sein wollen. So wie diese beiden jungen Frauen hätte man Friederike zu keinem Zeitpunkt ihres Lebens gesehen. Sie war nie ein typisches Teenie-Mädchen gewesen, dieses Gekicher und Getuschel übers Aussehen, Jungs, Verabredungen, Popstars, all das hatte sie noch nie interessiert. Die Mädchen, die so waren, hatte sie bestmöglich ignoriert und Gespräche mit ihnen immer als Zeitverschwendung bewertet. Daran hatte sich bis heute nichts geändert.

Tom hatte sie mit in seinen Freundeskreis genommen. Es waren zum Teil nette Leute darunter, Friederike hatte auch gar nichts dagegen, ab und zu mal ein paar von ihnen zu treffen. Das machte sie aber eher Tom zuliebe, eigentlich waren ihr diese Leute egal. Sie hatte den ganzen Tag genug Menschen um sich, mit denen sie reden oder denen sie zuhören musste, das brauchte sie nicht auch noch privat. Und sie war ohnehin der Meinung, dass Freundschaften nicht für die Ewigkeit taugten. Jede Zeit hatte ihre Begleiter. Und wenn die Zeiten vorbei waren, verschwanden in der Regel auch die, die in der Zeit wichtig gewesen waren. So einfach war das, das war doch leicht zu begreifen und kein Grund, sentimental zu werden.

Das schrille Quietschen der Reifen riss sie aus ihren Gedanken, sie sah nur noch den Boden auf sich zukommen, ohne dass sie in irgendeiner Weise reagieren konnte. In der nächsten Sekunde lag sie unter einem Metallgestell, ihre Hand brannte, ihr Herz raste, sie hatte keine Ahnung, was da gerade passiert war.

»Ach du Scheiße.« Der junge Mann in Fahrradklamotten mit Helm und Rucksack hockte mit entsetztem Blick vor ihr. »Ist alles okay?«

Friederike zog vorsichtig ihr Bein unter dem sich immer noch drehenden Fahrradreifen raus. Das Bein tat nicht weh, langsam setzte sie sich auf und hob die schmerzende Hand.

»Ich habe alles genau gesehen.« Ein älterer Mann beugte sich zu ihr. »Diese Fahrradkuriere sind die reinsten Rambos. Der ist einfach in Sie reingefahren. Sind Sie verletzt? Soll ich den Notarzt rufen?«

Erstaunt hob Friederike den Kopf und sah mehrere Passanten um sie herumstehen. Der ältere Mann zückte sein Handy. »Ich rufe die Rettung an.«

»Nein, bitte!« Mühsam und mit Hilfe des Rambos, der ihr die Hand hinhielt, rappelte Friederike sich auf. Das andere Bein tat weh. »Es geht, ich habe nur …«

Eine junge Frau hob ihr Handy und fing an, ein Video aufzunehmen, Friederike sah kurz auf den immer noch geschockten Fahrradkurier, bevor sie trotz höllischer Schmerzen im Knie zu der Frau humpelte und vor ihr stehen blieb. »Lassen Sie das.«

»Ich wollte ja nur …«

»Sie sollen das lassen.« Die Unterstützung kam von einem Mann, der gerade die Unfallstelle erreicht hatte. »Was ist denn passiert? Ich bin Arzt. Kann ich helfen?«

Die Gafferin, die rüde von dem Neuankömmling zur Seite geschoben wurde, steckte ihr Handy ein und entfernte sich beleidigt, der Mann beugte sich zu Friederike. »Was ist mit Ihrem Knie?«

Der Fahrradkurier hatte inzwischen seinen Helm abgenommen und sein Fahrrad aufgerichtet, unter dem noch Friederikes Handtasche lag. Zerknirscht und mit der Tasche in der Hand stellte er sich zu ihnen. »Ich habe Sie zu spät gesehen, es tut mir leid, aber Sie sind so plötzlich auf den Fahrradweg gelaufen. Ich konnte gar nicht mehr ausweichen.«

»Schon gut.« Friederike biss die Zähne zusammen, als ihr Ersthelfer vorsichtig ihr Knie anfasste. Sie zuckte zusammen.

»Können Sie auftreten?«

Sie versuchte es und ging einen Schritt, bevor sie nickte. Ihre Hose hatte am Knie ein Loch, sie erinnerte sich an einen Rollschuhunfall vor Jahrzehnten, da hatte sie genauso ausgesehen. Damals war es nur eine Schürfwunde gewesen, und sie hoffte, dass ihr mittlerweile schon in die Jahre gekommenes Knie diese Art von Stürzen immer noch so gut wegsteckte. »Es geht«, sagte sie. »Ich glaube, es ist nur eine Schürfwunde. Aber die Hose ist im Eimer.«

»Dagegen bin ich versichert!« Sofort zog der Fahrradkurier eine Visitenkarte aus der Brusttasche. »Hier sind meine Daten, ich komme selbstverständlich für den Schaden auf. Kann ich noch etwas für Sie …«

»Wenn Sie mir jetzt meine Tasche …«, antwortete Friederike und streckte die unverletzte Hand aus, während der Arzt die verletzte ansah. »Und vielleicht nicht mehr so viel reden. Ich melde mich bei Ihnen.«

»Unbedingt.« Er sah unsicher von ihr zu dem Mann, der immer noch ihre Hand hielt. »Soll ich warten? Also, rufen wir die Polizei? Dann warte ich natürlich.«

Friederike schüttelte den Kopf. »Ich glaube, wir brauchen keine Polizei.« Sie zog ihre Hand zurück. »Vielen Dank, aber es ist alles okay.«

»Meine Praxis ist hier um die Ecke. Ach so, mein Name ist Bergmann, Michael Bergmann. Ich bin Allgemeinmediziner.« Er lächelte sie an. »Ich kann Sie schnell mitnehmen, dann wird die Hand verbunden. Das Knie ist meiner Meinung nach tatsächlich nur oberflächlich verletzt. Aber sicherheitshalber würde ich es mir gern genauer ansehen.«

Die kleine Gruppe der umstehenden Passanten hatte sich inzwischen aufgelöst, eine richtige Sensation hatte sich hier ja nicht ereignet. Etwas unschlüssig blickte Friederike auf die Uhr. Dann sah sie ihren Ersthelfer an. »Ich habe in einer Stunde einen Termin. Wenn Sie mich bis dahin wieder heil machen, komme ich gern mit.«

Er zwinkerte ihr zu. »Das bekommen wir hin.«

Als er sie am Ellenbogen nahm, sah sie ihm direkt ins Gesicht und entdeckte erst jetzt seine sehr blauen Augen und die schönen Lachfältchen. Er schien ihre Gedanken zu ahnen und grinste. »Geht es mit dem Laufen?«

»Sicher«, mit einem knappen Lächeln humpelte sie los.

Hamburg
Notariat, 2. Mai

Hanna

Sie öffnete die Tür des kleinen Balkons vor dem Besprechungsraum und trat hinaus. Vor dem geschwungenen Geländer
stand, zwischen zwei Kübelpflanzen, eine kleine weiße Holzbank mit blauen Sitzkissen. Von hier aus hatte Hanna den Eingang des Notariats im Blick, sie nickte zufrieden und setzte
sich. Es war alles vorbereitet, Getränke standen bereit, selbst
an Cognac hatte sie gedacht, den die eine oder andere vermutlich brauchen würde. Es konnte losgehen.

Es war schon eigenartig, wie viel sie von diesen drei Frauen
wusste, die gerade auf dem Weg hierher waren. Umgekehrt
wusste von den dreien niemand etwas von ihr. Und wie viele
Bilder sie von ihnen gesehen hatte, sie kannte ihre Träume,
ihre Siege und Niederlagen, so viel Leben in dreißig Jahren.
Nur die letzten zehn Jahre hatten gefehlt. Hanna war gespannt,
was diese Zeit mit ihnen gemacht hatte.

Sie beugte sich über die Balkonbrüstung, weil eine Frau laut
telefonierend unter dem Haus stand. Hanna konnte nicht verstehen, was sie sagte, aber es konnte durchaus eine von ihnen
sein. Sie war im richtigen Alter, trug ihre blonden Locken zum
Pferdeschwanz gebunden und sah sich beim Telefonieren immer wieder um, als würde sie eine Adresse suchen. Konnte das
Jule Petersen sein? Sie könnte so aussehen, sehr sympathisch.

Hanna war gespannt, ob sich die Vorstellungen, die durch Maries Erzählungen entstanden waren, mit der Realität decken würden. Sie würde Jule mögen, dessen war Hanna sich sicher, sie mochte unkomplizierte und pragmatische Frauen, und als eine solche war Jule in ihrem Kopf verankert. Ob sie mit der kontrollierten und perfektionistischen Friederike etwas anfangen konnte, wusste Hanna noch nicht. Zumal die laut Maries Beschreibungen auch sehr zur Unzufriedenheit neigte, ein Zug, der Hanna höchst zuwider war. Auf Alexandra war sie am meisten gespannt, sie schien ihr – zumindest nach Maries Erzählungen – die interessanteste Persönlichkeit von allen zu sein.

Hanna zog sich ein Stück zurück, sie musste ja von unten nicht sofort gesehen werden. Ob sie Maries ehemalige Freundinnen tatsächlich erkennen würde? Sie hatte nur Jule und Friederike einmal ganz kurz und von weitem gesehen, vor acht Jahren, auf Lauras Beerdigung. Sie waren damals nicht mit zum Essen gekommen und nach dem Trauergottesdienst gleich gegangen. Mit Marie hatten sie am Ausgang des Friedhofes nur kurz gesprochen. Marie war so in ihrer Trauer gefangen gewesen, dass sie kaum registriert hatte, wer plötzlich vor ihr gestanden hatte. Alexandra hatte nur eine Beileidskarte geschickt, es hatte ein bisschen was von Pflichterfüllung. Seltsam, hatte Hanna damals gedacht, dass Marie sich trotzdem darüber gefreut hatte. Sie hätte etwas anderes erwartet.

Die Frau mit dem Handy lachte jetzt laut und ging langsam weiter. Hanna folgte ihr mit den Blicken, bis sie sich aus ihrem Sichtfeld entfernt hatte. Das war wohl doch nicht Jule Petersen.

Sie warf einen Blick auf die Uhr. Noch eine halbe Stunde. Hanna hatte sich dieses Treffen in den letzten Tagen immer wieder vorzustellen versucht. Noch wussten sie nicht, dass sie sich hier alle nach so langer Zeit wiederbegegnen würden. Alles war möglich, Hanna konnte überhaupt nicht einschätzen, wie sie auf diese Begegnung reagieren würden, sie war auf alles gefasst. Das Einzige aber, was nicht passieren durfte, war, dass diese Frauen Maries letztem Wunsch mit Desinteresse begegneten. Sie würden sich nach all den Jahren wohl oder übel anhören müssen, was Marie sich für sie überlegt hatte. Jetzt sah sie eine Frau auf das Haus zukommen, die sie sofort erkannte: Alexandra Weise war sehr fotogen. Und sie hatte sich kaum verändert. Sie ging langsam auf die Eingangstür zu, sah auf die Uhr und setzte sich auf die Bank neben dem Eingang. Sie knöpfte ihr Jackett auf, ein teurer Anzug, das sah Hanna von hier oben, er saß perfekt, darunter trug sie irgendetwas Weißes. Alexandra stellte die große Handtasche neben sich und schlug die Beine übereinander. Sie war wirklich attraktiv, das brünette Haar locker hochgesteckt, und sie strahlte eine Lässigkeit aus, die man nur hatte, wenn man erfolgreich, unabhängig und nicht mehr dreißig war. Hanna verstand sofort, warum Marie so fasziniert von ihr gewesen war. Sie hatte immer vermutet, dass Marie ein bisschen in Alexandra verliebt gewesen war. Und Marie hatte das immer bestritten, doch aus ihrer Bewunderung für Alexandra hatte sie nie ein Hehl gemacht: »Weißt du«, hatte sie mal gesagt, »Alexandra war immer schon so besonders, dass man einfach stolz war, ihre Freundin zu sein. Weil dann ein bisschen Glanz von ihr auch auf mich abfiel. Und das Beste an ihr ist, dass sie sich nicht mal was auf ihre Schönheit einbildet. Sie ist es einfach, aber ihr selbst ist das überhaupt nicht wichtig.«

Hanna beobachtete Alexandra eine Weile, wie sie den Kopf übers Handy beugte, ein paar E-Mails schrieb. Irgendwie wirkte sie trotz aller Lässigkeit ein bisschen nervös, strich sich immer wieder eine Haarsträhne hinter das Ohr und scannte permanent die Umgebung. Hanna beschloss, Alexandras Warten zu beenden, und machte sich auf den Weg nach unten.

»Frau Weise?«

Alexandra fuhr hoch, als sie Hannas Stimme hörte. »Ja?«

Sie überragte Hanna um einen Kopf, aber das war den High Heels geschuldet. Hanna sah freundlich zu ihr auf. »Mein Name ist Hanna Herwig, ich hatte Ihnen geschrieben. Danke, dass Sie gekommen sind.«

Alexandras Händedruck war fest, auch aus der Nähe war sie eine schöne Frau, selbst mit den feinen Fältchen um die Augen, die sich erst jetzt zeigten. »Ach, Frau Herwig. Sie sind …, Sie waren …«

»Maries Frau.« Hanna deutete ein Lächeln an. »Wir haben unsere Lebenspartnerschaft vor einigen Jahren eintragen lassen. Inzwischen hätten wir auch heiraten können. Wollen Sie mir bitte folgen?«

Alexandras Irritation war deutlich zu spüren, auch wenn sie sich sofort wieder im Griff hatte. »Mein Beileid, Frau Herwig, es tut mir so leid, als ich von Maries Tod …«

»Kommen Sie.« Hanna wies auf die Eingangstür. »Wir müssen ja nicht im Hausflur stehen, oben ist ein Besprechungsraum, es ist alles vorbereitet.« Sie ging mit schnellen Schritten voraus. Alexandra hatte Mühe, ihr zu folgen.

Der Besprechungsraum war im zweiten Stock. Ein beeindruckender Raum, dominiert von zwei gegenüberstehenden Ledersofas, nur von einem flachen Tisch getrennt, darauf ein üppiger Blumenstrauß. Alexandras Blick fiel auf die vier Tassen daneben. Sie runzelte die Stirn, bevor sie zu Hanna sah: »Ich habe nicht so ganz verstanden, worum es bei diesem Termin eigentlich geht. Können Sie es mir sagen?«

»Gleich.« Hanna nickte wieder und deutete auf ein Sofa. »Nehmen Sie doch Platz. Möchten Sie einen Kaffee, Tee, Wasser?«

»Im Moment nichts, danke.« Alexandra ließ sich auf dem

Sofa nieder. »Ich habe in den letzten Jahren kaum Kontakt mit Marie gehabt. Ihr Tod hat mich völlig überrascht. Und natürlich auch diese Bitte um ein Treffen.«

Hanna war stehen geblieben und sah sie aufmerksam an. »Das verstehe ich gut. Ich würde Sie trotzdem noch um einen Moment Geduld bitten.«

Auf der Treppe waren Schritte zu hören, dann Stimmen. Die Tür wurde geöffnet, und die Sekretärin des Notars trat ein. »Frau Herwig, Ihr Besuch ist da.« Sie öffnete die Tür etwas weiter und ließ die Neuankommende ins Zimmer. Ein blaues Kleid, blonde Locken, ein Lächeln im sommersprossigen Gesicht. Hanna wusste sofort, wer da vor ihr stand. Sie hatte sich tatsächlich kaum verändert, dieselbe mädchenhafte Figur, derselbe Ausdruck. »Guten Tag, mein Name ist Jule Petersen, ich ...«

Als ihr Blick auf Alexandra fiel, erstarb ihr Lächeln sofort. »Was wird das denn hier?«

Alexandra war langsam aufgestanden, verschränkte ihre Arme vor dem Körper und sah aus, als hätte ein Baseballschläger sie in den Magen getroffen. Die beiden starrten sich fassungslos an. Was Hanna da sah, vermittelte ihr den Hauch einer Ahnung von dem, was vor langer Zeit geschehen sein musste. Die tiefen Wunden waren kein bisschen verheilt. Alexandra war bleich wie die Wand, in Jules Augen funkelte ein unbändiger Zorn – Hanna konnte ihren Blick kaum von den beiden abwenden. Aber es war wichtig für alles, was jetzt kam, dass sie blieben. Sie musste es einfach hinbekommen, gleichgültig, wie groß der Schock gerade war. Es musste gelingen, das war sie Marie einfach schuldig. Sie ging einen Schritt auf die beiden zu, Jule fuhr herum und sah Hanna aufgebracht an. »Ich bin mir nicht sicher, ob das hier eine gute Idee ist. Ich möchte nicht ...«

»Nehmen Sie doch erst mal Platz, bitte.« Mit sanftem Druck schob Hanna Jule zum gegenüberliegenden Sofa. »Kaffee, Tee, Wasser?«

»Danke, nichts.« Jule blieb neben dem Sofa stehen. »Wir können das sicher ganz kurz machen.«

»Nein.« Hanna lächelte. »Das können wir leider nicht.« Sie setzte sich auf den einzelnen Sessel und blickte von da aus abwechselnd Jule und Alexandra an, die sich immer noch fassungslos gegenüberstanden. »Wir warten noch auf jemanden, dann werde ich Dr. Eisendorf dazubitten, damit Sie erfahren, warum Sie hier sind.«

»Ich glaube, ich möchte das gar nicht wissen.« Jule drehte sich so, dass sie Alexandra nicht ansehen musste. »Je mehr ich darüber nachdenke, umso sicherer bin ich mir, dass ich das überhaupt nicht wissen will. Vielen Dank, Frau Herwig, aber ich glaube, ich gehe jetzt besser.«

»Nein.« Alexandras raue Stimme klang scharf. »Das machst du jetzt nicht. Wir sind keine sechzehn mehr. Es wird einen Grund dafür geben, dass wir hier sind. Und den hören wir uns zumindest an.«

Jule ignorierte Alexandra geflissentlich und ging zur Tür. Noch bevor sie sie erreicht hatte, öffnete die sich. »Frau Brenner ist jetzt da, bitte, gehen Sie doch durch. Und ich sage jetzt Dr. Eisendorf Bescheid, ja?«

»Ja, danke.« Hanna hatte sich erhoben und sah Friederike entgegen. Die perfekte Friederike Brenner stand plötzlich im Zimmer, nur eine Armlänge von Jule entfernt. Zehn Minuten zu spät, in cremefarbener Hose und edler, aber total verschmutzter Bluse, die Ärmel zerrissen, und auch die Hose hatte dunkle Flecken und am Knie ein Loch, eine Hand war voller Pflaster. Friederike schob eine widerspenstige Haarsträhne hinters Ohr, was die Frisur nicht besser machte, und sah sich mit hochgezogenen Augenbrauen im Raum um. »Hallo«, sagte sie an Hanna gewandt. »Sie müssen Hanna Herwig sein, ich bin Friederike Brenner. Alex, Jule, ich fasse es nicht! Anscheinend ist das heute ein echter Katastrophentag. Falls es noch schlimmer wird, bräuchte ich bitte demnächst einen Cognac.«

»Um Gottes willen!« Hanna musterte sie von oben bis unten. »Was ist denn passiert?«

»Ich bin unter einen Fahrradkurier geraten.« Friederike rieb sinnlos an einem der zahlreichen Flecken auf ihrer Bluse. »Mein Knie ist versorgt, meine Hand auch, und der Schock war nicht so groß wie der, unter dem ich jetzt gerade stehe. Jule, du willst schon gehen?«

»Ich …« Jule war sichtlich überfordert. Sie drehte sich zu Hanna um, ihr Blick fiel wieder auf Friederikes derangierte Kleidung, und sie ließ die Arme sinken. Hanna ging an ihr vorbei und schloss die Tür. »Wir setzen uns jetzt, und dann besprechen wir alles Weitere in Ruhe.«

Während Friederike langsam zum Sofa humpelte, nahm Jule zögernd ihr gegenüber Platz. Alexandra stand noch immer neben dem Sofa. Alle drei vermieden krampfhaft jeglichen Blickkontakt, im Raum knisterte es vor Anspannung und Unbehagen. Hanna war in diesem Moment ganz und gar nicht mehr davon überzeugt, dass sie Maries letzten Wunsch würde erfüllen können.

1976

Sommerferien am See

»Diese Mücken!« Genervt schlug Esther um sich und blies eine Haarsträhne aus dem Gesicht. »Kann es sein, dass es immer mehr werden? Ich bin schon total zerstochen. Wenn das so weitergeht, muss ich gleich ins Haus. Und eine Hitze ist das!«

»Das nennt sich Sommer.« Die Eiswürfel klirrten, als Laura den Krug mit Eistee über den Tisch schob. »Hier, der ist schön kalt. Und sonst kannst du ja auch einfach mal in den See springen. Danach fühlst du dich wie neu.«

Sie saßen an einem runden Holztisch im Schatten eines alten Apfelbaums mit Blick auf den See. Zwei Frauen, Anfang vierzig, Laura blond und zierlich, im Bikini, über den sie eine leichte Bluse gezogen hatte, und Esther, mit kurzen schwarzen Haaren, in einem dunkelgrünen Kleid bis über die Knie. Die Nachmittagshitze war hier erträglich, fand Laura, zumal der Blick auf das blaue Wasser und die Badeinsel mit den vier Mädchen so wunderschön war. Sie sah ihre Freundin an. »Zieh dir doch deinen Badeanzug an. Du musst ja nicht im Kleid hier sitzen.«

»Dann verbrenne ich.« Esther beugte sich nach vorn, um sich Eistee einzuschenken. »Ich bekomme immer so schnell Sonnenbrand. Das hat Friederike zum Glück nicht von mir geerbt.« Sie trank das Glas in einem Zug aus, dann griff sie zu einer Zeitschrift, die auf dem Tisch lag, und fächerte sich damit Luft ins Gesicht. »Meine Güte, ist das heiß. Ich wünschte, es würde mal wieder regnen. Das ist doch jetzt schon seit sechs Wochen so? Oder acht? Ich weiß es gar nicht mehr, aber haben wir diese Affenhitze nicht schon seit Juni? Auf der Autobahn ist letzte Woche der Asphalt aufgeplatzt, überall lange Staus. Das ist doch nicht normal, so ein Sommer. Wir sind doch nicht in Afrika.«

Mit einem leichten Kopfschütteln betrachtete Laura Esther. Sie war nie zufrieden, so war sie einfach. Statt sich über diesen Traumsommer zu freuen, stöhnte sie seit Wochen. Jetzt hielt sie mit dem Fächern inne und betrachtete das Titelblatt. »Hast du dir die Hochzeit auch angesehen? Im Fernsehen? Die war ja Olympiahostess, diese Silvia Sommerlath. Und jetzt ist sie mit dem schwedischen König verheiratet. Die hat mehr Glück als ich!«

Laura lächelte. »Also, ich möchte nicht Königin von Schweden sein. Was die jetzt alles lernen muss, da ist die Sprache vermutlich das Geringste. Und was für eine Umstellung! Aber sie hatte so ein schönes Kleid an. Ich habe mir mit Marie die ganze Übertragung angesehen, meine Güte, war das romantisch. Und die zwei sind ja auch sehr verliebt. Eine wahnsinnig schöne Frau. Ich finde übrigens, Alexandra sieht ihr ähnlich. So vom Typ. Die ist ja auch so hübsch.«

»Alexandra?« Esther beschirmte ihre Augen mit der Hand und blickte auf den See. »Die neue Freundin von Marie? Ist die nicht ein bisschen arrogant? Und ein bisschen frühreif?«

»Aber nein!« Lauras Protest kam postwendend. »Wie kommst du denn darauf? Nein, sie ist ziemlich sympathisch. Sehr höflich, sehr gut erzogen, also ich finde sie klasse.«

»Wenn du meinst.« Gelangweilt fing Esther wieder an, sich

Luft zuzufächeln.«Ich hoffe nur, dass sie keinen Keil zwischen Marie und Friederike treibt. Das wäre schade. Die beiden sind so lange schon befreundet. Und Alexandra wirkt auf mich so, als würde sie die alleinige Freundin von Marie sein wollen. Die hat so was Forderndes.«

»Das finde ich nicht.« Laura hob den Kopf und richtete ihren Blick auf die Badeinsel, von der aus Jule gerade einen Kopfsprung ins Wasser machte. »Die sind jetzt ein so perfektes Kleeblatt, dass mir eher die anderen Mädchen der Klasse leidtun. Da kommt ja keine mehr zwischen. Ich mag Alexandra und Jule. Unsere beiden haben sich die richtigen Freundinnen ausgesucht.«

»Dein Wort in Gottes Ohr.« Esther gähnte, ohne sich die Hand vor den Mund zu halten. »Gott, ist das heiß. Ich glaube, ich lege mich im Haus ein bisschen hin. Ich habe so viel Stress gehabt in der letzten Zeit, ich bin echt müde.«

»Mach das, meine Liebe.« Laura lächelte sie an. »Das Gästezimmer ist kühl. Da hast du deine Ruhe.«

Sie sah ihrer ältesten Freundin einen Moment nach, dann wandte sie ihre Aufmerksamkeit wieder den Mädchen auf dem See zu. Jule schwamm jetzt um die Badeinsel, Marie, Friederike und Alexandra saßen noch obendrauf. Sie waren alle ungefähr im selben Alter, Marie und Friederike waren gerade fünfzehn geworden, Jule und Alexandra ein halbes Jahr jünger. Und doch waren sie ganz unterschiedliche Typen. Alexandra und Friederike sahen schon manchmal aus wie junge Frauen, dagegen wirkte die sportliche, immer fröhliche Jule deutlich jünger und kindlicher. Zarter war nur noch Marie. Laura stand auf und ging ein Stück näher zum Ufer, um ihre Tochter besser erkennen zu können. Marie saß etwas unsicher im Schneidersitz auf der Badeinsel. Die Haare waren von der Sonne heller geworden, sie war leicht gebräunt und warf gerade den Kopf zurück vor lachen. Man sah ihr nicht an, dass ihre Gesundheit nicht die beste war. Sie sah in diesem Moment sehr fröhlich und glücklich aus. Laura lächelte. Sie liebte diesen Sommer.

»Mensch, Jule!« Friederike fuhr hoch, als Jule mit einem Kopfsprung die Badeinsel ins Schwanken brachte und sie mit einer Wasserfontäne beglückte. »Bist du bescheuert?«

Jules Kopf tauchte neben ihr auf. Sie hielt sich am dünnen Seil am Rand fest und lachte. »Alle wieder wach? Beim nächsten Mal mache ich eine Arschbombe, dann seid ihr richtig nass.«

»Super.« Alexandra hielt Marie fest, die fast ins Wasser gerutscht war. »Marie, ist alles gut? Mir war so heiß, jetzt geht es wieder.« Jule sah zu Friederike und grinste. »Los, spring rein jetzt, du bist doch schon nass.«

Ohne die Miene zu verziehen, ließ Friederike sich zur Seite rollen. Sie tauchte neben Jule ein und döppte sie beim Auftauchen einmal kurz unter. »Beim nächsten Mal ertränke ich dich«, sagte sie, als beide wieder auftauchten. »Nur, dass du es weißt!«

»Schon klar.« Jule hielt sich mit einer Hand fest und wrang mit der anderen ihren Zopf aus. »Du bist zwar nicht besonders wendig im Wasser, aber der Wille macht's. Rutsch mal, Alex, ich will wieder hoch. Du machst dich so dick da oben.«

Statt zu antworten, sprang Alexandra mit einem Kopfsprung in den See. Marie versuchte, ihr Gleichgewicht zu halten, verlor es aber und rutschte etwas ungelenk hinterher. Jule wartete, bis Marie sich, nach Luft schnappend, an dem Seil festhalten konnte. »Oah, ist das kalt!«

»Nur am Anfang.« Jule griff sofort ihren Arm. »Schwimm mal eine Runde um die Insel, das Wasser ist super. Ich bleibe hinter dir.«

Nach ein paar Minuten der Abkühlung krabbelten alle vier wieder zurück auf die Badeinsel. Jule sah Marie an. »Das war doch leicht, oder? Aber du hast dich schon verbrannt, vielleicht sollten wir die Badeinsel mal in den Schatten bringen?«

Friederike hatte sich auf den Bauch gedreht und hangelte nach dem kleinen Anker, mit dem sie die Badeinsel festgemacht hatten. »Zieh mal mit am Anker, Jule, der hat sich irgendwie verhakt. Und Alex, du kannst schon mal das Paddel nehmen. Da vorn am Steg ist Schatten.«

Jule schwamm vorweg, Alexandra hockte hinten auf der Badeinsel und tauchte das Paddel langsam und abwechselnd rechts und links ins Wasser. Marie und Friederike lagen bäuchlings und faul auf der Insel und ließen ihre Hände durchs kühle Nass gleiten.

»Sommerferien sind doch großartig«, sagte Marie und drehte das Gesicht zu Friederike. »Oder?«

»Ja.« Friederike hielt die Augen geschlossen. »Wenn jetzt noch meine Mutter nach Hause fährt, wird's perfekt. Ich weiß gar nicht, wie lange sie noch bleibt.«

»Was ist denn mit deiner Mutter?« Alexandra hielt das Paddel über der Wasseroberfläche, kleine Tropfen perlten ab und ließen Kreise auf dem See entstehen.

»Sie geht mir dermaßen auf den Geist. Sie ist doch ständig am Meckern. Ich glaube, sie fährt auch heute nach Hause. Es ist ihr hier ja zu warm. Und sie steht nicht im Mittelpunkt.« Friederike stützte sich auf und drehte sich zu Alexandra. »Ich bin nur froh, dass man jetzt schon mit achtzehn volljährig wird. Noch drei Jahre. Dann kann sie mich mal.«

»Meine Mutter geht eigentlich.« Bedächtig tauchte Alexandra das Paddel wieder ein. »Die mischt sich mehr bei meiner Schwester ein. Die wohnt ja mit ihrem Mann bei uns nebenan.

Und kriegt überhaupt nichts gebacken. Ich weiß gar nicht, was die ohne unsere Mutter machen würde. Und jetzt ist Katja auch noch schwanger. Und alle drehen durch. Grauenhaft. Soll ich bis ans Ufer paddeln? Und dann kommt der Anker wieder raus? Oder wie macht ihr das?«

»Jule bindet uns am Steg fest.« Marie setzte sich auf und sah nach vorn. »Ich kann auf dieser wabbeligen Insel auch nicht mehr liegen. Wir können uns doch auf den Steg setzen, außerdem bin ich ganz ausgetrocknet, ich hole uns mal was zu trinken.«

»Ich bleibe hier liegen.« Friederikes Stimme klang schläfrig. »Die nächsten vier Wochen. Eine von euch kann mir ja die Getränke reichen …« Friederike seufzte wohlig.

Jule hatte jetzt die Stelle erreicht, ab der sie stehen konnte. Immer noch hüfthoch im Wasser fing sie das Tauende, das Marie ihr zuwarf, und schlang es um einen Pfosten des Stegs. Dann schwang sie sich über die Leiter auf das warme Holz und hielt die Badeinsel fest, damit Marie und Alexandra besser absteigen konnten. »Friederike, bist du ohnmächtig?«

»Nein, ich liege aber so gut.«

»Dann bleib liegen.« Jule tunkte ihren Fuß vom Steg aus ins Wasser und spritzte ein paar Tropfen in Friederikes Richtung. Ungerührt vom Kreischen sagte sie: »Das muss man auch mit gestrandeten Walen machen, hast du in Bio nicht zugehört? Nicht dass du austrocknest.«

Friederike blieb ungerührt liegen. Sie sah kaum hoch, als Jule mit einem Glas Saft in der Hand durchs Wasser zu ihr watete. Dann gab sie sich dem sanften Schaukeln, der warmen Luft und dem leisen Hintergrundgeplapper ihrer Freundinnen hin.

Marie und Jule redeten über Nadia Comăneci, die gerade zum Star der Olympischen Spiele wurde. Jule hatte alle Turnwettkämpfe gesehen, das war klar, wenn sie schon selbst gerade keinen Sport machte, dann sah sie wenigstens anderen dabei zu. Friederike lauschte schläfrig Jules begeistertem Monolog über diese Ausnahmeturnerin, die erst genauso alt war wie sie selbst. Friederike hob kurz den Kopf.

»Du weißt schon, dass es einen Massenboykott gibt, oder? Ganz viele afrikanische Länder sind nicht dabei, darüber redet ihr nicht, nur über diese Miniturnerin.«

»Mensch, Friederike, du bist vielleicht eine Spaßbremse! Schlaf weiter.«

Jule nahm selten etwas übel. Das war etwas, das Friederike besonders an ihr mochte. Neben so vielem anderen. Jule, Marie und sie hatten sich gleich am ersten Schultag wie selbstverständlich nebeneinandergesetzt. Und obwohl Jule schnell gemerkt hatte, dass Friederike und Marie sich schon lange kannten, hatten die beiden ihr trotzdem nie das Gefühl gegeben, das fünfte Rad am Wagen zu sein. Worüber Jule sich freute. Umgekehrt mochten aber auch Marie und Friederike die immer gutgelaunte Jule auf Anhieb. In der Dreierkonstellation war es rasch so, dass sie Marie immer in die Mitte nahmen. Denn sie wussten ja, dass sie einen angeborenen Herzfehler hatte. Da war es für Friederike selbstverständlich, Marie in der Schule zu helfen. Und Jule schaffte es immer wieder, Marie Mut einzuflößen, sich auch mal etwas zuzutrauen. Sie nahm Marie überall mit hin: in die Sporthalle, auf den Tennisplatz, zu Wettkämpfen. Jule hatte einen solchen Bewegungsdrang, dass sie in mehreren Vereinen Sport trieb, und Marie, die aufgrund ihrer schwachen Konstitution eigentlich nie Sport machen durfte, wurde durch Jule wenigstens zur theoretischen Sportexpertin. Irgendwann waren alle daran gewöhnt, dass Marie auf der Tribüne saß und begeistert mit den anderen Zuschauern fachsimpelte.

Friederike konnte diese Begeisterung von Jule und Marie so gar nicht verstehen. Sie quälte sich schon genug durch den Schulsport, freiwillig würde sie dieses Leiden nicht verlängern. Das hatte sie mit Alexandra gemeinsam. Die spielte zwar in der Schulvolleyball-Mannschaft, verbrachte ihre freie Zeit aber lieber mit Büchern statt mit Bällen.

Alexandra war erst im letzten Jahr in ihre Klasse gekommen. Ihre Eltern waren aus Hamburg in ihre Kleinstadt gezogen, nachdem sie hier ein Haus gefunden hatten. Friederike war zunächst total skeptisch gewesen, als die Neue zum ersten Mal das Klassenzimmer betreten hatte. Alle Jungs hatten sofort Stielaugen bekommen. Alex war groß, schlank, coole Jeans, ein knappes T-Shirt, braunrotes Haar bis zum Gürtel – und dann diese grünen Augen. Friederike hatte sich zu Marie gebeugt und gesagt, dass die Neue aber ziemlich arrogant aussehe und dann noch diesen affigen Hüftschwung habe. Marie hatte nur die Achseln gezuckt und gemeint, sie solle doch erst mal abwarten, bis sie mit ihr geredet hätten – sie müsse doch nicht blöd sein, nur weil sie so toll aussah. In der Pause hatte Alexandra sich auf die kleine Mauer auf dem Schulhof gesetzt und ihr Pausenbrot gegessen. Mit einem so gelangweilten Gesichtsausdruck, dass Friederike sich in ihren Vorurteilen bestätigt fühlte. Marie war zu schüchtern, um sie einfach anzusprechen, und Jule schien so gar nicht interessiert. Zumal sich auch noch der beste Typ der Klasse, der schöne Thomas, an Alexandras Fersen heftete. Dabei war Jule schon seit Monaten aussichtslos in ihn verknallt. Friederike ignorierte die Neue weitestgehend, zumindest bis zur Klassenfahrt. Die ging in diesem Jahr nach Braunschweig. In der Jugendherberge gab es ein Viererzimmer, wo Marie, Jule und Friederike sofort ihre Taschen auf die Betten warfen. Kurz danach steckte Alexandra den Kopf zur Tür herein und fragte freundlich, ob sie vielleicht bei ihnen schlafen könnte. Es gäbe da nur noch das Zimmer der Superclique, und sie könne diese Superclique einfach nicht ertragen. Mit der Bemerkung hatte sie sofort auch Friederike überzeugt. Die hasste diese fünf blöden Hühner schon lange, denn deren Gehirne waren ausschließlich auf Jungs, Klamotten, die Radiohitparade und die neueste BRAVO gerichtet, furchtbar! Sie waren alle mittelmäßig im Unterricht, hatten aber gut verdienende Väter und fuhren in den Ferien nach Sylt, Mallorca und Sankt Moritz. Friederike war fortan entschlossen, Alexandra zu mögen.

Die Klassenfahrt war ein voller Erfolg gewesen, nicht wegen der Exkursionen, die ihre überforderten Lehrer mit ihnen anstellten, sondern weil die vier so viel Spaß in ihrem Zimmer hatten. Sie redeten bis tief in die Nacht, Alexandra war ein wunderbares Pendant zu der liebenswürdigen Marie und ein schöner Ausgleich zu der gut gelaunten, aber manchmal auch ein bisschen naiven Jule. Alexandra war witzig, klug, konnte aber auch herrlich lästern und böse Urteile aussprechen. Sie passte zu ihnen wie die Faust aufs Auge. Und es war, als wäre sie immer schon dabei gewesen.

Und jetzt war Alexandra zum ersten Mal mit ihnen am See. Seit Jahren verbrachten Maries Eltern die Sommer hier draußen. Maries Vater kam an den Wochenenden, bei schönem Wetter auch mal in der Woche. Marie und Friederike blieben die ganzen Sommerferien dort. Jule kam immer in den letzten drei Wochen dazu, in den ersten drei Wochen fuhr sie mit ihrer Familie in den Urlaub, der jedes Jahr in Österreich stattfand. Und jetzt war vor drei Tagen auch noch Alexandra gekommen und blieb die letzten zwei Wochen, bis die Schule wieder anfing. Es war perfekt.

»Ich finde Boney M. super.« Jules Stimme drang durch

Traumfetzen an Friederikes Ohr. »Hast du mal zu ›Daddy Cool‹ getanzt? Das ist total klasse.«

»Das ist so eine Discoscheiße.« Alexandras Antwort war leise. »Ich verstehe gar nicht, dass dir so was gefällt. Wenn man das dreimal gehört hat, kommt es einem doch zu den Ohren raus. Dein Musikgeschmack ist echt grauenhaft.«

»Marie?« Jule wurde lauter, anscheinend döste Marie auch. »Wie findest du Boney M?«

»Es geht so. Ich würde mir keine Platte von denen kaufen. Friederike? Schläfst du eigentlich?«

»Nein.« Langsam drehte Friederike sich auf den Rücken, bevor sie sich mühsam auf der schaukelnden Badeinsel aufrichtete. »Ich finde ›Daddy Cool‹ furchtbar. Allein dieser Vorturner, der so tut, als würde er singen. Ganz schlimm. Habt ihr eigentlich auch Hunger? Auf Eis? Ich muss die ganze Zeit an das Erdbeereis im *Café Beermann* denken.« Sie ließ sich von der Badeinsel gleiten und watete durch das hüfthohe Wasser zum Ufer. Jule saß im Schneidersitz hinter Alexandra und flocht voller Hingabe Alexandras lange Haare zu Zöpfen. Sie sah kurz hoch, als Friederike vor ihr stehen blieb. »Wir können doch mit den Rädern zum Eisessen fahren, nachher, wenn es nicht mehr so heiß ist. Willst du auch einen Zopf? Ich bin gerade so drin.«

»Danke, nein.« Friederike setzte sich neben Marie auf den Steg und versenkte ihre Füße im Wasser. »Hat Alexandra euch schon erzählt, dass Thomas sie geküsst hat? Mit Zunge?«

»Petze!« Alexandra sah zu ihr hoch und schüttelte den Kopf. »Dass du nicht einmal deine Klappe halten kannst. Dir darf man echt nichts erzählen.«

»Wieso?« Betont harmlos hob Friederike die Arme, als Jule und Marie sie mit offenem Mund ansahen. »Wir haben doch wohl keine Geheimnisse voreinander. Ich würde so etwas niemals jemand anderem erzählen, aber wir sind doch unter uns.«

»Und?« Jule hatte die Hände sinken lassen. »Alexandra. Erzähl. Los.«

»Nein.« Alexandra fasste ihre Haare am Hinterkopf zusammen und drehte sich zu Jule um. »Vielleicht später. Es ist doch auch überhaupt nichts Sensationelles. Machst du den Zopf zu Ende, oder war's das jetzt?«

Später lehnte Jule ihren Kopf an den Apfelbaum und blickte zu Friederike und Marie, die vor ihr saßen und leise miteinander sprachen. Es ging wohl um Esther, die am Nachmittag abgefahren war, mehr konnte Jule nicht verstehen. Alexandra kauerte neben der Feuerstelle, hielt ein Stockbrot in die Flammen und sprach mit Laura über Agatha Christie, die Anfang des Jahres gestorben war und von der Laura fast alles gelesen hatte.

Jule mochte keine Krimis, sie wollte keine Mordgeschichten lesen, sie mochte Gwen Bristow und Anne Golon, sie wollte Liebe und Geschichte und zum Schluss ein Happy End. Alexandra und Friederike waren da nicht so romantisch. Überhaupt waren sie alle ganz unterschiedlich, aber das war ja das Tolle. Jule liebte diese Sommer am See. Sie fühlte sich immer ein bisschen in die anderen verliebt, nicht richtig natürlich, aber manchmal mochte sie ihre Freundinnen so sehr, dass sie heulen könnte. Aber sie war im Moment sowieso schnell rührselig, sie wusste auch nicht, warum, es war einfach so. Sie heulte auch bei den meisten Filmen. Bei Tierfilmen besonders. Das hatte Lars auch schon gesagt. Weil er es mädchenhaft fand und schon deshalb blöd.

Jule sah ihn vor sich, sie fand es eigentlich super, einen großen Bruder zu haben. Auch wenn der im Urlaub gerade ziemlich genervt hatte. Er hatte keine Lust auf gar nichts: Wandern wollte er nicht, Tennisspielen fand er blöd, gesprochen hatte er auch so gut wie nicht: Er war total damit beschäftigt, cool zu sein und sich jeden Tag mit ihrem Vater zu streiten. Jule war heilfroh, jetzt hier zu sein, mit ihren Freundinnen und der netten Laura. Marie hatte wirklich Glück mit ihrer Mutter. Jules Mutter war lange nicht so lässig wie Laura. »Was sollen die Leute denken«, war einer ihrer Lieblingssätze, er hing Jule so zum Hals raus. Wobei ihre Mutter den Satz im Moment seltener zu ihr als zu Lars sagte. Jule blieb ja in der Spur. Das hatte ihre Mutter tatsächlich neulich am Telefon zur Oma gesagt. »Jule bleibt wenigstens in der Spur. Die hat ihren Sport und ihre Freundinnen, die sind alle ganz ordentlich. Wenn die auch noch anfangen sollte, heimlich zu rauchen oder Alkohol zu trinken wie Lars, dann würde ich durchdrehen.«

Jule hatte vom Flur aus gelauscht und am Abend mit Alexandra und Friederike ihre erste Zigarette geraucht. Im Gartenhaus von Alexandras Schwester. Die war gerade im Urlaub, Alexandra sollte Blumen gießen, und im Gartenhaus stand ein Aschenbecher. Alexandras Schwager rauchte nämlich auch. Aber nur im Garten. Sie hatten sich wahnsinnig erwachsen gefühlt. Zumindest die ersten zwanzig Minuten, danach war ihr schlecht gewesen. Sie hatte nie wieder geraucht. Aber wenigstens war sie einmal kurz aus der Spur gewesen. Hatte sich gut angefühlt.

Marie hatte nicht mitgemacht. Sie wohnte auch nicht so fußläufig von Alexandra entfernt wie die anderen. Aber sie hatten ihr davon am nächsten Morgen in der Schule in allen Details erzählt. Marie hatte ziemlich beeindruckt ausgesehen, und natürlich hatte sie wissen wollen, wie es war. Danach hatte sie fast das Gefühl, selbst dabei gewesen zu sein.

Friederike und Marie flüsterten immer noch. Jule verstand nur Satzfetzen, aber es ging tatsächlich um Friederikes Mutter. Die hatte sich vorhin heftig mit Friederike gestritten, Jule hatte allerdings keine Ahnung, worum es gegangen war. Marie versuchte jetzt offensichtlich, sie zu besänftigen.

»So.« Laura hatte sich plötzlich erhoben und streckte sich. »Ihr Lieben, ich gehe ins Bett. Bleibt ihr ruhig noch hier sitzen, aber bitte macht das Feuer ganz aus, bevor ihr schlafen geht, ja?«

»Machen wir.« Marie hatte das Gespräch unterbrochen. »Nacht, Mama.«

»Gute Nacht.« Laura winkte in die Runde und ging über den Rasen zum Haus. Die vier Mädchen sahen ihr stumm hinterher. Durch die laue Sommernacht drangen nur noch das leise Grillenzirpen, das Plätschern der Wellen im See und das knisternde Holz, als Friederike mit der flachen Hand eine Mücke auf ihrem nackten Bein erschlug. »Scheißviecher«, sagte sie laut und unterbrach die friedliche Stille. »Ich glaube, das war Nummer achtundzwanzig.«

»Gestochen oder erschlagen?« Alexandra stocherte mit einem Stock in der Feuerstelle.

»Gestochen.« Friederike kratzte sich erst am Bein, dann an der Hüfte. »Jule, bist du noch wach?«

»Ja, klar«, Jule verließ ihren Platz am Apfelbaum und setzte sich neben Alexandra ans Feuer. »Du hast doch den halben Nachmittag auf der Badeinsel verpennt. Ich brauche das nicht. Haben wir noch so ein Stockbrot?«

»Auf dem Tisch.« Alexandra sah immer noch konzentriert ins Feuer. Der Lichtschein tanzte über ihr Gesicht, Jule sah sie von der Seite an: Alexandra war wirklich mit Abstand das schönste Mädchen, das sie kannte. Auch Friederike und Marie rutschten näher ans Feuer: »Das ist ja ein bisschen wie im Wilden Westen«, Friederike lehnte sich zurück und hangelte nach ihrem Glas mit Kirschsaft. »Alexandra sieht echt aus wie Winnetous Schwester. Nur Jule passt nicht so ganz ins Bild«, lachte sie.

»Sehr witzig.« Jule versuchte erfolglos, mit der Hand die

wilden blonden Locken zu glätten. »Ich wollte schon früher immer lieber Cowboy sein.«

Sie beugte sich zur Seite und strich mit der Hand vorsichtig über Alexandras Haar. »Halt mal still, du hast da so ein Viech.« Sie pfriemelte einen Käfer aus den Strähnen und setzte ihn in den Rasen. »Gerettet. Dich und ihn. Und was war das jetzt mit dem Zungenkuss? Los, komm, erzähl.«

Mit einer wegwerfenden Handbewegung antwortete Alexandra: »Ach, das war im Februar auf der Faschingsfete in der Schule. Und mehr aus Versehen. Ich weiß auch nicht, wieso Friederike jetzt damit um die Ecke kommt. War wirklich kein Ding, ich war ja noch nicht mal mit Thomas zusammen. Der ist ganz süß, aber …« Sie zuckte mit den Achseln. »Ihr kennt ihn doch.«

»Aber geknutscht habt ihr?«

»Oh Mann, Jule, ja, das war ein Kuss. Das haben wir doch alle schon mal gemacht, oder?«

Jule schüttelte den Kopf. »Ich nehme Küsse ernst. Natürlich. Als Matthias mich beim Tennisturnier geküsst hat, war ich anschließend echt verknallt. Ich wusste ja nicht, dass er mit Ulrike zusammen ist! Sonst hätte ich das nicht gemacht. Für mich hat ein Kuss schon eine Bedeutung.«

Marie hatte den beiden zugehört. »Du, Jule?«

»Ja?«

»Kann das sein, dass du gerade in Boris verknallt bist?«

Jule schluckte und war in diesem Moment froh, dass die anderen in der Dämmerung nicht sehen konnten, wie ihr das Blut in den Kopf schoss. »Wie kommst du denn darauf?«

Alexandra sah sie an. »In Boris? Das ist doch ein Idiot. Lass mal lieber.«

»Bin ich aber.« Jules Stimme war sehr leise. »Und er ist kein Idiot. Ich finde ihn jedenfalls toll. Merkt man das?«

»Boris Müller?« Friederike fragte überrascht nach. »Dieser arrogante Trottel?«

»Der ist überhaupt nicht arrogant«, verteidigte Jule ihn. »Hast du dich überhaupt mal mit ihm unterhalten?«

»Das kann man doch gar nicht.« Friederike schüttelte den Kopf. »Vergiss es, Jule, du hast was Besseres verdient.«

»Er ist …«, begann Jule, wurde aber sofort von Alexandra unterbrochen. »Jule, er hat mich gefragt, ob ich mit ihm ins Kino gehen will. In ›Einer flog über das Kuckucksnest‹, ich habe sofort nein gesagt. Aber den kannst du echt vergessen.«

»Das ist ja der richtige Film für ihn«, sagte Friederike grinsend. »Der spielt doch im Irrenhaus«

»Er hat dich gefragt …«, fassungslos sah Jule Alexandra an. »Echt?«

»Ja. Leider. Und ich habe nein gesagt. Weil ich weiß, dass du ihn gut findest. Ich finde ihn trotzdem ziemlich dämlich.«

Jule starrte ins Feuer. Boris hatte Alexandra gefragt. Und wenn Alexandra sein Typ war, konnte sie es echt vergessen.

Marie lächelte sie an. »Hey, Jule, komm. Es gibt so viel bessere Typen!«

»Ich weiß nicht.« Jule war geknickt. »Ich verknalle mich immer in die Falschen. Lars hat in den Ferien gesagt, ich würde immer noch aussehen wie zwölf. Nur weil ich keinen richtigen Busen habe.«

Marie schüttelte den Kopf. »Du spinnst. Ich habe auch nicht mehr.«

»Aber Friederike und Alexandra. Und in die verknallt sich dauernd jemand.«

»Ja, und?« Alexandra und Friederike wechselten einen Blick, bevor Alexandra weitersprach. »Was nützt es ihnen? Nichts. Ich habe überhaupt keine Lust auf einen Freund. Guckt euch doch mal Sabine oder Anette an. Die hängen nur noch mit ihren Typen rum. Rennen Hand in Hand durch die Gegend. Sind nur noch zu zweit, immer nur mit dem Typ, das ist doch bescheuert. Wir sitzen hier am Feuer, machen zusammen Ferien und haben uns. Mir gefällt das viel besser.«

»Genau«, mischte sich jetzt Friederike ein. »Wir müssen das sowieso so hinbekommen, dass wir entweder alle einen Freund haben oder keine. Und wir müssen die Freunde der anderen auch mögen. Sonst wird das echt schwierig.«

Alle vier sahen sich ernst an. Dann nickte Jule langsam. »Das wäre schön«, sagte sie. »Und dann heiraten wir auch alle an einem Tag.«

»Oh nein. Ich nicht«, Alexandra hob abwehrend die Hände. »Ich werde nie heiraten. Das hat mir bei meiner Schwester gereicht. Nein, danke. Aber ich bin gern deine Trauzeugin, Jule.«

»Das ist doch was.« Jule hielt ihr die Hand hin. »Abgemacht.«

Alexandra schlug ein.

Hamburg
Notariat, 2. Mai

Dr. Eisendorf hatte sich in den freistehenden Sessel gesetzt und sich kurz vorgestellt. Er sah in die Runde und ließ dann den Blick auf Hanna ruhen. »Frau Herwig, Sie können jetzt anfangen. Ich bin hier anwesend in meiner Eigenschaft als Notar und beantworte gern aufkommende Fragen.«

Er betrachtete die vier Frauen bei diesem ungewöhnlichen Termin. Eindrucksvolle Persönlichkeiten, alle vier. Hanna Herwig hatte ihn vor einigen Wochen gebeten, diese Zusammenkunft in seinen Räumen und in seiner Begleitung stattfinden zu lassen. Die drei Frauen, die gekommen waren, hatten ganz offensichtlich nicht damit gerechnet, den anderen heute zu begegnen. Anders war es nicht zu erklären, dass sie so krampfhaft versuchten, jeglichem Blickkontakt auszuweichen. Er hatte keine Ahnung, was zwischen ihnen vorgefallen war, aber es musste etwas Gravierendes gewesen sein. Es war wie so oft, wenn es um Nachlässe ging, Neugier und Habgier waren oft größer als jeder vorausgegangene Streit. Die Spannung zwischen ihnen war greifbar, er war neugierig, wie sie auf Hannas Eröffnung reagieren würden. Im Gegensatz zu ihnen wusste er, was die drei erwartete. Marie hatte vor ihrem Tod alles minutiös mit ihm besprochen, und Hanna, die als Testamentsvollstreckerin eingesetzt war, hatte ihn für alles Weitere engagiert.

Er beugte sich vor und griff zu einer Tasse Kaffee, bevor er sich zurücklehnte und auf Hannas Eröffnung wartete.

»Ich schlage vor, dass wir dann beginnen.« Hanna hatte sich eine Brille aufgesetzt. Vor ihr lagen mehrere eng beschriebene Seiten auf dem Schoß. »Ich danke Ihnen sehr, dass Sie dieser zugegeben etwas kryptischen Einladung gefolgt sind. Sie möchten sicher wissen, warum ich Sie hierhergebeten habe. Ich werde versuchen, mich kurz zu fassen. Marie ist am 22. April an den Folgen ihrer schweren Herzerkrankung gestorben. Die letzten Wochen hat sie im Hospiz St. Elisabeth in Lübeck verbracht. Sie alle kannten Marie sehr gut. Sie waren lange Zeit ein wichtiger Bestandteil in ihrem Leben. In den letzten Wochen vor ihrem Tod war es ihr ungemein wichtig, alle Dinge für sich zu ordnen. Sie hat sehr genaue Vorstellungen und Wünsche formuliert für die Zeit nach ihrem Tod, die unter anderem auch Sie alle betreffen. Darum sitzen wir hier. Sie wissen, dass Marie ein Mensch war, der sich immer sehr zurückgenommen hat und umso mehr für andere da war. Wenn ich es richtig verstanden habe, war sie auch in Ihrem Kreis so etwas wie das Herz oder die Seele, ohne je etwas verlangt oder gefordert zu haben. Und vor diesem Hintergrund möchte ich Sie bitten, Maries Wünsche zu betrachten. Marie hat mich gebeten, dafür Sorge zu tragen, dass diejenigen Wünsche, die Sie betreffen, erfüllt werden.«

Jule

Sie kämpfte gegen ihren Fluchttrieb und das Bedürfnis, sich einfach die Ohren zuzuhalten. Was machte sie hier? Hätte sie gewusst, dass sie hier auf Alexandra und Friederike treffen würde: sie wäre niemals gekommen, niemals. Sie hätte Hanna

sofort kontaktieren sollen, sofort nach dem Eintreffen des Briefes. Sie hätte sie fragen können, was mit Marie passiert und
wie sie gestorben war. Dann hätte sie erfahren, was geschehen
war, auch ohne sich dieser Situation hier aussetzen zu müssen.
Doch jetzt zwang sie sich, Hanna zuzuhören, obwohl sie kaum
Luft bekam. Ihr war heiß, sie saß viel zu dicht neben Friederike.
Jule senkte ihren Kopf und starrte auf Friederikes Bein. Die
helle Hose war nicht nur am Knie zerrissen, sie war über und
über blutbefleckt. Sie wandte den Blick ab und sah kurz zur
Seite. Friederike hatte zugenommen. Eindeutig. Sie sah weib-
licher aus als früher. Nicht dass sie jetzt dick wäre. Aber üppiger. Friederike schlug ihr Bein versehentlich über das verletzte,
zog die Luft schmerzhaft durch die Zähne und stellte den Fuß
wieder neben den anderen. Ihre Hand legte sich auf das verletzte Knie. Kein Ehering.

»Sie wissen von Maries angeborenem Herzfehler. In den letzten Jahren ging es mit ihrer Gesundheit stetig bergab. Sie war
in den besten Händen, wir haben alles versucht, jede Therapie
gemacht in zahlreichen Kliniken in Deutschland, England, in
der Schweiz, in den Staaten. Es gab so oft neue Hoffnung, viele
gute Ärzte, vielleicht hätte sie es sonst auch gar nicht so lange
geschafft. Marie hat nie geklagt, sie hat alles versucht, auf
ihre Weise gekämpft und sich auf alles eingelassen, bis zum
Schluss.«

Ja, Marie war eine Kämpferin gewesen und jemand, der sich
trotz gewichtiger eigener Probleme immer um andere gekümmert hatte. Jule spürte, wie ihr dieser Gedanke einen Stich versetzte. Sie selbst dagegen hatte sich in schweren Zeiten immer
nur um sich und ihr eigenes Elend gekümmert. Dazu brauchte
es gar keine Hanna, um ihr das bewusst zu machen. Das

schlechte Gewissen schnürte ihr gerade die Luft ab. Nein, Jule hatte Marie einfach im Stich gelassen. Es war einzig und allein ihre eigene Schuld, dass sie nun in diese Situation geraten war und es aushalten musste.

Jule warf einen kurzen Blick zu Alexandra, bevor sie sich auf die Kaffeetasse konzentrierte. Alexandra hatte sich eigentlich kaum verändert, nur ihr Gesichtsausdruck war anders als früher. Von ihrer Gelassenheit war nichts zu spüren, sie sah angespannt aus, irgendwie müde. Obwohl sie immer noch schön war, das war nicht zu übersehen. Ihre Haare waren etwas kürzer inzwischen, aber die Farbe war noch dieselbe, sie musste einen teuren Friseur haben. Davon gab es ja genug in diesem Schickimicki-München. Sie wirkte etwas schmaler, aber sie sah umwerfend aus. Auch das versetzte Jule einen Stich. Nur ganz wenige Falten, oder war sie einfach nur gut geschminkt? Ihre Fingernägel waren in einem hellen Grau lackiert, passend zum Hosenanzug und zur Handtasche. Perfekt, früher hatte sie nicht so viel Wert darauf gelegt. Das hatte sich offenbar verändert. Eindeutig. Wenn man sie nicht kannte, konnte man sie für arrogant halten, vermutlich war sie es inzwischen auch. Sie hatte ja alles geschafft, was sie wollte. Gelassen wirkte sie trotzdem nicht. Unermüdlich drehte sie einen Ring am Mittelfinger, vermutlich merkte sie das nicht mal. Als wenn sie Jules Gedanken ahnte, hielt sie plötzlich inne und legte die andere Hand darüber. Jule wandte ihren Blick sofort ab. Sie konnte den Anblick kaum ertragen.

»Marie und ich haben während der letzten acht Jahre in Flensburg gewohnt, nicht weit von der dänischen Grenze. Ein alter Hof mit Nebengebäuden, wunderschön, mit Blick auf die Förde. Marie hat ...«

Friederike

Friederike war nur dankbar, dass sie im Laufe ihres Berufslebens gelernt hatte, mit den verrücktesten Gästen in unmöglichen Situationen gelassen zu bleiben. Ohne diese Fähigkeit wäre sie in ihrem Job auch verloren. Aber nun saß sie hier in diesem Raum und war alles andere als gelassen, sondern verschrammt, verschmutzt, mit schmerzendem Knie, inmitten der Gespenster ihrer Vergangenheit. Und musste es ertragen, von einer ihr fremden Frau das Leben und Sterben Maries, ihrer Marie, erzählt zu bekommen. Was den Tod Maries nur noch entsetzlicher machte. Wie beschämend war das, sie selbst, Friederike, hätte das alles doch wissen müssen. Aber sie hatte sich nicht zum ersten Mal in ihrem Leben in entscheidenden Situationen einfach weggeduckt. Und nicht nur sie, sondern auch die beiden anderen. Sonst säßen sie nicht hier, mit verkrampfter Körperhaltung und sichtbarem Unwohlsein. Es war spürbar, dass es keiner von ihnen besser ging.

Friederike hörte nur mit einem Ohr zu, was Hanna gerade erzählte. Ein alter Hof in der Nähe von Flensburg. Wie zur Hölle war Marie auf Flensburg gekommen? In all den Jahren hatte sie diesen Ort nie erwähnt. Das Haus am See war ihr Seelenort gewesen, warum hatte sie ihre letzten Jahre an der Ostsee in der Nähe der dänischen Grenze verbracht? Natürlich, ein wunderschöner Hof, wahrscheinlich aus der Portokasse bezahlt und hinreißend renoviert, während Friederike nach wie vor über die Schlaglöcher rumpelte und Angst hatte, dass irgendein Yogakurs-Besucher den Auspuff verlor und sie dafür aufkommen musste. Sie ertappte sich bei dem Gedanken, dass Marie immer großzügig gewesen war und Friederike und die anderen hier gleich erfahren würden, dass Marie ihnen irgendetwas vererbt hatte. Das würde dann ihre Scham noch größer machen. Ihr Knie tat höllisch weh, sie hatte das dringende Bedürfnis, es hochzulegen, das konnte sie aber schlecht, es sei denn, sie legte es Jule über die Beine. Wobei die so angespannt auf dem Sofa saß, als würde sie ohnehin gleich aufspringen und die Flucht antreten.

Die kleine Jule. Das Verblüffendste war, dass sie genauso roch wie vor zwanzig Jahren. Sie benutzte tatsächlich noch dasselbe Parfüm. Und sie sah auch genauso aus wie früher. Immer noch ohne Make-up, nur ein bisschen Wimperntusche, immer noch die blonden Locken, mittlerweile durch Chemie einen Ton dunkler, aber immer noch einfach irgendwie hochgesteckt. So, dass sie nicht störten, echte Frisuren waren Jule ja immer egal gewesen. Wenigstens hatte sie ein ganz schönes Kleid an, es stand ihr, aber mit der Figur konnte sie auch alles tragen. Daraus hatte sie schon früher viel zu wenig gemacht. Man merkte ihr an, dass sie nie richtig aus der Provinz rausgekommen war, man musste es einfach mal feststellen. Daran hatten auch die paar Jahre in Hamburg nichts geändert. Friederike fragte sich, ob Jule noch ihre Praxis hatte. Sie bezweifelte es, Jule war nicht der Typ Geschäftsfrau. Vermutlich hatte sie wieder eine Beziehung und arbeitete halbtags. Damit sie sich in aller Ruhe um ihr Nest und Mann und Kind kümmern konnte, das hatte sie damals schon ausgefüllt. Wobei Pia mittlerweile erwachsen sein musste, sie war beim letzten Mal ja schon fünfzehn oder sechzehn gewesen. Ein bildschönes Mädchen, wie sie wohl heute aussah?

Friederikes Blick wanderte zu Alexandra. So unauffällig es ging. Alexandra sah phantastisch aus. Aber auf eine andere Art als früher. Sie war, wie Isabelle sagen würde, ganz bei sich. Sie strahlte Erfolg aus, Souveränität und Zufriedenheit, auch wenn sie um die Augen herum etwas müde wirkte. So, als ob sie alles erreicht hätte, was sie sich damals vorgenommen hatte. Und das war immer schon viel gewesen. Alexandra war die Ehrgeizigste unter ihnen gewesen. Und hatte nie daran gezweifelt, dass sie schaffen würde, was sie sich vorgenommen hatte. Und so wie es aussah, hatte sie es geschafft. Das war eigentlich klar gewesen. Alexandra Powerfrau Weise. Friederike sah sofort zur Seite, als Alexandras Blick in ihre Richtung ging, und blickte zurück zu Hanna.

»Marie hat unter anderem verfügt, dass ein Teil der Nebengebäude unseres Hofs der Hospizhilfe zur Verfügung gestellt wird. Neben vier weiteren Immobilien aus Maries Besitz. Die anderen Häuser ...«

Alexandra

Sie hatte gespürt, dass Friederike sie beobachtete, und sich die ganze Zeit angestrengt, nicht zu ihr hinzusehen. Als sie es jetzt doch tat, wich Friederike ihrem Blick sofort aus und tat so, als hörte sie Hanna konzentriert zu. Alexandra drehte an ihrem Ring und musste an das Telefonat mit Friederike denken. Es hatte sie Überwindung gekostet, sie anzurufen, aber die Sätze ihrer Mutter waren ihr nicht aus dem Kopf gegangen. »*Wusstest du, dass deine Freundin Marie van Barig ganz krank ist? Die wird wohl auch nicht mehr gesund.*« Und dann die Ungläubigkeit, als ihre Mutter kurz darauf sagte: »*Marie? Welche Marie?*«

Alexandra schloss kurz die Augen, um das Gesicht ihrer Mutter zu verdrängen. Das war eine andere Baustelle, mit der sie fertig werden musste. Dafür war hier jetzt kein Raum. Ihre Gedanken kehrten zurück zum Telefonat mit Friederike. Was hatte sie gesagt? *Sie hätte bei ihrem Namen nicht gleich geschal-*

tet. Als wären sie Fremde. Und genauso hatte sich das kurze Gespräch dann auch angefühlt. Unverbindlich, kühl, ergebnislos. Hinterher hatte Alexandra sich geärgert, dass sie es überhaupt versucht hatte.

Trotzdem war ihr erster Impuls gewesen, Friederike anzurufen, nachdem sie den Umschlag mit Maries Todesanzeige aufgerissen hatte. Sie hatte es nicht geschafft, die Tränen kamen so heftig, dass sie sich kaum beruhigen konnte. Und am nächsten Morgen war ihr der Gedanke gekommen, dass Friederike sich sicher bei ihr melden würde. Es war nicht passiert.

Friederike hatte sich verändert. Sie wirkte auf eine bestimmte Art souverän, das war sie früher nicht gewesen. Sie schien jetzt mit sich und ihrem Leben ganz zufrieden zu sein. Mit der zynischen Fiedi, die mit ihren blitzenden Augen gern mal einen bösen Spruch rausgehauen hatte, schien sie nichts mehr gemein zu haben. Aber vielleicht lag das auch nur an ihrem derangierten Äußeren, früher wäre es für die perfekte und kontrollierte Friederike undenkbar gewesen, so zu einem Termin zu kommen.

Alexandra merkte selbst, wie sie sich immer wieder zusammenreißen musste, nicht ständig zu Jule rüberzusehen. Jule hatte sich kaum verändert. Sie sah tatsächlich aus wie früher. Nach all den Jahren. Die immer gut gelaunte, unbefangene Jule. Die ständig auf Tuchfühlung war mit ihren Freundinnen, die ihre Zuneigung stets auch körperlich mitteilen musste. Aber jetzt saß sie ganz verkrampft auf dem Sofa, hatte irritiert die Flecken auf Friederikes Kleidung betrachtet und angestrengt jeden Blickkontakt vermieden. Alexandra fühlte sich immer elender. Warum um alles in der Welt war sie bloß hergekommen?

Hanna hatte einen Schluck Wasser getrunken und eine kurze Pause gemacht. Sie sah Maries Freundinnen lange an, bevor sie fortfuhr:

»Kommen wir nun zum eigentlichen Thema. Sie alle haben über viele Jahre die Sommer im Ferienhaus am See verbracht. Es war Maries Herzensort, der eng mit Ihnen verbunden war. Und ich weiß von ihr, dass auch Ihnen dieser Ort viel bedeutet hat: Zuerst haben Sie dort viele Ferien gemeinsam verbracht, später hatte Marie das schöne Ritual der Pfingsttreffen eingeführt. Über lange Jahre waren diese Treffen Bestandteil Ihrer aller Leben. Bis zu ihrem Tod hat Marie ihre Erinnerungen daran mit mir geteilt, es gibt so viele Fotos aus all den Jahren, Marie konnte sich an jedes Detail erinnern. Bis zum Schluss.«

Jules Unterlippe zitterte. Friederike starrte an Hanna vorbei aus dem Fenster, Alexandra hatte wieder begonnen, an ihrem Ring zu drehen. Hanna hielt kurz inne und sah in ihre Gesichter. Als keine von ihnen den Blick erwiderte, fuhr sie fort: »Deshalb hat Marie Folgendes verfügt«, Hanna zog ein Blatt aus dem Stapel, das anders war als die vorherigen Blätter:

»*Liebe Friederike, liebe Jule, liebe Alexandra,*
es gibt so vieles in meinem Leben, was ich noch in Ordnung bringen konnte, bevor ich gehen muss. Das meiste habe ich in Ruhe und mit Hilfe meiner wunderbaren Hanna geregelt, aber es gibt da einen losen Faden in meinem, in unserem Leben, den ich gern noch einmal aufgenommen und verknüpft hätte. Der lose Faden, Ihr Lieben, das seid Ihr, und das ist unsere Freundschaft. Ihr seid ein wichtiger Teil meines Lebens gewesen, ein Leben, das ohne euch sicherlich ganz anders verlaufen wäre. Vor allem weniger glücklich, da bin ich sicher. Ihr habt mich begleitet, Ihr habt mir Mut und

Kraft und Zuversicht gegeben. Ich war eine von euch, durch euch konnte ich oft vergessen, was ich alles nicht kann oder darf. Ihr habt mich mitgenommen, Ihr habt mir über lange Jahre das Gefühl gegeben, genauso unsterblich zu sein, wie man das in jungen Jahren empfindet. Wir hatten einen Schatz, aber wir haben ihn irgendwo vergraben und vergessen. Wir haben uns verloren, vielleicht war es richtig, ganz sicher war es dieser besonderen Situation geschuldet. Aber für mich ist und bleibt es ein loser Faden, den ich nicht einfach liegen lassen kann. Ich habe keine Zeit mehr, ihn selbst aufzunehmen und wieder zu verknüpfen, aber er darf nicht einfach so liegen bleiben. Deshalb:

Ich möchte euch das Ferienhaus am See, in dem ich die schönsten Zeiten meines Lebens verbracht habe, zu gleichen Teilen vermachen. Ich überlasse euch das Haus von ganzem Herzen, aber unter der Bedingung, dass es euch möglich ist, die nächsten fünf Jahre Pfingsten dort wieder gemeinsam zu verbringen. Hanna wird bei eurem ersten Treffen dabei sein, denn sie hat euch noch einiges mitzuteilen, was mir am Herzen liegt. Ich bitte euch ebenfalls sehr, sie stellvertretend für mich zu hören und euch einzulassen auf das, was ich euch so gern noch persönlich gesagt hätte. Unsere Freundschaft ist an einem Punkt zerbrochen, wir alle wissen, was geschehen ist. Und doch war und ist sie zu groß und zu besonders, als dass wir sie je kampflos hätten aufgeben dürfen. Ich sehe euch voller Zuneigung und Dankbarkeit von oben zu und wünsche mir, dass dieser Weg für euch, und damit auch für mich, der richtige ist.

In Liebe, Marie.«

Jule rang um ihre Fassung, Alexandra schaute Hanna mit offenem Mund an, während sich ihre Augen mit Tränen füllten.

Nur Friederike behielt die Fassung und stand langsam auf. »Das ist ja wohl ein Witz. Oder? Das kann doch nicht gehen.«

An dieser Stelle beugte sich Dr. Eisendorf ein Stück nach vorn. »Ich darf an dieser Stelle noch ergänzen, dass diese Erbschaft einstimmig unter Berücksichtigung der Bedingungen angenommen werden muss. Das heißt, sie tritt nur in Kraft, wenn Sie sich einig sind und die Auflagen erfüllen. Wenn auch nur eine von Ihnen diesem Wunsch Frau van Barigs nicht zustimmen will, geht das Haus in die Marie-van-Barig-Stiftung über. Bitte lassen Sie mich innerhalb von vier Wochen Ihre Entscheidung wissen.«

Zum ersten Mal an diesem Nachmittag trafen sich die Blicke der drei Frauen.

Maries Tagebuch

Ja, liebes Tagebuch, das habe ich mir so auch nicht gedacht. Dass ich am Silvesterabend 1978 in meinem Zimmer sitze und in dieses Buch schreibe. Statt mit Friederike, Jule und Alexandra im Haus am See Punsch zu trinken und auf das neue Jahr anzustoßen, in dem die ersten beiden von uns volljährig werden. Es ist echt ärgerlich. Wir hatten es uns so schön ausgemalt, am 30. wollte mein Vater Alex und Jule in Weißenburg abholen und dann mit ihnen an den See fahren. Friederike sollte eigentlich schon einen Tag früher kommen, aber bevor Esther sie bringen konnte, kam schon der Schnee. Es ist echt zum Mäusemelken, aber es lässt sich nicht ändern. Wir vier wären ganz allein am See gewesen, meine Eltern und Esther hatten Karten für die Silvesteraufführung im Hamburger Opernhaus und anschließend Hotelzimmer reserviert, das hat meine Mutter Esther zu Weihnachten geschenkt. Aber auch daraus ist nichts geworden. Jetzt sind meine Eltern und ich zu Hause und essen später Königinpastete, Jule und Alex sind bei ihren Familien in Weißenburg, und Friederike sitzt mit der übel gelaunten Esther in ihrer Wohnung in Brove. Weißenburg ist von Brove zwar nur fünf Kilometer entfernt, und wir wohnen nur drei Kilometer weiter, aber die Straßen sind durch die Schneeverwehungen total dicht, und so können wir auch nicht zu Fuß oder auf dem Rad zueinander kommen. Wir sind hier von allem abgeschnitten, überall riesige Schneeberge, die Straßen gesperrt, wir haben aber noch Strom, und das Telefon geht auch noch, immerhin.

Das ist das Problem, wenn man im norddeutschen Flachland wohnt, da rechnet ja keiner mit einem solchen Wintereinbruch. Mittlerweile ist die Bundeswehr schon unterwegs, mit Panzern kommen die wenigstens überall durch. Ich hätte jetzt auch gern einen. Silvester ohne die anderen ist echt total blöd. Aber es hilft nichts, sich aufzuregen, der Schnee schmilzt deshalb nicht schneller. Schade ist nur, dass ich mir ziemlich viel Mühe gegeben habe, alle Ereignisse, die in diesem Jahr wichtig waren, aufzulisten. Das geht ja gut, weil ich nur in die Tagebücher sehen muss, aber es ist wichtig, dass man nichts Schönes vergisst, finde ich. Und das wollte ich den anderen heute Abend vorlesen. Mein Vater hat heute Morgen gesagt, dass es eigentlich ein ereignisarmes Jahr gewesen ist. Sein schönstes Erlebnis war wohl meine Untersuchung im September gewesen, bei der alle Werte ganz gut waren. Sein schlechtestes Erlebnis war das Deutschland-Österreich-Spiel in Cordoba. Er hatte sich so auf die Weltmeisterschaft gefreut, und dann sind die Deutschen in der Vorrunde rausgeflogen. Gegen Österreich verloren. War auch ärgerlich.

Ich kann gar nicht genau sagen, was mein schönstes Erlebnis war, bei mir sind so viele schöne Sachen passiert. Ich durfte eine Fotoausstellung in der Schule machen, wir hatten einen super Sommer am See, ich habe mit Friederikes Hilfe tatsächlich sieben Punkte in Mathe bekommen, das ist wirklich eine Drei, zwar mit minus, aber immerhin. Dann war ich Ostern mit meiner Mutter in London, das war auch toll, wir waren da im Kino und haben ›Saturday Night Fever‹ angesehen. Auf Englisch. Ich fand es so toll, dass ich den hier gleich noch mal auf Deutsch gesehen habe, natürlich zusammen mit Friederike, Alex und Jule. Und es war genauso, wie ich es mir gedacht hatte, Jule und Alex fanden den Film super und wollten sofort tanzen gehen, Friederike hat nur den Kopf geschüttelt und gefragt, ob wir diesen Lackaffen vorm Spiegel tatsächlich ernst nehmen können. Sie ist wirklich manchmal eine Spaßbremse. Aber sie ist ohnehin im Moment nicht gut drauf. Das liegt zum einen an ihrer Mutter, die laut Friederike voll in den Wechseljahren steckt und nur noch schlechte Laune hat. Und dann hat sie sich über Jule geärgert, die dieses Mal nur eine Woche mit uns am See war, weil sie sich verliebt hat. In Jens, der ist im Jahrgang über uns und schon ewig in sie verliebt. Und beim Sommerfest in der Schule ging es jetzt endlich los. Ich fand es auch schade, dass sie früher gefahren ist, aber Jule musste Jens unbedingt sofort wiedersehen. Auch Alex fand das albern, vor allen Dingen weil Jule in der Woche, in der sie da war, von nichts anderem gesprochen hat. Und dabei bekam sie dann so eine Mädchenpiepsstimme. Friederike hat gesagt, sie wäre schon genauso bescheuert wie Sabine und Anette aus der Superclique, da war sie ein bisschen beleidigt, und ich musste erst mal schlichten. Hat auch geklappt. Dabei ist es noch nicht einmal Jules erster Freund, sondern schon ihr dritter. Nach Uwe und Bernd. Aber mit Jens hat sie jetzt auch geschlafen. Deshalb ist der was Besonderes. Das hat sie uns auch alles genau erzählt, Friederike ist fast wahnsinnig geworden und wollte das gar nicht hören. Es war ihr viel zu intim. Sie würde nie über so was reden. Jule war so beleidigt, dass sie gleich losgestichelt hat: Es müsse ja vorher auch erst mal passieren, und das wäre eben schwierig, wenn man keinen Freund hat. Und anscheinend ja auch keinen will. Fiedi war stinksauer, aber Alex und ich haben die beiden irgendwann wieder beruhigt. Es war sowieso viel zu viel Aufregung um nichts, im September hat Jens dann nämlich schon wieder Schluss gemacht. Und jetzt ist Jule gerade in Albert verknallt, der spielt mit ihr Tennis im Verein und ist gerade Ranglistenerster. Sieht angeblich aus wie Björn Borg, findet Jule. Friederike hat ihn sich daraufhin angesehen und verkündet, dass Jule nicht nur ein Hirn-, sondern auch ein Augenproblem hat.

Wenn ich jetzt aus dem Fenster sehe, kann ich kaum glauben, dass wir jemals wieder im Sommer am See sein werden. Ich kann noch nicht einmal das Ende des Gartens sehen, alles ist unter dem Schnee vergraben, überall Schneeberge, aufgetürmt wie eine Mondlandschaft. Man ahnt bei diesem Schneegestöber nur, wo einmal der Garten war, sehen kann man ihn nicht. Total unwirklich, ich kann mir auch gar nicht vorstellen, wo der ganze Schnee hintauen soll. Und es schneit und schneit immer weiter. Ununterbrochen. Wie in einem Katastrophenfilm. Jule hat am Telefon gesagt, dass Friederike und ich Glück haben könnten, wenn nächste Woche die Schule wieder beginnt und es immer noch so aussieht. Dann kommt auch kein Schulbus durch, mit dem wir im Gegensatz zu Alex und Jule aber fahren müssen. Die beiden können zu Fuß zur Schule. Na ja, abwarten und Tee trinken, das machen wir hier schon seit drei Tagen.

Aber bei allem Chaos finde ich es irgendwie auch ganz schön. Diesen Ausnahmezustand. Man kann den ganzen Tag am Fenster sitzen und nach draußen sehen, man kann nachdenken, man kann lesen (jetzt gerade Utta Danella ›Stella Termogen‹, war mein Weihnachtsgeschenk), man kann am Tag Fernsehen (›Mit Schirm, Charme und Melone‹) und seitenlang Tagebuch schreiben. Damit ich im nächsten Jahr auch wieder alle schönen Ereignisse rausschreiben kann. Das Schönste wird vermutlich unser 18. Geburtstag im Juli. Friederike und ich feiern den natürlich zusammen, das machen wir immer, schließlich haben wir am selben Tag. Und meine Eltern haben mir gesagt, dass sie hier am See ein richtiges Sommerfest planen. Das war mir klar, schließlich haben sie nach meiner Geburt nicht damit gerechnet, dass ich überhaupt mal 18 werde. Die Ärzte waren damals skeptisch, aber dafür geht es mir heute sehr, sehr gut. Und das liegt bestimmt auch an Jule, Friederike und Alex. Ich finde es so toll, dass wir vier schon so lange befreundet sind. Und das, obwohl wir alle so unterschiedlich sind und bestimmt auch bleiben. Friederike zum Beispiel, unser Hirn. Sie hat Mathe und Englisch als Leistungskurs, beides natürlich mit voller Punktzahl, zweimal 15 heißt Eins plus. Und dann in den Grundkursen: Bio 14, Geschichte 14, Deutsch 13. Noch Fragen? Die einzigen Fächer, die bei ihr nicht hinhauen, sind Sport und Kunst. Da hat sie in beidem keinen Funken Talent, was ich mal ganz beruhigend finde. Aber das sind ja Nebenfächer, und in den Fächern, auf die es ankommt, da ist sie einfach spitze. Ein Glück für Jule und mich. Das Gute an Fiedi ist, dass sie alles weiß und sehr witzig ist. Aber manchmal tut sie so, als wären wir hirnlose Püppchen, das geht mir dann schon mal auf die Nerven. Sie weiß oft alles besser. Hilft uns aber trotzdem.

Jule hat da ganz andere Schwerpunkte. Sie sieht zwar aus wie eine Puppe, so klein und dünn und dann diese blonden Locken und die Sommersprossen, aber sie ist im Gegensatz zu Friederike die Beste in Sport und auch in Musik. Dafür hängt sie in ihren Leistungskursen Bio und Deutsch, da muss Friederike ihr dann doch oft helfen. Jule könnte in der Schule viel besser sein, sie hat nur ihren Kopf so voll mit anderen Dingen. Früher waren es die Trainingsstunden, heute sind es echt die Jungs. Sie ist wirklich dauernd verliebt, immer wieder, dann hat sie kurz Liebeskummer, und dann geht es von vorne los. Und sie ist so romantisch. Sie hebt alles auf, alles. Kinokarten, Bons von der Eisdiele, in der sie mit ihrem Flirt war, gepresste

Blumen, kleine Zettel, wirklich alles. Das hängt gesammelt an ihrer riesigen Kork-Pinnwand. Manchmal ist das anstrengend. Und sie schmeißt nie was weg, noch nicht einmal wenn die Geschichte vorbei ist. Schrecklich. Friederike hatte erst einen Freund. Ganz kurz. Das war im Frühjahr auf der Klassenfahrt nach Frankreich. Aber es war natürlich niemand aus unserem Jahrgang, es war ein Franzose, der in der Jugendherberge gearbeitet hat. Jacques hieß er und war mindestens zehn Jahre älter als wir. Schrecklich. Der hat Friederike dann im Sommer spontan besucht, Esther ist ausgeflippt. Friederike auch. Aber erst hinterher, als ihre Mutter nicht mehr da war. Eigentlich fand sie ihn auch gar nicht so toll, weil er immer so nass geküsst hat. Schon bei der Vorstellung habe ich einen Herpes bekommen, in echt, und musste drei Wochen Creme draufmachen. Die meisten Jungs sind Friederike sowieso zu doof. Und ich glaube, die Jungs haben auch alle Angst vor ihr. Aber sie kann das so lustig erzählen, wir liegen jedes Mal auf dem Boden.

Alexandra könnte jeden Tag einen anderen haben. Alle sind in sie verknallt. Aber sie kann sich immer so schlecht entscheiden. Sie sagte mal, sie hätte immer Angst, dass sie mit jemandem zusammen ist, und dann trifft sie einen, den sie besser findet. Dann müsste sie mit dem Ersten Schluss machen, und das kann sie nicht. Deshalb wartet sie andauernd ab. Und das Problem wird immer größer, weil Alex ständig neue Leute kennenlernt. »Du schickst Alex in einen Raum mit zwanzig Leuten, und anschließend kommt sie mit zehn Telefonnummern zurück«, hat Jule mal gesagt. Das ist total irre. Das würden Jule und ich nie im Leben hinkriegen. Und Friederike würde es nie im Leben wollen. Und das Verrückte ist, dass es Alex gar nicht richtig merkt. Sie will gar keine neuen Freunde oder Freundinnen. Sie ist am Anfang zu allen total nett, und wenn die sich dann mit ihr verabreden wollen, lächelt sie nur freundlich. Und erzählt es uns hinterher auch immer, aber ohne damit anzugeben. Sie bleibt einfach lieber bei uns. Da bin ich so froh drüber.

Und jetzt kommt bald das neue Jahr. Ich bin sehr gespannt, was 1979 alles passiert. Aber ich habe ein gutes Gefühl. Weil wir uns haben. Und da überhaupt nichts dazwischenpasst.

Das Blöde heute: Schnee, Schnee, Schnee.

Das Gute: Es gibt Königinpastete. Weil Silvester ist.

Köln
11. Mai

Alexandra

»Ist bei Ihnen noch ein Platz frei?«

Magdalena Mohr ließ sofort Alexandras Arm los und sah hoch. »Ach, Herr Magnus, natürlich.« Mit einem gekonnten Augenaufschlag deutete sie auf den freien Stuhl. »Sehr gern. Darf ich vorstellen, Alexandra Weise, meine Verlegerin, Jan Magnus, aber den hast du ja gerade gesehen.«

»Wir kennen uns, ich weiß nur nicht, ob Sie sich erinnern können«.

Jan Magnus streckte ihr die Hand hin, Alexandra sah in sehr blaue Augen und ein sympathisches Lächeln. Natürlich erinnerte sie sich, schließlich hatte er gerade in der Talkshow neben Magdalena gesessen und durch seine eloquente und charmante Art die anderen Teilnehmer der Runde ziemlich blass aussehen lassen. Alexandra erwiderte den festen Händedruck und sah ratlos zu ihm auf. »Ja, natürlich weiß ich, wer Sie sind, aber sind wir uns tatsächlich schon begegnet?«

»Ja.« Er nickte, während er sich setzte. »Es ist aber schon ein paar Jahre her, ich war noch in München beim ›Wochenblick‹, und ich glaube, das war bei diesem Presse-Essen in Ihrem Verlag, als Max Tabert den Büchner-Preis bekommen hat. Wir saßen an einem Tisch und haben spekuliert, ob Barack Obama die Präsidentenwahl gewinnen wird. Sie waren sich da ganz sicher.«

»Das wird dann wohl 2009 gewesen sein. Meine Güte«, Alexandra musste lachen. »Was für ein Gedächtnis.«

»Es ist noch besser: Es war 2008. Und Obama wurde Präsident.« Jan Magnus hob sein Bierglas in ihre Richtung. »Es freut mich, Sie wiederzusehen.«

Magdalena hatte neugierig von einem zum anderen gesehen und konnte ihre Ungeduld nicht mehr beherrschen. »Das ist ja witzig. Und Sie waren damals in München? Aber jetzt sind Sie doch in Hamburg, oder? Beim ›Magazin‹. Warum sind Sie denn nach Hamburg gegangen?« Sie stupste ihn am Arm. »Aus beruflichen Gründen müsste ich auf die Liebe tippen. Alles andere fände ich langweilig. Aber das wäre super. Es gibt ja wenige Männer, die der Liebe wegen Jobs oder Wohnorte aufgeben, meistens machen das die Frauen. Aber wenn das bei Ihnen so war, dann kommen Sie in einem meiner nächsten Bücher vor, ich kann Sie dann Magnus nennen, das ist ja auch ein Vorname, weil man immer aufpassen muss, dass man nicht verklagt wird, wenn reale Personen in Romanen auftauchen und …«

Mit einem gezielten Stupser gegen das Schienbein brachte Alexandra sie zum Schweigen. Magdalena sah erstaunt hoch.

»Oh, entschuldige«, Alexandra lächelte Magdalena an, bevor sie sich wieder Jan Magnus zuwandte. »Meinen Glückwunsch übrigens zu Ihrem Bestseller. So ein Erfolg. Seit Wochen auf Platz 1. Aber Sie sind weiterhin als Journalist beim ›Magazin‹, oder?«

»Das bleibe ich auch«, antwortete er. »Es wäre dumm, da aufzuhören.«

»Sind Sie denn jetzt der Liebe wegen nach Hamburg gegangen?« Magdalena gab nicht auf. Sie verteidigte ihre Neugier auf Liebesgeschichten immer mit der Notwendigkeit der Recherche. Alexandra schüttelte leicht den Kopf, was weder Magdalena bemerkte noch Jan Magnus von der Antwort abhielt. »Der Grund war leider das Ende einer Liebe. Meine Ehe ging unschön in die Brüche, das hat bei mir einen Fluchttrieb ausgelöst. Und zufällig kam in der Zeit das Angebot vom ›Magazin‹. Das passte genau.«

»Das ist ein Zeichen. Also, ich glaube ja, dass nichts im Leben einfach nur so passiert, dass alles eine Bestimmung hat, die uns weiterbringt, die uns …«

Magdalenas nächster Wortschwall gab Alexandra die Möglichkeit, unauffällig ihr Gegenüber zu betrachten. Sie konnte sich tatsächlich überhaupt nicht an das erste Treffen erinnern. Dabei hatte sie eigentlich ein gutes Gedächtnis. Und dazu kam, dass Jan Magnus ein extrem attraktiver Mann war, klug und charmant, Alexandra konnte überhaupt nicht fassen, warum er ihr nicht in Erinnerung geblieben war. Er schien sich dagegen an jedes Detail von damals zu erinnern. Eigenartig. Vermutlich hatte sie irgendetwas ganz anderes beschäftigt.

Ein leises Vibrieren in ihrer Handtasche, die sie über den Stuhl gehängt hatte, signalisierte eine eingegangene SMS. Mit einer schnellen Handbewegung zog sie das Handy aus der Tasche und öffnete die Mitteilung. »*Ich kriege auf diesem grausamen Fest gleich die Krise, wünschte, ich wäre jetzt bei dir und könnte mit dir schlafen. Hoffe, dass wir heute noch telefonieren können. Versuche, dich später anzurufen. Küsse, P.*«

»*Bin in Köln und erst später zu erreichen*«, tippte sie eilig und schob das Handy wieder in die Tasche. Dann sah sie hoch, genau in die Augen von Jan Magnus. Ertappt lächelte sie, während er fragte: »Schlechte Nachrichten?«

»Was? Nein, nein, meine Schwester. Alles gut.« Sie griff zu ihrem Wasserglas. »Und? Fühlen Sie sich denn als Münchener wohl in Hamburg?«

»Ich bin gar kein Münchener«, antwortete er. »Ich bin in Kiel geboren, also ein echter Norddeutscher. Und erst zum Studium nach München gegangen. Und Sie? Bei Ihnen hört man ja auch nicht gerade einen bayrischen Dialekt.«

»Den kann Alexandra auch nicht haben«, Magdalena legte ihm eine Hand auf den Arm. »Sie kommt nämlich aus Schleswig-Holstein. Sag mal, bist du nicht sogar aus Kiel? Das wäre ja dann auch ein Zeichen.«

»Nein.« Alexandra schüttelte den Kopf. »Ich bin gebürtige Hamburgerin und in einer Kleinstadt zwischen Hamburg und Lübeck aufgewachsen. Nur der Norden stimmt.«

Wieder vibrierte ihr Handy, dieses Mal ignorierte sie es. »Was haben Sie denn für Folgepläne? Nach Ihrem Bestseller werden Sie doch bestimmt weiterschreiben. Falls Sie über einen Roman nachdenken, sollten wir beide mal telefonieren.« Ihr Lachen relativierte ein ernstes Anliegen, Jan Magnus schüttelte den Kopf. »Aber nein, das ist dann doch noch was anderes. Erst mal nicht. Es war sehr viel Arbeit, der volle Job in der Redaktion und dann jede freie Minute die Arbeit am Buch. Ich möchte jetzt ganz gern wieder ein bisschen Privatleben haben, das ist in den letzten zwei Jahren komplett auf der Strecke geblieben.«

»Dürfen wir uns zu Ihnen setzen?« Die Schauspielerin Sybille Sommer, ebenfalls Gast in der Talkrunde, stand mit ihrer Begleiterin plötzlich vor ihnen, jede mit einem Weinglas in der Hand und einem strahlenden Lächeln, das ausschließlich Jan Magnus galt. Sofort deutete er auf die freien Stühle. »Gern. Soll ich uns noch mal was zu trinken besorgen? Ihre Gläser sind ja fast leer.«

»Sehr gern«, sagte Sybille Sommer und setzte sich auf den Stuhl neben Jan Magnus. »Das wird bestimmt noch ein langer Abend. Ich bin in letzter Zeit so oft in Talkshows und muss sagen, diese Aftershowpartys sind immer das Beste.« Sie war maskenhaft geschminkt, ihre Bluse war ein bisschen zu eng, der Schmuck zu üppig, die Stimme zu mädchenhaft.

Alexandra dachte die ganze Zeit darüber nach, wie der Name der verruchten Tochter gewesen war, die Sybille Sommer vor bestimmt dreißig Jahren in einer Fernsehserie gespielt hatte. Er fiel ihr nicht ein. Aber das war damals ihr Durchbruch gewesen. Und irgendwie schaffte sie es bis heute, in regelmäßigen Abständen in Fernsehfilmen aufzutauchen. Sie war auch nicht mehr die Jüngste, wobei ihr Alter schwer zu schätzen war. Sie war nicht nur sehr geschminkt, sondern auch oft operiert.

»Ich bin Sybilles Managerin«, stellte sich die Begleiterin unvermittelt vor und gab jedem die Hand, bevor sie sich neben Alexandra setzte. »Margit Bommes. Und Sie sind die Managerin von Frau ... von der Schriftstellerin?«

»Ich bin Frau Mohrs Lektorin und Verlegerin«, erwiderte Alexandra, »und mehr für die Texte von Magdalena zuständig als für ihre Auftritte.«

»Aha«, Margit Bommes legte alles Desinteresse der Welt in diese zwei Silben und richtete ihre Aufmerksamkeit auf Jan Magnus. »Und wo ist Ihre Begleitung, Herr Magnus? Oder sind Sie allein in diese Sendung gekommen?«

»Ist bei Ihnen alles in Ordnung?« Eine der freundlichen Redakteurinnen kam an ihren Tisch. »Darf ich noch Getränke bringen? Oder noch etwas zu essen?«

Sofort wollte Jan Magnus aufstehen. »Ich wollte gerade selbst ...«

»Nein, nein«, Sybille Sommers Hand legte sich wie eine Schraubzwinge um seinen Arm. »Die junge Frau bedient uns doch.«

»Frau Sommer, ich wollte Ihnen die ganze Zeit schon etwas sagen«, Magdalena hatte sich etwas aufgerichtet und starrte Sybille Sommer begeistert an. »Ich fand die Ulla immer super, das war meine Lieblingsfigur in der Serie damals. Ich habe das als Kind immer mit meiner Mutter gesehen, wir fanden das großartig.«

Der Gesichtsausdruck von Sybille Sommer gefror, und Alexandra spürte, wie sich ein Lachanfall seinen Weg bahnte. Ulla. Das war ihr Name gewesen. Ulla. Mit Dauerwelle und Schulterpolstern. Die kecke Ulla mit ihren ultrakurzen Röcken. Und etwas zu stämmigen Beinen. Alexandra hatte die Szenen sofort wieder vor sich. Und jetzt die heutige Ulla. Sie stützte ihr Kinn auf die Hand und drückte den kleinen Finger auf den Mundwinkel. Nein, sie würde jetzt nicht loslachen, ausgeschlossen.

Magdalena schlug begeistert auf den Tisch. »Also, meine Mutter dreht durch, wenn sie hört, dass wir auch noch hinterher zusammen gesessen haben. Kann ich bitte ein Autogramm haben?«

Alexandra verstärkte den Druck ihres kleinen Fingers, Magdalena sah sie fragend an. »Ist was, Alexandra? Du guckst so komisch.«

»Mhm«, mit zusammengepressten Lippen schüttelte Alexandra den Kopf. Plötzlich hatte sie wieder das Bild im Kopf: Friederike und sie, ein Lachkrampf, wie sie ihn zuvor noch nicht erlebt hatte, Jule, die keine Luft mehr bekam, weil sie schon nicht mehr lachen, sondern nur noch hysterisch auf den Tisch schlagen konnte, und das alles, weil Ulla ihr erstes Rendezvous mit ihrem Serienliebhaber hatte. »Entschuldigt mich einen Moment.«

Sie floh auf die Toilette, das Glück war mit ihr, sie war die Einzige in der Damentoilette, so dass sie niemandem etwas erklären musste und ihrem Lachanfall endlich freien Lauf lassen konnte. Erst Minuten später hatte sie sich und ihre Seitenstiche wieder so weit im Griff, dass sie den Rückweg antreten konnte.

Sie hätte in den letzten Tagen nicht gedacht, dass sie jemals wieder so würde lachen können. Die Arbeit half ihr im Alltag einigermaßen, dieses ganze private Desaster zumindest am Tag wegzuschieben. Und auch an diesem Abend hatte sie nicht daran gedacht. Nicht an Jule, nicht an Marie, nicht an Friederike oder ihre Mutter. Es war gut so.

Nachdem sie die verschmierte Mascara notdürftig mit Wasser und Toilettenpapier entfernt hatte, wagte sie sich zurück an den Tisch. Zum Glück waren Sybille Sommer und ihre Begleiterin verschwunden. Inzwischen saßen eine der Moderatorinnen und ein Redakteur mit am Tisch. Alexandra atmete tief durch und setzte sich. Sie hatte sich wieder voll im Griff und folgte mit charmantem Lächeln Magdalenas Ausführungen, die dem Redakteur und der Moderatorin vom Alltag einer Schriftstellerin erzählte. Das Einzige, was Alexandra kurz aus dem Tritt brachte, war Jan Magnus' Gesichtsausdruck, der sie etwas zu intensiv ansah. Und sie konnte sich immer noch nicht an ihre erste Begegnung erinnern. Es war nicht zu glauben, dass sie ihn damals übersehen hatte.

»Hat es Sie vorhin wegen des Autogrammwunsches Ihrer Autorin so zerrissen?«

Viel später saßen Alexandra und Jan an der Hotelbar. Alexandra hatte nach einem ganzen Abend mit Mineralwasser den übermächtigen Wunsch nach einem Gin Tonic gehabt und das schon im Taxi verkündet. Magdalena lehnte ab, Jan Magnus schien hocherfreut.

Alexandra musste lächeln. »Es war ... Ich kann es schlecht erklären, es war, weil Ulla so ... keck war.« Sie lachte leise. »Ich habe diese Serie damals mit meinen Freundinnen gesehen, und Ulla war unsere totale Antiheldin. Eine grausam dümmliche Figur. Und dann saß da plötzlich Sybille Sommer, also Ulla, in alt und bekommt von Magdalena den Satz mit ihrer Mutter hingeworfen. Das war zu viel für mich.« Sie warf Jan Magnus einen kurzen Blick zu und sah, dass er auch grinste. »Ich bin im Moment etwas gestresst, da wird man schon mal hysterisch. Ich bitte um Nachsicht.« Sie hob ihr Glas. »Normalerweise bin ich ernsthafter. Ohne Ulla am Tisch. Aber ansonsten war es doch ein erfolgreicher Abend.«

»Das finde ich auch.« Er stieß mit ihr an, ohne sie aus den Augen zu lassen, und Alexandra fragte sich, ob er tatsächlich mit ihr flirtete.

»Ist es nicht schwierig für Sie, so unterschiedliche Autoren zu betreuen? Zwischen Magdalena Mohr und jemandem wie Sebastian Dietrich liegen ja Welten.«

Überrascht sah Alexandra ihn an. »Wie kommen Sie gerade auf Sebastian Dietrich? Kennen Sie ihn?«

»Nein, nein, also zumindest nicht persönlich. Ich habe sein erstes Buch damals gelesen, aber er soll ja recht – eigen sein.«

Er glaubte doch nicht ernsthaft, dass sie einem Journalisten von den Stärken und Schwächen ihrer Autoren erzählen würde. Alexandra musterte ihn, dann zuckte sie die Achseln. »Ich betreue ja nicht jeden Autor selbst. Dafür gibt es eine ganze Reihe wunderbarer Kollegen. Wir sind ein großes Team.«

Jan Magnus nickte. »Das ist klar. Aber mit Sebastian Dietrich hätte ich vermutlich Schwierigkeiten.«

Jetzt wusste Alexandra, was sie seltsam gefunden hatte. »Woher wissen Sie eigentlich, dass ich Sebastian Dietrich betreue? Normalerweise sind die Lektoren eines Schriftstellers außerhalb der Buchbranche doch völlig unbekannt?«

»Ich habe es in der Danksagung seines letzten Buches gelesen«, war die harmlose Antwort. »Er hat sich doch namentlich bei Ihnen bedankt.«

Alexandra schüttelte den Kopf. »Nein, das hat er nicht. Das macht er generell nicht. Er schreibt seine Bücher ja allein.«

»Merkwürdig. Dann habe ich es wohl irgendwo anders aufgeschnappt.« Jan Magnus rührte mit dem Strohhalm in seinem Gin Tonic. »Fahren Sie morgen nach München zurück?« Er sah sie von der Seite an. Wieder dieser Blick.

»Warum?«

»Nur so.« Jan Magnus stützte sein Kinn auf die Hand und lächelte. »Ich bin am Wochenende in München, da könnten wir doch mal zusammen essen gehen?«

Also doch. Alexandra sah ihn lange an. Sie fand ihn sehr direkt und war sich nicht ganz sicher, ob ihr das angenehm war. »Ich bin am Wochenende leider verplant. Aber trotzdem vielen Dank für die nette Idee.« Sie trank aus, stellte ihr Glas auf den Tresen und suchte den Augenkontakt zum Barkeeper. »Kann ich bitte zahlen?«

»Auf keinen Fall«, protestierte Jan Magnus und legte kurz seine Hand auf ihren Arm. Während er seine Brieftasche aus dem Jackett zog, sagte er: »Vielleicht klappt es mit dem Essen ja ein anderes Mal. Ich bin meistens alle zwei Wochen in München, ich rufe Sie mal an, ja?«

»Das können Sie gern machen.« Mit ihrem freundlichsten Lächeln ließ Alexandra sich vom Barhocker gleiten und griff nach ihrer Handtasche. Er war also alle zwei Wochen in München, obwohl er in Hamburg arbeitete. Vermutlich, weil in München jemand auf ihn wartete.

»Es hat mich sehr gefreut. Und danke für die Einladung.« Sie streckte ihm die Hand hin, die er zögernd ergriff. Er sah aus, als wolle er noch etwas sagen, Alexandra kam ihm zuvor. »Also dann, gute Nacht.«

Sie wartete seine Antwort nicht mehr ab, sondern verließ die Bar mit schnellen Schritten. Als sie im Aufzug stand und ihr

Spiegelbild betrachtete, sah sie sich selbst kopfschüttelnd an. Was glaubte dieser Mann? Dass er sie ein bisschen anflirtete und sie machte sofort mit? Ihr Leben lief in festgelegten Bahnen, nicht immer optimal, aber im Großen und Ganzen beruhigend vorhersehbar. Es gab keinen einzigen Grund, sich auf eine kleine Affäre einzulassen, wie immer Jan Magnus sich das auch vorstellte. Das musste sie weiß Gott nicht mehr haben. Sie hatte im Moment ganz andere Probleme. Und Jan Magnus hatte ja auch gar nicht ihre Telefonnummer.

In ihrem Zimmer angekommen, ließ sie sofort ihre Schuhe von den Füßen fallen und setzte sich aufs Bett. Sie zog ihr Handy aus der Tasche und entsperrte es. Zwölf eingegangene SMS. Sie stopfte sich ein Kissen in den Rücken und fing an zu lesen. Acht Nachrichten später war Jan Magnus vollständig aus ihren Gedanken verschwunden.

In der Nähe von Lübeck
11. Mai

Jule

»Was für ein Zirkus, oder?« Die leise Stimme ihres Vaters direkt hinter ihr ließ Jule lächeln. Langsam drehte sie sich um. »Papa, sei glücklich, dass deine Enkelin so romantisch heiratet. Und mach ein wohlwollendes Gesicht.«

»Pfft.« Seine Meinung zu diesem Spektakel war unmissverständlich. Er schob zwei Finger unter seinen Krawattenknoten und versuchte ihn zu lockern. Ergebnislos, Jules Mutter hatte ihn gebunden, er saß bombenfest. »Wie lange müssen wir denn hier noch rumstehen? Das ist ja wie bei Königs.«

Der Vergleich war nicht schlecht. Die gesamte Hochzeitsgesellschaft hatte sich auf der geschwungenen Schlosstreppe positioniert, natürlich unter den strengen Anweisungen der Hochzeitsplanerin und des Fotografen. Hier wurde nichts dem Zufall überlassen. Dafür sorgten die Hochzeitsplanerin und die Mutter des Bräutigams. Wer von ihnen für das schöne Wetter verantwortlich war, hatte Jule noch nicht herausgefunden, aber die Maisonne schien auf die Gesellschaft, als wäre sie bestellt. Das glückliche Brautpaar stand vorn, daneben die Eltern und Geschwister, der Rest wurde schön symmetrisch auf der Treppe verteilt. Jule war eingerahmt von Pia und einer Freundin der Braut, die das Ganze auch kopfschüttelnd beobachtete. »Was ist denn so kompliziert daran, den

Auslöser an der Kamera zu drücken? Ich kriege hier gleich einen Krampf.«

Als die Hochzeitsplanerin »Spaghettiiii« rief, konnte Pia nicht mehr an sich halten. Jules Vater rutschte ein fassungsloses »Großer Gott« heraus – das dürfte dann wohl auf dem Foto in Form eines verkniffenen Grinsens und eines Fischmunds bis in alle Ewigkeit dokumentiert sein. Zumindest hatte Jule sich bemüht, strahlend zu lächeln. Für die Familienehre.

»Danke schön. Dann wünsche ich jetzt allen ein rauschendes Fest.« Der Fotograf verbeugte sich, während auf der Treppe sofort eine kollektive Unruhe ausbrach, weil sich alle gleichzeitig umdrehten und die Treppe zum Schlosstor hochgingen. Jule trat einen Schritt zur Seite, um einige der Drängler, die sie nicht kannte, vorbeizulassen. Es gab sicherlich eine Sitzordnung, aber die meisten Menschen brauchten offenbar das Gefühl, als Erste im Saal zu sein. Als Jule sich zu Pia umdrehte, sah sie Philipp und Steffi auf sie zukommen. Jule stöhnte leise. Steffi trug ein viel zu kurzes Kleid und zog ein Gesicht, als wäre diese Feier schon wieder die reine Zumutung. Das war sie ja irgendwie auch, aber Steffi stand es nun wirklich nicht zu, das zu finden. Sie gehörte ja nicht mal zu Jules Familie und war nur eingeladen, weil Philipp Lauras Pate war. Und sie, Jule, die Patin. Jule war schon damals dagegen gewesen.

Als Steffi sie entdeckte, knipste sie sofort ein strahlendes Lächeln an. »Hallo, meine Liebe.« Steffis Umarmung war übertrieben herzlich, das war sie immer vor Publikum, sie hätte dabei auch noch schreien können: »Hallo, seht alle her, wir sind eine glückliche Großfamilie und haben uns alle lieb, und damit das klar ist: ICH bin jetzt Philipps Ehefrau.« Jule hatte schon einen ganz steifen Rücken und bemühte sich, den Abstand so schnell wie möglich wieder herzustellen. Während Steffi sich auf Pia stürzte, ließ Jule sich von Philipp auf die Wange küssen. »Toller Anzug«, sagte er leise. »Du siehst super aus.«

»Danke«, sie gab das Kompliment nicht zurück, Philipp wusste selbst, wie attraktiv er war. »Wann seid ihr denn angekommen?«

Philipp sah auf seine Uhr. »Vor genau 16 Minuten. Wir haben es gerade noch geschafft, uns unauffällig aufs Treppenfoto zu schmuggeln. Ich hatte bis 13 Uhr Dienst, und dann war natürlich auch noch ein Stau auf der A1.«

»Schatz, wir sollten jetzt mal dem Brautpaar gratulieren. Kommst du bitte?«

Steffi hatte die Angewohnheit, bei allem, was sie tat, Philipp nicht aus den Augen zu lassen. Gespräche mit der Exfrau, auch noch leise geführt, waren Steffi ein Dorn im Auge und mussten sofort unterbunden werden. Und Philipp, harmoniesüchtig und streitunlustig wie immer, setzte sich auch sofort in Bewegung.

Jule sah ihnen hinterher und schloss dann langsam zu ihrem Vater auf, der es gerade noch geschafft hatte, seinen ehemaligen Schwiegersohn zu begrüßen, bevor der von seiner zweiten Frau mitgezogen wurde.

»Was für eine unmögliche Person«, sagte er und sah den beiden kopfschüttelnd nach.

»Er oder sie?«, fragte Jule und hakte sich bei ihm unter.

»Na, sie. Aber da Philipp diesen Zirkus mitmacht, eigentlich auch er. Der war doch früher nicht so ein Kamel. Sitzen die auch noch bei uns am Tisch?«

»Nein, Papa. Ihr sitzt am offiziellen Brauttisch, ihr seid schließlich die Großeltern. Aber ich habe vermutlich die Tischordnung gegen mich und die beiden mir gegenüber. Na ja, unter Alkoholeinfluss wird das schon gehen. Wir schlafen ja hier.«

Ihr Vater grinste und legte seine Hand auf ihre. »Kluges Mädchen. Dann mal auf in den Kampf.«

Jule behielt recht. Sie saß mit Pia an einem Tisch, an dem neben drei anderen Paaren tatsächlich auch Steffi und Philipp platziert waren. Jule kam als Letzte dazu, sie hatte für einen Moment bei ihrem Bruder und seiner Frau gestanden. Ihre Schwägerin Anja hatte sich zu ihr gebeugt und ihr ins Ohr geflüstert, dass sie bloß alles unternehmen sollte, um Pia eine Hochzeitsplanerin auszureden, falls die jemals etwas Ähnliches vorhaben sollte. »Es ist das totale Grauen, ich sag es dir. Diese Tussi macht mich völlig fertig, aber Lauras Schwiegermutter ist total begeistert. Halt mich zurück, wenn ich mich im Laufe des Abends entschließen sollte, sie niederzuschlagen.«

»Wen jetzt?«

»Beide«, Anja hatte gestöhnt und ihren Arm um Lars geschlungen. »Aber dein Bruder ist Anwalt, der haut mich bestimmt raus.«

»Mal sehen«, hatte Lars gesagt und seine Frau auf die Stirn geküsst. »Spreng die Hochzeit unserer Tochter aber nicht vor dem Essen, ich habe Hunger.«

Jules Platz war zwischen Pia und einem Gast, den sie nicht kannte, gegenüber von Philipp und Steffi. Es dauerte ewig, bis alle Gäste ihre Tische gefunden hatten. Philipp beugte sich zu Jule, ohne den Blick von der umtriebigen Hochzeitsgesellschaft abzuwenden. »Ich hätte nie gedacht, dass deine Nichte eine TV-Hochzeit veranstaltet. Nicht zu fassen! Allein dieser Zirkus mit den weißen Tauben vor der Kirche!«

Pia nickte lachend. »Ich gebe Laura für ihr Brautkleid acht von zehn Punkten. Aber das Gute siegt, eine Taube hat der Hochzeitsplanerin aufs Kleid gekackt. Deshalb hat die jetzt die Jacke an.«

»Das ist ja ärgerlich«, mischte sich Steffi ein. »Aber wenigstens nicht der Braut. Also, ich finde, dass Laura ganz entzückend aussieht. Ich verstehe nicht, was diese Witze sollen, sie sieht doch aus wie eine Prinzessin.«

Jule verkniff sich einen Kommentar. Sie merkte gerade, dass sie es schon nervte, dass Steffi überhaupt über Laura redete, sie hatte doch gar nichts mit ihr zu tun. Steffis Sitznachbarin, die irgendwie zum Bräutigam gehörte, lächelte Steffi jetzt an und fragte freundlich: »Und wie sind Sie mit Laura verwandt?«

»Ähm …«, Steffi warf einen Blick auf Philipp, der gerade im Gespräch war. »Also, mein Mann …«

»Gar nicht«, Pia war schneller. »Philipp ist mein Vater und Steffi seine zweite Frau. Ich glaube, als Stieftante, gibt es das überhaupt, gilt man nicht als verwandt.«

»Aber dein Vater ist ja auch Lauras Patenonkel.« Steffi bekam Flecken am Hals, wenn sie ungehalten wurde. Die ersten tauchten schon auf.

»Ja«, Pia lächelte. »Ja. Mein Vater.«

»Was ist mit mir?« Philipp sah sie fragend an, wurde aber vom Bräutigam unterbrochen, der mit einem Löffel gegen sein Glas schlug. Sofort kehrte Ruhe ein, alle Gäste wandten sich ihm zu.

Fabian war aufgestanden und wartete noch einen Moment ab. Er war hoch aufgeschossen, sein dunkles Haar war lockig, mit seiner Hornbrille und im Smoking machte er eine sehr gute Figur. Laura und er hatten sich kennengelernt, als Fabian ein Referendariat in der Kanzlei ihres Vaters gemacht hatte. Es war Liebe auf den ersten Blick gewesen, und sie waren sich beide sicher, dass dieses Gefühl fürs Leben reichen würde. Jule fand Fabian ungemein sympathisch, diesen ernsthaften jungen Mann, der sehr zielstrebig Jura studierte und später mal Staatsanwalt werden wollte. Er war fünf Jahre älter als Laura, der er einen liebevollen Blick zuwarf, bevor er sich wieder an die Gäste wandte.

»Liebe Familie, liebe Freunde, ich möchte gar keine lange Rede halten, ich möchte, nein, wir möchten uns bedanken, dass ihr alle unserer Einladung gefolgt seid und diesen wichtigen Tag mit Laura und mir feiert. Ich wünsche uns allen einen unvergesslichen Abend, viel Spaß und jetzt guten Appetit.«

Der einsetzende Applaus wurde von der einmarschierenden Servicemannschaft begleitet, die in diesem Moment die Suppenterrinen an die Tische brachte.

»Er ist schon ziemlich süß«, sagte Pia leise zu Jule. »Nur schade, dass er so spießig ist. Aber damit passt er ja zu Laura.«

Jule wartete mit der Antwort, bis die Bedienung die Suppentassen gefüllt hatte. Erst dann meinte sie: »Ich finde ihn nicht spießig, er ist eben sehr zielstrebig und konservativ. Und Laura war ja auch immer sehr ernsthaft. Die beiden machen garantiert weniger Party als du. Und sind schneller mit dem Studium fertig.«

»Jetzt bist du gerade spießig.« Pia griff nach dem Brotkorb und wandte sich an den jungen Mann, der neben ihr saß. »Findest du deinen Cousin spießig oder zielstrebig?«

Jule tauchte ihren Löffel in die Suppentasse. Diese Hochzeitssuppe gab es in dieser Region seit Generationen bei jeder Hochzeit. Jule liebte sie. Auf ihrer Hochzeit damals hatte es sie trotzdem nicht gegeben. Vielleicht war das kein gutes Omen für ihre Ehe gewesen. Pia fischte die Fleischklößchen heraus und ließ sie in Jules Teller gleiten. »Das sage ich dir gleich: Wenn du meine Hochzeit planst, kannst du diese Suppe weglassen.«

Philipp, aus dem Gespräch mit seinem Sitznachbarn wieder aufgetaucht, hörte nur das Stichwort und sah sie sofort an. »Habe ich da was nicht mitbekommen?«

Pia sah ihn an. »Wie habt ihr eigentlich geheiratet? Wie viele Leute waren dabei?«

»Dreizehn«, antwortete Jule sofort.

»Siebenundzwanzig«, kam es von Steffi. Pia sah sie an. »Ich meinte die Hochzeit meiner Eltern.«

»Dreizehn«, wiederholte Jule in neutralem Ton. »Und wir waren nach dem Standesamt in einer total abgerockten Kneipe, es lief lautstark das Radio, und wir haben Chili con carne gegessen.«

Sie hatte plötzlich den langen Tisch in der Hamburger Kneipe vor sich. Im Radio liefen Phil Collins, Lisa Stansfield und Roxette, sie sprachen über die Wiedervereinigung und die Fußball-WM in Italien. Ein Kollege von Philipp war Fußballfan und vor einem guten Jahr, kurz vor der Wende, über Ungarn aus Schwerin nach Hamburg gekommen. Auf seiner Hochzeitskarte stand das verkürzte Zitat von Willy Brandt: »Jetzt wächst zusammen, was zusammengehört.« Jule war ganz gerührt, für sie hatte die Hochzeit schließlich mindestens den Stellenwert wie die Wiedervereinigung. Beides blieb für sie für immer verknüpft. Sie überlegte, was wohl aus diesem Kollegen geworden war. Sie konnte sich noch nicht einmal an seinen Namen erinnern. Sie übersah geflissentlich Steffis Gesichtsausdruck und fragte: »Wie hieß denn noch mal der Typ damals aus Schwerin? Der den ganzen Abend erst von seiner Flucht und dann über die Taktik der deutschen Nationalmannschaft in Italien geredet hat?«

Philipp dachte kurz nach. »Harry? Nein, warte, Henry. Henry Haller. Ich habe ewig nichts von dem gehört. War so ein netter Kerl. War Friederike nicht danach mal mit ihm zusammen? Die sind doch nachts noch losgezogen.«

»Nein. Doch nicht mit Henry. Sie hat Ulli an dem Abend kennengelernt.«

»Aber der …«

»Können wir diese nostalgischen Rückblicke vielleicht jetzt mal lassen?« Steffi hatte mit der flachen Hand auf den Tisch geschlagen. »Der Vater der Braut ist aufgestanden und möchte eine Rede halten.«

Pia verdrehte die Augen, und Jule rückte ihren Stuhl etwas nach hinten, damit sie Lars besser im Blick hatte. Sie würde auf keinen Fall ihrem Bedürfnis nachgeben, Steffi einfach mal ein volles Glas über die frisch ondulierte Frisur zu schütten.

Während Lars seine Rede begann, ließ Jule ihre Gedanken schweifen. Er sprach von Lauras Kindheit, Familienurlauben und ging dann ins Allgemeine: vergangene Zeiten, die Liebe im Allgemeinen. Na ja, irgendwie passte das vielleicht ganz gut in dieses Hochzeitsformat.

In ihrer Chili-Kneipe hatte nach dem Standesamt niemand eine Rede gehalten. Sie waren unter sich gewesen, das Essen mit Jules und Philipps Eltern sollte erst am Abend stattfinden, natürlich in einem teuren Restaurant, Philipps Vater hatte das organisiert. Seine Frau würde nie im Leben in eine Kneipe gehen, das war unter ihrem Niveau. Jule war mit ihrer Schwiegermutter nie warm geworden.

In der Kneipe waren nur Freunde und natürlich Lars und Anja, es war eine lockere Runde gewesen, sehr albern, sie hatten noch ordentlich Restalkohol von der rauschenden Party am Vorabend …

Marie hatte den Polterabend im Haus am See ausgerichtet, Jule und Phillip waren überwältigt. Sie hatten von den Vorbereitungen überhaupt nichts mitbekommen, wussten zwar, dass sie sich alle am Vorabend der Hochzeit noch mal am See treffen würden – aber was Marie und die anderen dann auf die Beine gestellt hatten, war einfach großartig gewesen.

Jule sah jetzt wieder den See vor sich, die Fackeln am Ufer, die langen Festtafeln auf dem Rasen, die Blumenkörbe, die Musik, die vielen Windlichter auf den Tischen, zwischen den Büschen und in den Bäumen. Ein Blumen- und Lichtermeer in einer lauen Sommernacht, Marie, Friederike und Alexandra in ihren langen bunten Kleidern …

… »Trotzdem habe ich immer noch das Gefühl, es wäre erst gestern gewesen. Aber meine kleine Laura ist erwachsen geworden. Und nun haben wir uns alle hier versammelt, um Laura und Fabian beim Start ins Eheleben zu begleiten …«

Lars war schon fast am Ende seiner Rede angelangt, Jule schob die alten Bilder beiseite und warf einen Blick auf Philipp. Er starrte gedankenverloren vor sich hin, die Arme vor der Brust verschränkt. Jule fragte sich, ob er gerade die gleichen Bilder im Kopf hatte wie sie, Hochzeiten machten die meisten Menschen sentimental. Plötzlich fiel ihr ein, dass er noch gar nichts von Maries Tod wissen konnte. Sie glaubte auch nicht, dass Pia es ihm gesagt hätte. Pia war ihrem Vater gegenüber immer sehr sparsam mit Informationen, die auch Jule betrafen. Das war ihre Form der Loyalität.

Jule warf einen kurzen Blick auf Pia, die ihrem Onkel lächelnd zuhörte. Pia war an dem Abend nach dem Notartermin vorbeigekommen, weil sie wissen wollte, wie es gewesen war. Ein Blick auf ihre Mutter hatte genügt …

»So schlimm?«

»Es geht schon.« Jule vermied es, Pia anzusehen, sie hatte nie etwas davon gehalten, ihre Probleme mit ihrer Tochter zu besprechen. Pia musste nicht wissen, dass ihre Mutter die letzten beiden Stunden heulend in der Küche gesessen hatte.

»Um was ging es denn jetzt beim Notar?« Pia ließ nicht locker und setzte sich zu ihr. »Hast du was geerbt?«

Jule sah Pia lange an. »Marie hat uns tatsächlich das Haus am See überschrieben. Allerdings unter einer Bedingung …«

»Das Haus am See?« Begeistert unterbrach Pia sie. »Das ist ja super. Ich fand das als Kind toll, ich habe neulich erst überlegt, was wohl aus dem Haus geworden ist. Es ist doch nicht weit, da können wir ja im Sommer …«

»Pia.« Jule hob ihre Stimme. »Ich habe es abgelehnt. Mit ›wir‹ meine ich nicht uns beide, sondern Alexandra, Friederike und mich. Die waren nämlich auch da. Und die Bedingung ist, dass wir es zusammen nutzen, was total schwachsinnig ist. Ich bin sofort nach der Eröffnung gegangen.«

»Was?!« Entgeistert sah Pia sie an. »Das Haus ist doch groß genug!«

Jule sah sich wieder Alexandra und Friederike gegenüber. Friederike hatte tatsächlich gelächelt, während Alexandra mit diesem überheblichen Blick einfach sitzen geblieben war. In Jule war plötzlich Wut aufgestiegen. Glaubte irgendjemand wirklich, dass sie ihre freie Zeit mit diesen Frauen verbringen wollte? Mit Alexandra, die bei ihr sofort Bilder auslöste, mit Friederike, die sowieso immer nur auf ihren Vorteil aus war? Hatte Marie ernsthaft gedacht, dass Jule dieses ganze Chaos vergessen hatte? Im Raum war es ganz still gewesen, bis Hanna leise gesagt hatte: »Sie können sich mit der Entscheidung ja noch Zeit lassen. Pfingsten ist in drei Wochen, erst danach endet die Frist.«

Jule hatte als Erste reagiert. Sie hatte ihre Tasche an sich gerissen und war wütend zur Tür gestapft, um sich noch kurz umzudrehen. »Das hätten wir uns wirklich sparen können. Ich werde sicher kein weiteres Pfingsten mit euch verbringen. Im Leben nicht.« Sie hatte die Tür aufgerissen und sie mit Schwung zugeknallt.

Von ihrem theatralischen Abgang hatte sie Pia natürlich nichts erzählt und das Gespräch rasch abgebrochen. Pia hatte ihr die Hand auf den Arm gelegt und sie ungläubig angesehen.

»Das kann jetzt nicht dein Ernst sein, Mama. Es geht doch um Marie! Marie war es wichtig, dass ihr euch wieder annähert. Es war IHR Wunsch. Ich finde es ja schon irrsinnig traurig, dass sie gestorben ist, ich habe sie total gemocht, und die Besuche am See waren wunderschön. Was ist bloß los mit dir? Mit euch? Bist du überhaupt nicht traurig? Ihr seid doch Freundinnen gewesen.«

Jule hatte sie nur mit zusammengepressten Lippen angesehen. Sie hatte überhaupt keine Lust, Pia alles zu erzählen, deshalb konnte ihre Tochter auch nicht verstehen, wie es ihr in dieser Situation ging. Das konnte sie jetzt aber auch nicht ändern. Pia hatte ihre Reaktion leider total falsch verstanden, fühlte sich offenbar nicht ernst genommen oder ausgegrenzt oder was auch immer – jedenfalls mündete das Ganze schließlich in einen ausgewachsenen Streit, an dessen Ende Pia türenknallend das Haus verließ.

Es hatte nicht lange gedauert, bis sie sich wieder vertragen hatten – beide hatten keine Lust auf miese Stimmung. Und Pia war nicht nachtragend. Und keine von beiden hatte das Thema wieder angesprochen. Dinge, über die man nicht redete, fanden nicht statt. Eine alte Regel von Jules Mutter. Manchmal waren solche Regeln hilfreich.

Ihr Blick fiel jetzt auf Philipp. Auch er hatte Marie gemocht, Jule würde ihm die Nachricht ihres Todes noch beibringen müssen. Nicht heute, aber demnächst bei einer passenderen Gelegenheit. Und wenn Steffi mal nicht an ihm klebte. Die schon wieder ihre Hand in seinen Arm gekrallt hatte. Jule wandte den Blick ab und konzentrierte sich auf die Rede ihres Bruders.

… »Deswegen möchte ich mein Glas auf die beiden erheben. Ich wünsche euch auf eurem Weg viel Liebe, viel Verständnis und viel Glück. Und ich soll sagen, dass das Büffet jetzt eröffnet ist.«

Während Laura erst ihren Vater, dann ihre Mutter unter Tränen umarmte und die Hochzeitsgesellschaft applaudierte, stieß Pia ihre Mutter an und flüsterte: »Was ist denn mit Papa los? Der sieht so dermaßen schlecht gelaunt aus, das kann doch nicht nur Steffi verursacht haben?«

»Keine Ahnung«, gab Jule achselzuckend zurück. »Frag ihn, wenn du es wirklich wissen willst.«

Die Eröffnung des Büffets brachte wieder Leben in den Saal. Philipp hatte sich zu Steffi gebeugt, ihr etwas zugeflüstert und sich danach erhoben. Pia sah zu ihm rüber. »Willst du der Erste am Büffet sein?«

Ihr Vater nickte. »Händewaschen nicht vergessen. Bis gleich.«

Jule hatte Büffets noch nie gemocht. Sie fand Schlangestehen immer schrecklich. Genauso wie Menschen, die sich ihre Teller vollhäuften. Außerdem konnte sie sich bei zu großer Auswahl immer schlecht entscheiden, also nahm sie immer das Erstbeste und ärgerte sich hinterher regelmäßig, weil sie viel lieber etwas anderes gegessen hätte. Sie hatte trotzdem Hunger und schloss sich den anderen Gästen auf dem Weg zum Büffet an. Als sie Steffi entdeckte, die einen vollen Teller balancierte, drehte Jule ab und ging Richtung Garderobe und Toiletten. Vor dem Spiegel, die Hände unter dem kalten Wasserstrahl, betrachtete Jule sich. Sie kam sich fremd vor, irgendwie passte ihr Inneres überhaupt nicht zu ihrem Äußeren. Schon den ganzen Tag hatte sie immer wieder an früher gedacht. Als sie Laura und Fabian bei ihrem Gang ins Standesamt gesehen hatte, wie sie sich an der Hand hielten und innige Blicke wechselten, hatte sie plötzlich wieder die Bilder von sich und Philipp im

Kopf. Und als Lauras beste Freundinnen der Braut ein Gemeinschaftsgeschenk überreichten und sich gerührt in die Arme fielen und die ein oder andere Träne abwischten, hatte sie natürlich doch an Marie, Friederike und Alex denken müssen. Ihre Tischnachbarin, die mit ihrem spröden Humor die Hochzeit kommentierte, erinnerte sie an Friederike, Steffi dagegen war der immer unzufriedenen Esther gar nicht so unähnlich. Es gab so viele Verbindungen zu damals. Erst heute war ihr wieder eingefallen, dass Lars seine Tochter nach Maries Mutter benannt hatte, weil er sie so mochte. So viele wunderbare Menschen damals, so viel gegenseitige Sympathie. Pia hatte recht: Was war nur aus all dem geworden? Was war aus ihnen geworden?

Langsam trocknete Jule ihre Hände ab. Natürlich machten Hochzeiten sentimental, das war so, erst recht, wenn auch noch der Exmann mit ihrer Tochter an einem Tisch saß. Es war gerade ein bisschen zu viel Vergangenheit. Nach dem Besuch beim Notar hatte sie fast jede Nacht von Alex, Friederike oder Marie geträumt, sie hatte das Gefühl, dass die Erinnerungen im Hinterkopf alle Jahre im Zeitraffer durchliefen. Und es kostete sie unglaubliche Anstrengung, sich nicht andauernd vorzustellen, wie ein Treffen im Haus am See verlaufen wäre. Wenn sie denn zugestimmt hätte. Aber das hatte sie nicht getan. Das würde nicht passieren.

Entschlossen sah Jule noch mal in den Spiegel und atmete tief durch. Nicht heute dran denken. Heute musste sie auf jeden Fall gute Laune zeigen – als Tante der Braut. Mit Schwung drückte sie die Tür auf. Auf dem Weg zum Tisch würde sie sich jetzt – ohne groß nachzudenken – etwas vom Büffet holen und dann endlich mal ein Glas Wein trinken. Schließlich folgte jetzt der entspanntere Teil des Tages. An der Garderobe im Gang zum Saal entdeckte sie Philipp. Er lehnte dort an der

Wand und tippte konzentriert in sein Handy. Er sah sie erst, als sie vor ihm stand. »Alles okay?«, fragte sie und registrierte den schuldbewussten Blick, mit dem er sein Telefon in die Jackentasche gleiten ließ.

»Ja, klar«, beeilte er sich mit einem schiefen Lächeln zu sagen. »Alles gut. Ich musste nur noch etwas mit der Klinik klären.«

»Ah ja.« Jule nickte. »Dann bis gleich. Ich gehe jetzt mal zum Büffet. Steffi ist übrigens schon wieder am Tisch.«

Erst an der Ecke drehte sie sich nochmal um. Er tippte schon wieder. Klinik, dachte sie, schon klar. Das war ihr alles nur zu vertraut. Philipp würde sich nie ändern. Da konnte Steffi ihn kontrollieren und an ihm kleben, wie sie wollte. Er würde immer wieder Schlupflöcher finden, um seine Freiheiten zu haben. So war er einfach.

Als sie mit einem Teller, auf dem sie ein paar Antipasti und Salat angerichtet hatte, an den Tisch zurückkam, war Pia mit ihren Tischnachbarn in ein angeregtes Gespräch vertieft. Steffi sah Jule forschend an. »Hast du Philipp gesehen?«

»Ja.« Jule lächelte sie freundlich an. »Steht am Büffet und unterhält sich mit einem alten Bekannten. Wird sicher gleich kommen. Guten Appetit.«

Die eine Sache war, etwas unmoralisch und unfair zu finden, die andere Sache, dass Jule Steffi einfach nicht ausstehen konnte. Steffi mit ihrer selbstgefälligen Art sollte doch selbst herausfinden, was ihr Angetrauter so alles nebenbei veranstaltete. Jule hatte ihren Teil dieser Geschichte hinter sich.

Norderney
11. Mai

Friederike

Der Himmel riss genau in dem Moment auf, als die Fähre im Norderneyer Hafen anlegte. Friederike ging inmitten der zahlreichen Fahrgäste langsam von Bord und blieb vor dem Hafengebäude einen Moment stehen, um ihr Gesicht in die Sonne zu halten. Bislang war dieser Wonnemonat Mai eher zurückhaltend gewesen, nach zwei Wochen Regen sah sie jetzt endlich wieder Sonne, und ihre Laune verbesserte sich schlagartig.

Auf dem Vorplatz herrschte hektisches Treiben, angekommene Gäste versuchten, ein Taxi heranzuwinken, andere liefen zu den bereitstehenden Bussen, die abreisenden Gäste drängten mit ihrem Gepäck ins Hafengebäude. Friederike sah sich um und beschloss, zu Fuß in den Ort zu gehen. Falls ihr lädiertes Knie das zuließ. Sie machte ein paar Probeschritte, es ging. Sie merkte noch, dass etwas gewesen war, aber dank der Erstversorgung von Michael Bergmann war alles gut verheilt. Friederike dachte daran, dass er sie schon zweimal angerufen hatte, um sich nach dem Knie zu erkundigen. Aus rein medizinischem Interesse natürlich. Für die nächste Woche hatte sie einen Termin bei ihm. Zur Abschlussuntersuchung.

Sie wandte sich in Richtung Ort und zog ihren kleinen Koffer hinter sich her. Der Weg vom Hafen zu ihrem Hotel dauerte vielleicht eine halbe Stunde, Zeit genug, ihre Gedanken zu sortieren.

Ganz langsam lief sie den Weg entlang, den sie schon so oft gegangen war. An den Veränderungen, die sie rechts und links sah, merkte sie, wie viel Zeit seit dem letzten Mal vergangen war. Das Hafengelände hatte sich komplett verändert, die Ankunftshalle war nun neu und modern. Ein paar Gebäude erkannte sie sofort wieder, trotzdem fühlte sich alles ganz anders an. Eine Gruppe von Fahrradfahrern kam ihr entgegen, die zwei Frauen an der Spitze klingelten energisch und sahen sie böse an. Friederike war aus Versehen auf den Fahrradweg geraten, sofort zog sie ihren Koffer zur Seite und ließ den Tross durch. Nicht alles hatte sich verändert, solche Begegnungen hatte sie früher schon gehabt. Urlauber auf Fahrrädern wollen nicht bremsen. Schließlich haben sie Urlaub. Sie klingeln einfach. Und weichen niemals aus. Ungerührt sah Friederike ihnen nach, bevor sie langsam auf der richtigen Seite weiterging.

Es war schon verrückt, dachte sie, dass ausgerechnet sie, die Sentimentalitäten und Sätze wie »Weißt du noch?« oder »Früher war alles schöner« aus tiefster Seele hasste, in diesen Wochen so heftig mit ihrer Vergangenheit konfrontiert wurde, dass sie nicht mehr richtig schlafen konnte. Jahrelang hatte sie ein ruhiges Leben gehabt. Und plötzlich, als hätte sich alles gegen sie verschworen, tauchten die Schatten und Gestalten von früher an allen Ecken auf. Isabelle hatte ihr vor ein paar Tagen geraten, eine Art Konfrontationstherapie zu machen. »Stell dich deinen Erinnerungen, lass dich darauf ein, es wird etwas mit dir machen.«

Natürlich machte es etwas mit ihr, sie konnte nicht schlafen, weil ihr jede Nacht tausend Gedanken durch den Kopf schossen. Das merkte sie auch ohne Therapie. Sie sollte sich einlassen. Auf was denn bitte schön? Auf diese Schnapsidee, Ende des Monats mit drei Frauen, von denen sie eine nicht mal kannte, drei harmonische Tage zu verbringen? Es gab nur einen Aspekt, über den Friederike kurz nachgedacht hatte: die Möglichkeit, durch Maries verrückte Idee an Geld zu kommen. Auch wenn sie dabei den Anflug eines schlechten Gewissens hatte. Aber Friederike konnte sich vorstellen, was dieses Sommerhaus der Familie van Barig wert war. Selbst mit einem Drittel der Summe würde sie einige ihrer Probleme lösen können. Aber dafür mussten sie sich einig sein. Und vor allen Dingen dieses unsägliche Pfingstritual wieder aufnehmen. Was völlig undenkbar war. Friederike sah Jule und Alexandra vor sich, ihre fassungslosen Mienen, als Hanna Maries Brief vorgelesen hatte. Die beiden sahen es doch genauso wie Friederike. Es war idiotisch. Jule hatte wenigstens den Mumm gehabt, sofort abzulehnen. Was ihr allerdings gar nichts genützt hatte. Der Notar hatte sie zurückgehalten und ihr erklärt, dass er erst in vier Wochen eine endgültige Antwort erwartete. Trotzdem hatte sie einen filmreifen Abgang hingelegt, und Friederike bezweifelte, dass Jule diesem Treffen zustimmen würde. Die alten Zeiten waren vergangen, sie hatten doch alle ihre eigenen Leben, die nichts mit den gegenwärtigen Leben der anderen und erst recht nichts mit ihrer Vergangenheit zu tun hatten. Es war vorbei. Und es würde auch nicht wiederbelebt werden können, auch wenn Marie sich das vielleicht in ihrer verträumten Art gewünscht hatte. Vielleicht hatte sie einfach zu viel Zeit gehabt, in ihren alten Tagebüchern zu lesen. Diese Idee war doch völlig kindisch. Und komplett unrealistisch.

Friederike hatte nur mit Isabelle über den seltsamen Notartermin gesprochen. Nicht sofort, erst ein paar Tage später, als diese extremen Schlafstörungen wieder aufgetaucht waren. Isabelle war nach ihrem letzten Kurs bei ihr reingeschneit und hatte Friederike forschend angesehen. »Du siehst müde aus. Ist was passiert?«

»Ich kann nicht schlafen.« Friederike zuckte die Achseln. »Das heißt, ich habe seit vier Tagen nicht mehr als zwei Stunden am Stück geschlafen. Es geht nicht. Kannst du mir irgendwelche homöopathischen Mittel aus deiner Praxis holen? Noch so eine Nacht, und ich bin tot.«

»Was ist denn der Grund?« Isabelle hatte sich sofort auf dem Sessel niedergelassen, die Finger auf den Knien verschränkt und ihren Therapeutenblick aufgesetzt. »Kommt die Unruhe aus dem privaten oder beruflichen Bereich?«

»Isabelle, bitte«, Friederike verdrehte die Augen. »Hol mir doch einfach irgendein Schlafmittel, und gut.«

»Hat es was mit deinem Unfall in Hamburg zu tun? Gehen dir die Bilder nicht aus dem Kopf? Fühlst du dich ausgeliefert?«

»Was?« Verdutzt sah Friederike sie an. »Ausgeliefert? Dem Fahrradkurier? Unsinn. Es ist doch nur ein lädiertes Knie. So was traumatisiert mich nicht. Wie gesagt, holst du mir …«

Isabelle zeigte plötzlich mit dem Finger in ihre Richtung. »Der Notar. Du musstest doch zum Notar, oder? An dem Tag. Was ist da eigentlich passiert?«

Friederike setzte sich auf den anderen Sessel. Sie hatte Isabelle von dem Termin erzählt, weil die Mrs. Beasly füttern sollte, sie hatte aber nicht gesagt, warum sie zum Notar musste. Vielleicht bekam sie das Schlafmittel, wenn sie es Isabelle mitteilte.

»Es ist eine komische Geschichte«, sagte sie langsam. »Also, die Kurzform: Ich hatte eine Freundin, seit meiner Kindheit, deren Eltern vermögend waren und denen unter anderem eine Villa an einem See zwischen Hamburg und Lübeck gehört. Wir haben da über Jahre unsere Sommerferien verbracht, erst allein, dann später mit noch zwei anderen Freundinnen. Jetzt ist Marie, das ist meine alte Freundin, gestorben und hat uns, also mir und den beiden anderen, diese Villa hinterlassen. Leider unter der Auflage, dass wir uns die nächsten fünf Jahre da immer zu Pfingsten treffen. Wie früher.«

»Wieso leider?«

»Weil …«, Friederike überlegte, wie sie das »leider« am besten erklären könnte, »weil wir uns vor zehn Jahren so zerstritten haben, dass die Gefahr besteht, uns gegenseitig im See zu ertränken.«

Isabelle hatte sich sofort aufgesetzt. Sie überging den schlechten Witz und sagte: »Damit sind deine Schlafstörungen natürlich zu erklären«, hatte sie gesagt. »Du musst dich mit deiner Vergangenheit auseinandersetzen, du musst die losen Fäden verknüpfen, erst dann wirst du dich damit versöhnen. Erinnere dich an die Zeit, in der wir uns kennengelernt haben, wie es dir da ging. Ich sage es dir, es ging dir schlecht, und du hast einen Weg gefunden, mit den Ereignissen fertig zu werden. Wenn man sie aber nicht besiegt, dann tauchen sie immer wieder auf. Und jetzt hast du die Chance, sie noch einmal anzugehen. Lass dich darauf ein. Triff deine ehemaligen Freundinnen, nimm der Vergangenheit den Schrecken.«

Friederike hatte sie nur angesehen und war dann aufgestanden, um sich einen Cognac einzuschenken. Sie hasste Wörter wie Chance, besiegen, einlassen, es machte sie aggressiv. Friederike hatte Isabelle in einigen schwachen Stunden zu viel erzählt. Das rächte sich.

»Du kannst deine Therapiestunde gern wieder beenden, ich brauche gerade keine«, hatte sie eine Spur zu harsch gesagt. »Ich finde diese ganze Situation absurd, rede mir jetzt keine Krise ein.«

Isabelle hatte mit einem wissenden Lächeln genickt. »Und warum musst du jetzt Cognac trinken? Erzähl mir doch nichts.

Aber egal, wenn du mich brauchst, weißt du ja, wo du mich findest.« Dann war sie aus der Küche gerauscht. Friederike hätte sich nicht gewundert, wenn sie mit Räucherstäbchen zurückgekommen wäre, um die schlechte Aura auszutreiben. Sie hatte Glück, Isabelle blieb weg.

Sie verlangsamte ihr Tempo, als sie die Ortsmitte erreichte, weil sie sich orientieren musste. Das *Meerhotel*, in dem das Treffen stattfand, war ganz neu, Friederike musste kurz überlegen, wie sie dort hinkam. Als sie die Strandstraße entdeckte, blieb sie vor einem roten Haus stehen. Hier hatte sie mal gewohnt. Eine winzige Wohnung unter dem Dach, mit einem Wohnzimmer, in dem eine Küchenzeile eingebaut war, und ein noch winzigeres Schlafzimmer, von dem aus man ins Bad ging. Friederike hatte es geliebt. Sie sah zu den Fenstern hoch. Das Haus war unverändert, nur das Bekleidungsgeschäft unten gab es nicht mehr. Jetzt war hier eine Edelboutique eingezogen, die Leute, die Urlaub auf Norderney machten, gaben anscheinend mehr Geld aus als früher. Friederike war damals nach diversen Jobs und einem grauenhaften Jahr auf die Insel gekommen und hatte hier ihre Ausbildung in einem Hotel gemacht. Sie war Mitte zwanzig, und Norderney hatte sie gerettet.

Mit einem kleinen Lächeln drehte sie sich um und ging weiter. Sie war sonst nicht sentimental, aber hier lagen ihre beruflichen Wurzeln, und sie war heute noch froh, dass sie sich damals so entschieden hatte. Daran sollte sie denken und nicht an irgendwelche privaten Querelen.

Das *Meerhotel* stand direkt am Wasser, ein traumhaft schönes Haus, viel Backstein, viel Glas, moderne Glasfronten und ein großzügiger Eingang. Friederike ließ ihre Blicke anerkennend über das Gebäude wandern. Ein gelungener Bau, dachte sie, kleiner als ihr Hotel, aber auch feiner und eleganter. Peter

Engel hatte Geschmack und beherrschte seinen Job. Sie hatten zusammen Tourismusmanagement in Hamburg studiert. Peter kam aus einer alten Hoteliers-Familie, in der Geld nie eine Rolle gespielt hatte. Das *Meerhotel* war das fünfte Haus, das Peter als Inhaber eröffnet hatte. Das war der Vorteil, wenn man solche Voraussetzungen hatte. Es war immer klar gewesen, dass Peter Engel das Studium machte, um später eigene Hotels zu eröffnen. Friederike hatte studiert, um sich die Hotels, in denen sie später als Angestellte arbeiten würde, aussuchen zu können. Zu einem eigenen würde sie es nie bringen. Dafür fehlte ihr einfach der richtige Stall. Irgendwie war das Leben nicht gerecht.

Friederike ging auf die Eingangstür zu, die sich mit einem leisen Surren öffnete. Die Erste, die ihr überrascht entgegensah, war Marlene. »Friederike.« Sofort kam sie um die Rezeption herum und auf sie zu. »Warum haben Sie denn nicht Bescheid gesagt? Wir hätten Sie doch von der Fähre abgeholt.«

Friederike lächelte und gab ihr die Hand. »Ich kenne mich doch gut aus hier, das Wetter ist schön, und mein Koffer ist leicht und lässt sich ziehen. Alles gut.« Sie sah sich interessiert um. »Ein sehr schönes Haus, herzlichen Glückwunsch. Und? Haben Sie sich schon eingelebt?«

Marlene folgte stolz Friederikes Blicken. »So langsam. Ich bin ja erst seit vier Wochen richtig hier. Aber es macht großen Spaß.« Sie deutete auf Friederikes Koffer. »Ich lasse das Gepäck gleich hochbringen und sage Herrn Engel Bescheid, dass Sie da sind. Er möchte Ihnen das Haus bestimmt selbst zeigen. Ist das okay?«

Friederike nickte. »Gern. Ich bin sehr gespannt.«

»Ich gratuliere dir, mein Lieber«, Friederike hob ihr Champagnerglas in Peters Richtung. »Es ist sensationell geworden.« Peter Engel hatte ihr das Haus gezeigt, mit stolzgeschwellter Brust. Jetzt saßen sie mit Marlene in der großzügigen Lounge, nur durch eine Glasfront vom Meer getrennt, und stießen an: auf die Einweihung und auf ihr Wiedersehen.

»Wenn die gestrenge Frau Brenner kaum Fehler findet, dann ist es ja perfekt.« Peter Engel lächelte sie an. »Aber wir haben jetzt ja auch Marlene im Team, und die ist durch deine Schule gegangen. Man merkt das.«

Marlene sah zu Friederike. »Ich habe immer Ihre Stimme im Ohr, wenn ich meine Kontrollgänge mache, das sitzt einfach. Vielen Dank übrigens«, sie hob ihr Glas. »Ich habe wirklich viel von Ihnen gelernt.«

Sie stießen an, bevor Friederike sagte: »Wir sollten zum Du übergehen, oder? Schließlich arbeiten wir nicht mehr jeden Tag zusammen. Und kennen uns lange genug.«

»Sehr gern.« Marlene war sichtlich überrascht. »Dann hoffe ich mal, dass ich mich nicht dauernd verspreche. Möchtest du eigentlich eine Anwendung im Spa-Bereich? Wir haben eine unglaublich gute Masseurin, ich kann dir gern gleich noch einen Termin buchen. Sie hat am späten Nachmittag noch etwas frei.«

Friederike sah unschlüssig auf die Uhr. »Klingt gut, aber es ist ja gleich schon halb drei. Und ich würde gern einen Strandspaziergang machen, bevor die anderen Kollegen hier eintrudeln. Das erste Treffen ist ja schon vor dem Essen, das wird mir zu hektisch. Aber vielen Dank.« Sie setzte ihr leeres Glas auf dem kleinen Tisch ab. »Ich gehe kurz aufs Zimmer und laufe dann zur *Weißen Düne*, in der Hoffnung, dass sich da nicht viel verändert hat. Es war immer mein Lieblingslokal. Also bis später.«

Sie erhob sich langsam und legte Peter Engel kurz die Hand auf die Schulter. »Hast du Lust, ein Stück mitzulaufen?«

»Unbedingt.« Er stand sofort auf. »Das passt sogar hervorragend, ich habe nämlich mein Auto gestern Abend dort stehengelassen. Und du kannst dir überlegen, ob du mit mir zurückfährst oder allein zurückläufst. Also, Marlene, bis später.«

Während des Studiums hatte sie sich mit Peter Engel angefreundet. Dreißig Jahre war das jetzt her. Der verwöhnte Peter tat sich von Anfang an schwer im Unibetrieb, und Friederike, die es gewohnt war, anderen zu guten Noten zu verhelfen, sprang ihm gern zur Seite. Er bewunderte ihren Verstand, sie mochte seine Großzügigkeit. Peter ging grundsätzlich nicht gern allein essen, ins Kino oder ins Theater, er bedankte sich für Friederikes Hilfe, indem er sie überall mit hinnahm und wie selbstverständlich bezahlte.

Nach einem Theaterabend, der in einer Bar geendet hatte, waren sie beide betrunken genug gewesen, um miteinander ins Bett zu gehen. Sie merkten bald, dass es nicht das war, was sie verband – gerade rechtzeitig genug, um sich einzugestehen, dass sie gute Freunde, aber ein lausiges Liebespaar waren. Die Freundschaft blieb, sie war sogar so stabil, dass Friederike ihn einmal zu einem der heiligen Pfingsttreffen mitgenommen hatte. Erst als Ulli in ihr Leben trat, verlor Peter für sie an Bedeutung. Und nachdem sie sich eine Weile ganz aus den Augen verloren hatten, waren sie sich vor ein paar Jahren auf einer Reisemesse wieder begegnet. An die enge Freundschaft konnten sie nicht anknüpfen, auch wenn sie sich immer wieder vornahmen, sich öfter zu sehen. Aber sie hatten beide zu wenig Zeit.

Sie gingen durch den Seiteneingang des Hotels direkt zum Strand und steuerten der Sonne entgegen in Richtung der *Weißen Düne*. Der Weg dorthin dauerte, wenn man gemächlich ging, eine knappe Stunde. Friederike atmete tief durch und schaute aufs Meer. »Ich war zu lange nicht mehr hier. Ich hatte fast vergessen, wie schön es hier ist.«

Peter Engel sah sie forschend an. »Warum eigentlich? Hast du mir nicht mal erzählt, dass ihr hier eine Wohnung habt? Du warst doch früher oft hier.«

»Meine Güte, das ist eine Ewigkeit her, sicher zehn Jahre.« Friederike mied seinen Blick. »Die Wohnung gehörte Ulli. Wobei ich gar nicht weiß, ob er sie noch hat.«

»Ach so, ich hatte immer gedacht, es sei deine gewesen«, beeilte sich Peter zu sagen. »Aber jetzt kannst du ja ins *Meerhotel* kommen. Jetzt hast du wieder einen Grund. Ich kannte die Insel vorher gar nicht. Und jetzt bin ich schockverliebt. Ich glaube, ich werde sehr oft hier sein. Also, wann immer du kommen willst: Im *Meerhotel* ist immer ein Zimmer für dich frei.« Er machte eine kleine Pause. »Und sonst? Was macht dein Gutshof?«

»Schlechtes Thema, der bringt mich im Moment wieder mal an meine Grenzen. Jetzt ist die gesamte Heizungsanlage marode; immer wenn man glaubt, man hat mal kurz Ruhe, gibt irgendetwas anderes seinen Geist auf. Über kurz oder lang werde ich das Ding verkaufen müssen, falls sich jemand findet, der sich das antun möchte.«

Peter seufzte. »Das kenne ich. Ich habe mir vor ein paar Jahren ein altes Haus in Südfrankreich gekauft, das bringt mich auch um den Verstand. Aber dein Hof liegt doch so schön, ich würde mir das überlegen. Das Renovieren lohnt sich in jedem Fall. Ich kenne einen guten Architekten in Bremen, der soll sich das mal ansehen, und dann machst du einen Rundumschlag und hast die nächsten Jahre Ruhe. Das mache ich in Frankreich jetzt auch. Diese ewige Bastelei bringt doch nichts.«

»Rundumschlag, um Ruhe zu haben«, das konnte nur jemand sagen, der sich nie Gedanken ums Geld gemacht hatte, dachte Friederike. Sie hatte nur keine Lust, ihm zu sagen, dass ihr Problem nicht die fehlende Zeit, sondern die fehlende Million war. Das konnte sich jemand wie Peter Engel natürlich nicht vorstellen. Deshalb ging sie nicht auf seinen Vorschlag ein. »Ist deine neue Freundin eigentlich auch hier? Wie heißt sie noch?«

»Jacqueline.« Er lächelte zufrieden. »Ja, sie ist auch da. Du lernst sie nachher kennen.«

»Jacqueline.« Friederike ließ den Namen auf der Zunge zergehen. »Was macht sie? Fotomodell? Schauspielerin? Schmuckdesignerin? Lass mich raten: groß, schlank, lange blonde Mähne, dreißig?«

»Du kleine Giftspritze.« Peter grinste immer noch. »Jacquie ist einen Kopf kleiner als du, sehr sportlich, hat kurze dunkle Locken und ist unsere Masseurin. Und Leiterin des Spa-Bereichs. Und genau fünf Jahre jünger als ich. Wir kennen uns schon seit zwei Jahren, aber es hat hier erst gefunkt. Dieses Mal ist es ernst. Und bei dir? Hattest du nicht eine Liaison mit eurem Koch? Oder ist das schon wieder vorbei?«

Jetzt fing Friederike an zu lachen. »Nein, es war nicht der Koch, sondern der Barkeeper. Und wir sind immer noch zusammen. Er leitet jetzt die *Bluebar*.«

Abrupt war Peter stehengeblieben. »Du redest jetzt aber nicht von Tom Henries, oder?«

»Doch.« Überrascht drehte Friederike sich um. »Warum?«

»Das wusste ich nicht, du hast mir nie gesagt, wie er heißt. Tom Henries. Den wollen wir unbedingt haben. Wir planen in Hamburg das nächste Projekt. An der Außenalster. Das Spannendste, was wir jemals gemacht haben. Das wird das letzte große Familienvorhaben. Wir stellen den Hamburgern das beste Hotel der Stadt hin, das *Grandhotel,* alles nur erste Sahne: Spitzenrestaurant, sensationelle Dachterrassenbar, Spa-Landschaft, skandinavisches Design, wir spielen da in einer ganz anderen Liga. Und suchen uns dafür nur die Spitzenleute aus. Da haben wir natürlich auch Tom Henries angesprochen und ihm die Bar angeboten. Er wollte noch Bedenkzeit. Bis nächste Woche.« Er unterbrach seine Erklärungen, als er Friederikes Gesicht sah. »Aber er hat eine ganz andere Adresse angegeben, deine kenne ich ja, das wäre mir aufgefallen.« Er machte eine kleine Pause. »Er ist jünger als du, oder?«

»Sag mal«, verärgert sah sie ihn an. »Bist du das eigentlich auch mal gefragt worden? Manuela war achtzehn Jahre jünger als du, da habe ich auch nicht nachgefragt. Warum muss ich eigentlich so eine beknackte Frage beantworten? Ist ein jüngerer Partner Privileg der Männer?«

»Das war überhaupt nicht böse gemeint.« Peter hatte sofort die Hände gehoben. »Und natürlich ist das eine blöde Frage, sorry. Ich ziehe sie zurück. Dass du mit *dem* Tom Henries zusammen bist, wusste ich wirklich nicht. Sei nicht sauer. Aber dass er dir das nicht gesagt hat …«

Sie schüttelte den Kopf. »Wir leben nicht zusammen, wenn du das meinst«, sagte sie, »Und wir sehen uns auch nicht jeden Tag. Tom bekommt immer mal wieder solche Angebote, das erzählt er erst, wenn es konkret wird.«

Sie hatten sich in den letzten Wochen tatsächlich nicht viel gesehen. Friederike hatte den Kopf voll gehabt, war abends erst spät nach Hause gekommen und wegen ihrer Schlafstörungen so müde, dass sie überhaupt keine Lust auf Gespräche hatte oder auf Sex – und schon gar nicht auf Diskussionen über Toms Idee, bei ihr einzuziehen. Sie konnte im Moment keine Gesellschaft brauchen, ihr ging zu viel im Kopf herum.

»Aha.« Peter sah sie interessiert an. »Getrennte Wohnungen also? Und ihr seht euch nicht jeden Tag? Das klingt irgendwie ganz anders als damals mit Ulli. Mit dem warst du doch immer so eng. Immerhin hattest du kaum noch Zeit für irgendetwas anderes. Ich kann mich noch gut daran erinnern, alle anderen waren ziemlich abgemeldet.«

»Meine Güte, das ist eine Ewigkeit her.« Friederike sah zum Meer. »Da waren wir noch jung. Und mussten erst noch rausfinden, wie wir überhaupt leben wollen. Symbiotische Beziehungen könnte ich heute nicht mehr ertragen.«

Sie schob den Arm unter seinen und sagte betont munter: »Ich werd's schon noch früh genug von Tom erfahren. Er weiß ja gar nicht, dass wir uns kennen.«

»Getrennte Wohnungen.« Peter schüttelte den Kopf. »Für mich wäre das nichts. Man will doch in unserem Alter nicht mehr allein sein.«

»Aber Tom ist ja jünger«, versuchte Friederike einen Witz. »Und ich halte diese engen Beziehungen inzwischen für Gefühlskiller. Jeden Tag den anderen auch ungewaschen und verschlafen zu sehen ist doch furchtbar.«

»Ist das dein Ernst?« Peter schüttelte den Kopf. »Dann willst du gar keine Verbindlichkeit? Kein gemeinsames Leben? Das ist schade.«

»Seit wann bist du denn so ein Romantiker?« Friederike zog ihren Arm zurück. »Mach dir keine Gedanken um mich. Das mache ich nicht mal selbst.«

Peter sah sie ernsthaft an. »Ich wollte sowieso noch was mit dir besprechen. Etwas, das wegen deines Toms jetzt vielleicht schwierig wird.«

Friederike sah ihn fragend an.

»Na ja«, Peter verlangsamte seine Schritte. »Stichwort *Grandhotel Hamburg*. Ich kann das beste Hotel des Nordens nur führen, wenn ich die beste Geschäftsführerin der Welt habe. Könntest du dir das vorstellen? Hamburg? Dann kannst du auch gleich deinen Liebsten überreden, und ihr kommt zusammen.«

Friederike blieb stehen. »Machst du mir ein Angebot? Ernsthaft?«

»Ja, natürlich. Meinst du nicht, dass es mal Zeit wird für eine Veränderung?«

»Ich soll noch mal wechseln? Nein, das sehe ich nicht. Ich glaube, ich habe gar keine Lust mehr auf Neuanfänge. Mir geht es wirklich gut in Bremen.«

»Friederike Brenner.« Peters Stimme troff plötzlich vor Sarkasmus. »Also echt. Das ist doch nicht die Friederike, die ich kenne! Es steht mir vielleicht nicht zu, aber ich frage mich schon die ganze Zeit, wo die alte Friederike geblieben ist. Was ist denn nur mit dir passiert?«

Ohne erkennbare Regung sah Friederike ihn an. »Was meinst du damit?«

»Friederike«, Peter hob übertrieben theatralisch seine Arme. »Du warst immer und überall die Beste. Du hast in großen europäischen Hotels gearbeitet und überall einen super Job gemacht. Du sprichst mehrere Sprachen, hast beste Zeugnisse, und was machst du? Du igelst dich seit Jahren in Bremen ein, jeden Tag im selben Hotel, jeden Tag derselbe Ablauf, jeden Abend fährst du auf deinen, wie ich jetzt höre, maroden alten Gutshof. Früher hast du immer für die Sachen gebrannt, warst immer auf der Suche nach neuen Herausforderungen. Entschuldige, wenn ich das jetzt so offen sage: Ich finde, in Bremen verschleuderst du deine Talente. Gib doch noch mal Gas und komm ins Gründungsteam.«

»Ich weiß nicht.« Sie hatte ihn die ganze Zeit angesehen, ohne mit der Wimper zu zucken. »Ich habe einfach keine Lust mehr auf Neuanfänge. Ich fühle mich ganz wohl in Bremen. Wirklich.«

Aber Peter Engel war noch nicht fertig. »Überleg's dir noch mal mit Hamburg. Oder besprich dich mit Tom. Vielleicht kommt ihr einfach zusammen. Aber lass diese Chance nicht an dir vorüberziehen. Wir sind nicht mehr dreißig, und so viele Neuanfänge werden uns nicht mehr ermöglicht. Marlene ist übrigens auch der Meinung, dass du die Richtige wärst und dich in Bremen unter Wert verkaufst.«

Friederike setzte sich ohne eine Antwort wieder in Bewegung. Marlene, diese alte Klatschtante. Und Friederike hatte ihr dämlicherweise das Du angeboten. Was für ein Fehler.

Sie gingen eine Weile schweigend den Strand entlang. Ihre Schuhe hatten sie ausgezogen, ab und zu schwappte ihnen eine Welle über die Füße, das Wasser war kalt, versprach aber schon den kommenden Frühsommer. Der Himmel war jetzt wolkenlos, die Möwen kreisten über dem Wasser, machten Zwischenstopps auf den Buhnen, bevor sie abhoben, um am Flutsaum wieder zu landen. Ihr Geschrei war das einzige Geräusch neben dem Rauschen der auslaufenden Wellen. Wie hatte ihr das gefehlt, dieser Geruch nach Meer und Strand, der Sand unter ihren Füßen, diese Ruhe, die Weite und dieser Frieden. Das Durcheinander in ihrem Kopf schien sich im sanften Wind aufzulösen, nichts war im Moment so dringend, als dass sie jetzt darüber nachdenken musste. Nur das Meer, die Weite und der Wind. Alles andere wurde klein.

»Ich hoffe, ich setze dich nicht unter Druck.« Peters Stimme unterbrach ihr Schweigen in dieser herrlichen Stille. »Aber du bist meine absolut erste Wahl für das *Grandhotel*. Hamburg ist eine tolle Stadt. Bitte versprich mir, dass du zumindest darüber nachdenkst.«

Friederike blieb stehen, sie hatten den Strandaufgang zur *Weißen Düne* erreicht. »Schon okay«, sagte sie. »Ich denke darüber nach. Aber bitte tu mir einen Gefallen und erzähl Tom nichts von unserem Gespräch. Er soll seine Entscheidung unabhängig von mir treffen.«

»Wenn du meinst«, skeptisch sah Peter sie an. »Dann bleibt es unter uns.«

Friederike nickte. Peters Angebot war ihr ziemlich egal. Sie empfand weder Freude noch Aufregung – und schon gar nicht fühlte sie sich geehrt. Sie hatte nur einfach keine Lust, nach Hamburg zu ziehen. Auch nicht mit Tom. Und erst recht nicht wollte sie mit ihm irgendetwas diskutieren, das eine gemeinsame Zukunft versprach.

Peter zeigte zum Strandaufgang. »Dein Lieblingslokal. Trinken wir noch was, bevor wir zurückfahren?«

»Nein«, sie legte ihm die Hand auf den Arm. »Ich laufe lieber zurück. Ich war so lange nicht hier, und wir haben ja noch Zeit. Wir sehen uns dann um achtzehn Uhr an der Hotelbar, okay?«

»Na klar«, er lächelte sie an. »Du kannst diesen Spaziergang ja schon mal nutzen, um dir Gedanken zu machen. Dann bis später.«

Friederike sah ihm nach, bis er hinter der Düne verschwunden war, dann begann sie den Rückweg. Talente verschleudern. Das hatte sie alles schon so oft gehört. Im Moment hatte sie ganz andere Dinge im Kopf, mit denen sie sich dringend befassen musste. Wie sollte sie Zukunftspläne schmieden, wenn sie nicht zuvor die Trümmer ihrer Vergangenheit aufgeräumt hatte?

Plötzlich waren sie wieder da, all die Bilder. Ulli und sie, Hand in Hand, an genau dieser Stelle, sie beide, eng nebeneinander auf der Promenade beim Sonnenuntergang, kitschige Bilder, zu viel Gefühl. Aber auch das Bild von Marie tauchte auf. Sie war ein paar Mal mit auf Norderney gewesen, sie mochte Ulli sehr, was auf Gegenseitigkeit beruhte. Es waren leichte Tage gewesen, mit Meer und Sonne und einer glücklichen Marie, die von Ulli lernte, wie man Steine übers Wasser tanzen ließ.

Friederike kniff die Augen zusammen. Weit vor ihr lief ein Mann mit Hund. Seine grüne Jacke erinnerte sie an Ullis Lieblingsjacke, sie hatte genauso ausgesehen. Allerdings hasste Ulli Hunde, zumindest war es damals so gewesen, als Kind war er mal gebissen worden. Ulli war damals acht gewesen, und Friederike fragte sich, warum sie sich immer noch an diese Geschichte erinnerte. Nicht nur jetzt, sondern jedes Mal, wenn sie einen nicht angeleinten Hund sah. Es war in ihr Gehirn gebrannt. Und nicht nur diese Episode, sondern so viele andere auch. Auf ihrer Festplatte war im Moment wirklich kein Platz für die Zukunft. Dafür musste erst die Vergangenheit gelöscht werden. Und das war schwer.

Friederike blieb stehen und sah aufs Wasser. Manchmal, wenn sie mit Tom schlief, dachte sie noch immer an Ulli: seine Hände, sein Mund, seine Stimme, sein warmer Rücken, an dem sie einschlief, sein Lächeln, mit dem er sie morgens ansah. Es war alles so vertraut gewesen. Tom war nicht Ulli. Er war anders. Ganz anders. Und genau das war immer öfter das Problem. Alles war heute anders.

Sie bückte sich und hob einen flachen Stein auf, den sie lange betrachtete. Übers Wasser tanzen können, das wär es jetzt. Sie holte Schwung und ließ den Stein flach über die Wasseroberfläche fliegen. Er sprang dreimal. Dreimal. Jule, Alexandra und sie. Die Übriggebliebenen. Marie hatte keine Gelegenheit mehr, ihr Leben zu verändern. Dafür war es zu spät. Die Übriggebliebenen aber, die konnten das noch. Vielleicht würde es langsam Zeit, die Gespenster der Vergangenheit zu verjagen.

Maries Tagebuch

Es ist 18 Uhr, aber eigentlich ist es erst 17 Uhr. Das nennt sich jetzt Sommerzeit, und ich kann mir nicht vorstellen, dass wir uns jemals daran gewöhnen werden und dass es so bleibt. Aber bitte. Seit April sind die Uhren vorgestellt, und im Oktober wird alles wieder zurückgedreht. Damit es abends länger hell ist. Ich finde es total schwachsinnig, aber mich fragt ja keiner. Jule hingegen findet es toll, weil sie helle Abende mag, Alexandra ist es egal, und Friederike ist dagegen. Also alles wie immer, wenn es um Neues geht. Alle drei sind vorhin mit den Fahrrädern ins *Café Beermann* gefahren, Eis essen, ich habe gesagt, dass ich mich hinlegen wollte, weil ich ein bisschen schlapp war. Jule wollte natürlich sofort hierbleiben, aber ich habe gesagt, dass ich das doof fände, sie sollten ruhig losradeln, wir fahren sowieso noch mal zu *Beermann*, beim nächsten Mal käme ich wieder mit. *Beermann* hat einfach das beste Bananensplit, es fällt mir sowieso schwer, auf diesen Ausflug zu verzichten, aber etwas anderes ist wichtiger: die Überraschungsparty. Und für die müssen meine Mutter und ich noch die letzten Kleinigkeiten fertig machen. Damit es morgen auch noch eine Überraschungsparty ist. Die anderen ahnen nämlich nichts. Und für diese Überraschung lohnt sich auch der Verzicht auf ein Bananensplit. Meine Mutter hatte die Idee, ein großes Gartenfest zu machen, sozusagen als Abschluss unserer letzten Ferien am See. Und weil wir nun alle vier volljährig sind. Und übrigens dieses Jahr auch wählen dürfen. Darüber gibt es aber echte Diskussionen. Jule will diese neue Partei wählen, »Die Grünen«, weil sie ständig Angst vor einem Atomkrieg hat. Friederike hat gesagt, solange die Leute bei Versammlungen stricken, nimmt sie die nicht für voll. Jule war beleidigt, weil die ja seit kurzem auch überall strickt. Ich habe schon zwei Schals und einen Pullunder von ihr.

Es klingt komisch, »die letzten Ferien am See«. Aber vermutlich wird es so sein. Nächstes Jahr um diese Zeit haben wir nämlich alle unser Abitur in der Tasche. Friederike und Alex garantiert, Jule hoffentlich und ich mit Glück. Ich muss ja im Dezember noch mal vier Wochen zur Kur, die Zeit wird mir wieder mal fehlen. Aber meine Eltern finden meine Gesundheit wichtiger als die Abiturnoten, und ich habe ja Friederike. Die wird mich auch dieses Mal auf dem Laufenden halten und mir auf die Sprünge helfen, wenn ich im Januar wieder da bin. Das ist ja nicht das erste Mal. Aber vermutlich das letzte. Wir werden sehen. Jedenfalls wird es schwierig, nach den Abiprüfungen zwei Wochen zu finden, in denen wir alle hier sein können. Jule hat nämlich schon einen Praktikumsplatz in einer Physiotherapiepraxis in Weißenburg. Sie ist echt die Erste von uns, die genau weiß, was sie nach dem Abitur machen will. Nämlich Physiotherapeutin werden. Die kleine Jule, die ist tatsächlich fest dazu entschlossen. Sie fängt da gleich nach dem Abi an, also ohne Ferien sozusagen. Die Praxis ist in derselben Straße wie die Schule, sie muss sich noch nicht einmal an einen neuen Weg gewöhnen, das ist doch auch nicht schlecht. Da läuft es mit Fiedi ganz anders, die hat überhaupt noch keine Ahnung, was sie machen wird. Noch nicht mal einen Hauch von Ahnung. Das ist schon blöd, wenn man in allen Fächern gut ist, dann kann man sich auch wirklich schlecht entscheiden. Alex weiß wenigstens, dass sie irgendetwas mit Büchern machen möchte. Sie weiß noch nicht genau, was, aber Bücher müssen dabei vorkommen. Und ich möchte Fotografin werden. Da bin ich ganz sicher. Papa kennt eine Fotografin in Hamburg, die hat gesagt, ich könne gern meine Ausbildung bei ihr machen. Das hat mich so gefreut, ich weiß nur noch nicht, wie ich das mit der Wohnung machen soll. Von zu Hause ist es zu weit, da kann ich nicht jeden Tag fahren, und meine Eltern wollen nicht so gern, dass ich in Hamburg alleine wohne. Falls mal was passiert. Da lassen sie im Moment auch noch nicht mit sich reden, ich warte das mal ab. Vielleicht sind meine Werte im nächsten Jahr auch so gut, dass Dr. Vesper grünes Licht gibt. Daumen drücken.

Aber zurück zur Party. Fiedi und ich sind ja schon in den letzten Sommerferien 18 geworden, das haben wir gar nicht richtig groß gefeiert, aber wir waren ganz toll essen, zusammen mit Jule, Alex, meinen Eltern und Fiedis Mutter. Das war wirklich ein schöner Abend, ganz elegant und so, wir fühlten uns ziemlich erwachsen. Jule und Alex sind ja erst im Frühjahr volljährig geworden, deshalb wollten wir eigentlich sowieso eine 18-Jahre-Party zusammen feiern. Eigentlich an Alexandras Geburtstag am 8. März, aber da war ich schon wieder im Krankenhaus, weil ich so eine blöde Lungenentzündung hatte und die Ärzte nicht wussten, ob mein müdes Herz das auch ohne ärztliche Hilfe hinbekommt. Es ist wirklich nervig, immer wenn etwas Tolles bevorsteht, mache ich schlapp. Nein, ich will nicht ungerecht sein, nicht immer, aber schon oft. Jule war dieses Mal irgendwie ganz fertig, sie kam ein paar Mal in die Klinik nach Hamburg und hat mich dann mit Mundschutz und in diesen grässlichen grünen Anzügen, die ich langsam nicht mehr sehen kann, besucht. Und sie hat jedes Mal geheult, so dass ich sie immer trösten musste statt umgekehrt. Sie ist echt total sensibel, sie kann solche Sachen überhaupt nicht ab. Alex hat ihr dann verboten, in die Klinik zu fahren, sie kriegte sich hinterher kaum wieder ein. Die Gute. Sie hat immer Angst um mich. Fast schon schlimmer als meine Eltern.

Aber das ist ja jetzt alles überstanden, und morgen kommt nun endlich das große Fest. Alex, Fiedi und Jule denken, dass wir morgen Abend ein bisschen grillen wollen. Das ist natürlich Quatsch, schließlich ist das Motto 4 x 18, und das im Sommer. Deshalb kommen auch die Familien von allen dreien, samt Geschwistern und Eltern, dazu ein paar Leute aus der Schule, natürlich nur die netten, Jules Tennisfreundinnen Gila und Christiane, dann von Alex' Schülerzeitung Bibi, Thomas und Markus, ich glaube, wir sind so ungefähr fünfzig. Wir haben sogar jemanden, der Platten auflegt, er heißt Simon und hat letztes Jahr beim Schützenfest bei uns im Dorf Musik gemacht, ich fand den ganz toll. Ich muss ihm nur sagen, dass er nicht nur Boney M. und Abba spielen soll, sondern mindestens einmal ›Bobby Brown‹ von Frank Zappa. Das ist gerade Friederikes Lieblingslied, die von unserem, wie sie immer sagt, Discoscheiß sofort Pickel kriegt. Alexandra ist da etwas gemäßigter. Ihr Musikgeschmack ist zwar auch etwas anders als Jules und meiner (wir mögen nämlich beide Abba und Olivia Newton-John), sie regt sich nur nicht so darüber auf. Solange sie nicht nach den Village People tanzen muss, ist ihr der Rest egal. Bei »YMCA« bekommt sie nämlich auch Pickel.

Das Essen lassen wir von einem Lokal aus dem Nachbarort liefern, die Bänke und Tische werden morgen früh aufgestellt. Spätestens dann werden die anderen auch wissen, was hier morgen Abend läuft. Ich hoffe nur, dass Friederike nicht gleich wieder schlechte Stimmung macht. Im Moment ist das leider öfter der Fall. Ich weiß nicht genau, was mit ihr eigentlich los ist, sie erzählt einfach nichts. Ich glaube, es hat was mit ihrer Mutter zu tun. Die hatte ja in den letzten beiden Jahren einen Freund, Fred, der war eigentlich ganz nett. Aber der hat sich irgendwie nicht richtig von seiner Frau getrennt. Oder hatte es, laut Friederike, gar nicht richtig vor. Oder er ist wieder zu ihr zurück, genau habe ich es nicht verstanden, als Esther heulend bei uns in der Küche saß und meiner Mutter alles erzählt hat. Und ich wollte mich auch nicht dazusetzen, Esthers Liebesgeschichte interessiert mich ehrlich gesagt nicht besonders. Sie erzählt auch alles immer so umständlich und dramatisch, es ist kaum zu ertragen. Ich wundere mich wirklich, dass meine Mutter das alles aushält, aber vielleicht sind sie einfach schon zu lange befreundet, um sich gegenseitig noch etwas übel zu nehmen. Und manchmal denke ich, dass meine Mutter eh eine Heilige ist. Und Esther Glück hat, so eine beste Freundin zu haben. Jedenfalls ist Esther jetzt wieder allein und ohne Partner, und das findet sie schrecklich. Weil sie auch nicht genug Geld hat, abends mal auszugehen, um jemanden kennenzulernen. Und sie will jemand Neuen, sie sieht nämlich überhaupt nicht ein, allein zu bleiben, nur weil der Erzeuger von Friederike so ein Idiot war. Klingt kompliziert, oder? Ist es auch. Oder besser, es ist wirr. Weil Esther immer den anderen die Schuld für ihr verkorkstes Leben gibt. Das hat mein Vater mal gesagt, den das mittlerweile ziemlich nervt. Aber er darf nichts gegen Esther sagen, meine Mutter verteidigt sie aufs Blut. »Carl«, sagt sie immer, »Esther hatte es in ihrem Leben nicht leicht, sie kann nichts dafür, dass sie so ist.« Mein Vater verdreht dann immer die Augen. Friederike und ich reden kaum über ihre Mutter. Ich bin mir sicher, dass Esther ihr wahnsinnig peinlich ist und dass sie, sobald sie kann, zu Hause ausziehen wird. Sonst gibt das demnächst einen Riesenkrach zwischen den beiden. Das geht gerade überhaupt nicht gut. Ich habe Fiedi vorgeschlagen, dass wir doch nach dem Abitur zusammen nach Hamburg ziehen könnten. In eine Wohnung, so richtig als WG. Dann wären meine Eltern beruhigt, wir sind ja fast wie Schwestern, das wäre doch großartig. Aber Fiedi hat nur mit den Achseln gezuckt und gemeint, sie hätte noch keine Ahnung, was nächstes Jahr wäre und wo sie was machen wolle. Und außerdem würde ihr Esther garantiert keine Wohnung in Hamburg bezahlen, das könne sie auch gar nicht. An der Stelle habe ich nicht mehr nachgehakt; wenn Fiedi so negativ ist, hat das keinen Zweck. Manchmal nervt es mich, dass sie immer wieder darüber redet, dass Esther und sie nicht so viel Geld haben. Ich kann das ja verstehen, aber was soll ich denn machen? Mich ständig dafür entschuldigen, dass meine Eltern so viel haben? Meine Mutter macht doch schon so viel für die beiden, aber irgendwie reicht es Esther nie. Und Fiedi manchmal auch nicht.

Ich merke gerade, dass diese letzten Zeilen so klingen, als hätte ich Probleme mit Fiedi. Das stimmt aber nicht. Zumindest nicht oft. Nur manchmal, wenn sie diese selbstmitleidige und unzufriedene Nummer macht, dann erinnert sie mich an Esther. Und mit der habe ich tatsächlich ein Problem. Das sage ich nur an dieser Stelle und dann nie wieder. Aber ich finde schon, dass sie meine Mutter ziemlich ausnutzt, und das ärgert mich manchmal. Friederike ist sonst aber nicht wie Esther. Sie ist viel klüger und witziger und hilfsbereiter. Ganz ehrlich, ohne sie wäre ich vom Abitur im nächsten Jahr noch Meilen entfernt. Und auf ihre Art ist sie toll.

Ich muss langsam mal Schluss machen, weil Fiedi, Alex und Jule jeden Moment reinkommen können. Meine Mutter und ich sind noch mit den letzten Vorbereitungen beschäftigt, dann kann es losgehen. Ich freue mich auf die Party. Sehr, sehr. Dann hoffe ich mal, dass uns die Überraschung gelingt und dass wir die ganze Nacht durchtanzen werden. Ich natürlich nicht, aber ich sehe auch einfach gern zu. Vor allen Dingen wenn Alexandra und Jule tanzen, die können das super. Fiedi ist nicht so die Tänzerin. Aber sie sitzt dann immer neben mir und lästert über alle, die sich vor uns bewegen. Und ich könnte mich jedes Mal schlapp lachen. Sie kann echt so witzig sein. Immer wenn sie Fiedi ist, dann ist sie wirklich witzig und so klug. Aber manchmal ist sie auch Friederike. Dann kann sie schwierig sein. Ich hoffe, dass sie immer auch Fiedi bleibt. Ich finde uns vier überhaupt alle toll. Und ich kann mir gar nicht vorstellen, dass es hier wirklich die letzten Sommerferien am See sind. Wir müssen uns unbedingt etwas ausdenken. Ein fester Termin im Jahr. Sonst halte ich es nicht aus. Und die anderen wahrscheinlich auch nicht. So. Das war's für den Moment. Bis auf dieses:

Das Schöne heute: die Sonne, die Wassertemperatur, Jule, Friederike und Alexandra

Das Blöde: heute nichts. Gar nichts.

1982

Pfingsten am See

Marie öffnete die Haustür, als der knallrote Käfer über den knirschenden Kies die Auffahrt hochkam und vor den Rosenbeeten zum Stehen kam. Sie ging langsam die Treppe hinunter und öffnete einer strahlenden Jule die Autotür. »Na?« Mit stolzer Geste zeigte die auf den Wagen. »Was sagst du?«

»So schön!« Marie strich mit dem Zeigefinger bewundernd über den glänzenden Lack, bevor sie sich zu Jule drehte und sie ganz fest umarmte. »Wirklich toll. Und so rot. Passt total gut zu dir.« Sie ließ Jule wieder los und ging langsam um den Wagen. »Sieht aus wie neu. Herzlichen Glückwunsch!«

»Danke.« Jule nickte zufrieden. »Ich bin immer noch ganz aufgeregt. Mein erstes Auto. Fühlt sich irre an! Ich habe ihn übrigens Norbert getauft. Er läuft genauso elegant.«

»Norbert?« Marie sah sie irritiert an. »Was ist denn an Norbert elegant?«

»Marie!« Jule klappte den Sitz nach vorn, um ihre Reisetasche von der Rückbank zu heben. »Du hast mal wieder keine Ahnung. Norbert Schramm. Seit diesem Jahr der amtierende Europameister im Eiskunstlauf. Und sehr elegant. Ich finde den super.« Sie schob den Sitz wieder zurück und schlug die Autotür zu. »So. Da wären wir dann wieder. Frohe Pfingsten! Wo sind denn die anderen? Oder bin ich die Erste?«

»Bist du«, Marie wartete, bis Jule neben ihr stand, dann ging sie neben ihr langsam aufs Haus zu. »Alexandra leiht sich das Auto von ihrer Schwester und holt dann Friederike in ihrer Kneipe ab. Die beiden kommen aber auch bald.«

Jule schulterte ihre Tasche, während sie die Treppe hochstieg. An der Tür hielt sie inne und sah Marie forschend an. »Und wie geht es dir? Du hattest doch letzte Woche wieder deine Untersuchung.«

»Gut, danke.« Marie stieß die Tür auf und ging vor. »Alles gut, du musst dir keine Gedanken machen.« Sie ignorierte Jules skeptischen Blick. Warum sollte sie ihr erzählen, dass sie wieder ein neues Medikament ausprobieren musste, dass ihre Mutter immer noch nichts davon hören wollte, dass Marie in eine eigene Wohnung zog, weil sie fand, dass ihr Gesundheitszustand das nicht zuließ, dass sie es manchmal so satt hatte, keine langfristigen Pläne machen zu können, weil jederzeit ein neuer Klinikaufenthalt notwendig sein konnte? Warum sollte sie Jule auch noch damit belasten? Sie war ohnehin diejenige, die sich am meisten Sorgen um Marie machte. Und außerdem war jetzt das erste Wochenende, an dem alle vier endlich mal wieder für drei Tage zusammen waren, da gab es wirklich schönere Themen als Maries Herz.

Seit die Schule vorbei war und sie alle mehr oder weniger arbeiteten, hatten sie es nur selten geschafft, sich zu treffen. Alexandra hatte ein kleines Zimmer in einer WG in Hamburg bezogen, seit sie das Volontariat in einem Hamburger Verlag machte. Marie hatte sie dort einmal besucht und war entsetzt gewesen, wie winzig das Zimmer war. Sie hätte Platzangst bekommen, aber Alex war froh, dass es so günstig war und sie mit dem Fahrrad zum Verlag fahren konnte. Friederike und Marie hatten auch die Mitbewohner von Alex kennengelernt, zwei Jungs, von denen einer Musik und der andere Philosophie und Geschichte studierte. »Das sind vielleicht zwei Vögel«, hatte Friederike Jule anschließend erzählt. »Der Musiker ist total irre und schläft mit seiner Geige im Bett, und der Philosoph ist die meiste Zeit so zugekifft, dass er Alex immer nur anlächelt und kein Wort mit ihr spricht. Ich finde die zwei eigentlich ganz lustig, aber Alex ist dabei, irre zu werden. Ich glaube, sie sucht sich bald was Neues.«

Friederike hatte es sofort bereut, Jule von den Typen erzählt zu haben. Denn seither machte Jule sich in bewährter Jule-Manier Sorgen um Alex. Als könnte die nicht auf sich selber aufpassen. Jule wohnte noch zu Hause, genauso wie Friederike und Marie, hatte aber neulich angedeutet, dass sie auch bald ausziehen würde. Die Entscheidung sollte nächste Woche fallen, sie würde es den anderen aber erst erzählen, wenn alles unter Dach und Fach war. Vorher lieber nicht, sonst würde nichts draus, Jule war abergläubisch.

Friederike war die Einzige, die in diesem Jahr schon einmal am See gewesen war. Sie war über Ostern zu Besuch gekommen, allerdings nur für zwei Tage, dann war sie so genervt von ihrer Mutter gewesen, dass sie wieder nach Hause fuhr. Esther aber blieb und lamentierte. Im Moment am liebsten über Friederike, die alles falsch machte. Marie war dann mit Friederike mitgefahren und hatte mit ihr den Rest der Ostertage in Brove verbracht. Wo Friederike die meiste Zeit über Esther lamentierte, die auch alles falsch machte. Und beide es blöd fanden, dass Jule und Alexandra andere Pläne gehabt hatten.

»Ich bringe die Tasche schnell nach oben«, sagte Jule und war schon an der Treppe. »Und dann muss ich dir ganz viel erzählen. Es ist jede Menge passiert.«

»Da bin ich gespannt!« Marie blieb unten stehen. »Ich mache uns mal einen Tee. Deine Handtücher habe ich aufs Bett gelegt.«

Im Gästezimmer stellte Jule ihre Tasche auf den Sessel neben dem Fenster und ließ sich langsam auf das rechte Bett sinken. Sie konnte gar nicht mehr zählen, wie viele Nächte sie schon in diesem Bett geschlafen hatte. Manchmal allein, meistens aber mit Alex als Bettnachbarin. Sie hatten sich immer dieses Zimmer geteilt, wenn sie zusammen am See gewesen waren. Jule liebte es. Dieses Haus, den See, die Gastfreundschaft von Marie und ihren Eltern und ihre drei Freundinnen. Ihre besten Freundinnen. Von denen sie alles wusste und denen sie auch alles erzählte. Jule spürte die Tränen kommen. Aus Dankbarkeit. Und aus Rührung. Natürlich sahen sie sich noch, telefonierten viel, aber sie alle spürten die Veränderung. Alex war in Hamburg, Friederike jobbte ebenfalls in Hamburg, auch an den Wochenenden, und brauchte für den Arbeitsweg fast eine Stunde. Marie hatte mehrere lange Reisen mit ihrer Mutter unternommen, nur Jule war noch da. Bis vor einem Jahr hatten sie sich jeden Tag in der Schule gesehen, jetzt mussten sie sich verabreden. Sie würde sich nicht daran gewöhnen. Es wurde Zeit, dass auch sie wegging. Und wieder näher bei den Freundinnen war. Aber das würde auch bald passieren. Was ein Glück.

Sie seufzte und strich beim Aufstehen über die Decke auf Alexandras Bett. Manchmal war sie einfach zu rührselig. Sie machte sich immerzu Sorgen. Um ihre Zukunft. Und um die Zukunft der anderen. Wer wusste schon, wohin es sie noch so verschlagen würde? Vielleicht würden die Jobs sie so auffressen, dass sie schon deshalb keine Zeit mehr füreinander hatten. Vielleicht würden sie auch Männer heiraten, die die anderen nicht leiden konnten, und deshalb den Kontakt abbrechen. Jule riss sich zusammen. Was sollte dieser Pessimismus? Es würde bestimmt alles gut werden, sie musste nur daran glauben. Und sie hatten doch sich: Ihre Freundschaft war das Wertvollste in ihrem Leben.

Sie ging zum Sessel, öffnete den Reißverschluss ihrer Tasche und zog ein schmales Päckchen hervor: ein Mitbringsel für Marie, sie hoffte, es würde ihr gefallen. Noch bevor sie an der Tür war, hörte sie Marie schon von unten rufen: »Jule? Wo bleibst du denn?«

Sie hatten ihren ersten Becher Tee noch nicht ausgetrunken, als das nächste Auto hupend vorfuhr. Jule sprang sofort auf und sah aus dem Küchenfenster. »Da sind sie ja schon!«, rief sie und lief zur Tür. Marie kam langsam nach, und sie fielen sich alle sofort in die Arme. Alex trug einen Jeansminirock, der ziemlich viel von ihren langen, leicht gebräunten Beinen zeigte, in der gelben Bluse mit Schulterpolstern sah sie umwerfend aus, und ihre Haare hielt sie mit einer großen, pinkfarbenen Sonnenbrille aus dem Gesicht. Als sie Marie entdeckte, ließ sie Jule los und stürmte auf sie zu. »Marie, wie schön, ich habe mir andauernd vorgenommen, bei dir vorbeizukommen, aber ich hatte dermaßen viel um die Ohren. Erzähl ich euch nachher alles.«

Friederike, in Jeans und schwarzem Herrenhemd, das aussah, als würde es Arnold Schwarzenegger gehören, drückte Jule fest an sich. Jule hielt Friederike danach ein Stück von sich weg und sagte: »Du hast eine Dauerwelle? Seit wann?«

»Seit letzter Woche«, Friederike versuchte erfolglos, ihre Haare mit den Fingern zu glätten. »Nennt sich ›Volumenwelle‹, und ich überlege mir noch, ob ich diesen Friseur verklage. Sieht doch total bescheuert aus.«

»Och, du, nö«, Jule legte den Kopf schief. »Es ist nur … ungewohnt.« Sie hatte große Mühe, den Lachanfall zurückzudrängen. »Und wem gehört dieses Hemd? Dir doch nicht, oder?« Friederikes rotbraunes Haar sah aus, als wäre es explodiert, Jule wollte das nicht so sagen, es tat ihr ja auch leid. Und Friederike reagierte auf Kritik manchmal sehr empfindlich.

»Ungewohnt«, wiederholte Friederike, »da hast du recht. Ich schreie jeden Morgen, wenn ich mich im Spiegel sehe. Wenn ich gerade aus dem Bett komme, ist es noch schlimmer. Und das Hemd ist ein Überbleibsel von Fred, du weißt schon, der letzte Freund meiner Mutter. Sie hat ja einen Hang zum Drama, sie wollte die paar Sachen, die er noch bei uns zu Hause liegen gelassen hatte, im Garten verbrennen, ich habe das Hemd aber aus dem Haufen gefischt. Und jetzt regt sie sich jedes Mal tierisch auf, wenn ich es trage. Aber es sieht doch scharf aus, oder?«

»Vor allen Dingen zu diesen Haaren«, Alexandra hatte nur den letzten Satz gehört und grinste. »Wir hatten das Thema ›Frisur‹ schon im Auto. So schlimm finde ich es auch nicht. Und es wächst ja raus. Apropos Auto, Jule, der Wagen ist echt super. Glückwunsch. Du musst noch einen ausgeben, sonst quietschen die Reifen.«

»Mach ich«, antwortete Jule stolz. »Wollen wir ins *Café Beermann*? Die werden uns sowieso schon vermissen, wir waren ja ewig nicht da.«

»Oh ja!« Marie nickte. »Wollen wir das morgen machen? Das Wetter bleibt ja so schön, und beim Eisessen muss man auf der Terrasse sitzen und auf den See gucken. Und dann können wir auch mit Norman hinfahren statt mit den Rädern. Damit er den Weg auch findet. Und eingeweiht ist.«

»Norman?« Alex sah sie fragend an.

»Norbert«, korrigierte Jule. »Nach Norbert Schramm. Wegen der Eleganz. Käfer brauchen Namen.«

»Ist das ein Tennisspieler?« Alexandra guckte sie harmlos an, Jule fasste sich an den Kopf. »Oh Mann! Norbert Schramm ist der neue Europameister im Eiskunstlauf. Mein Gott, könnt ihr nicht mal was anderes als ›Dallas‹ im Fernsehen gucken? Ihr kriegt ja gar nichts mit.«

Alex lachte nur und drückte Jules Arm. »Norbert. Okay. Wenigstens gehört er dir. Ich muss immer noch bei meiner Schwester betteln, dass ich ab und zu ihren Wagen leihen darf. Du hast es gut.«

»Ich kann ihn dir mal leihen«, bot Jule sofort an. »Du musst aber vorsichtig fahren. Sag Bescheid. Das wird ohnehin bald alles einfacher, ich habe euch so viel zu erzählen.«

»Ihr könnt ja erst mal eure Sachen ins Haus bringen, dann gehen wir runter zum Steg und beginnen mit der Berichterstattung«, schlug Marie vor. »Ich hole schon mal was zu trinken.«

Alexandra und Friederike hatten ihre Taschen nur schnell in die Zimmer gebracht und sich beeilt, durch den Garten zum See zu laufen. Auf dem Steg saßen schon Jule und Marie, vor sich eine Decke, auf der Eistee, Cola und Salzgebäck standen. Die Sonne ließ die Wasseroberfläche glitzern, ein paar Haubentaucher zogen auf der Suche nach Futter ihre Kreise vor ihnen, die Seerosen blühten bereits, in weiter Entfernung glitt ein Ruderboot lautlos übers Wasser. Jule krempelte sich ihre violette Latzhose hoch und ließ die Beine ins Wasser baumeln. »Oha, das ist aber noch kalt.«

»Wir haben ja auch erst Ende Mai.« Marie probierte es nur mit dem großen Zeh. »Selbst wenn sich das Wetter schon anfühlt wie Sommer. Aber das Wasser ist ja noch nicht aufgewärmt. Ich gehe nicht baden.«

»Ich auch nicht«, Friederike beugte sich nach vorn und ließ ihre Finger durchs Wasser gleiten. »Wenn die Haare nass werden, sehen sie noch schlimmer aus. Dann habe ich richtige Pudellocken.«

»Jetzt vergiss doch mal die Haare!« Jule schrieb unter Wasser mit dem rechten Fuß Achten. »Es ist echt nicht so schlimm. Ich gewöhne mich schon dran. Die neue Freundin von Lars hat jetzt auch eine Dauerwelle. Er liebt sie trotzdem.« Sie stützte die Hände hinter sich auf den Steg und hielt das Gesicht in die Sonne. »Ist das schön. Ich gehe morgen ins Wasser. Wenn ich schon mal hier bin. Das nutze ich auch aus.«

Alexandra genoss die Sonne auf ihrem Gesicht und schloss die Augen. Sie war so froh, hier zu sein. Und umso mehr, als hier alles so wie immer war. Das Abitur war erst ein knappes Jahr her, und es hatte sich schon so viel verändert. Marie, Jule und Friederike waren nicht mehr in der Nähe, stattdessen verbrachte sie jetzt die Zeit mit ihren Arbeitskollegen, ihren verrückten Jungs aus der WG oder neuen Nachbarn aus dem Haus. Alexandra merkte, wie sehr ihr die drei Freundinnen fehlten. Natürlich telefonierten sie oft und trafen sich hin und wieder. Aber es war nicht dasselbe. Sie war die Einzige, die jetzt in Hamburg wohnte, und der Weg war zu weit, um sich spontan zu treffen. So wie früher.

Aber jetzt waren sie hier. Es fühlte sich an wie immer, sie hörte die Stimmen, sie roch den See und die Blumen neben dem Bootshaus, es war, als wären sie nie weg gewesen. So musste sich Glück anfühlen.

Sie öffnete die Augen und warf einen Blick auf Jule neben sich. Unter ihrer Latzhose trug die ein weißes T-Shirt und hatte die blonden Locken zu einem Zopf geflochten, der sich schon wieder auflöste. Alexandra sah genauer hin: silberne Dreiecke mit türkisfarbenen Steinen. »Du hast dir ja Ohrlöcher stechen lassen!«

»Ja.« Jule nickte langsam, ohne ihre Stellung zu verändern. »Wollte ich ja schon lange. Und jetzt habe ich mich endlich getraut. Hat auch gar nicht besonders wehgetan. Aber anschließend haben sich die Löcher so entzündet, dass ich erst seit einer Woche die richtigen Ohrringe reinstecken kann. Das war echt blöde.«

»Die Stecker sind schön«, Marie beugte sich vor. »Du kannst noch silberne von mir haben, ich trage die nie. Sie haben so einen violetten Stein, die Farbe passt genau zu deiner Hose.«

Alexandra drehte sich wieder in die Sonne und schloss die Augen. »Also los: Wer fängt an?«

Jule ließ sich nicht lange bitten. »Also, das Auto habt ihr ja schon gesehen. Aber das wusstet ihr ja schon. Und dann habe ich mit Kai Schluss gemacht.«

Sofort kam Bewegung in Marie und Alex. Marie sah Jule mit aufgerissenen Augen an. »Was? Warum? Ihr wart doch seit der Abifahrt zusammen.«

Jule nickte. »Ja, aber so toll war das nicht mehr. Kai ist ja jetzt beim Bund, und wenn er am Wochenende da ist, will er nichts machen, außer mit seinen alten Kumpels Bier trinken und doofe Geschichten erzählen. Und jetzt kommt die Superneuigkeit …«, sie machte eine kleine Pause, um sich zu vergewissern, dass sie die geballte Aufmerksamkeit hatte. »Ich fange am 1. August in Hamburg an der Uniklinik die Ausbildung zur Physiotherapeutin an. Ich habe die ganze Zeit in Weißenburg in der Praxis als Mädchen für alles gearbeitet und den Physiotherapeuten zugesehen, ich bin mir jetzt sicher, dass das der richtige Beruf für mich ist. Letzte Woche habe ich die Zusage bekommen. Die Ausbildung dauert drei Jahre, und ich wohne während der Zeit bei Lars. Dessen Mitbewohner wechselt nämlich die Uni und geht nach Göttingen. Oder irgendwo anders hin, weiß ich nicht so genau, ist aber egal, ich kann sein Zimmer haben. Und das war auch etwas, das Kai doof fand. Dem wäre es lieber, wenn ich weiterhin bei meinen Eltern in Weißenburg wohne und er nur zwei Straßen weiter fahren muss, um mich zu sehen. Jetzt muss er gar nicht mehr fahren. Ist doch schön für ihn. Und außerdem habe ich in der Praxis einen Patienten kennengelernt, den ich total süß finde. Robert

Schröder. Hatte einen Achillessehnenriss beim Sport. Der spielt Handball. Und der ...«

»Moment, Moment.« Friederike unterbrach Jules Rede-schwall. »Ich fand zwar auch nicht, dass Kai der Superknaller war, aber dass du mit ihm Schluss gemacht hast und das nur so nebenbei erzählst, finde ich schon komisch. Ich dachte, der war wieder mal die große Liebe.«

»Warum?« Jule sah Friederike verständnislos an. »Du machst doch immer nach spätestens zwei Monaten Schluss und hast mir die ganzen Jahre erzählt, dass ich mich nicht dauernd so festlegen soll. Weil man über die Liebe seines Lebens ja gar nicht so früh entscheiden kann. Und jetzt habe ich mich mal nicht mehr festgelegt, und es ist auch wieder falsch. Und in Robert Schröder bin ich noch nicht verliebt, den finde ich nur gut. Was ist daran genau falsch?«

Friederike schüttelte den Kopf und verzichtete auf eine Antwort.

Alexandra musste lachen und lehnte sich langsam zurück, bis sie mit dem Rücken und den ausgebreiteten Armen den sonnengewärmten Steg berührte. Nur mit halbem Ohr folgte sie Jules Schilderungen von Robert Schröder und seiner Achillessehne. Jule ließ sich nicht beirren.

Beziehungstechnisch war Jule ein Phänomen. In den ganzen letzten Jahren hatte Alexandra nie erlebt, dass Jule mal nicht verliebt gewesen wäre. Entweder schwebte sie auf Wolke sieben, weil sie mit jemandem zusammen war, oder sie war am Boden zerstört, weil der Angebetete sie nicht erhören wollte. Dazwischen gab es kaum was. Sie brauchte die Sicherheit des Verliebtseins, um alles andere hinzubekommen. Alexandra fand das eigenartig. Sie selbst musste sich doch nur ihre Schwester Katja ansehen. Die hockte mit ihrem spießigen

Mann Jochen in einer spießigen Doppelhaushälfte, hatte gerade das zweite Kind bekommen und brachte ihre Wäsche immer noch nach nebenan zu Mama, die dann in Katjas altem Kinderzimmer stand und für ihre Tochter bügelte. Mit diesem seligen »Ich bin jetzt Oma und ich tue alles für diese glückliche Kleinfamilie nebenan«-Gesichtsausdruck. Alexandra bekam bei jedem Besuch Brechreiz. Und fand ihre einst so tolle Schwester inzwischen nerviger und älter als ihre Mutter. Das war Abschreckung genug. So wollte sie nie leben, niemals. Sie wollte keinen Ehemann, keine Kinder, kein Doppelhaus, keine Gardinen in der Küche, keinen Urlaub an der Ostsee, keine Wohnzimmergarnitur und kein Doppelbett im Schlafzimmer. Ihre Beziehungen sollten anders aussehen. Sie sollten frei sein, spontan, wild, lustig, ohne langweilige Alltagspflichten und ohne langfristige Planungen. Das hatte sie sich fest vorgenommen. »Wir haben uns super unterhalten. Er hat erzählt, dass er gern liest, ich habe sofort an Alex gedacht und dann gesagt, ich auch.« Jule war immer noch in Fahrt und kicherte jetzt. »Sag es ihm nicht, wenn du ihn kennenlernst. Aber du kannst mir mal erzählen, was gerade so im Gespräch ist, dann kann ich mitreden.«

»Jule.« Marie klang empört. »Du musst doch nicht so tun, als würdest du viel lesen, nur damit der dich gut findet. Das ist doch bescheuert.«

»Das kommt sowieso raus«, Friederike grinste. »Der fragt zwei-, dreimal nach, und Jule muss passen. Außerdem hast du dich schon verknallt, das merke ich doch. Du fängst dann immer albern an zu kichern.«

»Du hast doch keine Ahnung.« Jule winkte ab. »Du Lockenköpfchen. Ich habe mir übrigens dieses Ding da, ›Herr der Ringe‹, gekauft, das liest er nämlich gerade. Ich finde es total langweilig. Alex, du hast es doch bestimmt schon gelesen, kannst du mir nachher erzählen, um was es da eigentlich geht? Dann kann ich wieder aufhören.«

Alexandra sah sie nur an und schüttelte den Kopf. »Du spinnst echt. Das hast du doch gar nicht nötig. Der soll dich so nehmen, wie du bist, und fertig.«

»Aber gerade am Anfang kann man sich doch Mühe geben. Man will doch, dass es klappt.«

»Schwachsinn«, Alexandra hatte sich aufgesetzt. So einen Blödsinn konnte sie sich im Liegen gar nicht anhören. »Entweder will er was von dir oder nicht. Deine Typen sind ja auch nicht sofort zu jedem Tennisspiel von dir mitgekommen, um dich anzufeuern. Nur du rennst ihnen immer nach. Gewöhn dir das mal ab. Du willst doch nicht so werden wie meine Schwester.«

Jule schwieg, ob sie beleidigt oder nachdenklich war, konnte Alexandra nicht sehen. Sie fand Jules Haltung unmöglich. »Du bist echt toll, so wie du bist«, sagte Alexandra mit Nachdruck. »Ich hoffe, das geht irgendwann mal in deinen Kopf. Ich rege mich da jedes Mal drüber auf.« Sie beugte sich zu ihr und küsste sie auf die Wange. »Dumme Nuss.«

»Du musst sie nicht küssen«, sagte Friederike. »Sie braucht einen Schlag auf den Hinterkopf. Damit sie zu Verstand kommt. Die dumme Nuss.«

Jule lächelte nur.

Marie hatte dem Geplänkel amüsiert zugehört und sich wieder einmal gefragt, wie es sein konnte, dass sie bei all ihrer Unterschiedlichkeit so gut befreundet waren. Jule, die zauberhafte Jule, die einerseits so offen, so begeisterungsfähig und so neugierig war und sich andererseits so wahnsinnig anstrengte, immer allen zu gefallen. Und daneben die schöne Alexandra, selbstsicher, klar und unabhängig, der aber die Tränen kommen konnten, wenn es einer von ihnen nicht gutging. Ganz anders Friederike: so klug, so schnell, so abgebrüht. Aber immer da, wenn man sie brauchte. Obwohl sie sich manchmal selbst im Weg stand. Es funktionierte mit ihnen, weil sie so unterschiedlich waren. Jede für sich war eigentlich großartig, zusammen waren sie noch besser. Manchmal überkam Marie ein ganz warmes, weiches Gefühl: die Gewissheit, dass sie sich nie verlieren würden.

»Ich schlage vor, wir fangen langsam mal an, die Pizza vorzubereiten«, sagte Jule, um das Thema zu wechseln. »Ich habe jetzt schon so einen Kohldampf.«

»Gute Idee«, Marie stand umständlich auf. »Lass uns anfangen.«

Beim Schnippeln von Tomaten, Schinken, Paprika und Tomaten fiel Jule plötzlich ein, dass sie extra Musik für dieses Pfingstwochenende aufgenommen hatte. Während sie nach oben lief, um die Kassette zu holen, fiel Alexandras Blick auf einen seltsamen Bilderrahmen auf der Anrichte, in dem ein schönes Foto steckte. Jules Bruder hatte es fotografiert, es zeigte Jule, Friederike, Alexandra und Marie auf der Abifeier. Die Köpfe zusammengesteckt, standen sie dicht nebeneinander und strahlten den Fotografen an. Alexandra griff nach dem Bild und hob es hoch. »Der Rahmen ist ja schrecklich. Ist das Salzteig?«

Marie nickte. »Jule hat den selbst gemacht, sag bitte nichts. Aber das Foto ist doch schön, oder?«

Mit skeptischem Blick stellte Alexandra das Foto wieder weg. »Ich habe da so schiefe Augen. Findest du nicht? Oder ist das die Perspektive?«

»Das ist die Perspektive«, beruhigte Marie sie. »Du hast Katzenaugen. So schöne Katzenaugen.« Sie konzentrierte sich sofort wieder auf die Paprika, die vor ihr lag.

»Stand hier nicht ein Kassettenrekorder?« Jule war zurück, wedelte mit einer Kassette in der Luft und sah sich um. »Ach, da.« Sie schob die Kassette ins Fach und drückte die Taste, ein lautes »Da, da, da« drang durch die Küche. »Oh, ich habe vergessen, zurückzuspulen«, Jule stellte sich wieder neben Alexandra und griff zum Küchenmesser. »Jetzt fängt es mittendrin an, aber das macht ja nichts, oder?«

Friederike sah nur kurz hoch, während sie den Pizzateig mit Tomatensauce bestrich. »Jule hat bei Musik einen ähnlich flachen Geschmack wie bei ihren Typen. Das hält man ja nicht aus.«

»Du liebst mich nicht, ich lieb dich nicht«, sang Alexandra falsch mit. »Dass ausgerechnet du das toll findest, Jule, wundert mich.«

Sie saßen alle vier um den Küchentisch, sprachen laut durcheinander, aßen Pizza, Friederike hatte Lambrusco spendiert, und nach und nach brachten sie sich auf den neuesten Stand. Mit jedem Glas erhöhte sich der Geräuschpegel, aus dem Kassettenrekorder klang schon wieder Trio, bis Friederike aufstand und die Stopptaste drückte. Schlagartig wurde es ruhig.

»Ich kann jetzt nicht den ganzen Abend Neue Deutsche Welle hören«, sagte sie. »Hat noch jemand andere Musik dabei?«

»Ich bin mit Katjas Auto da«, Alexandra hob kauend den Kopf. »Die hat Kassetten im Handschuhfach, Peter Maffay und Roland Kaiser. Das wollt ihr nicht wirklich?«

Friederike stellte ohne nachzufragen den Kassettenrekorder wieder an, diesmal leiser. »Ich hätte jetzt gern Frank Zappa gehört, aber geschenkt.« Sie kam zurück und setzte sich wieder. »Also, Jule, wir waren bei Lars. Wann ziehst du jetzt genau da ein?«

»Am letzten Juliwochenende«, antwortete Jule. »Mein Vater

und Lars helfen zwar auch, aber es wäre lustiger, wenn ihr mitmacht. Du guckst so komisch, Marie, was ist?«

»Nichts …«, beeilte Marie sich zu sagen. »Ich helfe gern. Ich kann zwar nicht viel tragen, aber beim Einräumen bin ich gut.« Sie sah angestrengt auf ihre Hände, bis Jule leise fragte: »Marie? Du hast doch was?«

»Ach.« Marie bemühte sich um einen leichten Tonfall. »Nichts Schlimmes. Ich habe doch im letzten Jahr, gleich nach dem Abi, bei Anna Bee, ihr wisst doch, dieser berühmten Hamburger Fotografin, so ein bisschen reingeschnuppert. Ich würde wahnsinnig gern meine Ausbildung bei ihr machen, das hat sie mir angeboten, aber meine Eltern wollen nicht, dass ich allein in Hamburg wohne. Und von hier aus ist das zu weit.« Sie lächelte tapfer. »Ich bewundere ja Friederike, die jeden Tag mit Bus und Bahn nach Hamburg fährt, aber mir wäre das zu anstrengend. Und jetzt bin ich gerade ehrlich gesagt ein bisschen neidisch, dass du einen Bruder hast, bei dem du einziehst. Sonst hätten wir uns vielleicht zusammen was suchen können. Oder Friederike wüsste genau, was sie machen will, dann könnten wir uns zusammentun. Aber so?«

»Bei Anna Bee?« Friederike pfiff leise. »Super. Ich würde ja total gern mit dir zusammenziehen, aber ich habe von September bis März einen Job auf Fuerteventura angenommen. In einem Surfbrettverleih. Vielleicht bleibe ich auch länger, wenn mir das gefällt.«

»Fuerteventura?!« Marie sah sie entgeistert an. »Wie bist du denn darauf gekommen?«

»Ich habe in der Kneipe, in der ich arbeite, den Typen kennengelernt, dem das gehört.« Sie sah die anderen vielsagend an. »Und der braucht jemanden, der Spanisch und Englisch spricht. Kann ich. Also hat er mich abgeworben. Und das Wetter ist im Winter deutlich besser als hier.«

»Du hast einen Typen kennengelernt?« Jule fragte sofort aufgeregt nach. »Und das erzählst du so nebenbei?«

»Jule«, stoppte Alexandra das Verhör. »Hör doch erst mal zu, es geht doch jetzt nicht um irgendeinen Typen.« Sie sah Jule kopfschüttelnd an, bevor sie sich an Friederike wandte. »Also: du willst Surfbretter verleihen? Ist das dein Ernst? Warum hast du eigentlich so ein tolles Abitur gemacht? Verplemperst du nicht ein bisschen deine Zeit? Du jobbst jetzt seit fast einem Jahr in irgendwelchen Kneipen, Kinos und jetzt auch noch im Surfbrettverleih. Warum tust du das? Hast du wirklich keinen Plan?«

»Nein.« Friederike sah sie an und wickelte eine ihrer Locken um den Finger. »Habe ich noch nicht, aber mach dir keine Sorgen. Ich verdiene wenigstens ganz gut. Und im Gegensatz zu euren Eltern sieht meine Mutter sich nicht in der Lage, mir ein Studium oder eine Wohnung zu finanzieren. Das muss ich leider allein hinkriegen. Und ich habe keine Lust, mit Bafög oder irgendwelchen anderen Krediten anzufangen. Und anschließend Schulden zu haben. Deswegen verdiene ich erst mal selbst Geld. Und danach sehe ich weiter.«

Ein Geräusch aus dem Flur unterbrach das Gespräch. Marie sprang auf, als sie die Stimme hörte: »Nicht erschrecken, ich bin es nur.«

»Mama?« Marie sah erschrocken zur Tür. »Ist was passiert?«

Laura kam mit guter Laune, einem Korb voller Lebensmittel und einer Flasche Sekt in die Küche. »Hallo, Süße, hallo, ihr drei, nein, keine Sorge, alles gut. Das ist auch kein Kontrollbesuch, Papa hat hier ein paar Unterlagen vergessen. Ich habe vorhin dreimal angerufen, aber ihr wart wahrscheinlich draußen und habt das Telefon nicht gehört.«

»Wir waren unten am See.« Marie lächelte die anderen an. »Da hören wir nichts.«

»Ist nicht schlimm.« Laura stellte den Korb und die Flasche ab. »Lasst euch drücken, es ist so schön, euch alle mal wieder zusammen zu sehen.« Sie umarmte nacheinander jede und hielt zum Schluss Jule eine Armlänge entfernt. »Du hast ja jetzt schon deine Sommersprossen, und die schöne Zeit beginnt erst.« Sie sah lächelnd von einer zur anderen. »Ihr seht alle so gut aus. Das neue Leben scheint euch zu bekommen.«

Laura war ein Engel. Das hatte Friederike schon immer gedacht. Sie sah aus wie eine ältere Ausgabe von Marie, nur mit dem Unterschied, dass sie größer, kräftiger und immer leicht sonnengebräunt war. Sie trug ein ärmelloses weißes Kleid, hielt ihre halblangen blonden Haare mit einem blauweiß gepunkteten Haarband aus dem Gesicht und war dezent geschminkt. Alex hatte mal gesagt, sie hätte eine große Ähnlichkeit mit Grace Kelly, sie wäre nur viel netter. Das stimmte vermutlich.

Jule küsste sie auf die Wange. »Wenn du wüsstest, wie doof ich diese Sommersprossen finde«, sagte sie. »Ich habe schon alle möglichen Tinkturen draufgeschmiert, die kommen aber immer wieder. Soll ich dir einen Stuhl von drüben holen?«

»Eine Frau ohne Sommersprossen ist wie ein Himmel ohne Sterne«, deklamierte Laura. »Das hat mal ein kluger Mann gesagt, also sei glücklich. Und nein, ich muss mich nicht setzen, ich will euch ja nicht stören. Ich hole nur schnell die Unterlagen von oben, und dann fahre ich zurück.«

»Du störst doch nicht«, protestierte Alexandra und schob ihr ihren Stuhl hin. »Bleib doch einen Moment. Ich hol noch einen Stuhl.« Sie ging in den Nebenraum, während Laura sich nach kurzem Zögern an den Tisch setzte. Sie sah Friederike neben sich an und legte ihr die Hand aufs Knie. »Und du willst nach Fuerteventura?«

»Hat Esther sich schon bei dir aufgeregt?« Friederike grinste schief. »Und dich gebeten, mit mir mal in Ruhe zu reden, damit ich wieder zu Verstand komme?«

Laura sah sie nachdenklich an. »Sie ist nicht begeistert von deinen Plänen«, sagte sie vorsichtig. »Das kannst du dir ja denken. Gerade weil du ein so hervorragendes Abitur gemacht hast. Esther hätte sich gefreut, wenn du gleich eine richtige Ausbildung angefangen hättest, statt …« Sie brach ab, weil sie Friederikes Gesichtsausdruck sah.

»So, so«, Friederikes Stimme klang ironisch. »Meine Mutter hätte sich über eine richtige Ausbildung gefreut. Als was denn? Hat sie das auch gesagt? Du bist mit meiner Mutter befreundet, sie erzählt dir sicher alles, aber hat sie dir auch gesagt, dass sie mir kein Studium finanzieren kann? Weil die Welt immer so gemein zu ihr war? Was nützt mir also mein tolles Abitur?«

»Fiedi«, Jule mischte sich jetzt ein. »Es muss doch nicht jeder studieren. Ich mache das ja auch nicht.«

Friederike drehte sich abrupt zu ihr. »Du hast doch gerade erzählt, dass du die Ausbildung in Hamburg anfängst. Das ist zwar kein Studium, aber die Schule kostet ja auch Geld. Und Wohnung und Klamotten und Essen und alles andere. Deine Eltern geben doch sicher noch was dazu.«

Laura beugte sich wieder vor. »Friederike, du weißt, dass wir dir helfen können. Du bist meine Patentochter. Wenn es also dein Herzenswunsch ist, ein Studium zu beginnen, dann setzen wir uns zusammen und reden darüber. Wir finden eine Lösung.«

Eine kleine Welle der Wut stieg in Friederike auf. Es war eine ganz kleine Welle, es war auch mehr Frustration als Wut, aber es fühlte sich trotzdem unangenehm an. Almosen, dachte sie plötzlich, ein wirklich altmodisches und saublödes Wort, war ihr aber trotzdem eingefallen. Jemand empfing Almosen von jemand anderem. Und der andere wollte diese Almosen geben. In diesem Fall Laura. Weil sie ihre Patentante war, weil sie genug Geld hatte, weil sie ein Engel war, weil sie Esther seit Jahren kannte und sie ihre Freundin nannte, weil sie wusste, wie es bei Friederike und Esther lief, weil ihr Friederike leidtat. *Weil sie ihr leidtat.* Das war das Gefühl, das Friederike unerträglich fand. Sie wollte kein Mitleid, sie nicht. Wenn ihre Mutter das bei anderen provozierte, war das Esthers Problem, aber Friederike war anders. Sie brauchte keine Hilfe, keine Almosen, kein Mitleid. Sie würde es allein schaffen. Alles.

Sie hob langsam den Kopf, ihr Blick fiel auf Marie, die sie erwartungsvoll ansah, dann auf Jule, die, ihr Kinn auf die Faust gestützt, gespannt das Gespräch verfolgt hatte, und schließlich auf Alexandra. Die saß mit verschränkten Armen vor der Brust und betrachtete Friederike mit einem gelassenen Blick. Sie wirkte sehr klar, sehr ruhig, sehr erwachsen. Friederike war sich in diesem Moment sicher, dass Alexandra alles im Leben schaffen würde. Und dass sie alles erreichen würde, was sie sich vorgenommen hatte. Sie hielt sich nicht damit auf, mit ihrem Elternhaus, ihrem Leben oder ihrer Zukunft zu hadern, sie hatte einfach angefangen, ihren Weg zu gehen. Warum sollte Friederike das nicht auch können?

»Danke, Laura«, Friederike musste sich räuspern, bevor sie weitersprechen konnte. »Aber das Studium ist nicht mein Herzenswunsch. Ich gehe nach Fuerteventura, weil Carlos ein klasse Typ ist, gut bezahlt und ich perfekt Spanisch sprechen will. Und dann sehe ich weiter. Es gibt doch keinen Grund zur Hektik.«

Jule runzelte die Stirn. »Aber du hast doch vorhin gesagt, dass du erst Geld verdienen musst, weil deine Mutter leider …«

Alexandra legte den Arm auf Jules Stuhllehne und unterbrach sie. »Lass es Friederike doch selbst entscheiden, Jule. Ist da eigentlich noch Wein in der Flasche?«

Dankbar sah Friederike sie an und nahm die Flasche hoch. »Ein kleiner Rest. Wir haben aber noch eine. Wer möchte noch? Laura?«

»Ich muss noch fahren«, Laura hatte die Hände gehoben. »Aber ich habe euch eine Flasche Sekt mitgebracht. Zum Pfingstfrühstück. Die ist allerdings nicht kalt, falls ihr jetzt schon wollt.« Sie dachte einen Moment nach, bevor sie sich doch noch einmal zu Friederike beugte. »Falscher Stolz ist nicht immer ein guter Ratgeber. Ich will dich nicht überreden, ich will nur, dass du weißt, wenn du Hilfe brauchst, bin ich da.«

»Ja«, Friederike atmete tief aus. »Ich weiß. Aber es ist im Moment alles gut so. Danke. Also, wer will sonst noch Wein?«

Jule und Alexandra hielten ihre Gläser hin, und bevor ihr Glas voll war, sagte Alexandra beiläufig: »Ich habe zum Herbstsemester einen Studienplatz. Literaturwissenschaften.«

»Was?« Marie stieß überrascht Friederike an, die fast die Flasche fallen ließ. »Wo?«

»In Hamburg«, Alexandra lächelte. »Das Verlagsvolontariat endet im September, und dann geht es nahtlos weiter. Wie findet ihr das?«

Friederike nickte, sie hatte es doch gewusst. Alex startete durch. »Glückwunsch«, sagte sie. »Und dann noch Hamburg.«

»Ja«, Alexandra rieb ein paar Weintropfen vom Glas. »Und ich kann im Verlag jobben und mir was dazuverdienen. Wobei ich trotzdem auch einen Bafög-Antrag stellen werde, das müsste klappen. Mein Zimmer in der Chaoten-WG ist ja nicht so teuer.«

Laura hob ein Wasserglas in ihre Richtung. »Dann gratuliere ich auch. Und du brauchst noch nicht mal umzuziehen, das ist doch gut.«

Marie starrte ihre Mutter an. So lange, bis es Jule auffiel. »Marie?«, fragte sie. »Erde an Marie. Bist du am Tisch oder schwebst du schon?«

Ohne auf Jule einzugehen, legte Marie ihre Hand über Alexandras und fragte: »Willst du wirklich in dieser komischen Wohnung mit diesen beiden komischen Typen wohnen bleiben?«

»Wieso?«, Alexandra dehnte die Frage, bis sie verstand, worauf Marie hinauswollte. »Hast du eine andere Idee?«

»Könnten wir beide nicht zusammen wohnen?« Marie warf einen kurzen Blick auf ihre Mutter, Laura reagierte sofort. »Du willst ausziehen? Aber wir haben doch schon darüber …«

»Mama.« Maries Gesichtsfarbe war rosig, sie strich sich hektisch eine Haarsträhne aus dem Gesicht. »Es wäre doch die perfekte Lösung. Ich kann meine Ausbildung bei Anna Bee machen, Alex und ich können zusammen wohnen, dann bin ich nicht allein und ihr müsst euch keine Sorgen machen. Bitte. Ich kann doch nicht ewig zu Hause wohnen bleiben, nur weil mein Herz manchmal spinnt. Und ihr euch verrückt macht. Und außerdem waren meine Werte beim letzten Mal ziemlich gut, ich habe das alles wirklich im Griff.«

Überrascht über die Vehemenz in Maries Stimme sah Laura von Alexandra zu ihrer Tochter. Natürlich konnte sie sie verstehen. Marie war erwachsen, sie wollte raus aus dem Dorf, in dem sie aufgewachsen war, sie wollte endlich die Ausbildung beginnen, sie wollte ihr eigenes Leben führen. Laura gönnte ihr das auch alles. Aber die Angst um ihre Tochter schnürte ihr sofort den Hals zu. Sie würde nie den Tag ihrer Geburt vergessen, dieses so kleine Kind mit den blauen Lippen, die Hektik, die noch im Kreißsaal eingesetzt hatte, der Brutkasten, die ganzen Schläuche, der Arzt, der ihr mit mitleidigem Blick die Hand gehalten hatte, die im Raum stehenden Wörter, Herzfehler, Operation, Lebenserwartung, ihre Panik, ihre Trauer, die Wochen und Monate im Krankenhaus, und dann das Glück, als Marie das erste Mal zu Hause war, sehr klein in ihrem Kinderbett, die zarten, flatternden Augenlider im Schlaf, den Laura stundenlang bewachte. Sie hatte immer gewusst, dass ihr Kind nicht alles würde machen können, was andere Kinder taten. Und sie war glücklich gewesen, dass es dann doch viel mehr wurde, als sie damals gedacht hatten. Dennoch war Marie immer zart und kränklich geblieben. Vielleicht auch überbehütet, aber sie hatte ihren Weg gemeistert. Auch dank dieser drei jungen Frauen, die hier um den Tisch saßen, die Marie nie das Gefühl gegeben hatten, nicht mithalten zu können. Im Gegenteil: Sie hatten sie immer unterstützt und ihr geholfen. Nur in der Mitte ihrer Freundinnen konnte Marie vergessen, dass ihr Herz den Takt vorgab. Der immer etwas langsamer war, als sie es sich wünschte.

Alexandra sah Marie mit großen Augen an. Das wäre ja eine großartige Lösung! Eine Wohnung für sie beide, die sie gemeinsam einrichten würden, in der es ein sauberes Bad, eine gemütliche Küche, einen vollen Kühlschrank und gemeinsame Mahlzeiten geben würde. In der sie an den Wochenenden zusammen mit Jule und Friederike kochen könnten, abends auf dem Sofa mit Tee und Wolldecke Filme sahen, sich umeinander kümmerten. »Marie«, sagte sie langsam. »Du kannst dir gar nicht vorstellen, wie gern ich mit dir statt mit meinen beiden Verrückten in einer WG leben würde. Das wäre ein Traum.«

Marie lächelte kurz, dann sah sie wieder ihre Mutter an. »Sag doch mal was.« Marie tippte ihr auf die Schulter, auch Alexandra, Jule und Friederike warteten gespannt auf eine Antwort. Laura legte ihre Hände auf den Tisch und senkte kurz den Blick. Schließlich sah sie auf. »Okay«, sagte sie. »Das ist vielleicht wirklich eine ganz gute Idee. Ich müsste das natürlich erst mal mit Papa besprechen.«

Marie strahlte so, dass Laura fast die Tränen kamen. Schnell fuhr sie fort. »Wir kennen in Hamburg mehrere Makler, wir können …«

»Nein, Mama«, Marie schüttelte entschieden den Kopf. »Das können wir selbst machen. Ich möchte das selbst machen. Wir sind doch erwachsen. Alex?«

Alexandra streckte ihre Hand über den Tisch und griff nach Maries. Dann nickte sie. »Das sind wir. Das kriegen wir alles hin.«

Marie lächelte. Dann küsste sie ihre Mutter auf die Wange. »Mama, das ist aber jetzt das Schönste des Tages!«

Friederike hatte sich aus Maries Zimmer rausgeschlichen, sobald sie ihre regelmäßigen Atemzüge hörte. Sie selbst konnte nicht einschlafen, sie war noch hellwach. Und deshalb würde sie sich jetzt mit der angebrochenen Flasche Lambrusco auf die Terrasse setzen und eine Zigarette rauchen. Vielleicht machte das ja dann müde.

Mit angehaltenem Atem schloss sie die Tür hinter sich und ging auf Zehenspitzen die Treppe runter. Obwohl es schon fast Mitternacht war, war es draußen noch mild, Friederike nahm ihr Glas und suchte nach einem leeren Blumentopf, den sie als Aschenbecher benutzen konnte. Dann ließ sie sich in einen Sessel fallen und zog die Beine an. Es roch schon nach Sommer, und sie war froh, dass sie endlich wieder am See war. Auch wenn sie erst mal in Ruhe über all die vielen Veränderungen nachdenken musste.

Sie zündete die Zigarette an und musste sofort husten. Sie hatte mit dem Rauchen nur angefangen, weil in der Kneipe, in der sie arbeitete, alle rauchten. Eine Kollegin hatte ihr empfohlen, mitzurauchen, dann wäre es nicht so schlimm. Also hatte Friederike damit angefangen. Sobald sie mit diesem Job fertig war, würde sie wieder aufhören. Das war doch immerhin ein Plan. Da sollte noch mal jemand sagen, sie hätte keinen. Sie ließ ihre Blicke über den Garten bis zum See schweifen. Esther hatte sich so manches Mal darüber aufgeregt, dass dieses Ferienhaus größer war als die Wohnung, in der Friederike und sie wohnten. Trotzdem hatte sie nie Skrupel gehabt, Laura darum zu bitten, hier ein paar Tage Ferien machen zu dürfen. Was selbstverständlich jedes Mal gestattet wurde. Und dann hatte Esther sich hier wie die Hausherrin aufgeführt und sogar den Gärtner herumkommandiert. Friederike hatte es immer gehasst, am liebsten war sie allein mit Marie hier. Ohne Marie war es falsch. Und jetzt zog Marie mit Alex zusammen. Friederike schluckte die aufsteigenden schlechten Gedanken hinunter. Sie ging nach Fuerteventura, es war einfach der falsche Zeitpunkt und hatte nichts mit ihr zu tun. Trotzdem musste sie sich ganz schnell um ihre eigene Wohnsituation kümmern. Sie musste weg von Esther, sonst würde es irgendwann ein Massaker geben. Auch wenn es nur noch ein paar Monate waren. Das Problem war nur, dass Friederike sich keine Wohnung mieten konnte, solange sie keinen festen Job hatte. Sie hatte es schon versucht, aber selbst WGs brauchten Mitbewohner, die jeden Monat ihre Miete bezahlten. Und das war ihnen bei Friederike und ihren Kneipenjobs zu riskant. Und Esther hatte ihr großzügig angeboten, fünfzig Mark beizusteuern. Fünfzig Mark. Friederike hatte den festen Vorsatz, das Geld niemals anzunehmen. Solche Probleme kannten Alexandra, Jule und Marie natürlich nicht. Bei denen war alles in Butter. Sowohl in ihren Familien als auch finanziell. Wenn ihre Freundinnen ihr nicht so wichtig wären, könnte sie damit noch weniger umgehen. Es war schon eine scheiß Ungerechtigkeit.

Sie trank ihr Glas aus und wollte gerade aufstehen, als sie Jules leise Stimme von der Terrassentür hörte. »Friederike? Kannst du auch nicht schlafen?«

»Nein.«

»Ist die Flasche leer?«

»Nein, da ist noch was drin.«

»Kann ich dein Glas haben?«

Statt zu antworten, schenkte Friederike ein, während Jule es sich mit einer Wolldecke um den zierlichen Körper im zweiten Rattan-Sessel bequem machte. »Wie findest du eigentlich die Idee mit Marie und Alex?«

»Perfekt.« Friederike sah sie im Halbdunkel an. »Das ist doch für beide super. Und ihr seid alle drei in Hamburg.«

»Nur du nicht.« In Jules Stimme klang Bedauern. »Das ist das Einzige, was wirklich blöd geplant ist. Willst du wirklich nach Fuerteventura? Und Surfbretter verleihen?«

»Jule, ich muss nun mal Geld verdienen.« Der Frust saß tief in ihr. »Bei euch läuft ja alles wie am Schnürchen. Ausbildung, Studium, Wohnung, du hast jetzt sogar dein eigenes Auto. Aber bei mir ist das anders. Ich muss dir nichts über meine Mutter erzählen, sie ist, wie sie ist, und sie wird sich auch nicht mehr ändern. Aber dass sie noch nicht mal versucht, meinen Vater ausfindig zu machen, damit der vielleicht mal was zahlt, das nehme ich ihr übel. Ich habe keinen Bock, irgendeine Ausbildung zu machen, damit Esther Ruhe gibt. Ich habe keine Ahnung, was ich machen will. Aber fest steht, dass ich erst mal Kohle verdienen muss, damit ich mir das überlegen kann. Und das kann ich auf Fuerteventura. Carlos ist echt ein guter Typ, er hat den Verleih schon seit ein paar Jahren und will jetzt zusätzlich noch eine Bar aufmachen. Ich habe da wirklich Lust drauf.«

»Aber du willst doch nicht da bleiben? Es ist doch nur vorübergehend, oder? Friederike?« Jule war nach vorn geschossen und sah sie entsetzt an. »Du kommst doch wieder?«

»Wahrscheinlich.« Friederike nahm Jule das Glas aus der Hand und trank, bevor sie es zurückgab. »Ich bin ja nicht total verblödet, ich mach schon noch was Richtiges. Mein größtes Problem ist, dass ich bis Oktober zu Hause wohnen muss. Eigentlich geht das nicht mehr, wir haben nur Krach.«

»Kann ich mir vorstellen.« Jule nickte. »Aber wenn es ganz schlimm wird, übernachtest du einfach mal ein paar Tage bei mir und Lars, ich glaube, Lars hat sogar so ein aufblasbares Gästebett. Und Marie und Alex haben dann in ihrer Wohnung sicher auch Platz. Das kriegen wir schon hin.«

Friederike sah sie an. »Danke. Das wäre schön. Und wenn ich aus Fuerte zurückkomme, ziehe ich aus. Aber danke für das Angebot.«

»Wozu hat man Freundinnen?« Jule beugte sich vor und küsste sie auf die Wange.

Sie sahen beide zum See und schwiegen. Nach wenigen Minuten fragte Jule vorsichtig: »Sag mal, du hast vorhin so komisch geguckt, als Marie Alex wegen der Wohnung gefragt hat. Und danach hast du kaum noch was gesagt. Ist das für dich blöd?«

»Nein.« Die Antwort kam zu schnell. »Aber kannst du dir vorstellen, wie sich das anfühlt, wenn bei euch immer alles einfach flutscht und man selbst dauernd allem hinterherlaufen muss?«

»Na ja, ganz so rund läuft es bei Marie zum Beispiel ja auch nicht, oder?« Jule sprach plötzlich sehr leise. »Marie macht zwar immer gute Miene zum bösen Spiel, aber nimmst du ihr das wirklich ab? Alexandra hat ziemlichen Stress mit ihrer Schwester, für die ihre Eltern alles tun und dabei Alex echt vergessen. Und kannst du dir vorstellen, was bei mir zu Hause los ist, seit meine Mutter von der Affäre meines Vaters erfahren hat? Die hat er seit einigen Monaten, und jetzt ist es aufgeflogen Meine Mutter dreht gerade komplett am Rad, was meinst du, wie froh ich bin, diesem Krieg zu Hause bald zu entkommen. Ich habe in der letzten Woche ein paar Mal bei Marie übernachtet, weil ich dieses Geschrei bei uns nicht mehr ausgehalten habe. ›Rund laufen‹ geht echt anders.«

Friederike hob langsam den Kopf und sah, wie eine Träne sich den Weg über Jules Wange bahnte. »Hey.« Sie stand langsam auf und ging vor dem Sessel in die Hocke. »Das wusste ich nicht. Das hast du gar nicht erzählt.« Sie nahm Jule in den Arm. »Ach Mensch, Julchen.«

»Du riechst nach Rauch.« Jule wandte sich unter Tränen ab. »Das ist widerlich. Hast du das von Carlos?« Sie zog ein Taschentuch aus der Tasche und putzte sich die Nase, bevor sie sich Friederike wieder zuwandte. »Nicht nur bei dir passiert Scheiß. Aber du haust ab und gehst nach Fuerteventura. Und wir müssen alle hierbleiben.«

Frankfurt
19. Mai

Alexandra

»Ach, komm, Alexandra, wenigstens noch auf ein Glas Wein.«
Sebastian Dietrich sah sie ganz entsetzt an, nachdem sie sich
bei der Organisatorin des Presse-Essens verabschiedet und sie
gebeten hatte, ihr ein Taxi zu bestellen.

»Es gibt hier um die Ecke die beste Bar Deutschlands, komm,
wenigstens auf einen Drink.« Er beugte sich näher zu ihr und
flüsterte. »Du kannst mich doch nicht mit dieser komischen
Jungfrau und der durchgeknallten Pressemeute hier sitzen
lassen.«

»Sebastian«, sie lächelte ihn strahlend an. »Diese komische
Jungfrau heißt Judith und ist zum Glück ein großer Fan von dir.
Und mit der durchgeknallten Pressemeute hast du dich die
ganze Zeit sehr lebhaft unterhalten, du hast mich gar nicht gebraucht. Du musst das in der Bar also nur genauso weitermachen, wie du es schon angefangen hast. Ich fahre jetzt ins
Hotel, ich bin heute Morgen um fünf aufgestanden, der Tag
war lang. Also, mein Lieber, viel Spaß noch, wir sehen uns am
Mittwoch in München.«

Bevor er die Diskussion fortsetzen konnte, schob sie sich an
ihm vorbei zum Ausgang und blieb dort einen Moment erleichtert in der frischen Luft stehen. Es war kurz vor 21 Uhr,
normalerweise wäre sie auch noch mit in die Bar gekommen,

aber es war nicht der erste Abend, an dem sie Sebastian auf einer seiner Veranstaltungsreisen begleitet hatte und ihm auch noch in die letzte Bar gefolgt war. Heute Abend hatte sie etwas anderes vor.

Das Taxi fuhr vor, Alexandra stieg hinten ein, nannte dem Fahrer die Adresse des Hotels und zog ihr Handy aus der Tasche. »Bin jetzt im Taxi«, schrieb sie, nachdem sie gesehen hatte, dass ihre vorige SMS nicht beantwortet war. Vermutlich wollte er sie nicht beim Essen stören. Sie fügte noch ein Herz dazu und schickte sie ab. Dann lehnte sie sich an die Kopfstütze und schloss kurz die Augen. Es war ein großes Glück, dass Sebastian nicht im selben Hotel wohnte, sonst hätte sie sich schlecht wegstehlen können. Aber er hatte es vorgezogen, bei einem ehemaligen Studienfreund auf der Gästecouch zu übernachten. Deshalb musste sie sich keine Gedanken darüber machen, was sie gesagt hätte, wenn Sebastian sie noch mit ihrem Liebsten getroffen hätte. Das beruhigte sie ungemein. Jetzt hatte sie frei, war endlich privat. Und es wurde Zeit, dass sie sich trafen, es war so viel passiert, was sie ihm sagen wollte. Seit ihrem letzten Treffen waren schon wieder über sechs Wochen vergangen, und es war reiner Zufall, dass sie jetzt beide in Frankfurt waren. Oder besser Glück. Weil sie auch noch im selben Hotel übernachteten. Natürlich hatten sie getrennte Zimmer gebucht. Alexandra zog das Handy erneut aus der Tasche, sie hatte vor dem Essen den Ton ausgestellt, so würde sie ja gar nicht hören, wenn seine Antwort eintraf. Also stellte sie den Ton an – eine Antwort war aber noch nicht da.

Eine Viertelstunde später, kurz bevor das Taxi vor dem Hotel hielt, kündigten zwei kurze Töne gleich zwei Mitteilungen an. Alexandra lächelte und entsperrte das Handy.

»*Eine Hammerbar, meine Liebe, du verpasst was, Sebastian.*« Na, darauf hatte sie gewartet.

Die zweite klang dramatischer. »*Habe schon gemailt, ange-rufen und versuche es jetzt auf diesem Weg. Ich muss Sie ganz dringend sprechen, bitte rufen Sie zurück, egal wann. Sophia.*«

Das Lächeln war weg, sie fragte sich, was so wichtig war, dass die neue Volontärin Alarm schlug? Und warum meldete sich der wichtigste Mensch nicht zurück? Bevor sie jedoch darüber nachdenken konnte, forderte der Taxifahrer sein Geld und sie ihre Quittung.

»Danke«, sagte sie beim Aussteigen. »Und noch einen schö-nen Abend.«

»Ja, den wünsche ich Ihnen auch. »Der Taxifahrer lächelte sie an, bevor er sich wieder auf den Weg machte. Unschlüssig blieb Alexandra vor dem Hoteleingang stehen. Um sie herum stan-den einige Raucher, die sich laut unterhielten. Sie schnappte nur Satzfetzen auf, aus denen sie schloss, dass es sich um Teil-nehmer des Ärztekongresses handelte. Dass der hier stattfand, wusste sie, deshalb hatte sie hier ja auch gleich eine Verab-redung. Sie bemerkte, dass ein Mann sie aufmerksam musterte, und ging ins Foyer. An der Rezeption blieb sie stehen. »Guten Abend, mein Name ist Weise, Zimmer 105. Würden Sie bitte mal nachsehen, ob eine Nachricht für mich hinterlegt ist?«

»Guten Abend, Frau Weise, kleinen Moment«, die Emp-fangsdame drehte sich zum Schlüsselkasten. Alexandra musste plötzlich an Friederike denken. Sie hatte sie einmal im Dienst erlebt, es war Jahre her, Friederike war damals schon in Bre-men gewesen, und weil Alexandra mit einer Autorin ge-kommen war, hatte auch sie im Hotel übernachtet, obwohl Friederike ihr das Gästebett angeboten hatte. Ihr fiel ein, wie beeindruckt sie von Friederikes Souveränität gewesen war. Sie hatte sie damals so erwachsen gefunden. Und war irgendwie stolz auf sie gewesen. Auf die alte Fiedi, die hier plötzlich Che-fin war – und alles im Griff gehabt hatte.

»Nein, ich habe keine Nachricht für Sie.« Die freundliche Stimme ließ Friederikes Bild verschwimmen. »Kann ich sonst noch etwas tun?«

»Vielen Dank.« Alexandra schüttelte lächelnd den Kopf. »Schönen Abend!«

Sie drehte sich um, zog im Gehen ihr Handy wieder aus der Tasche und sah darauf, als würde sie es hypnotisieren wollen. Nichts. Keine Antwort. Keine Meldung. Die große Uhr im Foyer zeigte 21.30 Uhr an, Alexandra entspannte sich, sie hatten sich zwischen 21 und 22 Uhr verabredet. Vermutlich hatte er nur vergessen, sein Handy aufzuladen, das passierte ihm oft. Das würde sich sicher gleich klären.

Sie musste jetzt nur entscheiden, ob sie in der Bar bei einem Glas Rotwein auf ihn wartete oder gleich aufs Zimmer ging. Sie kam an der Bar vorbei und sah nur kurz hinein, es war brechend voll, laut und warm. Außer einigen Plätzen am Tresen war alles besetzt. Die Aussicht, sich allein zwischen irgendwelche angetrunkenen Kongressteilnehmer auf einen Barhocker zu schwingen, bewog Alexandra, weiter zum Aufzug zu gehen. Mit Pech landete sie womöglich auch noch neben einem seiner Kollegen. Das brauchte sie jetzt nicht.

Die Aufzugtür glitt leise zu und sperrte die Lachsalven und lauten Gespräche in der Bar aus. In der einsetzenden Ruhe lehnte Alexandra den Kopf an die Wand und schloss kurz die Augen. Freute sie sich eigentlich? Sie hörte in sich hinein. Ja. Sie freute sich. Auch weil sie gespannt war, von ihm zu hören, was es mit den seltsamen Andeutungen auf sich hatte, die er am Telefon gemacht hatte: irgendetwas von einem Streit, von dem er aber erst erzählen wolle, wenn sie sich sahen.

Sie öffnete die Augen, als der Aufzug auf ihrer Etage hielt, und betrachtete sich im Spiegel. Etwas blass, aber sonst ganz in Ordnung. Ein bisschen Puder, ein wenig Parfüm, einen Hauch

Lippenstift, dann war sie bereit. Sie überlegte, ob er dieses schwarze Kleid schon kannte. Alexandra hatte es in München in ihrer Lieblingsboutique gekauft, es war schlicht, elegant und sehr körperbetont. Die Inhaberin der Boutique hatte sie anerkennend angesehen. »Meine Güte, wenn Sie so eine Autorin begleiten, hat die Arme ja keine Chance, Aufmerksamkeit zu bekommen. Das ist ja wie für Sie gemacht. Der Wahnsinn.«

Der Wahnsinn. Und das hatte sie heute angezogen. Für ihn.

Sie schob die Zimmerkarte in den Schlitz, die Tür entriegelte sich mit einem Summen, und Alexandra trat ein. Das Doppelbett war das Erste, worauf ihr Blick fiel, daneben stand ein Sessel, davor ein Tisch. Auf dem Tisch der bestellte Weinkühler mit der Flasche Weißwein und zwei Gläsern. Alexandra hatte die Bestellung schon heute Mittag beim Einchecken aufgegeben, jetzt knipste sie die Lampen am Sessel und auf dem Schreibtisch an, um danach das grelle Deckenlicht zu löschen. Es war alles vorbereitet. Und sie freute sich.

Als sie vor dem Badezimmerspiegel ihre Lippen nachzog, klingelte das Telefon. Sie lächelte, er schrieb ohnehin nicht gern SMS, er rief lieber an. Wahrscheinlich saß er jetzt im Taxi und hatte gerade erst ihre Mitteilungen gesehen. Alexandra sah kurz aufs Display, spürte, wie sich ihr Puls beim Lesen seines Namens beschleunigte, und nahm das Gespräch an.

»Hey«, sagte sie zärtlich. »Ich hätte gleich angefangen, mir Sorgen zu machen. Bist du auf dem Weg?«

»Du, ich …«, er stockte, und Alexandra fühlte sofort ein Ziehen im Magen. Sie kannte diese Stimme und dieses Stocken am Telefon. »Alex, das ist alles saublöd, aber ich konnte das nicht ahnen. Meine Frau ist plötzlich hier aufgetaucht, ich wusste das wirklich nicht, und ich finde es bescheuert, aber sie wollte mich überraschen und saß in der Bar, als ich vor einer Stunde reinkam. Ich bin nur kurz rausgegangen, um dir

Bescheid zu sagen. Sei nicht sauer, ich kann jetzt nichts machen.«

Alexandra hatte sich langsam aufs Bett sinken lassen und versuchte krampfhaft, ihre Fassung zu bewahren. »Sie ist hier im Hotel?« Ihre Stimme klang nicht so, wie sie sollte. »Und ihr habt gerade in der Bar zusammen gesessen? Ich wäre da fast reingegangen.«

»Es tut mir leid.« Seine Stimme war rau. »Ich weiß, es ist jetzt blöd für dich. Ich habe es mir auch anders vorgestellt. Aber ich muss wieder rein. Ich rufe dich morgen an, okay? Ich liebe dich.«

Alexandra starrte auf den Lippenstift, den sie immer noch in der Hand hielt. Das war doch wohl ein Witz. Ein grauenhaft schlechter Witz. So viel Klischee konnte sich kein Mensch ausdenken.

»Alex? Du, ich kann jetzt wirklich nicht weitertelefonieren, ich muss …«

»Dann geh wieder rein. Viel Spaß.« Sie beendete das Gespräch und warf das Handy aufs Bett. Sie war viel zu wütend, zu fassungslos, um zu weinen. Stattdessen starrte sie auf den Weinkühler auf dem Tisch, die beiden Gläser, die weiche Beleuchtung und kämpfte gegen den Brechreiz an. Warum, um alles in der Welt, warum tat sie sich diesen Scheiß an? Das alles musste doch jetzt mal ein Ende haben! Es war genug. Und als wenn er es gehört hätte, klingelte das Telefon zum zweiten Mal. Sie holte tief Luft und sah erst im letzten Moment, dass es eine andere Nummer war. Es war zu spät, sie hatte das Gespräch angenommen und versuchte, ihre Stimme ganz normal klingen zu lassen. »Weise.«

Am anderen Ende hörte sie ein erleichtertes Aufatmen, dann eine aufgeregte Stimme. »Frau Weise, Gott sei Dank. Hier ist Sophia, Sophia Magnus, die Volontärin, Sie wissen schon. Entschuldigen Sie die späte Störung, aber es ist wirklich total wichtig.«

Die Volontärin. Alexandra rieb sich erschöpft die Stirn. Das fehlte ihr jetzt auch noch. Warum war sie bloß drangegangen? Weil alles andere besser war, als jetzt über ihre Situation nachzudenken.

»Was ist denn so wichtig?«

»Es geht um Magdalena Mohr, mir ist da etwas aufgefallen, das ich, also, wie soll ich das sagen? Ich konnte es zunächst gar nicht fassen, aber dann habe ich mir das Ganze mal genauer angesehen und, es ist wirklich unglaublich, aber ich fürchte, dass es so ist. Und ich, ähm, sitzen Sie?«

»Sophia, bitte. Ich habe jetzt keine Lust auf Rätsel. Was ist los?« Alexandra konzentrierte sich auf eine freundliche und professionelle Stimme, es fiel ihr aber zunehmend schwerer. Sophia schien das gar nicht zu merken. »Ja, wie soll ich das in zwei Sätzen …«

Alexandras Geduld war erschöpft. »Sophia. WAS IST LOS?«

»Also. Magdalena Mohr hat ihre letzten beiden Romane nicht allein geschrieben. Sie hat sehr viel abgekupfert, bei einer französischen Autorin, Ann Deschamps. Keines ihrer Bücher ist bislang ins Deutsche übersetzt worden, aber ich habe meine Diplomarbeit über ›Romantische Liebesromane in der französischen Literatur‹ geschrieben und drei Bücher von Ann Deschamps gelesen. Ich kannte von Magdalena Mohr bisher gar nichts und hatte mir den letzten Roman mit nach Hause genommen. Und beim Lesen kam mir die Geschichte plötzlich sehr bekannt vor. Magdalena Mohr hat natürlich Kleinigkeiten verändert, aus einem Fahrradunfall wird bei ihr ein Unfall mit dem Moped, aus einer Blumenverkäuferin eine Obstverkäuferin, es spielt in Berlin und nicht in Paris, die Protagonistin heißt Jacky und nicht Jacqueline, aber sie hat ganze Handlungsstränge eins zu eins kopiert! In manchen Absätzen stimmt Wort für Wort überein. Ich habe mir dann den vorletzten Roman von der Mohr angesehen, da ist es genau dasselbe. Ich habe es genau geprüft. Und wenn sie das bei zwei Romanen gemacht hat, dann vermutlich auch bei den anderen.«

Alexandra schluckte. Ihr wurde schlagartig heiß. »Und Sie sind sich da ganz sicher?«

Sophia antwortete sofort. »Ganz sicher. Es gibt überhaupt keinen Zweifel.«

»Großer Gott.« Alexandra holte tief Luft und rieb sich über die Stirn. Nach einer langen Pause sagte sie: »Das ist ja eine ziemliche Katastrophe, Sophia. Es ist Ihnen klar, dass das erst mal unter uns bleibt? Ich muss nachdenken, wie wir jetzt damit umgehen. Und was das für Konsequenzen hat. So ein Scheiß. Entschuldigung, aber das ist es.«

»Ja.« Sophia klang zerknirscht, vermutlich waren ihr gerade die Geschichten mit den geköpften Überbringern schlechter Nachrichten eingefallen. »Tut mir echt leid.«

»Das muss Ihnen nicht leidtun, Sie haben einen guten Job gemacht. Aber ich muss das erst mal verdauen. Wir sehen uns morgen. Gute Nacht.«

»Ja, gute Nacht, Frau Weise.«

Wie gelähmt ließ Alexandra das Telefon sinken. Magdalena Mohr als Plagiatorin. Das konnte doch nicht wahr sein. Alexandra ließ sich auf dem Bett zurückfallen und starrte an die Decke. Im Geist sah sie schon die Schlagzeilen, hörte die hämischen Kommentare der Kollegen anderer Verlage, die einem so plumpen Plagiat selbstverständlich sofort auf die Schliche gekommen wären. Sie ging im Kopf die Verträge durch, die Vorschüsse, es ging hier nicht um ein paar Euro, es würde einen handfesten Skandal geben. Sie musste morgen früh sofort den Justitiar des Verlages informieren. Und dann würde sie sich

Magdalena vornehmen. Grauenhaft. Was hatte die sich eigentlich dabei gedacht? Alexandra sah auf die Uhr. Es war jetzt halb elf. Vor einer Stunde war sie noch von einem ganz anderen Verlauf des Abends ausgegangen. Vor erst einer Stunde.

Sie setzte sich auf und sah sich im Zimmer um. Sie musste hier raus. Sofort. Sie würde keinen Moment länger hier bleiben, in diesem Hotel, in dem auf irgendeiner anderen Etage ihr Liebhaber mit seiner Frau in einem Bett schlief. Und sie nur ein paar Türen weiter wie ein sentimentales Kalb auf ihn gewartet hatte. Es war so eine Demütigung, aber das war jetzt egal, es war total egal. Sie wollte kein Opfer mehr sein, es musste aufhören. Und sie hatte jetzt auch noch ein ganz anderes Problem. Sie sprang auf, sammelte im Bad ihre Kosmetika zusammen, legte die schon ausgepackte Wäsche und Kleidung zurück in die Reisetasche, ließ den Wein aus dem Kühler abtropfen, trocknete ihn mit einem Handtuch ab und schob ihn ebenfalls in die Tasche. Sie schulterte ihre Handtasche, prüfte, ob sie alles hatte, und verließ das Zimmer. Das Licht ließ sie an.

An der Rezeption erklärte sie, dass eine dringende Familiensache ihre sofortige Abreise erforderte, sie zahlte, ging zügig zum Aufzug und fuhr in die Tiefgarage. Als sie im Auto saß, lehnte sie kurz ihren Kopf an die Seitenscheibe und versuchte, langsam und tief ein- und auszuatmen, um sich zu beruhigen. Erst dann stellte sie den Motor an und fuhr los. Weg, bloß weg hier. Als sie auf der Hauptstraße war und das Schild in Richtung Autobahn entdeckte, gab sie Gas. Sie fuhr viel schneller, als erlaubt war. Aber die schnelle Flucht war ihr den Strafzettel wert.

Ihr Navi zeigte die Ankunftszeit zu Hause an: 2 Uhr 58. Sie brauchte für diese Strecke über vier Stunden mit dem Auto, München und Frankfurt waren weit entfernt. Normalerweise wäre sie mit dem Zug gefahren, aber aus einem unerfindlichen

Grunde hatte sie anders entschieden. Vielleicht war es eine Vorahnung gewesen, jetzt war sie jedenfalls heilfroh, so schnell weggekommen zu sein. Sie drehte das Radio lauter. Sie würde mindestens zweimal in deprimierenden Autobahnraststätten anhalten müssen, um Kaffee zu trinken, aber auch das war besser, als im Hotel zu sein. Und nachts war auf der Autobahn weniger Verkehr.

Die Autobahn war tatsächlich wesentlich leerer als heute Morgen. Alexandra stellte den Tempomat an und versuchte, ihre wirbelnden Gedanken in gerade Bahnen zu lenken.

Ihr Liebesleben. Magdalena Mohr. Maries Tod. Jule und Friederike. Das Haus am See, das baldige Treffen. Ihre Mutter, die immer noch in der Kurzzeitpflege war, und Katja, die auf Alexandras Entscheidung wartete. Wer hatte eigentlich gerade eine Wachspuppe nach ihrem Vorbild modelliert, in die er eine Nadel nach der anderen rammte? Warum hatte sie nach vielen Jahren Ruhe und gewohnten Abläufen jetzt so ein Brett zu bearbeiten? Was hatte sie denn getan?

Eigentlich musste es mal so kommen. Sie hatte selbst Schuld an dieser Situation. Sie hatte zu viel gewollt, sie hatte sich zu viel vorgemacht, sie hatte keine Rücksicht auf andere genommen, sich maßlos überschätzt, und vielleicht war so ein Abend wie heute einfach die Strafe. Alexandras Hals schnürte sich zu, sie war noch nicht einmal in der Lage, rational und erwachsen über die Geschichte nachzudenken. Geschweige denn eine Lösung zu finden. Die Geschichte? Welche Geschichte? Es waren gerade sehr viele Geschichten. Viel zu viele. Alexandra zwang sich, ruhig zu atmen und sich auf den Verkehr zu konzentrieren. Sie war nicht mehr zwanzig, sie war eine gestandene, erwachsene, attraktive, erfolgreiche Frau. Wenn man mal von der Sache mit Magdalena Mohr absah. Das könnte jetzt auch noch der Super-Gau werden. Sie musste das in Ordnung bringen. Und das würde sie auch. Sie konnte das. Sie konnte so viel. Sie würde sich nicht wegen einer Wachspuppe aus dem Tritt bringen lassen. Egal, wer da reinstach. Einfach ruhig weiteratmen. Sie beugte sich vor und stellte das Radio an. Ablenken, einfach ablenken. Einatmen, ausatmen.

Die ersten Takte von Mike Oldfields ›Moonlight Shadow‹. Schon bei den ersten Tönen bekam Alexandra Gänsehaut. Und als Maggie Reilly anfing zu singen, saß Alexandra sofort in der Küche ihrer damaligen Hamburger Wohnung, während Marie die Geburtstagstorte für Jule mit Tennisbällen aus Marzipan verzierte. Abende, an denen Jule und Friederike zu Besuch kamen, manchmal zusammen, manchmal auch nur eine von beiden. Das bunte Wohnzimmer, das sie sich mit Marie teilte, die zusammengewürfelten Möbel, der Flickenteppich auf dem Fußboden, die drei Yucca-Palmen in der Ecke, der Schaukelstuhl aus Korb, in dem Jule am liebsten saß, der grüne Cord-Sessel, der Friederikes Platz war, weil sie von dort aus ihre Füße auf die Holzkiste legen konnte. Marie, die unermüdlich Tee kochte, weil sie keinen Alkohol trinken durfte, die Chips- und Flipstüten aus dem Küchenschrank holte und zu später Stunde auch noch Brote für die immer hungrige Friederike schmierte. Marie, die sich um alles kümmerte und geduldig zuhörte, egal ob es um die Schilderung von Alexandras Zukunftsplänen, Jules Liebesgeschichten oder Friederikes Anklagen und Beschwerden ging. Die immer einen Vorschlag hatte, wie man das Problem lösen konnte. Kluge, sanfte, wunderbare Marie. Alexandra blieb vor Sehnsucht nach ihr die Luft weg. Jetzt gerade hätte sie so einen Abend gebraucht. Sie hatte niemanden mehr, der ihr zuhörte, keine Marie, die ihr einen Rat gab, keine Jule, die sie in den Arm nahm und ihr sagte, sie bekämen schon alles hin, keine Friederike, die gesagt hätte, dass der Mann ihres Herzens ein Idiot und Magdalena Mohr irre

war. Es war niemand an die Stelle von Marie, Jule und Friederike getreten. Da, wo sie gewesen waren, gab es jetzt nur ein
Loch.

»Mann!« Mit der aufgestauten Wut des Abends schlug Alexandra aufs Lenkrad. »Mann, Mann, Mann, Scheiße, Scheiße,
Scheiße!« Sie brüllte ihren Zorn gegen die Windschutzscheibe.
»Ihr könnt mich doch alle mal!« Sie hörte auf zu schreien, als
sie im letzten Moment das Rasthausschild sah, und fuhr ab.
Ihr war heiß, sie musste etwas trinken, und dieser Idiot vor ihr
kroch wie eine Schnecke über den Parkplatz. Alexandra hieb
wieder aufs Lenkrad, dass ihr die Hände wehtaten. »Jetzt fahr
doch, du Trottel!«

Als sie die roten Heckleuchten sah, war es zu spät. Trotz
Vollbremsung krachte sie auf den schwarzen Mercedes. Das
Letzte, was sie sah, waren die roten Lichter. Dann wurde alles
schwarz.

Jule

Der Ball ging ins Netz, Jules Gegenspielerin rief »Spiel!«, und Jule ließ den Tennisschläger sinken, bevor sie langsam zum Netz ging. Eva stand schon da und grinste. »Tja, meine Liebe, da hast du heute ja keinen Stich gehabt. Was ist los? Sechs zu eins, sechs zu drei, so klar habe ich ja lange nicht gegen dich gewonnen.«

»Keine Ahnung.« Jule klatschte sie ab und ging zur Bank am Spielfeldrand, auf der ihre Tasche stand. »Formtief. Du hast aber auch gut gespielt. Wollen wir noch was trinken? Oder musst du sofort zu Mann und Hund?«

»Nein. Können wir.« Eva wischte sich das Gesicht mit ihrem Handtuch ab, bevor sie sich auf die Bank fallen ließ. »Karsten wollte eine Fahrradtour machen und den Hund mitnehmen. Ich weiß gar nicht, ob er schon wieder zurück ist. Dann lass uns den Platz schnell abziehen und duschen. Ich lade dich danach auf meinen überlegenen Sieg ein.«

Eine halbe Stunde später saßen sie auf der Terrasse des Clubheimes. Jule hatte ihre Sonnenbrille aufgesetzt und beobachtete ein Doppelspiel, das auf dem ersten Platz stattfand. »Wer spielt denn da mit Sybille gegen Rita und Liz?«, fragte sie neugierig. »Die ist aber gut, die sollten wir gleich für die Mannschaft anwerben. Guck dir mal an, wie super die mit Sybille im Doppel spielt. Sensationell.«

Eva folgte ihrem Blick. »Andrea Schröder, Sybilles Schwester. Die wohnt in Berlin, ist wahrscheinlich zu Besuch. War früher auch mal hier im Verein.«

»Ach. Ich kenne die gar nicht. Sieht sympathisch aus. Wieso guckst du so komisch?«

»Sympathisch? Na ja. Wenn sie sieht, dass ich hier sitze, ist sie sowieso gleich weg.«

Fragend sah Jule sie an. »Warum das denn?«

»Wir mögen uns nicht.« Eva griff nach ihrem Glas. »Früher waren wir mal ganz dicke. Das ist aber lange her. Bevor ... na ja. Ich kann sie nicht leiden.«

Jule hob die Augenbrauen. »Was war denn los? Habt ihr euch gestritten?«

»Was heißt gestritten?« Eva machte eine abfällige Handbewegung. »Es ist einfach passiert, ich kann es dir gar nicht mehr sagen. Aber egal, es ist hundert Jahre her, und jede Freundschaft hat ihre Zeit. In meinem Leben passieren gerade wichtigere Dinge als Andrea Schröder.«

»Und was?« Eigentlich hatte Jule etwas anderes fragen wollen, aber Eva machte nicht den Eindruck, als würde sie unter dem Ende ihrer Freundschaft mit Andrea leiden, geschweige denn, dass sie darüber reden wollte.

Eva beugte sich ein Stück nach vorn und sagte mit gedämpfter Stimme: »Jenny ist schwanger.« Und nach einem tiefen Atemzug fügte sie etwas lauter hinzu: »Ich werde Oma.«

Jule suchte nach den richtigen Worten. Jenny, das kleine rothaarige Mädchen, das dauernd heulte und vor allem Angst hatte. Sie war zusammen mit Pia eingeschult worden, und weil Eva und Jule damals schon zusammen Tennis spielten, kannten die Mädchen sich schon vom Tennisplatz, auf den sie an den Wochenenden häufig mangels Babysitter mitgeschleppt wurden. Pia hatte Jenny anfangs unter ihre Fittiche genommen, aber irgendwann gesagt, dass Jenny ihr peinlich sei, weil sie dauernd heulte und zu ihrer Mama wollte. Jule konnte ihre Tochter verstehen.

Nach der Grundschule trennten sich die Wege der Mädchen, Jenny machte Mittlere Reife und wurde anschließend, genau wie ihre Mutter, Krankenschwester. Jule hatte sie seit bestimmt zwei oder drei Jahren gar nicht mehr gesehen. Und da sie mit Eva zwar über Tennis und Tennisfreunde, aber selten privat redete, hatte sie auch nichts mehr mitbekommen. Und nun wurde Eva Oma. Sie waren gleich alt, Jule fand das komisch.

»Ach was«, sagte sie jetzt bemüht. »Und? Freut sie sich?«

Eva hob die Schultern. »Sie sagt ja. Es kann aber auch sein, dass sie einfach keine Lust mehr hat zu arbeiten. Sie ist ja in Lübeck in der Klinik, da ist es wie überall, viel Stress, wenig Personal. Sie hat schon ziemlich viel über ihre Dienste gestöhnt.«

»Aber deswegen kriegt man doch kein Kind«, meinte Jule. »Stress und wenig Personal hast du dann doch auch. Oder willst du da dauernd einspringen?«

»Nur in Notfällen.« Eva hatte abwehrend beide Hände gehoben. »Ich bin so froh, dass meine Kinder aus dem Haus sind, ich fange nicht denselben Zirkus in Grün an. Nein. Wenn mal was ist, dann gern, aber ich lasse mich nicht von Anfang an einplanen.«

»Und was macht der Vater?«

»Manuel arbeitet in einem Autohaus in Lübeck. Und er sieht aus wie fünfzehn, ist aber ganz vernünftig. Sie sind erst seit einem halben Jahr zusammen. Ich hoffe, dass es gut geht. Was hat Pia denn für einen Freund? Oder ist sie Single?«

»Letzteres«, antwortete Jule. »Glaube ich, zumindest. Ich habe noch keinen neuen vorgestellt bekommen. Von ihrem letzten hat sie sich getrennt, weil der so eifersüchtig auf ihre

Freundinnen war. Und das konnte Pia nicht leiden. Die ist mit ihren Mädels ja ständig unterwegs.«

»Das macht sie ganz richtig«, bemerkte Eva. »Dafür hat Jenny dann erst mal keine Zeit mehr. Weil Mutti nicht bei jeder Gelegenheit den Babysitter spielt. Wir konnten uns damals gar keinen leisten.«

»Unsinn«, protestierte Jule. »Du warst doch auch ständig abends bei Tennisfeiern. Und ich hatte Nicole als Babysitterin, die Tochter von meiner Nachbarin. Die hat das gern gemacht. Wir waren auch nicht jeden Abend zu Hause. Und außerdem glaube ich sowieso, dass du dich in dieses Baby verliebst und gar nicht genug vom Omadienst bekommst. Wart mal ab.«

»Im Leben nicht«, Eva klang sehr entschieden. »Und außerdem ...«

Ein lauter Schrei unterbrach ihre Ausführungen. Er kam vom Tennisplatz, auf dem das Doppel gespielt hatte. Jule sah hin. »Da hat sich jemand verletzt«, sagte sie zu Eva. »Ich glaube, das ist Andrea.«

Eva zuckte die Achseln und hob erst den Kopf, als Liz plötzlich vor ihnen auftauchte. »Eva, du bist doch Krankenschwester, kannst du mal kommen? Andrea ist umgeknickt, das sieht nicht gut aus.«

»Ja, dann ruft doch einen Krankenwagen.« Eva sah sie kopfschüttelnd an. »Was soll ich denn da machen? Sie auf dem Platz notoperieren?«

»Eva, sag mal!« Jule war schon auf dem Weg. »Ich sehe mir das an, Liz, Physiotherapeuten haben auch ein bisschen Ahnung.« Eva blieb tatsächlich sitzen, während Jule zum Platz lief, sich neben die stöhnende Andrea hockte und den anschwellenden Knöchel vorsichtig und mit geübten Handgriffen abtastete. »Da muss sofort Eis drauf«, ordnete Jule an. »Sonst schwillt der noch mehr an. Und ich würde damit ins Krankenhaus fahren, das sieht nach mehr als einer Verstauchung aus.« Während Liz in die Tennisbar lief, um Eis zu besorgen, halfen Jule und Sybille Andrea hoch und führten sie zu der weißen Bank am Rand des Platzes. Mit schmerzverzogenem Gesicht ließ sie sich vorsichtig nieder. »Wie soll ich denn jetzt ins Krankenhaus kommen?«

Nach einem kurzen Hin und Her war klar, dass Jule sich auch noch darum kümmern musste. Alle vier waren mit Fahrrädern da, niemand kam so schnell an ein Auto, einen Krankenwagen lehnte Andrea vehement ab, also bot Jule sich als Fahrerin an.

»Ich muss nur schnell Eva Bescheid sagen«, meinte sie, während sie langsam der humpelnden Andrea folgte, die von Liz und Sybille gestützt wurde. »Eva Thomsen. Ich habe sie mitgenommen, entweder bringe ich sie erst nach Hause, oder sie kommt mit.«

Andreas »Nein!« kam so vehement, dass Sybille und Liz sofort stehen blieben. »Dann ruf einen Krankenwagen. Ich fahre nicht mit Eva in einem Auto.«

Verwirrt blieb Jule stehen. Als sie den Blick auf die Terrasse richtete, sah sie, dass Eva weg war. Mitsamt ihrer Tasche.

Es war kurz vor zwanzig Uhr, als Jule endlich ihre Haustür aufschloss und die Sporttasche im Flur fallen ließ. Ihr Magen knurrte, sie war aber zu sauer, um sich sofort etwas zu essen zu machen. Stattdessen rief sie Eva an, die sich nach nur einem Freizeichen meldete. Jule sparte sich jeden Umweg. »Sag mal, was sollte denn diese Aktion?«

»Wieso?« Evas Frage klang harmlos. »Ich musste los, und du solltest die Damen ja erst ins Krankenhaus fahren. Ihr habt so laut geredet, dass ich das oben gehört habe. Ich habe mich von Jenny abholen lassen.«

»Aber du warst sofort weg. Du hättest ja mal Bescheid sagen können. Ich stand da wie eine Blöde und habe dich überall gesucht. Und dann hat diese Andrea auch noch gesagt, sie würde auf keinen Fall mit dir zusammen in einem Auto sitzen. Kannst du mir mal erklären, was das für ein Kindergarten ist?«

»Sie musste ja nicht mit mir in einem Auto sitzen, da hatte sie Glück. Was hat sie denn jetzt? Also mit dem Knöchel?«

»Fraktur am Sprunggelenk. Die haben sie erst mal dabehalten. Das muss operiert werden. Du interessierst dich allerdings ein bisschen spät für sie. Was war denn los?«

Eva atmete tief durch. Dann sagte sie: »Ach, es ist hundert Jahre her. Ihr Ex-Freund Martin war anschließend mal mit mir zusammen. Nicht lange, nur zwei, drei Monate vielleicht, kurz bevor ich Karsten kennengelernt habe. Martin hatte sich damit erledigt. Aber Andrea hat eine riesen Welle gemacht. Und ist anscheinend nachtragend.«

Jule bemühte sich, das Ganze zu verstehen. »Du hast deiner Freundin den Freund ausgespannt und den kurz danach für Karsten verlassen?«

»Ja. Vor, lass mich rechnen, siebenundzwanzig Jahren. Ist das nicht affig?«

»Affig ist, dass du ihr vorhin nicht geholfen hast. Und dann noch einfach abhauen. Ich habe mich echt über dich geärgert.«

Ein lautes Klopfen an der Haustür ließ Jule zusammenzucken. Mit dem Telefon am Ohr ging sie zur Tür, um zu öffnen. »Aber egal, du musst ja wissen, was du tust. Ich…«, sie öffnete die Tür, vor ihr stand ihr Bruder. »Lars ist gerade gekommen. Also, Eva, wir sehen uns nächste Woche beim Training. Bis dann.« Sie ließ das Telefon sinken und umarmte ihren Bruder. »Was machst du denn hier? Komm rein.«

»Störe ich? Ich musste Papas Computer retten und dachte, ich schaue auf dem Heimweg bei dir rein.« Lars warf einen

Blick auf die Sporttasche, die immer noch im Flur stand. »Willst du weg?«

»Nein.« Jule schloss die Tür hinter ihm, legte das Telefon auf die Station und zog ihn mit ins Wohnzimmer. »Ich war beim Tennis, und danach habe ich noch …, ach, egal, lange und komplizierte Geschichte, möchtest du was trinken?«

Lars lächelte und folgte ihr. »Wenn du ein alkoholfreies Bier hättest, wäre ich begeistert. Und was war jetzt nach dem Tennis?«

Während Jule ein Bier aus dem Kühlschrank und ein Glas aus dem Schrank holte, gab sie ihrem Bruder einen kurzen Abriss des Abends. »Eva war noch nicht mal in der Lage, ihren Hintern vom Stuhl zu erheben, um zu helfen. Wegen eines Streits vor siebenundzwanzig Jahren. Und dabei ist sie Krankenschwester. Und diese Andrea weigert sich, ins Auto zu steigen, in dem Eva sitzt. Der reinste Kindergarten«, endete sie.

»Danke, Schwesterherz.« Lars nahm ihr das Bier aus der Hand. »Aber mit so einem Kindergarten kennst du dich doch aus, oder?« Lars grinste sie an.

Jule stutzte und sah ihren Bruder fragend an. Der goss sich seelenruhig das Glas ein und sagte: »Warum hast du mir nicht erzählt, dass Marie van Barig gestorben ist? Und dass ihr eine Art Revival-Treffen im Haus am See geplant habt? Zu dem du nicht gehen willst?«

»Und woher weißt du das schon wieder?« Jule hielt kurz inne, dann ging sie zurück zum Kühlschrank und holte sich auch ein Bier.

»Von Pia.« Lars setzte sich aufs Sofa und schlug die langen Beine übereinander. »Ich habe sie vorgestern zum Mittagessen getroffen. Sie kam in die Kanzlei und teilte mir mit, dass sie einen Mordshunger hätte. Da hab ich sie eben eingeladen, und sie hat mir das erzählt.«

»Aha«, Jule hebelte den Kronkorken auf und trank gleich aus der Flasche. »Habt ihr beim Essen keine anderen Themen gefunden?«

»Deine Tochter findet es unmöglich, dass du dich diesem geplanten Treffen so verweigerst. Und wollte wissen, wie ich das finde.«

»So, das wollte meine Tochter also wissen.« Jule wischte sich mit dem Handrücken den Mund ab und ließ sich auf den Sessel Lars gegenüber fallen. »Das habe ich ihr alles lang und breit erklärt, ich habe keine Ahnung, was sie daran nicht verstanden hat. Und außerdem habe ich Pfingsten etwas anderes vor, sieh das Thema also als erledigt an.«

»Was denn?«

»Wie? Was denn?«

»Was du vorhast.« Lars beobachtete sie lächelnd. »Pfingsten.«

»Das ist doch egal.« Jule zuckte die Achseln. »Was anderes eben. Alles Mögliche, nur nicht so ein sentimentales und überflüssiges Treffen mit Leuten, mit denen ich nichts mehr zu tun habe. Lars, Marie hat uns das Haus überschrieben, allerdings mit der Bedingung, dass wir uns da wieder treffen, fünf Jahre lang. Ich bitte dich, wie soll das gehen? Nach allem, was passiert ist. Ich tue mir das nicht an.«

»Der Meinung bin ich nicht. Es geht um einen letzten Willen, um den letzten Wunsch einer alten Freundin. Die einmal eine sehr enge Freundin war. Letzte Wünsche sollte man erfüllen, die nagen sonst am Gewissen.«

»Lars, du bist nicht mein Notar, deshalb kannst du dir deine salbungsvolle Rechtsanwaltsstimme sparen. Ich weiß auch gar nicht, wieso Pia dir das alles erzählt, sie tratscht doch sonst nicht.«

»Vielleicht macht sie sich Sorgen um dich? Oder sie kann

einfach nicht verstehen, dass man so nachtragend ist? Hast du dich nicht gerade über Eva aufgeregt?«

»Das ist doch was ganz anderes.« Jule schüttelte empört den Kopf. »Als Krankenschwester Hilfe zu verweigern, das ist unmöglich. Aber ich soll die ganzen Pfingsttage mit den anderen verbringen. Rund um die Uhr. Das gibt doch ein Gemetzel! Wir haben uns ja vor ein paar Wochen bei einem Notar in Hamburg getroffen. Das war schon skurril genug. Nach über zehn Jahren, es war ganz komisch. Und nicht schön. Es ist vorbei. Und ich halte nichts davon, die Vergangenheit zu verklären. Von wegen früher war alles besser, das stimmt doch einfach nicht. Komm, lass uns das Thema wechseln. Wie waren denn Lauras Flitterwochen?«

Lars ließ sich nicht ablenken. Er sah sie geduldig an. »Jule, vergiss nicht, dass wir beide ein paar Jahre lang zusammen gewohnt haben. Ich habe damals jede Menge Zeit mit Friederike, Marie und Alex verbracht, die waren so oft bei uns. Und ich durfte auch ein paar Mal mit zum See, hast du das vergessen? Und deshalb weiß ich, wie wichtig das für euch alle war, diese Freundschaft. Und du weißt auch, dass ich dein Verhalten damals nicht in Ordnung fand. Ich konnte das verstehen, aber du hättest irgendwann auch wieder klarer denken müssen. Es ging ja nicht nur um dich und deine Probleme, die anderen hatten auch so einiges an der Backe. Und du warst damals so stur.«

»Ich?« Wütend knallte Jule ihre Bierflasche auf den Tisch. »Ich war stur? Dann hast du aber eine etwas verzerrte Wahrnehmung. Und ein paar Ereignisse von damals vergessen. Du warst zum Schluss auch gar nicht mehr dabei, du hast die anderen ja kaum noch gesehen. Das kannst du gar nicht beurteilen.« Sie presste die Lippen zusammen, dann senkte sie ihre Stimme wieder. »Es ist echt hundert Jahre her. Ich bin damit durch. Ein für alle Mal.«

Ohne den Blick von ihr zu lösen, schob Lars eine Hand in sein Jackett und zog ein Foto aus der Innentasche. Er sah kurz darauf, bevor er es über den Tisch zu Jule schob. »Das habe ich vorhin bei Papa im Schreibtisch gefunden. Unter alten Papieren, er hat ja keinerlei Ordnung, ich habe fast zwei Stunden seinen WLAN-Zugangscode gesucht und tausend andere Dinge entdeckt. Unter anderem dieses Foto. Wann und wo war das eigentlich?«

Zögernd nahm Jule es in die Hand und starrte darauf. Zwei junge Frauen in der Sonne, die Köpfe aneinandergelehnt, in die Kamera lächelnd. Im Hintergrund ein langer weißer Sandstrand, blauer Himmel und Sonnenschirme, die in einer geraden Linie aufgestellt waren.

»Fuerteventura«, antwortete Jule, ohne den Blick abzuwenden. »Wir haben da Friederike besucht. Im Dezember. Es gab damals einen Notfall.«

Alexandra, in einem schwarzen Trägerhemd, hatte einen Sonnenhut auf, der einen Schatten auf ihr Gesicht warf. Jules hellblonde Locken waren mit einem Gummiband zurückgebunden, ihr Bikinioberteil unter dem durchsichtigen Hemd war gelb, ihre Nase rot von zu viel Sonne. Beide sahen so intensiv in die Kamera, dass Jule kurz die Augen schließen musste, bevor sie das Foto auf den Tisch legte und wieder nach ihrer Bierflasche griff. Sie sah ihren Bruder an und sagte, ohne groß überlegen zu müssen: »1982.«

Jule hatte bei Marie und Alex in der Küche gesessen, als der Anruf von Friederike kam. Das Telefon stand im Flur, deshalb bekamen Alex und Jule gar nicht mit, wer angerufen hatte. Sie setzten ihre Diskussion über den Rücktritt von Helmut Schmidt fort, den Jule nicht verstehen wollte. Sie war ein großer Fan gewesen. »Was ist das bloß für ein komisches Jahr?«, sagte sie. »Erst war alles so schön, und dann ist Romy Schneider gestorben, Grace Kelly mit dem Auto abgestürzt, Helmut Schmidt zurückgetreten, Birne wird Kanzler, und Nicole gewinnt mit ›Ein bisschen Frieden‹. Ich fühle mich langsam verarscht.«

Alex nickte. »Stimmt. Komische Zeiten. Die Toten Hosen werden gegründet, und ABBA löst sich auf. Das ist doch ein Zeichen.« Alexandra hatte sich ihre langen Haare abschneiden lassen, sie hatte die Frisur von Nena abgeguckt, jetzt waren die Haare kürzer und zerstrubbelt, sie trug eine sehr enge schwarze Jeans und einen schwarzen, sackartigen Pulli, der über die Schulter fiel, wo ein graues Trägerhemd hervorblitzte. Sie sah ein bisschen aus wie ein Punk, Jule gefiel es nicht.

»Was ist?« Alex legte den Kopf schief, sie hatte nur einen Ohrring, dafür einen sehr großen, der jetzt hektisch hin und her baumelte.

»Nichts«, sagte Jule nur kurz. »Ich finde nur, dass du ...«

»Wir müssen nach Fuerteventura.« Marie platzte so unvermittelt wieder in die Küche, dass Jule ihren Satz nicht aussprechen konnte. »Fiedi geht es total schlecht, irgendwas ist da passiert, wir müssen zu ihr. Hier unten um die Ecke ist ein Reisebüro, wir können gleich fragen, wann wir den nächsten Flug bekommen.«

»Jetzt sofort?« Alex drehte sich zu ihr um. »Was ist los?«

Marie blieb aufgeregt an der Küchentür stehen. »Das konnte ich nicht aus ihr rausbekommen. Sie konnte gar nicht richtig reden, sie hat die ganze Zeit geweint. Wir sollen kommen, das ging alles durcheinander. Mir ist ganz schlecht, ich habe keine Ahnung, was da passiert ist. Ich weiß nur, dass wir so schnell wie möglich hinmüssen.«

Auch Jule war sofort alarmiert. Sie hatte Fiedi in ihrem ganzen Leben noch nicht heulen sehen. »Was ist denn mit diesem

Carlos? Kann der da was mit zu tun haben? Vielleicht hat er eine andere?«

»Jule!« Alex war aufgestanden und sah sie kopfschüttelnd an. »Friederike Brenner ruft hier nicht heulend an und fragt, ob wir kommen können, weil sie Liebeskummer hat. Im Leben nicht. Da ist was anderes.«

»War nur eine Idee.« Jule zuckte mit den Achseln. »Aber meint ihr wirklich, wir müssen alle hin? Bringt das was? Es ist ja auch sehr aufwendig. Mal eben nach Spanien fliegen.«

»Ob das was bringt?« Maries Blick war erstaunt. »Jule, ich hoffe nur, dass du nie in Situationen kommst, in der du Freunde um Hilfe bittest und die sich nur fragen, ›ob das was bringt‹.«

Schuldbewusst sah Jule hoch. »Entschuldigung.« Sie zog ihre Jacke von der Stuhllehne und stand auf. »Ich ziehe die Frage zurück.«

Zwei Tage später saßen sie im Flugzeug. Alexandra schwänzte ihre Vorlesungen, Marie hatte ihrer Chefin etwas von einer dringenden Familienangelegenheit erzählt, während Jule pflichtbewusst drei Tage Urlaub genommen hatte, der zum Glück sofort bewilligt wurde. Nachdem die Flüge gebucht waren, hatte Marie Fiedi angerufen, um ihr zu sagen, wann sie ankämen. Danach hatte sie den anderen etwas erleichtert erzählt: »Fiedi war so froh, als ich gesagt habe, dass wir alle drei kommen. Und hat gleich wieder angefangen zu heulen. Obwohl sie sich total bemüht hat, ganz normal zu sprechen. Sie sagt immer noch nicht, was passiert ist, nur dass sie krank war und sich so elend fühlt. Aber sich auf uns freut.«

Jule hoffte immer noch, dass es nicht so schlimm war, wie es sich anhörte. Nicht nur weil sie sich Sorgen um Friederike machte, sondern auch weil Katastrophen im Moment überhaupt nicht in ihr Leben passten. Es war bisher das beste Jahr ihres Lebens gewesen. Sie hatte mit ihrem Bruder zusammen eine Wohnung, sie wohnte jetzt mitten in Hamburg, die Physiotherapeutenschule war die richtige Entscheidung gewesen, es gab nette Kollegen, tolle Ausbilder, und zwei ihrer besten Freundinnen wohnten auf dem Weg von ihrer Wohnung zur Klinik. Sie hatten einen Bilderbuchsommer gehabt, lauschige Abende auf Balkonen, im Stadtpark oder an der Alster und Elbe verbracht, ihre Hits des Sommers waren ›Carbonara‹ von Spliff und ›Ich will Spaß‹ von Markus. Sie war im Moment nicht verliebt, das würde sich aber bestimmt bald wieder ändern. Jule war da guten Mutes. Aber sie hatte das ganze Blöde hinter sich gelassen, die Schule und vor allen Dingen diese grauenhaften Streitereien ihrer Eltern wegen der Affäre ihres Vaters. Der arme Ernst hatte sich mittlerweile von seiner Affäre getrennt und lief wie das Leiden Christi durchs Haus. Und sobald er sich etwas aufrichtete, fing Gesa wieder mit ihrem Theater an. Jule hätte sich gewünscht, dass Ernst dem Ganzen endlich ein Ende bereitete und auszog. Er tat es nicht, er fühlte sich verantwortlich, ließ sich weiter von Gesa terrorisieren und tat Jule mittlerweile nicht mal mehr leid. Dafür konnte sie ihre Mutter kaum mehr ansehen, ohne aggressiv zu werden. Als sie endlich auszog, hatte sie sich geschworen, niemals so zu werden. Niemals.

Jule wollte, dass das Leben schön war. Und sie wollte das schöne Leben zusammen mit Marie, Alex und Fiedi. Und deshalb hoffte sie so sehr, dass es sich um keine große Katastrophe handelte, zu der sie nun unterwegs waren. Gerade jetzt, wo das Leben so wunderbar war. Andererseits war Friederike nicht der Typ, der freiwillig um Hilfe bat, dafür war sie viel zu stolz. Sie war jetzt seit etwas über drei Monaten auf Fuerteventura, verlieh Surfbretter und verkaufte kaltes Bier und Tapas. Jule hatte in dieser Zeit ein paar Postkarten von ihr bekommen, Strand, Wasser, Himmel und auf der Rückseite in Fiedis steiler Handschrift knappe Sätze wie »Superzeit hier«, »Wassertemperatur 25 Grad, Luft 30 Grad« oder »Es würde euch gefallen«. Jule hatte überhaupt keine Ahnung, was da schiefgegangen sein konnte. In ein paar Stunden würde sie es wissen.

Aus dem Cockpit kam die Ansage, dass sie sich bereits auf dem Landeanflug befänden. Jule beugte sich über Alex, um aus dem Fenster zu sehen. Wo sie auch hinsah, war Meer, und genau vor ihnen lag Fuerteventura. Alex stöhnte leise, als Jules Ellenbogen sie an der Hüfte traf. Dann öffnete sie verschlafen die Augen. »Sind wir da?«

»So gut wie«, Jule drehte sich zur anderen Seite und strich Marie sanft über den Arm. »Du kannst von hier das Meer sehen.« Marie lächelte sie müde an.

Jule lächelte zurück. Sie waren zu dritt auf dem Weg zu Friederike. Was immer passiert war, sie wären für sie da.

Als sie am Gepäckband standen und die gut gelaunten Urlauber um sie herum beobachteten, seufzte Jule und sah Alexandra an. »Ich wünschte, wir würden Friederike einfach nur so besuchen. Ohne Alarm und ohne Befürchtungen.«

»Ich auch.« Alexandras Antwort fiel knapp aus, weil sie in diesem Moment Maries hellblauen Koffer entdeckte und sich an Jule vorbeischob, um ihn vom Band zu heben. Marie kam dazu und zog den Griff des Koffers hoch. »Danke, Alex. Da kommt deiner.«

»Ich habe trotzdem das Gefühl, dass Carlos was damit zu tun hat«, meinte Jule zu Marie, während ihre Blicke am Laufband blieben, um die vorbeiziehenden Koffer zu verfolgen. »Ich weiß sowieso nicht, was sie an ihm findet. Ein blöder Typ.«

Sie hatten ihn nur einmal gesehen. Jule war mit Alex und Marie in der Kneipe gewesen, in der Friederike gejobbt hatte. Carlos saß an diesem Abend am Tresen und hatte schon einige

Biere getrunken, als Fiedi ihn ihren Freundinnen vorstellte. Er sprach nicht viel Deutsch, sie redeten ein bisschen Englisch, oder Friederike übersetzte aus dem Spanischen, was die Gespräche nicht einfacher machte. Jule konnte ihn auf Anhieb nicht leiden. Er sah zu gut aus, er war arrogant, er flirtete hemmungslos mit Alex, der das auch zu viel wurde. Friederike lachte bloß, als sie anschließend darüber sprachen. Carlos sei eben ein echter Spanier, sie hätten trotzdem eine gute Zeit miteinander. Und die anderen sollten das nicht zu ernst nehmen.

Das wäre doch mit Carlos keine Liebesgeschichte, hatte Jule trotzdem am nächsten Tag zu Friederike gesagt, sie könne nicht ernsthaft mit diesem Macho zusammen nach Fuerteventura gehen. Liebe wäre etwas ganz anderes. Friederike war ganz ruhig geblieben, hatte nur gemeint, dass nicht jeder so eine Romantikerin sei wie Jule, und es gäbe durchaus Beziehungen, die nicht so spießig wären wie die, die Jule vorschwebte. Sie wüsste noch nicht einmal, ob sie überhaupt in Carlos verliebt wäre. Oder er in sie. Das würde sich ja alles herausstellen. Wenn sie erst mal auf Fuerteventura in der Sonne wären. Jule war hin- und hergerissen gewesen, ob sie diese Haltung bewundernswert oder bescheuert finden sollte. Sie hatte es noch immer nicht herausgefunden.

Als endlich auch Jules Koffer vom Band geholt war, gingen sie langsam durch die Ankunftshalle und durch den Ausgang auf den Vorplatz. Die Hitze schlug ihnen entgegen, geblendet von der Sonne suchte Alex in ihrer Handtasche nach der Sonnenbrille. »Gott, ist das heiß«, sagte sie und setzte die Brille auf. »Und hell. Wo müssen wir hin?«

Marie suchte in ihrem Rucksack nach einem Zettel und fand ihn auch. Sie orientierte sich kurz, dann deutete sie auf eine Bushaltestelle und meinte: »Da hinten fährt der Bus. Den sollen wir nehmen.«

Friederikes Anweisungen folgend fuhren sie fast eine Stunde mit dem Bus über die Insel. Sie sahen alle drei schweigend aus dem Fenster. Die Insel war nicht schön, zumindest nicht diese karge Landschaft, durch die sie gerade fuhren. Wenn das ein Zeichen war, war es kein gutes. Die Landschaft wurde grüner, je näher sie dem Ort kamen, in dem sie aussteigen sollten. Kurz vor dem Ziel sah es aus, als wäre die Botanik explodiert. Die Straße wurde von Bougainvillea, Rosen und Margeriten gesäumt, es gab eine ganze Reihe Hotels rechts und links, der Bus fuhr bis zur Endstation an einem kleinen Hafen. Hier war es wunderschön, viel schöner als auf der Strecke, die sie vom Bus aus gesehen hatten. Jule fühlte sich etwas beruhigter. Als ob an schönen Orten nichts Schlimmes passieren konnte.

Friederike erwartete sie schon an der Bushaltestelle. Sie trug eine abgeschnittene Jeans und ein grünes T-Shirt, das zwar zu ihren rötlichen Haaren passte, aber auch ihre Blässe betonte. Und sie war sehr dünn. Marie stieg als Erste aus und lief sofort auf sie zu. »Fiedi, na endlich!« Sie umarmten sich, Friederike schloss kurz die Augen, dann sah sie über Maries Schulter zu Alexandra und Jule. Jule beobachtete sie besorgt, während Friederike jetzt Alex fest in die Arme schloss. Sie war wirklich sehr dünn geworden, ihre Haare waren achtlos zusammengebunden, sie war fast ungeschminkt, hatte Ringe unter den Augen und wirkte abwesend. Friederike bemühte sich sichtbar, die Kontrolle zu behalten. Man sah ihr die Mühe aber an. »Hat alles gut geklappt?«, fragte sie jetzt mit einer Stimme, die irgendwie nicht zu der Situation passen wollte. »Es ist sehr heiß heute, ihr seid bestimmt zu dick angezogen. Wir gehen erst mal zu mir, und dann können wir vielleicht mal zum Strand fahren. Und baden. Oder? Wir müssen hier die Straße runter.«

Sie nahm Marie den Koffer aus der Hand und ging langsam los, Marie blieb neben ihr. Jule und Alexandra folgten in einem kleinen Abstand und sahen sich noch entsetzt an, bis Alexandra leise meinte: »Ach du Scheiße, wie sieht sie denn aus? Wenn du immer noch glaubst, dass das nur Liebeskummer ist, hast du dich aber geschnitten.« Friederikes Wohnung lag in einer Seitenstraße in einem Hinterhof. Nacheinander stiegen sie die schmale Treppe in einem sehr engen Treppenhaus bis in den dritten Stock hinauf. Vor einer abgeblätterten Tür blieb Friederike stehen und zog einen Schlüssel aus ihrer Hosentasche. »Es ist nicht besonders groß hier, aber es ist billig und ganz okay. Und ich bin ja eh kaum zu Hause.« Im Treppenhaus roch es nach altem Fett und Fisch, Jule bemühte sich, nicht durch die Nase zu atmen.

Friederike schloss auf und trat ein, die anderen folgten ihr langsam. Es war eine sehr kleine Wohnung, das Zimmer, in dem sie jetzt standen, war gleichzeitig Wohnzimmer und Küche, eine offenstehende Tür neben der Küchenzeile gab den Blick auf ein Schlafzimmer frei, in dem gerade genug Platz für ein breites Bett und einen Stuhl war. Aber es war hell und aufgeräumt, Marie sah sich um. »Es ist ganz süß«, meinte sie und sah Friederike dabei an. »Und hübscher, als man von außen denkt.«

Friederike sagte nichts dazu, sondern deutete auf das Sofa. »Das kann man umklappen, zwei schlafen da und eine bei mir mit im Bett. Das ist doch okay, oder? Aber setzt euch erst mal, wollt ihr was trinken? Ich habe allerdings nur Eistee, ist das okay?«

Jule fragte sich, warum denn alles immer okay sein musste, nickte aber trotzdem und setzte sich auf einen der Stühle. Während Friederike zur Küchenzeile ging und Gläser aus dem Schrank holte, sahen die drei sich verstohlen an. Wer würde zuerst fragen? Es war Marie, die abgewartet hatte, bis auch Friederike saß. »Und jetzt erzähl. Was ist passiert?«

»Ich …«, Friederike vermied Blickkontakt und klaubte unsichtbare Haare von ihrer kurzen Jeans. »Ich bin bei der Arbeit zusammengeklappt. Hinter dem Tresen. Kreislaufkollaps denken die anderen. Nervenzusammenbruch hat der Arzt gesagt. Ich soll eine Kur machen. Oder eine Therapie. Als ob ich so was bräuchte.«

»Du hattest einen Nervenzusammenbruch?« Alexandras Blick sprach Bände. »Aber was – was war denn die Ursache dafür?«

Die ersten Tränen liefen Friederike über die Wangen. Ihr Blick richtete sich auf einen Papierstapel, der vor ihnen auf dem Tisch lag. Jule sah kurz hin, obendrauf lagen ein Flugticket und eine Bordkarte. Ein Flug nach Amsterdam. Sie nahm das Ticket in die Hand.

»Willst du nach Holland? Ach, nein, hier steht das Datum. Du warst in Holland?«

Ruckartig lehnte Friederike sich zurück. Energisch putzte sie sich die Nase und wischte sich schnell über die Augen, bevor sie das Taschentuch zurück in die Jeanstasche schob. Sie atmete schwer aus: »Vor vier Wochen. Ich war … ich hatte eine Abtreibung.«

Jule fand als Erste Worte: »Oh, nein, Friederike, das ist ja …«

»Was?« Friederikes Stimme war kalt. »Grausam? Ja. Das war es. Aber das kann man nicht beschreiben.«

Alexandra ging zu Friederike und strich ihr übers Haar. »Warum hast du das getan?« Jule merkte im selben Moment, dass ihre Frage Friederike wie ein Vorwurf erscheinen musste. Eine Abtreibung. Friederike hatte abgetrieben. Ein Schauer lief ihr über den Rücken, sie war fassungslos. Der Paragraph 218 war ja in aller Munde. Aber das passierte doch *ihnen* nicht. Jule hatte sich oft vorgestellt, dass sie später alle Kinder hätten, die auch wieder miteinander befreundet sein würden. Sie hatte sie schon alle im Haus am See spielen sehen. Sie selbst wollte jedenfalls in nicht allzu ferner Zukunft unbedingt Mutter sein. Also fand sie die Frage völlig berechtigt und war überrascht, wie schroff Friederike reagierte.

»Jule, du fragst mich allen Ernstes, warum? Willst du das wirklich wissen?« Noch schlimmer als ihre Antwort war ihr Gesichtsausdruck. So hart, so undurchdringbar – und dann ihre Augen. Friederike sah sie mit leerem Blick an. Jule bekam eine Gänsehaut.

Marie stand auf und ging vor Friederike in die Knie. »Fiedi, wir sind hier, um dir zu helfen. Aber wenn du nicht darüber sprechen kannst, ist das auch okay! Wie geht es dir denn körperlich? Ist alles in Ordnung?«

Friederike nickte schweigend.

»War Carlos dabei?« Alexandra stellte die Frage, die Jule gedacht, sich aber nicht zu fragen getraut hatte. »Hilft er dir?«

»Wir sind nicht mehr zusammen.« Friederike antwortete so leise, dass Jule sich nach vorn beugen musste, um sie zu verstehen. »Eigentlich waren wir es auch gar nicht richtig. Ich habe ihm alles erzählt, es hat ihn nicht sonderlich interessiert.« Sie verschränkte plötzlich ihre Hände im Nacken und drückte ihren Rücken durch. Dann ließ sie die Hände wieder in den Schoß sinken und hob die Stimme: »Er hat seit zwei Jahren eine Freundin. Sie studiert in Barcelona, deshalb hatte ich sie noch nie gesehen. Ich dachte, dass er an den Wochenenden bei seinen Eltern war. Er hat es mir jetzt erst erzählt.«

»Was für ein Arschloch!«, platzte es aus Jule raus. »Sei froh, dass du ihn los bist, ich konnte ihn ja noch nie leiden. Und unter dem Aspekt ist auch die Abtreibung die richtige Entscheidung gewesen. Stell dir mal vor, was für ein beschissener Vater er geworden wäre. Nein, nein, mach dir keine Vorwürfe, die Entscheidung war in diesem Fall die richtige.« Sie sah Marie und Alexandra auf der Suche nach Zustimmung an, beide hatten aber nur Augen für Friederike, die jetzt am ganzen Körper zitterte und von einem Weinkrampf geschüttelt wurde. Alexandra dirigierte sie sofort zum Sofa: »Komm, leg dich hin. Jule, gib mir mal die Decke, mein Gott, Fiedi, du bist ja ganz kalt.« Und das bei den Außentemperaturen.

Besorgt blickte sie auf Friederike. »Sollen wir nicht doch lieber einen Arzt rufen?«

Friederike hatte Alexandras Hand fest umklammert. Marie hockte neben dem Sofa und strich ihr die Haare aus dem Gesicht. »Du musst nichts sagen«, redete sie ruhig auf Friederike ein »Und Jule hat recht, ein Kind mit Carlos wäre vielleicht nicht richtig ...«

Plötzlich riss Friederike die Decke weg, holte tief Luft und schrie verzweifelt: »Ich weiß gar nicht, ob Carlos überhaupt der Vater war! Ich ... ich bin vergewaltigt worden. Unten am Strand. Carlos und ich hatten uns gestritten, ich bin abgehauen, hatte was getrunken und bin dann runter zum Strand, da saßen diese beiden Typen, einer hat Gitarre gespielt, ich bin da hin, habe gefragt, ob sie noch ein Bier für mich haben. Wir haben geredet, dann fing einer an, mich anzufassen, dann der andere, dann ...« Der Rest ging in einem verzweifelten Schluchzen unter.

Friederike war nacheinander von den beiden stockbesoffenen Engländern vergewaltigt worden. Danach hatten sie sie einfach im Sand liegen gelassen. Erst Stunden später hatte sie es geschafft, sich irgendwie zurück in ihre Wohnung zu schleppen. Wie durch ein Wunder war ihr auf dem Weg niemand begegnet. Sie hatte keine Ahnung gehabt, wie spät es war und was sie tun sollte. Sie wollte nur duschen, heiß und endlos, und mit niemandem reden. Am besten so tun, als sei das alles nicht passiert. Am nächsten Morgen schob sie einen Migräneanfall vor und blieb zu Hause. Drei Tage lag sie, eingerollt in alle Decken, die sie hatte, in ihrem Bett. Carlos hatte sich nicht einmal gemeldet.

Im nächsten Monat blieb ihre Regel aus, genauso wie im Monat darauf. Der Schwangerschaftstest war positiv, versteinert hatte sie stundenlang auf den roten Balken gestarrt, dann hatte sie eine Freundin angerufen, die ihr mal anvertraut hatte, in Holland abgetrieben zu haben. Der Rest war Organisation und Planung, Friederike war innerlich wie zubetoniert, sie handelte völlig mechanisch, fühlte nichts, zog das alles durch, ohne auch nur einmal darüber nachzudenken.

Als es vorbei war, alle Spuren dieses entsetzlichen Abends vernichtet waren, ging sie zu Carlos, um es ihm zu sagen. Eigentlich hatte sie sich von ihm die Bestätigung erhofft, alles richtig gemacht zu haben. Vielleicht hatte sie sich sogar gewünscht, dass er diese Arschlöcher suchte und Strafanzeige gegen sie erstattete. Womit sie nicht gerechnet hatte, war sein angewiderter Blick, mit dem er sie ansah und ihr tatsächlich eine Mitschuld gab. »Was willst du? Du hast sie doch schließlich angesprochen. Da musst du dich nicht wundern.«

Zwei Tage später war sie zusammengebrochen. Sie hatte die Vergewaltigung nie angezeigt.

»1982.« Die Stimme ihres Bruders holte Jule zurück in die Gegenwart. »Meine Güte, da waren wir alle noch so jung.«

»Ja.« Jule nickte. »Das waren wir. Aber gut war damals bei weitem nicht alles. Man vergisst nur so viel.«

»Was war denn das für ein Notfall?«

Jule sah Lars nachdenklich an. Dann antwortete sie: »Friederike ging es damals nicht gut. Gesundheitlich und auch sonst.« Sie hatten sich geschworen, mit niemandem darüber zu reden. Sie hatte seit Jahren nicht mehr daran gedacht. Es war schon seltsam, wie nachhaltig man Dinge verdrängen konnte.

»Das war für sie alles nicht so einfach auf Fuerteventura. Sie hat es dann ja auch abgebrochen und ist nach Deutschland zurückgekommen. Um die Ausbildung im Hotel zu machen.« Sie beobachtete ihren Bruder, der das Bild vom Tisch nahm und es lange betrachtete. Sie wusste gar nicht mehr, wann Marie dieses Foto von Alexandra und ihr gemacht hatte. Es musste irgendwann nach der Ankunft gewesen sein. Nach Friederikes Eröffnung hatte sicher niemand von ihnen mehr gelächelt.

Er betrachtete das Foto, ohne nur im Mindesten zu ahnen, was dieses Bild gerade bei Jule ausgelöst hatte. Stattdessen lächelte er bei seiner Erinnerung. »Ich war eine Zeitlang so in Alexandra verliebt«, sagte er sentimental. »Aber sie hat sich nie für mich interessiert.«

»Alle waren in sie verliebt.« Jule stand plötzlich auf. »Das solltest du doch noch wissen. Damals hat sie niemanden erhört. Das kam dann erst später.«

Er nickte, trank sein Bier aus und stellte das leere Glas auf den Tisch. Dann legte er das Foto zurück und erhob sich ebenfalls. Er ging auf Jule zu, zögerte kurz und nahm sie in den Arm. Über ihren Kopf hinweg sagte er leise: »Jule. Kannst du nicht über deinen Schatten springen? Versuch es doch einfach, wer weiß, wozu es gut ist.« Er ließ sie wieder los. »Außerdem soll ich dich von Torge grüßen. Ich habe ihm deine Adresse gegeben, er hat Rückenprobleme und braucht eine gute Physiotherapeutin. Du warst ihm auf Anhieb sympathisch.«

»Torge? Welcher Torge?« Jule sah ihn fragend an. »Muss ich den kennen?«

Lars grinste. »Der saß auf Lauras Hochzeit neben dir am Tisch. Fabians Patenonkel. Er ist Steuerberater, und zufälligerweise ist seine Kanzlei bei uns um die Ecke. Wir kannten uns schon vor der Hochzeit, ein netter Kerl.«

»Und der will zur Behandlung zu mir aufs Land kommen? Ist das nicht ein bisschen weit?«

Lars zuckte mit den Achseln und grinste zweideutig. »Ich habe ihm gesagt, du wärst die Beste. Und wie gesagt: Er findet dich ziemlich sympathisch.«

»Unsinn.« Jule sah ihn mit hochgezogenen Augenbrauen an. »Der ist verheiratet. Seine Frau war doch auch dabei. Auf so was stehe ich wirklich nicht.«

»Die sind getrennt«, antwortete Lars sofort. »Schon seit einem Jahr. Gabi war nur dabei, weil sie mit Fabians Mutter befreundet ist. Und um ihm den Abend zu verderben. Hat sie aber nicht geschafft, weil er sich so gut mit dir unterhalten hat.«

Jule sah ihn an und verzichtete auf einen Kommentar. Lars beugte sich zu ihr runter, um sie auf die Wange zu küssen. »Tja, Schwesterherz, dann hast du jetzt zwei Aufgaben: das alte Leben bewältigen, um einen Haken daran zu setzen. Und vielleicht eine neue Liebe zu beginnen.«

Langsam hob Jule die Hand und tippte sich mit dem Finger an die Stirn. »Du siehst zu viele schlechte Filme«, sagte sie. »Und ich muss jetzt meine Tennisklamotten in die Waschmaschine stopfen. Also?« Sie gingen nebeneinander durch den Flur zur Haustür, wo Lars stehen blieb und jetzt wieder etwas ernsthafter sagte: »Jule, im Ernst, denk noch mal über Pfingsten nach. Pia hat recht, es geht doch nicht nur um das Haus. Es geht vor allem um Maries letzten Wunsch. Sie hat dir nie etwas getan, ihr hattet eine wunderbare Zeit miteinander. Du hättest es an ihrer Stelle genauso gemacht.«

Mit verschränkten Armen lehnte Jule sich an den Türrahmen. »Ach, Lars. Wenn das alles so einfach wäre. Sagen wir mal: Ich denke darüber nach. Aber entscheiden tue ich das ganz allein. Fahr vorsichtig.«

Sie stand noch so lange an der Tür, bis das Motorengeräusch nicht mehr zu hören war. Dann schloss sie langsam die Tür und ging zurück ins Wohnzimmer. Ihren Blick auf das Foto gerichtet, ließ sie sich auf den Sessel sinken. 1982. Das Jahr, in dem sich so viel verändert hatte. In ihrer kleinen Welt. Aber auch in der großen war so viel passiert, während Jule Partys gefeiert, zur Neuen Deutschen Welle getanzt und den Sommer gefeiert hatte. Bis zu dieser entsetzlichen Geschichte mit Friederike. Jule musste sich eingestehen, dass sie damals wahnsinnig naiv und oberflächlich gelebt hatte. Sie hatte in dieser Zeit sehr um sich und das schöne Leben gekreist. Allein war sie gar nicht auf die Idee gekommen, zu Friederike zu fliegen, um sich vor Ort ein Bild vom Zustand ihrer Freundin zu machen. Aber so war es oft gewesen: Jule passte sich an, machte alles mit, aber nie war sie es, die die Initiative ergriff. Nicht mal, wenn es darum ging, einer Freundin beizustehen, der es richtig schlecht ging. Die Erkenntnis und ihr schlechtes Gewissen trafen sie wie eine Faust in die Magengrube.

Vielleicht sollte sie Pfingsten doch an den See fahren. Nicht weil man das von ihr erwartete, sondern um sich selbst und den anderen zu beweisen, dass sie sich verändert hatte. Doch, das hatte sie. Jule sah sich plötzlich wieder im Büro des Notars. Alexandra in ihrem Hosenanzug, die Fingernägel passend zum Lippenstift. Man sah ihr den Erfolg und ihr gutes Leben an. Das war keine Überraschung gewesen, sie hatte immer gewusst, wo sie hinwollte. Und außerdem hatte Jule über die Jahre genügend über sie in der Presse gelesen. Einige Zeitungsartikel hatte sie sogar aufbewahrt, sie wusste selbst nicht, warum, es war wie ein Zwang gewesen. Und dann Friederike, etwas derangiert in ihrer verschmutzten Kleidung, aber eine erkennbar selbstbewusste Frau. Das schreckliche Erlebnis auf Fuerteventura hatte sie nicht brechen können. Auch sie war erfolgreich und sich ihrer Ausstrahlung bewusst. So wie früher. Jules Rolle hingegen war immer schon die der fröhlich-naiven Romantikerin gewesen. Niemand hatte die große Karriere von ihr erwartet, sie hatte als Einzige nicht studiert, sie war nie sonderlich durch ihren Geist oder ein besonderes Maß an Tiefgründigkeit aufgefallen, niemand hatte damit gerechnet, dass sie ihr Leben einmal unfreiwillig allein, aber erfolgreich leben würde, eigentlich hatten die anderen sie doch nie so richtig ernst genommen. Aber Jule Petersen war nicht mehr das Schaf der Truppe. Sie hatte es alles allein geschafft. Das sollten Friederike und Alexandra jetzt endlich mal sehen. Und wenn dieses Treffen nur dafür gut wäre. Die würden sich wundern.

Hamburg – Weißenburg
19. Mai

Friederike

Es gibt wenige Dinge im Leben, die so deprimierend sind, wie bei leichtem Nieselregen durch den Ort zu fahren, in dem man aufgewachsen war. In genau diesem Ort stand Friederike gerade vor der roten Ampel an der Hauptstraße und näherte sich dieser Depression. Zur Linken sah sie das Kino, das sich vom schillernden Filmpalast ihrer jugendlichen Erinnerung in ein kleines graues Haus mit einem schmalen Eingang verwandelt hatte. Das »i« im Wort »Kino« hing schief, die Fassade war abgebröckelt, der Film, der hier gerade lief, war in Bremen schon vor einem halben Jahr gezeigt worden. Auf den Stufen vor dem Eingang saß eine Gruppe Jugendlicher mit Getränkedosen und Kippen in der Hand, sie sahen alle auf die gleiche Weise gelangweilt aus, während sie hier die Zeit totschlugen. Auch Friederike hatte als Jugendliche auf dieser Treppe gesessen, sie fragte sich jetzt, ob von ihnen damals auch so eine graue Wolke ausgegangen war. An der Ecke hatte es früher ein Café gegeben, der Schülertreffpunkt des nahe gelegenen Gymnasiums. In Freistunden, manchmal auch nach Schulschluss trafen sich hier alle, saßen an den runden Tischen vor braun geblümten Tapeten, diskutierten die Weltlage oder brachten die neuesten Gerüchte über Romanzen in Umlauf. Die Jungs aus der Oberstufe waren cool, obwohl es damals noch nicht so hieß, die Mädchen hatten Bürsten in den Taschen ihrer Jeansjacken und gingen zu zweit zur Toilette. Friederike war nur selten in diesem Café, es gab einen Verzehrzwang, ein Glas Tee kostete eine Mark sechzig, eine Cola eine Mark achtzig, das Billigste war ein Stück Mohnkuchen für eine Mark. Friederike konnte ihn irgendwann nicht mal mehr riechen. Sie hatte zu wenig Geld, um es hier auszugeben, und Marie war es dort ohnehin zu verraucht. Sonst hätte sie Friederike bestimmt eingeladen. Und zwar zu einem Tee, ohne diesen widerlichen Kuchen. Jule fand diesen Treffpunkt natürlich super, weil sie dort immer alle traf, während es Alexandra auf die Nerven ging, dass sie regelmäßig von mindestens drei Typen aus der Oberstufe angebaggert wurde. Mittlerweile war dieses Café einem Immobilienbüro gewichen, es war sicher kein Verlust für die Welt.

Die Ampel sprang endlich auf grün, und Friederike gab Gas. Sie hatte heute Morgen einen Termin in Hamburg gehabt. Michael Bergmann, ihr Retter nach dem Fahrradunfall, hatte darauf bestanden, sich ihr Knie selbst noch mal anzusehen. Friederike hatte tatsächlich gleich nach dem Unfall einen Termin bei ihm vereinbart. War es nicht üblich, auch die Nachsorge bei dem Arzt zu machen, der das Knie zuerst behandelt hatte? Natürlich hätte sie den Termin auch absagen und das Knie ihrem Hausarzt in Bremen zeigen können. Sie hatte überhaupt keine Beschwerden mehr, und es war ja auch schon ein paar Wochen her. Aber dann hatte Michael Bergmann sie noch mal angerufen, um den Termin zu bestätigen, und aus der Terminbestätigung hatte sich im Nu ein zehnminütiges Gespräch entwickelt, von dem Friederike vor allem die charmante Stimme des Arztes im Gedächtnis geblieben war. Warum hatte eine Terminbestätigung beim Arzt sie eigentlich so aus der Fassung gebracht? Es ging ja schließlich nur um eine Routineunter-

suchung. Sie konnte sich nicht erinnern, sich auf einen Nach-
sorgetermin beim Arzt jemals gefreut zu haben.

Sie hatte sich extra einen Tag frei genommen, war um sieben
Uhr morgens in Bremen losgefahren und pünktlich um kurz
nach halb neun in der Praxis eingetroffen.

Sie hatte die Praxis sofort wiedergefunden und stellte nun überrascht fest, dass die Eingangstür noch verschlossen war. Nach
einem Blick auf die Uhr drückte sie den Klingelknopf, kurz danach öffnete eine junge blonde Frau, die in der Tür stehen blieb.
»Guten Morgen, kann ich Ihnen helfen?«

»Ja.« Irritiert sah Friederike sie an. »Mein Name ist Brenner.
Ich habe einen …«

»Ach, Frau Brenner, Sie sind das.« Mit einem Anflug von
Begeisterung lächelte sie. »Sie waren die einzige Patientin, die
ich nicht erreichen konnte. Kommen Sie bitte kurz rein,
Dr. Bergmann ist leider nicht da, aber wir können einen neuen
Termin machen.«

Friederike folgte ihr zögernd in die Praxis. Das war nicht das,
womit sie gerechnet hatte. Am Empfangstresen blieb sie stehen. »Also, das ist eigentlich nicht nötig. Ich habe den Termin
heute auch nur gemacht, weil Dr. Bergmann mich noch mal
persönlich daran erinnert hat. Und ich bin extra aus Bremen
gekommen, deshalb ist es jetzt schon ärgerlich, dass …«

»Also, da kann der Herr Doktor nichts dafür.« Merkte diese
Sprechstundenhilfe eigentlich nicht, dass sie ihre Patientin
ständig unterbrach? »Er ist nämlich heute Nacht mit einer aku-
ten Gallenkolik ins Krankenhaus gekommen, als Notfall. Nur
deshalb ist heute die Praxis geschlossen, wir bekommen erst
morgen eine Vertretung. Aber der Doktor hat mir extra gesagt,
dass ich neue Termine mit allen machen soll. Wann passt es
Ihnen denn?«

Friederike schob die Hände in ihre Jackentaschen. »Ehrlich gesagt, in den nächsten Wochen ist überhaupt keine Luft. Ich habe aber auch keine Beschwerden mehr. In welchem Krankenhaus liegt Dr. Bergmann denn?«

»Uniklinik Eppendorf, das ist ja nicht so weit von ….« Sie schob sich ihre Brille fester auf die Nase und sah sie unschlüssig an. »Das hätte ich Ihnen, glaube ich, gar nicht sagen dürfen.«

»Doch, doch.« Friederike lächelte sie beruhigend an. »Ich kenne Ihren Chef ja. Und ich sage ihm natürlich nicht, dass ich es von Ihnen weiß. Also dann, schönen Tag noch.«

Sie stieß sich vom Tresen ab und ging zum Ausgang. Die Sprechstundenhilfe rief ihr hinterher. »Und was ist jetzt mit dem Termin?«

»Ich melde mich.« Die Tür fiel hinter ihr ins Schloss.

Draußen blieb Friederike einen Moment stehen und hielt ihr Gesicht in die noch schüchterne Morgensonne. Dann ging sie langsam zum Auto. Uniklinik Eppendorf. Jule hatte damals ihre Ausbildung an der Physiotherapieschule gemacht und die ersten Jahre in der Klinik gearbeitet. Dort hatte sie Philipp kennengelernt. Friederike fragte sich, ob er da immer noch arbeitete. Der smarte Philipp. Der so vieles durcheinandergebracht hatte. Als sie aufsperrte, fiel ihr wieder die Stimme des ebenso smarten Dr. Bergmann ein. Warum eigentlich nicht? Sie hatte nichts vor, sie war extra für diesen Termin aus Bremen gekommen – und es gab keinen triftigen Grund, diesen Termin nicht einzuhalten.

Friederike marschierte selbstbewusst auf den Pförtner zu. »Guten Tag, ich möchte Dr. Michael Bergmann besuchen. Er ist heute Nacht eingeliefert worden. Können Sie mir bitte sagen, auf welcher Station er liegt?«

Der Mann sah kurz auf seinen Bildschirm, dann antwortete

er: »Station sechs. Durch den Haupteingang und dann rechts halten. Es ist alles ausgeschildert.«

»Vielen Dank.«

Auf dem Weg zum Haupteingang kam sie an einem Kiosk vorbei. Unschlüssig blieb sie stehen, ihr Blick fiel auf die fertig gebundenen Blumensträuße, einer schlimmer als der andere. Und er war ja nicht ihre Tante, der sie sicher Blumen mitgebracht hätte. Sie betrat den Kiosk und sah sich um. Sie hatte keine Ahnung, was er las. Schokolade oder Saft erschien ihr auch unpassend. Spontan griff sie zu einer Apfelsine. Einer einzigen, die sie gleich an der Kasse bezahlte.

Im Fahrstuhl suchte sie in ihrer Tasche nach einem Kugelschreiber und malte der Apfelsine ein Gesicht. Die lachte jetzt.

Eine Krankenschwester nannte ihr die Zimmernummer, ohne Friederike zu fragen, wer sie überhaupt sei. Es war der Moment, in dem sie das erste Mal darüber nachdachte, ob vielleicht eine Ehefrau bei ihm am Bett saß, der sie ihr Hereinplatzen würde erklären müssen. Ach was, Friederike übersprang den Gedanken einfach, klopfte kurz und trat ein.

Michael Bergmann hatte ein Einzelzimmer. Er lag im Bett, das Kopfteil aufgestellt, und sah überrascht zur Tür. Es gab vermutlich wenige Männer, die in einem Krankenhausnachthemd so sexy aussahen. Als er sie erkannte, richtete er sich sofort auf und strahlte sie an. »Oh. Sie hier?!«

Friederike schloss die Tür hinter sich und ging näher zum Bett. »Guten Morgen. Wir haben einen Termin.«

Es brauchte keine Sekunde, bis er schaltete. »Entschuldigen Sie bitte meinen Aufzug, aber ich habe es noch nicht geschafft, meinen Kittel überzuziehen.«

»Geschenkt.« Friederike legte ihm die grinsende Apfelsine auf den Nachttisch und zog einen Stuhl neben das Bett. »Wie geht es Ihnen?«

Er wandte seinen Blick von der Apfelsine ab und lachte leise. »Jetzt wieder gut. Ich warte noch auf die Untersuchungsergebnisse der Kollegen, die mir vermutlich sagen werden, dass ich mich von meiner Galle verabschieden muss, aber ich denke, danach kann ich erst mal wieder nach Hause. Der OP-Termin wird dann vielleicht auch irgendwann sein. Schön, dass Sie sich an Terminvereinbarungen halten.«

Friederike musste lachen und spürte ihr Herz plötzlich bis unter die Kopfhaut schlagen. Was war denn los mit ihr? Sie riss sich zusammen. »Gut«, sagte sie ganz ruhig. »Ich wollte Sie gar nicht lange stören, aber ich dachte, wenn ich jetzt schon extra aus Bremen gekommen bin, kann ich Ihnen ja auch kurz Hallo sagen. Man muss sich von einer fremden Galle nicht den Tag versauen lassen.«

Sie bückte sich und krempelte das Hosenbein hoch, bevor sie ihr Bein auf sein Bett legte. »Wenn Sie mal einen Blick darauf werfen wollen?«

Michael Bergmann legte den Kopf in den Nacken und fing an zu lachen. Ein schönes Lachen, dachte Friederike, die ihn unverwandt ansah und das Bein liegen ließ. Michael Bergmann wischte sich die Tränen ab und legte zwei Finger auf ihr Knie. Friederike zuckte zusammen, was er bemerkte. »Hübsches Knie«, stellte er leise fest. »Das sieht doch alles gut aus. Wir sollten …«

Die Tür wurde aufgerissen, und sofort sagte eine Stimme: »Was wird denn das hier? Guten Morgen, Dr. Bergmann, ich habe die Ergebnisse.« Die junge Ärztin, die jetzt neben Friederike stand, sah irritiert auf deren nacktes Knie und danach in die Gesichter der beiden. »Was …?«

Friederike zog ihr Bein langsam zurück und krempelte in aller Ruhe das Hosenbein wieder runter, bevor sie sich aufrichtete. »Das soll der Kollege Ihnen besser selbst erklären. Ich muss los.« Sie stand langsam auf und legte die Hand auf die Bettdecke. »Gute Besserung. Und wir hören voneinander.«

»Ganz bestimmt.« Michael Bergmanns Lächeln brachte sie tatsächlich durcheinander, sie verstand es selbst kaum. »Bis bald.«

Unter dem verwirrten Blick der Ärztin verließ Friederike das Zimmer. Seine Stimme begleitete sie bis auf den Flur. Erst im Fahrstuhl fing sie an zu grinsen. Was passierte hier gerade? Sie machte plötzlich Dinge, die ganz untypisch für sie waren. Und dabei war die Sache mit der Apfelsine noch das Harmloseste.

Als sie aus der Klinik trat, schien die Sonne von einem knallblauen Himmel. Der Frühsommer kam, ihre Laune war bestens – blieb die Frage, was sie mit diesem angebrochenen Tag anfangen sollte. Vielleicht war es eine gute Idee, ihre Mutter zu besuchen. Heute war Friederike gut gelaunt genug, um das auszuhalten und sich nicht zu sehr aufzuregen. Von hier aus brauchte sie eine knappe Stunde, um zu Esther zu fahren. Sie entschloss sich, es zu tun. Dann hatte sie das für die nächste Zeit hinter sich. Außerdem könnte sie sich damit auch von diesem Durcheinander ablenken, das dieser gallenkranke Arzt gerade in ihr auslöste.

Und deshalb fuhr sie jetzt durch ihren Heimatort, wo aus jeder Ecke Erinnerungen quollen. Manche waren gut, andere deprimierend, in der Summe war Friederike jedes Mal heilfroh, dieser Enge und Spießigkeit entronnen zu sein. Und dass zwischen ihr, diesem Ort und Esther 140 Kilometer lagen. Ohne direkte Bahnverbindung.

Als sie auf dem Seitenstreifen vor der Wohnanlage parkte und den Motor abstellte, blieb sie noch einen Moment sitzen. Von hier aus konnte sie zum Balkon ihrer Mutter hinaufsehen, heute stand aber niemand darauf. Früher hatte Esther sich immer über das Geländer gebeugt und ihr entgegengesehen: mit verschränkten Armen, das Gesicht ein einziger Vorwurf, bevor sie sich überhaupt begrüßt hatten. Selbst wenn Friederike pünktlich kam, Esther hatte mindestens schon eine halbe Stunde auf sie gewartet. So begann jeder Besuch für Friederike immer gleich aus der Defensive. Den ersten Streit hatten sie für gewöhnlich spätestens an der Haustür.

Aber heute stand niemand auf dem Balkon. Esther Brenner wurde dieses Jahr achtzig, sie war zwar noch fit und konnte das meiste selbstständig machen, aber sie wurde träge. Und Friederike hatte resigniert. Sie würde ihre Mutter nicht mehr ändern, sie würden in diesem Leben auch kein gutes Verhältnis mehr entwickeln. Seit sie diese Hoffnung endgültig begraben hatte, ging es ihr besser. Friederike tat hier nur ihre Pflicht.

Sie musste dreimal klingeln, bevor Esther den Summer betätigte und die Eingangstür aufsprang. Im Fahrstuhl lehnte Friederike ihren Kopf kurz an die glatte Wand und schloss die Augen. Als der Aufzug mit einem kleinen Ruck anhielt und sich die Tür öffnete, sah sie ihre Mutter schon in der offenen Wohnungstür stehen. Im Bademantel.

»Bist du krank?« Überrascht trat Friederike aus dem Aufzug und blieb vor Esther stehen.

»Nein, warum?« Ihre Mutter trat einen Schritt zur Seite, um sie in die Wohnung zu lassen. »Aber wenn du so überfallartig vorbeikommst, kannst du ja nicht erwarten, dass ich gestiefelt und gespornt zur Verfügung stehe.«

Ohne zu antworten, sah Friederike auf die Uhr, es war kurz nach zwölf. Sie hatte ihre Mutter vor einer Stunde angerufen, um ihr Kommen anzukündigen. Vor einer Stunde. Wie lange brauchte man, um sich zu waschen und anzuziehen? Sie spürte jetzt schon, wie sich ihre gute Laune allmählich in Luft auflöste.

Esther ging langsam in die Küche. »Ich habe noch nicht mal

gefrühstückt. Du hättest ja auch einen Tag vorher anrufen können. Und nicht erst auf dem Weg.«

»Das hat sich so ergeben.« Friederike griff in ihre große Tasche und zog eine Papiertüte raus. »Ich habe Brötchen mitgebracht. Soll ich den Tisch decken? Und dir einen Kaffee machen?«

»Wenn du willst.« Esther ließ sich auf einen Stuhl sinken und ignorierte die Kaffeemaschine. »Hast du mittlerweile Post vom Nachlassgericht bekommen? Wir sind doch bestimmt im Testament bedacht, ich habe allerdings noch nichts bekommen. Die lassen sich aber auch Zeit. Behörden eben.«

Ohne die Miene zu verziehen, zog Friederike die Glaskanne aus der Maschine und füllte sie mit Wasser. Dann öffnete sie den Schrank und suchte Kaffeepulver und Filterpapier. Erst als sie den Knopf gedrückt hatte, drehte sie sich um.

»Marie hat uns das Haus am See überschrieben«, sagte sie und sah irritiert das Lächeln, das sich über Esthers Gesicht ausbreitete. Ihre Mutter strahlte sie jetzt regelrecht an. »Das ist ja mal eine gute …«, bis Friederike sie mit scharfer Stimme unterbrach. »Mit ›uns‹ meine ich Alexandra, Jule und mich. Wir müssen es allerdings fünf Jahre gemeinsam nutzen, bevor es verkauft werden kann.«

»Was?« Esthers Miene erstarrte. »Dann bin ich fünfundachtzig, dann habe ich nichts mehr davon. Was wollt ihr denn mit diesem Haus? Ihr seid doch alle zerstritten. Und ich …«

Ob es der selbstmitleidige Ton in ihrer Stimme war, der fleckige Bademantel, dieser beleidigte Blick oder einfach das berühmte Fass, das diesen letzten Tropfen nicht mehr aufnehmen konnte, wusste Friederike später nicht mehr. Doch in diesem Moment war die Wut so groß, dass sie plötzlich all die Sätze, die sie seit Jahren nicht gesagt hatte, nicht mehr zurückhalten konnte. Sie fegte die halbvolle Kaffeepackung von der

Arbeitsplatte und nahm kaum wahr, wie sich das Kaffeepulver in hohem Bogen auf dem Küchenboden verteilte. Esther zuckte zurück und hob im Reflex die Beine. »Pass doch …«, aber Friederike hob nur abwehrend die Hand. »Oh nein, ich passe nicht auf«, sagte sie laut und kalt. »Weißt du eigentlich, wie erbärmlich das alles ist? Ich kann es nicht mehr hören: deine ewige Unzufriedenheit, dein ungerechtfertigtes Anspruchsdenken, das ewige Hadern mit deinem Scheißleben, deine dauernden Forderungen, deine Unfreundlichkeit, dein Geiz, deine ewig schlechte Laune, dein dauerndes Gemecker, ich kann das alles nicht mehr ertragen, hörst du, und ich will es auch nicht mehr. Warum um alles in der Welt bildest du dir eigentlich ein, dass die Menschen dir irgendetwas schuldig sind? Warum meinst du, dass du etwas mit dem Haus am See zu tun hast? Warum glaubst du, dass Marie dir etwas hinterlassen sollte? Du hast immer nur gefordert, Laura hatte ein permanent schlechtes Gewissen deinetwegen, dein Neid auf sie und ihren Reichtum troff dir immer aus jeder Pore! Dass du dich nie auch nur eine Sekunde geschämt hast, Laura permanent dieses schlechte Gewissen zu machen! Aber du würdest es ja nicht mal merken, wenn man dich mit der Nase darauf stieße! Du glaubst ja nicht, wie oft du mir die Sommerferien am See vermiest hast, allein durch deine Anwesenheit. Wie habe ich das immer gehasst.« Friederike musste Luft holen, Esther beugte sich nach vorn und bekam den Mund nicht mehr zu.

»Friederike! Ich bin fassungslos! Was bildest du dir eigentlich ein? Nach allem, was ich für dich getan habe. Ich war mit Laura mein Leben lang befreundet, ich habe mich immer um sie gekümmert und gemacht und getan. Du hast dich doch ins gemachte Nest gesetzt. Warum bist du denn ihr Patenkind geworden und hattest nur Vorteile? Ha, das war ja wohl nur meinetwegen! Und Laura hatte weiß Gott genug Geld, die hätte uns viel mehr abgeben können, ich habe mich krummgelegt, um als Alleinerziehende ein Kind großzuziehen. Und das habe ich ja wohl geschafft, sieh dich doch an, Abitur, studiert, du hast doch alles machen können. Dein Erzeuger hat sich nie um dich gekümmert.«

Friederike krallte sich mit ihren Händen an der Stuhllehne fest, sie musste sich jetzt zusammennehmen, um nicht vollends die Beherrschung zu verlieren. Sie zwang sich, an Isabelles Stimme zu denken: »Einatmen, ausatmen. Lass. Los. Einatmen, ausatmen. Lass. Los.« Michael Bergmann, die Apfelsine, der blaue Himmel, die Sonne. Bis hier war es ein schöner Tag gewesen, sie würde ihn sich nicht von ihrer Mutter kaputt machen lassen.

Sie lockerte den Griff um die Stuhllehne und sah wieder hoch. »Dass du dich traust, über meinen Vater zu reden, finde ich echt erstaunlich. Aber hör auf, mir deine Version der Geschichte zu erzählen, ich kenne auch die andere, egal, ob du das hören willst. Du hast das damals an die Wand gefahren, du ganz allein. Auch wenn du dir das seit Jahren anders vorbetest. Du bist wirklich die größte Egozentrikerin, die ich kenne. Und die größte Schmarotzerin. Du wohnst hier mit einer winzigen Miete und einem Lebenswohnrecht in einer Anlage, die Laura gehört hat. Und nach ihrem Tod hat Marie daran auch nichts geändert. Hast du dich einmal dafür bedankt? Nein, hast du nicht, das war für dich ja immer alles selbstverständlich. Laura hat dir sogar Geld vererbt, das hast du komplett verschleudert, schon vergessen? Und soll ich dir was sagen: Inzwischen ist mir das alles egal, hörst du: egal! Ich werde mir deine Geschichten nicht mehr anhören. Und deinen dauernden Forderungen kann und werde ich auch nicht mehr nachkommen.«

Ungerührt hatte Esther sie angestarrt. Ihren Mund hatte sie inzwischen wieder zugeklappt. Jetzt erhob sie sich langsam, zog ihren Bademantel zu und ging zur Kaffeemaschine, die mit einem lauten Gurgeln das Zeichen gab, dass der Kaffee durchgelaufen war. »Mein liebes Kind«, sagte sie mit kalter Stimme, während sie einen Becher aus dem Schrank nahm und sich den Kaffee eingoss. »Ich fürchte, du irrst dich. Da ich nur eine kleine Rente bekomme und meine Ersparnisse aufgebraucht sind, musst du mich unterstützen. Schließlich bist du meine Familie, ich habe ja sonst niemanden. Ich habe mich bereits beim Amt erkundigt. Du bist für mich zuständig. Aber du verdienst ja gut, da muss ich mir keine Sorgen machen. Du trinkst ja keinen Kaffee, oder?«

Atmen, dachte Friederike, einfach weiteratmen. Sie tat es. Zwei, drei, vier, fünf Mal. Bis sie den Stuhl losließ und einen Schritt zurücktrat. »Mutter, vergiss es. Ich bin bis zur Halskrause verschuldet. Und damit bin ich raus. Es wäre sicher klug gewesen, sich mal früher zu erkundigen, bevor du das Geld von Laura in absurde Urlaube und andere Luxusdinge gesteckt hast. Ich wünsche noch einen schönen Tag.«

Bevor Esther antworten konnte, hatte Friederike ihre Handtasche vom Stuhl gerissen und die Wohnung verlassen. Sie würde hier keine fünf Minuten länger bleiben.

Erst als sie aus der Parklücke gefahren war und beschleunigt hatte, ebbte ihr Puls etwas ab. Unsäglich. Friederike hatte in den letzten Jahren so viel Energie in die Aufarbeitung ihres Verhältnisses zu ihrer Mutter gesteckt. Und dann reichte ein kleiner Besuch, um zu merken, dass alles umsonst gewesen war. Wann war man eigentlich alt genug, um nicht mehr darunter zu leiden, dass man seine Mutter nicht mochte? Und nie gemocht hatte? Friederike umklammerte das Lenkrad mit einer solchen Kraft, dass ihre Fingerknöchel weiß wurden. Erst als sie wehtaten, ließ sie locker. Und nahm den Fuß vom Gas. Sie fuhr gerade mit fast siebzig Stundenkilometern an ihrer alten Schule vorbei. Genau an dieser Stelle geblitzt zu werden und den Führerschein abgeben zu müssen, hätte diesen Tag endgültig zur Katastrophe gemacht. Ihr Handy klingelte zum dritten Mal, nach einem kurzen Blick aufs Display erkannte sie die Telefonnummer ihrer Mutter. Sollte sie sich doch die Finger blutig wählen, es war genug. Heute nicht, morgen nicht, vielleicht gar nicht mehr. Sie musste noch darüber nachdenken. Sie hielt an der großen Kreuzung, an der immer noch keine Ampel stand. Geradeaus ging es zur Autobahn, auf der sie über Hamburg nach Bremen fahren würde. Rechts ging es nach Brove. Dort hatte Marie früher mit ihren Eltern gewohnt. Und links müsste sie fahren, wenn sie von hier aus zum See wollte. So wie früher. Da hatte Laura sie am letzten Schultag von der Schule abgeholt, und sie hatten an dieser Kreuzung gestanden, wenn Laura fragte: »Und? Wohin fahren wir?« Und irgendjemand hatte immer gebrüllt: »Links, links!«

Friederike setzte den Blinker. Sie würde nur mal vorbeifahren. Vielleicht kurz aussteigen und einmal über die Hecke sehen. Ob es sich verändert hatte? Und danach würde sie vielleicht ein besseres Gefühl haben, ob sie dem Pfingsttreffen zustimmen sollte oder nicht. Isabelle glaubte sehr an das Bauchgefühl, Friederike war gespannt, ob sich das bei ihr überhaupt noch einstellte.

Die Fahrt war gar nicht so lang, wie Friederike es erinnerte, sie war noch keine Stunde gefahren, als sie merkte, dass sie die Zufahrtsstraße zum See verpasst hatte. Früher hatte hier immer ein Imbiss gestanden, da mussten sie abbiegen, am Parkplatz vorbei, der zu einer öffentlichen Badestelle gehörte, und nach wenigen Minuten konnte man schon die Zufahrt zum Haus sehen.

Diese Badestelle hatten sie damals in den Sommerferien

immer geliebt. Das Haus hatte einen privaten Zugang zum See, von wo aus sie zum Baden oder Bootfahren gingen. Aber wenn es ihnen mal zu langweilig wurde, ruderten sie zur öffentlichen Badestelle, wo in den Ferien das Leben tobte. Dort trafen sie jede Menge andere Jugendliche, mit denen man Spaß haben und sich abends im *Café Beermann* verabreden konnte.

Den Imbiss gab es offenbar nicht mehr, deshalb hatte Friederike auch das Schild zum Parkplatz übersehen und war vorbeigefahren. Jetzt sah sie schon das nächste Ortseingangsschild, hier war sie falsch. Sie fuhr rechts ran, um zu wenden. Ein leichter Wind rauschte durch die Bäume, da, wo die Blätter die Sicht freigaben, konnte Friederike den See und auch die Badestelle entdecken. Sie war viel zu weit gefahren, die Badestelle war gar nicht so weit vom Haus entfernt. Jule, die Sportskanone, war ab und zu mal dahin geschwommen, Friederike und die anderen mussten dafür das Ruderboot nehmen. Friederike hatte sich dabei immer richtig privilegiert gefühlt, sie hatten ja schließlich ihren Privatstrand und waren auf die öffentliche Badestelle nicht angewiesen. Alex fand diese Haltung ziemlich arrogant und hatte sie deshalb irgendwann mal über Bord geschubst.

Friederike konnte sich noch gut daran erinnern, wie beleidigt sie damals gewesen war. Jetzt sah sie Esther vor sich und schämte sich. Doch, es gab durchaus Ähnlichkeiten. Leider. Sie wendete zügig und fuhr wenige hundert Meter nach einem Parkplatzschild links in eine schmale Straße. Hier war sie richtig, sie erkannte die Einfahrt des Parkplatzes sofort, auch die Kuppe, über die sie fuhr, und die Stelle, an der man plötzlich den Blick auf den See hatte. Die Straße war in die Jahre gekommen, die Schlaglöcher erinnerten Friederike gleich wieder an ihre Hofeinfahrt, Friederike fuhr im zweiten Gang und hoffte, dass ihr Auspuff das aushielt. Langsam umkurvte sie die schlimmsten Schlaglöcher und entdeckte die beiden Eichen, die rechts und links neben der Zufahrt zum Haus standen. Sie waren riesig, wie alt diese beiden Bäume wohl schon waren? Nach wenigen Metern endete ihre Fahrt vor dem schmiedeeisernen Tor. Dieses Tor hatte es immer schon gegeben, Friederike hatte es nur noch nie geschlossen gesehen. Mit einem Anflug von Enttäuschung parkte sie an der Seite und stieg aus. Sie ging zum Tor und legte ihre Hände um die Stäbe. Es bewegte sich keinen Millimeter, das Schloss war massiv, hier kam sie nicht durch. Sie sah durch die Stäbe auf die Auffahrt. Das Haus lag hinter einer kleinen Kurve, von hier aus konnte man es nicht erkennen. Aber an der Seite gab es einen Durchschlupf, zumindest gab es ihn früher, obwohl Friederike nicht sicher war, ob sie ihn noch finden würde. Irgendwie sah hier alles ganz anders aus, so ablehnend, abweisend, als wenn sie stören würde.

Sie schüttelte die Gedanken ab und marschierte los. Erst mal Richtung See laufen, quer durch den Wald, irgendeinen Zugang zum Grundstück würde es schon geben. Der Weg war mehr ein Trampelpfad, dank des guten Wetters der letzten Tage war er wenigstens trocken. Gut, dass sie flache Schuhe angezogen hatte, dieser Weg in Pumps wäre der Grund für einen neuen Termin bei Dr. Bergmann gewesen. Doch selbst in flachen Schuhen war dieser Pfad eine Herausforderung: Er war überwuchert mit Dornengestrüpp und kreuz und quer wachsenden Ästen. Immer wieder blieb sie mit ihrer Jacke hängen, die Ziehfäden waren die Strafe dafür, dass sie sich hier unerlaubterweise Zugang verschaffte. Sie blieb stehen, um sich zu orientieren, und sah plötzlich das Dach des Bootshauses. Jetzt wusste sie wieder, auf welcher Höhe sie war, noch ein paar Meter weiter und sie käme am niedrigen Zaun hinter dem Steg raus. Den Blick auf die Stelle geheftet, zu der sie wollte, kletterte sie den kleinen Hang hinunter. Da war der blaue Zaun, nicht sehr hoch, aber mittlerweile von einer Brombeerhecke überwuchert. Friederike war nur einen Moment unaufmerksam, übersah die Baumwurzel und konnte sich gerade noch fangen, als plötzlich eine kleine Schlange aus dem Gebüsch schoss. Mit einem Aufschrei wich sie zurück, taumelte und verlor das Gleichgewicht. Sie stürzte nach hinten, rutschte ein Stück auf den Blättern, bevor ihre Hände an einem Ast Halt fanden. Erschrocken blieb sie liegen, wie ein Maikäfer auf dem Rücken, bevor sie sich stöhnend an dem Ast langsam hochzog. Hoffentlich hatte sie niemand gesehen. Sie tastete ihr Knie ab, das hatte ihr gerade noch gefehlt! Aber es ging. Die Hüfte fühlte sich komisch an. Sie sah an sich herunter: Ihre Jeans war total fleckig, genauso wie die helle Strickjacke. Sie wischte die Blätter ab und entdeckte dabei das Loch im Ärmel. Ärgerlich, es war ihre teuerste Kaschmirjacke, die konnte sie echt vergessen. Aber dafür hatte sie jetzt einen freien Blick auf das Grundstück. Gerade kam wieder die Sonne heraus. Sie schien auf den Steg, ihren Steg, ihr Lieblingsort an so vielen lauen Sommerabenden, und tauchte auch die Terrasse in warmes Licht. Da vorn, Lauras Rosenhecken, weiße und gelbe Rosen, die ersten blühten schon, die roten und weißen Rhododendren umsäumten noch immer den Garten, und hinter den bodentiefen Sprossenfenstern des Hauses hingen noch immer die langen weißen Gardinen. Sie ging langsam zu dem blauen Zaun, strich mit den Händen über das morsche Holz und konnte den Blick nicht abwenden. Plötzlich hörte sie wieder, wie Jule juchzend ins Wasser sprang, Marie nach ihr rief und Laura fragte, ob sie noch Eistee machen solle. Da war wieder Alexandras Lachen, leise Musik drang aus dem Haus, war es Boney M.? Da stand wieder Marie, die ihr von der Terrasse aus zuwinkte. Und genau in diesem Moment begriff Friederike zum ersten Mal, was eigentlich geschehen war. Marie war tot. Sie war gestorben. Sie würde nie wieder auf dieser Terrasse stehen und ihr zuwinken, sie würde auch nie mehr mit Friederike sprechen oder sie zu ihrem gemeinsamen Geburtstag anrufen. Und Friederike müsste sich nie wieder Gedanken machen, warum sie Marie gerade jetzt nicht zurückrufen konnte. Sie musste nichts mehr verdrängen, nichts mehr kleinreden, sich nichts mehr vormachen. Sie konnte sich jetzt ein für allemal sagen, dass sie, Friederike, diese Geschichte mit aller Wucht an die Wand gefahren hatte. Und dass sie keinen Deut besser war als ihre Mutter. Sie waren sich leider ähnlich, dieselben Egozentrikerinnen, dieselben schlechten Freundinnen, dieselben Verliererinnen. Es war ein sehr bitteres Gefühl.

Ohne zu überlegen, stellte Friederike den Fuß auf die untere Holzleiste des Zauns und schwang ein Bein darüber. Jetzt musste sie sich irgendwo festhalten, doch da war überall diese Brombeerhecke. Sie unterdrückte einen Schmerzensschrei und zog das andere Bein hinterher, die Dornen waren fies, aber sie hatte es nicht anders verdient, sollte es doch wehtun. Mit einem Stöhnen sprang sie auf der anderen Seite auf den Rasen und wischte ihre blutende Hand achtlos an der Jeans ab. Sie würde sich noch einmal alles ansehen: das Haus, den Garten, den Steg, das Bootshaus, alle Lieblingsorte ihrer schönen Sommer. Das war ihr Abschied von Marie und den anderen. Der Abschied von einer Zeit, die schon lange vorbei war und die nie wiederkommen würde. Und sie trug einen großen Teil der Schuld daran. Das war so, jetzt konnte sie es zugeben, jetzt war es egal, Marie war tot. Aber sie würde sich in aller Ruhe verabschieden. Und danach in ihr Leben zurückkehren, das so festgefahren war, dass sie schreien könnte. Vielleicht war das die Strafe. Und heute Abend würde sie Hanna eine E-Mail schreiben und das Pfingsttreffen in zwei Wochen absagen.

Dann könnte Hanna dieses Haus verkaufen oder in die Stiftung überführen, alles war besser, als dieses alberne Theater aufzuführen. Auch wenn das Geld aus diesem Haus Friederike vielleicht gerettet hätte. Es stand ihr nur nicht zu.

Sie spürte den Schmerz in der Hüfte und das Brennen in den Handflächen, als sie langsam über den Rasen zum Steg ging. Er knarrte wie früher, sie blieb in der Mitte stehen und sah auf den See. Hier hatte sich nichts verändert. Vielleicht waren ein paar Bäume höher, es sah auch so aus, als hätte man die Seerosenfläche ausgedünnt, aber es roch noch genauso und es fühlte sich genauso an. Als wäre alles nur einen Sommer her gewesen. Friederike hielt ihr Gesicht mit geschlossenen Augen in die Sonne, hörte das leise Plätschern des Wassers und die Rufe der Entenmütter nach ihren Jungen. Sie lächelte unter Tränen und zuckte zusammen, als sie hinter sich Schritte hörte. Sofort fuhr sie herum.

»Marie hatte damit gerechnet, dass Sie schon vorher kommen.« Hanna stand am Steg, sehr aufrecht, in einem schwarzen Kleid, das kurze graue Haar streng zurückgekämmt, die einzige Farbe an ihr war der knallrote Lippenstift. Sie musterte Friederike aufmerksam, dann sagte sie: »Sie haben sich ja an der Hand verletzt. Kommen Sie, im Haus ist Verbandszeug.«

Im Badezimmer hatte Hanna Friederikes aufgeschürfte Hand gereinigt, mit einer Pinzette die Dornen gezogen und sie verbunden, anschließend hatte Friederike erst gesehen, welche Spuren ihr unbefugtes Eindringen auf das Grundstück an ihr hinterlassen hatte. Sie sah aus, als käme sie von einem Abenteuerspielplatz, peinlich berührt fiel ihr ein, dass Hanna sie auch beim ersten Zusammentreffen in so abgerissenem Zustand gesehen hatte. Ihre Bemühungen, das alles zu erklären, wischte Hanna beiseite. »Das Waldstück hier ist ziemlich verwildert, man kann da nicht gut laufen. Aber Sie hätten auch einfach am Tor klingeln können. Wobei die Klingel zugegebenermaßen etwas versteckt angebracht ist. Möchten Sie einen Tee mit mir trinken?«

Eine halbe Stunde später saßen beide auf der Terrasse. Hanna hatte provisorisch zwei Küchenstühle und einen kleinen Hocker rausgetragen. »Ich bin auch erst seit gestern Abend hier. Und morgen bekomme ich Hilfe von einem Hausmeisterdienst: Die Terrassenmöbel müssen aus dem Schuppen geholt und aufgefrischt werden, und dann wird das Haus geputzt, damit alles für Pfingsten bereit ist.«

»Ja, Pfingsten«, Friederike sah Hanna an. »Ich wollte Ihnen eine E-Mail schreiben, um …«

Hanna unterbrach sie, indem sie ihre Hand auf Friederikes Arm legte. »Darf ich Sie kurz unterbrechen?«

»Natürlich.« Friederike sah sie erstaunt an. Sie konnte verstehen, was Marie an ihr gemocht hatte. Sie waren sich ähnlich. Sie hatte beide eine Art stiller, ruhiger Schönheit, auch wenn Hanna zehn Jahre älter war. Sie strahlten beide etwas Klares aus, etwas Unbeirrtes. Marie war immer so gewesen, sie hatte in sich geruht, mit ihrer Besonnenheit, ihrem ausgeprägten Gerechtigkeitssinn und ihrer unerschütterlichen Toleranz. Friederike hatte das immer an ihr gemocht und es ihr nie gesagt. Und jetzt saß hier Maries große Liebe, die Friederike an all das erinnerte. Friederike sah Hanna fragend an. Hanna lächelte. Ein kleines Lächeln, bei dem ihre Augen traurig blieben.

»Ich weiß, dass dieser Notartermin für Sie alle etwas überraschend und vielleicht auch etwas kompromittierend war. Und es steht mir auch überhaupt nicht zu, über Ihre Reaktionen zu urteilen. Es mag Ihnen seltsam erscheinen, dass ich so viel über Sie und die anderen beiden weiß, aber Marie hat sich lange auf ihr Sterben vorbereitet, ich war ja ständig bei ihr, so dass ich teilhaben durfte an all ihren Erinnerungen, die zu einem großen Teil ja geprägt waren von Erinnerungen an Sie alle. Ich muss Ihnen nicht erklären, dass Marie keine losen Enden in ihrem Leben hinterlassen wollte, das können Sie sich leicht vorstellen, Sie sind ja mehr oder weniger mit ihr aufgewachsen. Marie hatte alles aufbewahrt, Fotos, Briefe, Eintrittskarten, Notizzettel, Bücher – und ihre Tagebücher. Es war ihr immer wichtig zu verstehen, warum man in seinem Leben welche Entscheidungen trifft. Zu welcher Person man einmal wird und an welchem Punkt dafür die Weichen gestellt wurden. Sie hat mir ihr ganzes Leben erzählt, die großen Dinge und die vielen kleinen. Wir hatten viel Zeit zum Schluss, das ist das Schöne daran gewesen. Wir haben alles bis zum Ende besprochen. Es ist kein loser Faden übriggeblieben zwischen uns beiden – wohl aber zwischen Marie und ihren Freundinnen.«

Sie machte eine kleine Pause und griff nach ihrer Tasse, die sie mit beiden Händen festhielt, ohne einen Schluck zu trinken. Ihr Blick wanderte über den See, bis er wieder Friederike traf. »Wie gesagt, es steht mir kein Urteil zu über das, was Ihnen allen widerfahren ist. Darum geht es auch gar nicht. Aber für Marie war das Ende Ihrer Freundschaft, das Ende der Pfingsttreffen und die Sprachlosigkeit der letzten Jahre ein loser Faden, der sie unendlich traurig gemacht hat. Es lag auch nicht mehr in ihrer Macht, die Enden zu verknüpfen. Aber sie hatte einen Plan. Und sie hatte mich, um diesen Plan für sie umzusetzen. Das war Maries letzter Wunsch, und den möchte ich ihr so gut wie möglich erfüllen. Friederike, es ist erst mal nur ein Wochenende, ein einziges Pfingstwochenende, das Sie alle hier verbringen sollen. Dieser Ort hat Ihnen allen einmal sehr viel bedeutet. Und Sie sind erfahrene, reife und erfolgreiche Frauen, denen das Leben hier und da ganz schön zugesetzt hat. Aber noch ist es nicht zu spät, Dinge zu korrigieren. Ich spreche bewusst nicht von »Fehlern«, das steht mir nicht zu. Aber an diesem einen Punkt – und das muss ich an dieser Stelle tatsächlich sagen – haben Sie sich alle drei Marie gegenüber schuldig gemacht: Dass Sie Marie haben fallenlassen, darüber hat sie selbst nie ein böses Wort verloren, und ich habe es ihr zuliebe auch gelassen, darauf herumzureiten. Aber …«, jetzt hefteten sich Hannas grüne Augen entschlossen auf Friederike, ihre Stimme wurde lauter. »Ich hatte eine unbändige Wut auf Sie und auf Jule und Alexandra. Das hatte Marie nicht verdient, vermutlich wissen Sie das inzwischen auch selbst. Und genau deswegen ist es mir unendlich wichtig, dass Sie Pfingsten hierherkommen. Und danach sehen wir weiter.«

Sie setzte die Tasse mit Schwung ab, ohne getrunken zu haben, verschränkte ihre Hände im Schoß und wirkte plötzlich wieder ganz weich und sanft. »Aber ich habe Sie unterbrochen, Friederike. Sie wollten mir eine E-Mail schreiben?«

Langsam, als würde Friederike aus einer Hypnose erwachen, hob sie den Kopf und sah zu Hanna. »Ach, nichts«, antwortete sie langsam. »Das können wir dann auch Pfingsten besprechen.«

Hanna lächelte.

Maries Tagebuch

Es ist schon seltsam, wie schnell die Monate vorbeigehen. Mir fällt es gerade sehr auf, weil ich so lange nicht an dieser Stelle aus unserem Leben berichtet habe. Aber ich war sehr viel unterwegs, und dieses Buch lag die ganze Zeit im Haus am See. Und das in Zeiten, in denen so wahnsinnig viel passiert ist. Wir leben ja plötzlich auch noch in einem anderen Land, es gibt nicht mehr die BRD und die DDR, es gibt jetzt Deutschland, was sich komisch anhört, weil die Grenze gefallen ist und die beiden Teile Deutschlands gerade »wiedervereinigt« werden. Es ist schon etwas Besonderes, wenn man das selbst miterlebt. Und dann noch zu viert. Am 9. November haben wir alle hier am See vor dem Fernseher gesessen und waren fassungslos und später begeistert. Es war reiner Zufall, dass wir hier waren. Wir hatten uns nach ewigen Zeiten mal wieder für ein langes Wochenende zu viert am See verabredet. Ohne zu wissen, was an diesem Wochenende geschehen würde. Aber seit Fiedi ihren neuen Job in Hamburg hat, weil sie endlich wieder in unserer Nähe sein wollte, können wir uns wieder zu viert verabreden. Seit September ist sie stellvertretene Hotelchefin in einem sehr schönen neuen Hotel am Hafen, und es gefällt ihr dort gut. Obwohl auf Mallorca, wo sie im letzten Jahr ein Hotel geleitet hat, das Wetter natürlich deutlich besser war. Aber ihr neuer

Chef ist nett, auch die Kollegen, die alle zusammen angefangen haben, sind es, und Fiedi hat jetzt eine wunderschöne Wohnung, die nur zehn Minuten vom Hotel entfernt ist. Mit Blick auf die Elbe. Und sehr günstig, weil es eine Art Mitarbeiterwohnung ist. Jetzt sehen wir uns wieder regelmäßig, und es fühlt sich fast so an wie früher.

Eigentlich ist das alles gut, aber ich sehe an Friederikes Augen, an diesen traurigen Augen, dass sie noch lange nicht wieder die alte Fiedi ist. Sie will nach wie vor nicht über die schreckliche Zeit auf Fuerteventura reden. Und sie hat uns auch gebeten, das nie mehr anzusprechen. Was soll man machen? Wir mussten das akzeptieren. Jetzt ist das schon fast acht Jahre her, aber ich muss trotzdem ab und zu daran denken. Es wird ihr nicht anders gehen. Und manchmal habe ich Sorge, dass sie nie wieder die alte Fiedi wird. Das wäre traurig. Aber wir versuchen alles, damit sie weiß, dass wir immer für sie da sind.

Nach diesem langen Winter und dem immer noch trüben Frühjahr ist jetzt endlich Sommer. Und es ist Jules Sommer. Ja, auch wenn Deutschland vor zwei Wochen Fußballweltmeister geworden ist, ist es trotzdem Jules Sommer. Argentinien besiegt hin oder her, diese Zeit gehört Jule. Das muss ich hier einmal uneingeschränkt sagen. Jule war noch nie so schön, noch nie so glücklich, noch nie so aufgeregt, noch nie so verliebt und noch nie so mitreißend. Der Grund: Sie hat geheiratet. Am letzten Freitag war der große Termin, unser Fest hatte schon zwei Tage vorher hier am See stattgefunden, da hatten Laura, Fiedi, Jules Bruder Lars und ich nämlich einen rauschenden Polterabend organisiert. Jule und Philipp hatten tatsächlich keine Ahnung, das hat Lars mit seinem Schauspieltalent sensationell hinbekommen. Die beiden haben gedacht, es gäbe hier einen kleinen Grillabend, nur mit Jules Freundinnen, einer

Handvoll Kollegen aus der Klinik, Philipps engsten Freunden, und aus. Aber wir haben so viele Leute eingeladen, alle waren da: die Familien und alle Freunde und Kollegen, es gab eine Band, ein Feuerwerk, jede Menge kaputtes Porzellan und sehr viel Alkohol. Es war großartig und die schönste Party, die dieser See je gesehen hat. Selbst Fiedi hat wie eine Wilde getanzt. Micha Beermann und sein Freund Paul waren ja auch mit unserer alten Sommerclique eingeladen, und die Jungs haben nichts ausgelassen. Sie haben die Junggesellenhose von Philipp verbrannt, alberne Spiele veranstaltet und abwechselnd Jule auf die Tanzfläche gezwungen. Das war schon sehr komisch. Es war ein bisschen schade, dass Alex erst so spät kommen konnte und auch keine Zeit für die Organisation des Polterabends hatte. Aber Alex macht in ihrem Verlag gerade eine ziemlich steile Karriere. Eines der Bücher, die sie betreut hat, ist tatsächlich auf der Bestsellerliste gelandet, ihre Chefin hat ihr daraufhin noch mehr Autoren übergeben, und deshalb arbeitet sie im Moment wie eine Blöde. Aber es macht ihr Spaß, sagt sie, ich hoffe, das ist die Wahrheit. Sie ist ziemlich dünn geworden und hat kaum noch Zeit, aber wenn wir sie darauf ansprechen, winkt sie ab und meint, das wäre nur im Moment so anstrengend, weil sie so unter Strom sei und einfach viel arbeiten müsse. Irgendwann würde es schon besser werden. Jule hat sie gefragt, ob sie überhaupt noch Zeit für Christopher hätte, da hat sie aber genickt. Alex ist mit Christopher jetzt seit einem Jahr zusammen, er arbeitet im selben Verlag wie sie, macht da aber keine Bücher, sondern ist für die EDV zuständig, die stellen da ja auch gerade alles auf Computer um. Pfingsten war er das erste Mal mit am See, ich finde ihn ganz nett, aber er spricht nicht viel. Und ehrlich gesagt wirken die beiden auch nicht so wahnsinnig verliebt. Aber vielleicht können sie es nur nicht so zeigen. Christopher ist mit Alex zum

Polterabend gekommen, wie gesagt, sie waren erst gegen neun Uhr abends hier und sind auch noch spät zu Alexandras Schwester zum Übernachten gefahren, dabei hatte ich gedacht, dass wir alle hier schlafen. Platz genug ist ja, aber das wollten sie nicht. Friederike, Jule und Philipp haben hier übernachtet, das war auch schön, allein schon das verkaterte Frühstück am nächsten Tag. Zwei Tage später war dann die eigentliche Hochzeit, sie haben ja nur auf dem Standesamt geheiratet, ich war stolze Trauzeugin, zusammen mit Ulli, dem langjährigsten Freund von Philipp, und anschließend waren wir alle noch Chili essen in ihrer Stammkneipe. Aber lustig war das auch. Lustig und schön. Weil nämlich Ulli und Friederike sich am Polterabend nähergekommen sind. Ein bisschen zumindest. Ulli und Philipp kennen sich schon seit der Grundschule. Sie arbeiten in derselben Klinik, Ulli ist Kinderarzt und seit zwei Jahren geschieden. Philipp hat sich zunächst kaum getraut, Ulli zu fragen, ob er sein Trauzeuge werden möchte, weil Ullis Trennung so unschön war. Er hat riesen Probleme mit seiner Exfrau, es gibt wohl andauernd Streit wegen des Besuchsrechts der zwei Kinder. Für Ulli war es aber selbstverständlich, Trauzeuge für seinen besten Freund zu sein. Was für ein Glück, weil er schon auf dem Polterabend neben Friederike saß und sie auch am Tag der Hochzeit nicht aus den Augen gelassen hat. Aber auf eine sehr unaufdringliche Art, so dass Fiedi sich auch darauf einlassen konnte. Wenigstens ein bisschen. Während des Polterabends bin ich irgendwann mal ein Stück zum See runtergegangen, weil ich einen Augenblick Ruhe und frische Luft gebraucht hatte. Da habe ich Fiedi und Ulli auf dem Bootssteg sitzen sehen. Sie hatten eine Flasche Wein und zwei Gläser mitgenommen und sprachen ganz intensiv miteinander. Ich habe mich so darüber gefreut. Er ist wirklich ein sehr Netter. Vielleicht tut er ihr gut. Ich wünsche ihr das. Egal, was daraus wird.

Während ich hier am Fenster sitze und auf den See schaue, sehe ich gerade einen weißen Luftballon, der sich am Ufer in einem Baum verfangen hat. Das ist wohl noch ein letzter Gruß von diesem schönen Fest. Jetzt ist die Erste von uns verheiratet, das ist irgendwie doch ein seltsames Gefühl. Als wäre man nun endgültig erwachsen. Was wir ja sind, Fiedi und ich werden nächstes Jahr dreißig. Aber »verheiratet« klingt so nach einer anderen Welt. Es wundert mich nicht, dass Jule die Erste ist. Für sie waren Liebe und Beziehung immer das Wichtigste im Leben. Jetzt hat sie ihren Philipp, und das auch noch amtlich. Sie ist sehr glücklich. Jule Petersen-Postel heißt sie jetzt, sie trägt einen Doppelnamen. Fiedi hat gelästert: »Damit bloß jeder weiß, dass sie eine verheiratete Frau ist. Dann muss sie es nicht immer wieder betonen.« Ab und zu hört sie sich schon wieder an wie früher. Und wir wünschen uns alle so, dass das wieder häufiger passiert.

Ich denke im Moment viel an früher, sehe die alten Fotos aus unserer Kinderzeit an und werde dann ganz sentimental. Es gibt eine Szene, die mir oft durch den Kopf geht, von der ich auch manchmal träume. Es war an einem lauen Sommerabend, kurz nach dem Abitur, an dem wir auf dem Bootssteg saßen, die Füße im Wasser, es war noch sehr warm, es gab Tausende von Mücken, und wir hatten alle dieses Sommergefühl. Und dann fing Friederike an, sich vorzustellen, was wir wohl in dreißig Jahren machen, wie wir dann wohl leben, wen wir lieben, wie wir wohnen, ob wir Kinder haben, was wir beruflich machen, wie wir aussehen und was das Leben dann mit uns gemacht haben wird. Jule hat laut gelacht bei dem Gedanken, dass wir in dreißig Jahren schon alte Frauen sind, fast fünfzig, daran wollte sie gar nicht denken. Friederike hat das ignoriert, ist aufgestanden und ins Haus gegangen. Sie kam dann mit einem Schreibblock und einem Umschlag zurück und verteilte

Blätter und Stifte. »Ich habe eine Idee: Jede von uns schreibt jetzt auf, wie und wo sie die anderen in dreißig Jahren sieht. Ganz ausführlich. Die Blätter kommen in den Umschlag, den kleben wir zu und werden ihn hier irgendwo aufbewahren. Und wenn die Erste von uns fünfzig wird, also in dem Fall Marie und ich, dann werden wir uns das gegenseitig vorlesen und sehen, was alles eingetreten ist und was nicht.«

Ich fand die Idee wunderbar. Wir haben über eine Stunde da gesessen, uns gegenseitig gemustert, oft gelächelt und uns der Fantasie überlassen. Als die Seiten vollgeschrieben, gefaltet und feierlich in den Umschlag geschoben worden waren, haben wir ihn in die Schreibtischschublade meiner Mutter gelegt, und wir haben uns geschworen, ihn erst in dreißig Jahren zu öffnen. Gemeinsam. Damit wir sicher sein können, dass niemand vorher hineinsieht, haben wir Kerzenwachs als Siegel genommen. Und in letzter Zeit denke ich oft daran, ob unsere Lebenswege vielleicht jetzt schon von dem abweichen, was wir uns vor knapp zehn Jahren vorgestellt haben. Obwohl ich bei Jules Hochzeit und ihrem Anblick lachen musste, genau dieses Bild hatte ich schon damals im Kopf, Jule als glückliche Braut und Ehefrau, endlich am Ziel ihrer Wünsche. Das war keine Überraschung. Über Alexandra hingegen mache ich mir Gedanken. Seit sie sich letztes Jahr eine eigene Wohnung genommen hat, sehen wir uns nicht mehr so oft. Das liegt natürlich auch an mir, ich hatte in der letzten Zeit viele Aufträge und war oft unterwegs. Alex fehlt mir sehr, ich habe unsere Wohngemeinschaft geliebt, ich dachte immer, es ginge ihr genauso, und war überrascht, als sie mir sagte, dass sie jetzt gern allein leben würde. Ich habe das natürlich akzeptiert, aber schade fand ich es schon. Anfangs ist sie noch sehr oft vorbeigekommen, in letzter Zeit hat das nachgelassen. Sie schiebt es auf ihre Arbeit, aber sie wirkt irgendwie bedrückt und angestrengt. Ich habe ein paar Mal versucht, mit ihr darüber zu reden, es kommt nie eine Antwort. Es tut mir so leid, sie hat sich ein bisschen zurückgezogen, und ich habe keine Ahnung, warum. Ich hoffe, sie öffnet sich bald und lässt sich helfen bei dem, was sie gerade so beschäftigt.

Ich werde jetzt einen Spaziergang machen, um meine sentimentalen Gedanken zu vertreiben, und ende wie immer.

Das Schönste des Tages: der letzte Luftballon im Baum, eine Erinnerung an das rauschende Fest.

Das Blöde des Tages: der Baum, der verhindert, dass der letzte Luftballon in den Himmel fliegen kann.

Alexandra

Das Erste, was sie sah, als sie in ihrem Bett endlich ins Zimmer geschoben wurde, war die strickende Frau im Nachbarbett, die ihre Handarbeit sofort sinken ließ und ihr neugierig entgegensah. »Ach, das ist ja schön, dass ich wieder jemanden ins Zimmer bekomme, das ist so langweilig hier.« Das konnte ja heiter werden.

Alexandra schloss kurz die Augen, die Stimme der Frau war viel zu schrill. Sie war fix und fertig, die ganze Nacht war sie in diesem Krankenhaus von einer Untersuchung zur nächsten gebracht worden. Immer neue Ärzte, immer neue Schwestern, sie musste ewig lange auf irgendwelchen hellen Fluren warten, sie war müde, sie hatte Angst, ihr tat alles weh. Sie wollte jetzt allein sein.

Die Schwestern schoben das Bett in die richtige Stellung, stellten die Bremsen fest und das Kopfteil des Bettes etwas höher. »So, Frau Weise, Ihre Sachen liegen hier unter dem Nachttisch, und Dr. Harms kommt gleich vorbei. Ist alles in Ordnung?«

Nein, dachte Alexandra, nichts ist in Ordnung, nickte aber nur, weil sie keine Lust hatte, irgendetwas zu sagen. Sie brauchte ihr Handy, sie musste dringend telefonieren, aber leider lag da diese strickende Frau nebenan, die sie jetzt unverhohlen anstarrte.

»Ich heiße Renate Müller und hatte einen Fahrradunfall«, sagte sie mit dieser Quietschstimme, sobald die Schwester das Zimmer verlassen hatte. »Knöchelbruch. Und was ist mit Ihnen passiert?«

»Autounfall.« Alexandra zog sich unter Schmerzen hoch und hangelte nach dem Griff ihrer Handtasche. »Ich müsste mal telefonieren.«

Sie kramte in ihrer Tasche nach dem Handy und zuckte zusammen, als der Schmerz durch ihren Körper schoss. Sie stöhnte, atmete in den Schmerz und schaltete das Handy ein. Nichts. Es blieb schwarz. Der Akku hatte sich vollständig entladen, und das Ladekabel war nicht in der Tasche. Alexandra lehnte sich verzweifelt zurück. Das Kabel. Das hatte sie bei ihrem überstürzten Aufbruch vermutlich im Hotelzimmer vergessen. Ihr wurde wieder übel, sie schluckte konzentriert, atmete durch die Nase ein und bewusst durch den Mund wieder aus. Sie musste im Verlag Bescheid sagen, dass sie in einem Krankenhaus zwischen München und Frankfurt lag und heute nicht ins Büro kommen konnte. Und das, obwohl es ein Problem mit Magdalena Mohr gab, das sie dringend lösen musste.

»Frau Weise?« Der Arzt, der jetzt vor ihrem Bett stand, stellte sich vor. »Ich bin Dr. Harms, ich habe Ihre Untersuchungsergebnisse. Wie fühlen Sie sich?«

Alexandra hielt seinem Blick stand. »Mir tut alles weh. Und mir ist so wahnsinnig übel. Was ist denn eigentlich mit mir los?«

Nach einem Blick auf den Patientenbogen nickte er. »So ein Airbag hat einen ziemlichen Wumms. Sie haben eine schwere Gehirnerschütterung, Rippenprellungen und ein Schleudertrauma, das sind die Klassiker bei einem solchen Auffahrunfall. Ich möchte Sie noch eine Nacht hierbehalten, nur zur Sicherheit. Eine Gehirnerschütterung sollte man ernst nehmen.«

»Das geht nicht.« Alexandra hob den Kopf und stöhnte sofort wieder. »Ich muss zurück nach München. Ich habe …«

»Frau Weise.« Dr. Harms ließ die Akte sinken. »Ich kann Sie natürlich nicht zwingen, aber ich rate dringend davon ab. Sie brauchen Ruhe, und wir würden Sie lieber noch einen Tag unter Beobachtung lassen. Es kann immer zu Folgeschäden kommen. Glauben Sie mir, es ist besser so.«

Alexandra starrte an die Decke. Es ist besser so? Aber sie wollte nach Hause. Wie sollte sie überhaupt hier wegkommen? Ihr Auto war nach dem Unfall abgeschleppt worden. Also müsste sie mit der Bahn fahren. Ging das überhaupt mit Gehirnerschütterung? Sie könnte IHN anrufen, er war ja noch in Frankfurt. Außerdem musste er wissen, was mit ihr passiert war. Und könnte sie nach Hause bringen. Nein, das konnte er nicht, er war ja nicht allein in Frankfurt, er würde also nicht kommen. Jetzt war es ihr wieder eingefallen. Ihr war kalt. Alexandra spürte die Tränen aufsteigen.

»Frau Weise?« Die ruhige Stimme des Arztes holte sie aus ihren Gedanken. »Brauchen Sie noch etwas?«

»Ja.« Alexandra zwinkerte die Tränen weg und räusperte sich. »Ein Schmerzmittel und ein Ladekabel fürs Handy. Ich muss dringend telefonieren.«

»Sie können mein Handy benutzen.« Renate von nebenan hatte interessiert zugehört und hob ihr Telefon hoch. »Und ein Ladekabel habe ich auch. Falls es passt.«

Dr. Harms nahm beides entgegen und gab es weiter an Alexandra. »Die Schmerzmittel bekommen Sie gleich von Schwester Katharina. Gute Besserung.«

Als sich die Tür hinter ihm geschlossen hatte, drehte Alexandra ihren Kopf zum Nebenbett. »Danke«, sagte sie. »Das Ladekabel passt nur leider nicht.«

»Dann rufen Sie ruhig von meinem Telefon aus an.« Renates

Stimme klang jetzt mitfühlend und etwas weniger schrill. »Damit Ihr Mann schon mal alles organisieren kann. München ist ja nicht um die Ecke. Und vielleicht hat eine der Schwestern so ein Kabel, wir fragen gleich mal.«

»Ich habe keinen Mann.« Alexandra hielt das Handy hoch. »Aber danke trotzdem. Wie …«

»Zwei, eins, null, sieben«, antwortete Renate. »Das ist mein Geburtstag. Und ich finde auch, dass man nicht unbedingt einen Mann braucht. Meinen habe ich ja schon seit dreißig Jahren, aber meine Freundin ist seit fünf Jahren geschieden, und die beneide ich manchmal sehr. Sie hat ja letztes Jahr …«

Während Alexandra die PIN eingab, fuhr Renate einen Moment fort, hörte aber auf zu reden, als Alexandra das Handy ans Ohr legte.

»Verlag Seltmann& Gruber, mein Name ist Braun.«

»Ulrike? Hier ist Alexandra, du, ich …«

»Endlich.« Ulrikes Stimme überschlug sich fast vor Erleichterung. »Ich versuche die ganze Zeit, dich zu erreichen, wo bist du denn?«

»Im Krankenhaus. In Erlangen.«

»Du hast dein Handy aus, und ich … Wo bist du?«

»In Erlangen.« Alexandra war über Ulrikes Aufgeregtheit erstaunt. Es war gerade mal elf Uhr und nicht so ungewöhnlich, dass sie später ins Büro kam. »Ich hatte heute Nacht auf dem Weg nach München einen Auffahrunfall. Kurz vor Erlangen. Und da liege ich jetzt.«

»Um Gottes willen.« Ulrike schnappte nach Luft. »Was ist passiert? Und was hast du?«

Alexandra suchte eine Position, in der ihre Rippen nicht ganz so wehtaten, es war schwierig. »Ich bin auf einer Raststätte jemandem draufgefahren, ich war ein bisschen zu schnell. Es ist nicht schlimm, leichte Gehirnerschütterung und ein paar

Prellungen. Am Auto ist mehr kaputt. Morgen kann ich wohl auch nach Hause. Ich wollte nur Bescheid sagen.«

»Und wie kommst du nach München? Soll dich jemand abholen?«

»Nein, ich kann mit der Bahn fahren, das geht schon. War sonst was Wichtiges?«

Ulrikes Antwort kam zögernd. »Ist dein Handy kaputt? Oder hast du heute Morgen schon deine Mails gecheckt?«

»Der Akku ist leer. Und ich glaube, ich habe das Ladekabel im Hotel steckengelassen, ich versuche hier eines aufzutreiben. Meine Bettnachbarin war so nett, mir ihr Handy zu leihen, leider passt ihr Kabel nicht. Wieso? Was war denn?«

»Ein Journalist vom ›Blick‹ hat uns mit Mails und Anrufen bombardiert. David Schuck, ich glaube, du hattest schon mal mit dem zu tun. Er will unbedingt ein Interview mit dir machen, hat aber nicht gesagt, worum es geht. Ein unangenehmer Typ.«

Die Übelkeit, die Alexandra erfasste, kam in Wellen. Sie stöhnte leise, warf einen Blick auf die strickende Renate, die ganz große Ohren bekommen hatte, und sagte etwas leiser: »Du, sag ihm, ich sei nicht im Hause, du wüsstest auch nicht, wann ich zurückkomme. Lass dir seine Nummer geben. Ich rufe ihn dann zurück und vereinbare einen Termin. Den Rest besprechen wir morgen, wenn ich hier raus bin. Oder später, falls ich ein Ladekabel auftreiben kann.«

»Okay, dann …«

Den Rest hörte Alexandra nicht, sie hatte gerade noch die Spuckschale neben sich erwischt. Renate Müller hatte sofort nach einer Schwester geklingelt.

Alexandra konnte gar nicht sagen, was schlimmer war, die Schmerzen oder dieses Ausgeliefertsein. Sie lag kraftlos und zerschlagen im Bett und konnte sich nicht wehren, weder gegen

Renates muntere Plaudereien noch gegen die Krankenschwester, die in regelmäßigen Abständen ins Zimmer kam, ihren Blutdruck maß und ihr in die Pupillen sah. Ihre erneute Frage nach einem Ladekabel wurde von der forschen Schwester Katharina mit den Worten: »Bis heute Abend habe ich Ihnen eines organisiert, aber im Moment sollten Sie lieber schlafen und Ihren Kopf nicht mit diesem kleinen Bildschirm strapazieren.«

Renate schlug in dieselbe Kerbe: »Genau. Und ich habe ja ein Handy. Wenn die Frau Weise dringend telefonieren muss, kann sie das mit meinem Gerät machen.«

Resigniert schloss Alexandra die Augen, dankbar, dass die Übelkeit langsam abflaute und ihre Schmerzen erträglich waren, zumindest solange sie sich nicht bewegte.

Sie verschlief den ganzen Tag, unterbrochen nur von den Kontrollen der Krankenschwestern und den Mahlzeiten. So ganz verschwunden war die Übelkeit nicht, der Käse auf dem Tablett ihrer Nachbarin war schwer auszuhalten, und mit Mühe zwang sie sich, ein bisschen Suppe zu essen. Danach wollte sie nichts als schlafen. Die nackte Realität dieses Tages, die Erinnerung an all das, was war, der Gedanke daran, was sie im echten Leben draußen erwarten würde – das alles war schwer auszuhalten und das Krankenhauszimmer mit der strickenden Renate in Erlangen nur schlafend zu ertragen.

Um vier Uhr morgens konnte sie nicht mehr schlafen. Sie war von einem Geräusch aufgewacht, das sie zunächst nicht einordnen konnte. Im Halbdunkel versuchte sie sich zurechtzufinden, bis sie die Geräuschquelle lokalisiert hatte. Renate schnarchte. Regelmäßig, zufrieden und ausdauernd. Alexandra rutschte ein Stück hoch und horchte in sich hinein. Die Übelkeit war weg, auch die Kopf- und Rippenschmerzen auszuhalten. Erleichtert und dankbar über die Wirkung der Medikamente sah sie auf die Uhr. So früh noch. Und dieses Mal konnte sie nicht so einfach abreisen. Ihre Blicke wanderten durchs Zimmer und blieben auf dem Bild an der Wand gegenüber haften. Das Nachtlicht war hell genug, so dass sie das Foto eines Sees erkennen konnte, in dessen Mitte ein blaues Ruderboot lag. Wie oft waren sie in den Sommern ihres alten Lebens mit einem solchen Boot über einen See gerudert. Nie allein, mindestens zu zweit. Wenn sie vollständig waren, mussten sie sich aneinanderquetschen auf den schmalen Bänken, jetzt hörte sie das Kreischen, wenn das Boot ins Schaukeln geriet. Nicht selten war eine von ihnen über Bord gegangen, meist ganz freiwillig, immer mit viel Gelächter und anschließender Rettungsaktion. Sie hatten auf sich aufgepasst. Ihre Welt war sicher gewesen. Über viele Jahre.

Als sie lange genug auf das Bild gestarrt hatte, begann das Boot leicht vor sich hin zu schaukeln. Wann hatte ihre heile Welt eigentlich erste Risse bekommen? Die Ereignisse damals auf Fuerteventura hatten natürlich Spuren hinterlassen, vielleicht hatten sie bereits das Ende ihrer Unbeschwertheit eingeläutet. Ihre Freundschaft hatte das jedoch nicht beschädigt, ganz im Gegenteil. Das, was Friederike damals passiert war, hatte sie noch mehr zusammenrücken lassen. Damals hatten Marie und sie zusammengewohnt, nur zehn Minuten entfernt von Jule und ihrem Bruder. Friederike war nach der Katastrophe für ein halbes Jahr zu Marie und ihr gezogen, bevor sie ihre Ausbildung auf Norderney begonnen hatte. Es war eine der intensivsten Zeiten ihrer Freundschaft gewesen, sie hatten sich jeden Tag gesehen, Jule, Marie und sie hatten alles versucht, um Friederike aus ihrer Erstarrung zu holen. Wobei Alexandra sich gerade fragte, ob man ein solches Erlebnis überhaupt jemals vollständig bewältigen konnte. Das, was sie für Friederike tun konnten, hatten sie getan. Und vielleicht war die Narbe irgendwann tatsächlich verheilt. Aber es gab sie.

Alexandra verdrängte die aufkommenden Bilder in ihrem Kopf und bewegte vorsichtig ihren Oberkörper. Es fühlte sich alles schon wesentlich besser an, das Schlimmste hatte sie wohl überstanden. Sie presste ihre Lippen zusammen und schüttelte den Kopf. Als sie das Hotel so überstürzt verlassen hatte, war sie sicher gewesen, dass es nicht schlimmer kommen könnte. Eine grandiose Fehleinschätzung. Vielleicht war aber auch eine gute Fee im Spiel, die gesagt hatte: »Ach, die Alex ist gerade so aufgewühlt, die lege ich einfach mal für zwei Tage ins Bett. Nach Erlangen. Damit sie in Ruhe überlegen kann, wie alles weitergeht. Sie kommt ja sonst nie zur Ruhe.« Wer weiß, vielleicht war es Zeit, mal an eine gute Fee zu glauben.

Auf dem Flur klirrte das Geschirr, verwundert dachte sie, dass doch kein Patient um vier Uhr frühstücken konnte. Sie sah wieder auf die Uhr und stellte erstaunt fest, dass es gleich sechs war, sie musste wohl wieder eingeschlafen sein. Sie war lange nicht so müde gewesen und hoffte, dass es nur an den Medikamenten lag.

Die Tür öffnete sich langsam, eine Krankenschwester trat ein. »Guten Morgen, die Damen«, sagte sie und durchquerte den Raum, um die Jalousien hochzuziehen. »Frau Weise, ich muss bei Ihnen noch mal Blutdruck messen.«

»Morgen, Schwester Britta.« Renate Müller kam langsam hoch und gähnte laut. »War mein Mann schon da mit der Zeitung?«

»Ja, ich habe sie Ihnen auf den Nachttisch gelegt.«

»Wie nett.« Alexandra sah zu ihr herüber, Renate erwiderte den Blick. »Guten Morgen. Wissen Sie, mein Mann kommt immer hier vorbei, wenn er zur Arbeit geht. Der fängt ja schon um sechs Uhr an. Und dann gibt er für mich immer die Zeitung von heute und die Post von gestern ab. Schwester Britta bringt sie mir ans Bett. Nett, nicht wahr? Mein Mann kommt mich nicht so gern besuchen, er hasst Krankenhäuser, aber ich brauche morgens meine Zeitung, ich muss ja wissen, was in der Welt passiert. Dafür hat man eben einen Mann.«

Alexandra fragte sich, wie man so kurz nach dem Aufwachen so viel reden konnte. Sie ließ sich den Blutdruck messen, während ihr Blick erst wieder zum Ruderboot und dann zu ihrer Nachbarin ging. Die hatte sich inzwischen aufgesetzt und die Zeitung auseinandergefaltet. Die ›Blick‹, deren Schlagzeile Alexandra sofort ins Auge sprang. Sie brauchte einige Sekunden, bis sie das, was sie da las, begriff. Dann aber traf es sie wie ein Keulenschlag:

»BETRUG EINER BESTSELLERAUTORIN, MILLIONEN VERKAUFTER BÜCHER PLAGIATE, VERLAGSCHEFIN ABGETAUCHT!«

Alexandras Oberkörper schoss plötzlich hoch, während Schwester Britta sie erschrocken ansah. »Alles in Ordnung?«

»Nein.« Alexandra starrte immer noch auf die Schlagzeile. »Ich brauche sofort ein Ladekabel für mein Handy.«

Schwester Britta konzentrierte sich wieder auf ihr Blutdruckmessgerät. »Nach dem Messen, Frau Weise. Die Welt geht nicht unter, wenn Sie mal für ein paar Stunden nicht erreichbar sind, glauben Sie mir. Gönnen Sie sich etwas Ruhe, Ihr Blutdruck ist nämlich ein bisschen zu hoch.« Sie nahm Alexandra die Manschette wieder ab und ging zur Tür.

»Wollen Sie noch mal mein Telefon haben?« Renate hatte die Zeitung sinken lassen und sah Alexandra neugierig an. »Sie sind ganz blass.«

»Könnte ich kurz in Ihre Zeitung sehen?«

»Natürlich.« Renate faltete sie zusammen und reichte sie ihr. »Langsam aufstehen, nicht dass Sie gleich umfallen.«

Tatsächlich wurde Alexandra sofort schwindelig, nachdem sie ihre Beine aus dem Bett geschwungen hatte. Sie blieb einen

Moment sitzen und wartete, bis der Schwindel aufhörte. Als sie stand, wurde es besser, sie hatte gerade nach der Zeitung gegriffen, als die Tür aufging.

»Darfst du schon aufstehen?«

Alexandra fuhr herum, als sie die Stimme erkannte. »Wie kommst du denn hierher?« Perplex sah sie zur Tür, durch die schnelle Drehung wurde ihr gleich wieder schwindelig.

»Mit dem Auto.« Mit wenigen Schritten war Katja neben ihr und stützte sie ab. »Das sieht aber noch ganz schön wackelig aus.« Sie führte Alexandra zurück zum Bett und wartete, bis sie sich gesetzt hatte, bevor sie sich an Renate wandte. »Guten Morgen, ich bin die Schwester. Kann ich mir diesen Stuhl hier nehmen?« Nach einem kurzen Nicken schob sie ihn zwischen beide Betten und nahm Platz. »Was genau ist passiert? Und wie geht es dir?«

Das Maß der Erleichterung, das Alexandra beim vertrauten Anblick ihrer Schwester überkam, überraschte sie selbst. Sie war so unfassbar glücklich, dass Katja jetzt hier war, und fast fühlte es sich so an, als würde ihre große Schwester alles wieder in Ordnung bringen. »Dass du hier bist …«

Katja zuckte die Achseln. »Ich hatte gestern versucht, dich zu erreichen. Aber du bist ja nicht ans Handy gegangen, deshalb habe ich im Verlag angerufen. Deine Kollegin hat mir gesagt, dass du hier in Erlangen im Krankenhaus bist, und die Nummer rausgesucht. Am Telefon wollte man mir natürlich nichts sagen. Also hab ich mich ins Auto gesetzt, bin extra um drei Uhr losgefahren, damit ich keine Staus habe. Das ging ganz gut, ich habe nur sechs Stunden gebraucht. Kannst du heute denn schon raus? Haben die Ärzte schon was gesagt?«

»Ich …«

Die Tür ging wieder auf, Dr. Harms und Schwester Britta kamen zur Visite herein und blieben neben Katjas Stuhl stehen. »Guten Morgen, Frau Weise, wie war die Nacht? Und wie fühlen Sie sich heute?« Er warf einen Blick auf das Patientenblatt, dann sah er Katja fragend an. »Ich bin die Schwester«, sagte sie, stand auf und gab ihm die Hand. »Kann ich im Zimmer bleiben, oder soll ich einen Moment rausgehen?«

»Von mir aus …«, begann der Arzt und wartete auf eine Reaktion seiner Patientin. Prompt antwortete Alexandra: »Sie kann gern dableiben.«

Dr. Harms nickte. »Gut. Was macht denn die Übelkeit? Kopfschmerzen? Schwindel?«

Alexandra schüttelte den Kopf. »Es geht. Die Übelkeit ist weg, ein bisschen Kopfweh habe ich noch, aber der Schwindel ist schon viel besser. Kann ich nach Hause?«

Nach einem erneuten Blick auf das Blatt sah er aus dem Fenster und schien zu überlegen. Dann sagte er: »Sie sollten nicht allein nach München fahren, aber ich sehe, dass Sie ja eine Begleitung haben. Versprechen Sie mir, sich morgen noch mal bei Ihrem Hausarzt einzufinden? Ich gebe Ihnen den Bericht mit, außerdem ein Schmerzmittel für die nächsten Tage. Schwester Britta macht alles fertig, von ihr bekommen Sie auch die Entlassungspapiere. Was Sie dringend brauchen, ist eine Woche Ruhe, schonen Sie Ihren Kopf und Ihre Rippen. Alles Gute für Sie, Frau Weise.«

Nachdem er und Schwester Britta gegangen waren, sah Alexandra Katja an und lächelte. »Ich kann raus. Gott sei Dank.«

»Gut.« Katja nickte. »Entweder nehme ich dich jetzt mit nach Hause, oder ich bringe dich nach München und bleibe die Woche über da. Das kannst du dir aussuchen.«

Erst jetzt wurde Alexandra klar, was Katja da auf sich genommen hatte. Sie war mitten in der Nacht losgefahren, um ihre Schwester aus einem bayrischen Krankenhaus abzuholen. Einfach so, ohne dass jemand sie darum gebeten hatte.

»Das ist ja … Und was ist mit Mama? Konntest du so einfach …«

»Matthias hat sich freigenommen«, kürzte Katja die Fragen ab. »Und Daniela kann sich auch mal kümmern. Mama ist ja noch in Kurzzeitpflege, es muss nur jemand regelmäßig hinfahren. Du hattest einen Unfall, es hätte auch mehr passieren können. Ich bin ehrlich gesagt ziemlich erleichtert und bleibe bei dir, bis du wieder richtig auf den Beinen bist. Wo sind denn deine Sachen? Lass uns doch schon mal zusammenpacken. Also, was ist dir lieber: zu mir oder zu dir?«

München. Plötzlich wurde die Erleichterung von einem anderen Gedanken abgelöst. Magdalena Mohr. Katja konnte ihre Seele beruhigen, aber nicht die Katastrophe abwehren, die sich gerade im Landeanflug auf Alexandra befand. Was waren ein paar geprellte Rippen und eine Gehirnerschütterung gegen die Erschütterung, die Magdalena in ihrem Verlag ausgelöst hatte? Alexandra drängte die aufsteigende Panik zurück, sah ihre Schwester an und sagte schnell: »Ich muss zurück nach München. Dringend.«

»In Ordnung.« Katja hatte Alexandras Tasche unter dem Nachtschrank entdeckt und zog sie hervor. »Ich hoffe, du hast ein bequemes Gästebett. Und einen vernünftigen Herd. Das Kochen übernehme ich für die Woche. Ich habe vorsichtshalber meine Sachen gepackt.«

An der ersten Autobahnraststätte kaufte Alexandra ein Ladekabel, das sie sofort in Katjas Auto mit ihrem Handy verband. Sobald der Akku ein bisschen geladen war, entsperrte sie die SIM-Karte und wartete mit dem Handy in der Hand auf die eingehenden Meldungen. Es waren 42 SMS und 61 Anrufe in Abwesenheit. Das Handy hörte gar nicht auf zu piepen. Kopfschüttelnd warf Katja ihr einen Blick zu, bevor sie sich wieder auf den Verkehr konzentrierte. »Ich weiß nicht, ob es so gut ist, mit Gehirnerschütterung stundenlang auf dieses kleine Display zu starren. Deine Kollegin Ulrike weiß doch Bescheid, warum rufst du sie nicht an, sie kann dich doch sicher auf den Stand bringen und sich um die wichtigen Dinge kümmern. Du bist krankgeschrieben. Mach das Gerät lieber aus.«

Alexandra ging mit zusammengekniffenen Augen die Anrufliste durch. Ulrike natürlich, zahlreiche Anrufe der Pressechefin, die Agentin von Magdalena Mohr, verschiedene Journalisten, mit denen sie häufiger zu tun hatte, einige befreundete Kollegen anderer Verlage und schließlich ihr Chef. Dr. Hans Seltmann war Mitinhaber des Verlages, der sich seit Jahren aus dem Tagesgeschäft raushielt. Dieser sich anbahnende Skandal hatte ihn dann doch dazu gebracht, sie sechs Mal anzurufen. Die anderen Nummern konnte sie nicht identifizieren, oder sie hatten Rufnummernunterdrückung, vermutlich weitere Journalisten oder schadenfrohe Mitbewerber, eine Nummer tauchte mehrere Male auf, wer immer das auch war, sie würde nicht zurückrufen.

»Was für eine Scheiße«, sagte sie leise und lehnte ihren Kopf zurück. Wenn sie die Augen schloss, wurde ihr sofort wieder schwindelig. Sie öffnete sie und sah ihre Schwester an, die konzentriert und langsam durch eine Baustelle fuhr. »Hast du schon mal was von Magdalena Mohr gelesen?«

Katja nickte. »Ja. Dieses eine, wie hieß das noch? ›Ich und du‹? ›Du und ich‹? Habe ich vergessen, das war aber schön. Ein Mann und eine Frau treffen sich auf einer Fähre, und sie wird von ihrem Exmann entführt. Er rettet sie natürlich. Warum?«

»Das Buch heißt ›Du und ich – wir beide‹, und Magdalena Mohr hat es in großem Stil abgekupfert«, Alexandra betrachtete die Landschaft. »Von einer Französin namens Ann Dechamps. Und nicht nur das Buch, sondern vermutlich alle, die sie geschrieben hat. Sie hat die Geschichten geklaut, nur ein paar Namen verändert, und ich habe es nicht gemerkt.«

»Wie sollst du das denn merken? Oder kennst du jedes französische Buch?«

»Nein.« Alexandra rieb sich über die Augen. »Das gibt es nicht auf Deutsch, aber es ist jetzt trotzdem aufgeflogen und war die Schlagzeile in der ›Blick‹. Mit der Unterzeile, dass ich angeblich abgetaucht bin.«

»Was?« Katja lachte auf. »In der ›Blick‹? Ernsthaft? Aber nur weil eine Schriftstellerin von einer anderen abschreibt, kommst du in die Zeitung? Du machst einen Witz, oder?«

»Nein. Das wird in der Branche einen ziemlichen Skandal geben. Magdalena Mohr ist eine der meistverkauften Autorinnen, und jetzt kommt raus, dass sie plagiiert hat. Während ich im Krankenhaus war. Und ich habe sie betreut, es ist meine Verantwortung.«

Sie hatten das Ende der Baustelle erreicht, und Katja beschleunigte den Wagen. »Alex, du hast gerade einen Autounfall gehabt. Mitten in der Nacht. Wobei ich mich sowieso frage, warum du überhaupt um diese Uhrzeit durch die Gegend gefahren bist. Du hattest womöglich noch Glück, du hättest auch bei Tempo hundertsechzig beim Fahren einschlafen können, und das wäre dann nicht so glimpflich ausgegangen. Was ich damit sagen will, ist, dass ich die Tatsache, dass du einen Unfall hattest, viel wichtiger finde, als dass irgendjemand irgendetwas abgeschrieben hat. Es ist nur ein Job, Alexandra, dein Leben kann doch nicht nur aus Arbeit bestehen.«

Tut es aber, dachte Alexandra und unterdrückte die Tränen. Die Kopfschmerzen meldeten sich langsam zurück, das Schmerzmittel hatte seine Wirkung aufgebraucht. Zu Hause wartete das Magdalena-Chaos auf sie, ihr Liebster hatte sich seither nicht gemeldet, keine einzige der SMS stammte von ihm und sie hatte keine Ahnung, wie sie die nächsten Tage überleben sollte. Katja nahm eine Hand vom Lenkrad und legte sie ihr aufs Bein. »Mach einen Moment die Augen zu. Es wird sich alles hinrütteln.«

Die Tränen schossen hervor in einer Melange aus Selbstmitleid, Dankbarkeit und Erschöpfung, im Moment war Alexandra das alles egal, sie schloss einfach die Augen, weil sie jetzt gerade sowieso nichts machen konnte.

»Die nächste Straße rechts rein, und dann kannst du schon einen Parkplatz suchen.« Katja nickte und sah sich neugierig um, während Alexandra mit schlechtem Gewissen dachte, dass sie ihre Schwester nie zu sich eingeladen hatte. Sie wohnte jetzt schon seit zwölf Jahren in dieser Wohnung, die Katja noch nicht einmal gesehen hatte. Nur ein einziges Mal war ihre Schwester in München gewesen, ganz am Anfang, und damals hatte sie im Hotel gewohnt. Alexandra schämte sich.

»Das ist aber eine hübsche Gegend«, sagte Katja jetzt. »Und so viele kleine Kneipen und Geschäfte. Sehr schön. Welches Haus ist es denn?«

»Das gelbe da, an der nächsten Kreuzung.«

»Und genau davor ist ein Parkplatz frei«, begeisterte sich Katja und setzte schon mal den Blinker. Sie parkte zügig ein und stellte den Motor aus. »Da wären wir dann wohl«, meinte sie und löste den Sicherheitsgurt. »Jetzt freue ich mich auf einen Kaffee und ein Klo. Am besten in umgekehrter Reihenfolge.«

Den Türgriff schon in der Hand sah Alexandra ihre Schwester an. »Katja, weißt du eigentlich, wie dankbar ich dir bin? Ich weiß gar nicht, wie ich das wiedergutmachen kann.«

»Papperlapapp«, Katja liebte solche Floskeln, früher hatte Alexandra das immer genervt, jetzt aber legte sich ein vertrautes Gefühl über sie wie eine wärmende Decke. »Erstens bist du meine Schwester, und genau für solche Situationen ist Familie doch da. Und zweitens wollte ich schon immer mal nach München. Ein paar Tage mal was anderes sehen tut mir ja auch ganz gut. So, und jetzt komm, ich muss mal.«

Während Alexandra die Kaffeemaschine anstellte, streifte Katja langsam und staunend durch die Wohnung. Sie strich mit den Fingern an den Bücherregalen entlang, bewunderte die offene Küche und stieg langsam die Treppe zum Schlaf- und Gästezimmer hoch. Als sie zurückkam, setzte sie sich auf einen der Hocker, die vor der Kochinsel standen. »Das ist die schönste Wohnung, die ich in meinem ganzen Leben gesehen habe. Nicht nur toll geschnitten, du hast sie auch so schön eingerichtet!«

»Danke.« Alexandra schob ihr eine Tasse zu. »Ich fühle mich hier auch sehr wohl.« Sie setzte sich ihrer Schwester gegenüber, die sie forschend ansah.

»Du bist ganz blass, Alex, willst du dich nicht lieber hinlegen?«

»Nein, es geht schon. Eigentlich müsste ich wirklich noch mal in den Verlag und auf dem Rückweg was einkaufen, ich habe kaum Lebensmittel hier und schon gar nicht für zwei. Und ich …«

»Du gehst auf keinen Fall in den Verlag oder einkaufen.« Katja klang auf einmal ganz streng. »Von mir aus kannst du gleich mal telefonieren, damit deine Kollegen wissen, dass du wieder hier, aber krankgeschrieben bist. Aber einkaufen gehe ich gleich. Du musst mir nur sagen, wo der nächste Supermarkt ist, den Rest kannst du mir überlassen. Das ist übrigens keine Diskussion, das ist eine Ansage. Du legst dich jetzt hier aufs Sofa, fertig, aus.«

Alexandra wurde von einer solch bleiernen Müdigkeit übermannt, dass sie Katjas Anweisungen fast widerstandslos befolgte, sich tatsächlich aufs Sofa legte und von ihrer Schwester zudecken ließ. Als die Wohnungstür hinter Katja ins Schloss fiel, machte sie die Augen zu und nahm sich vor, gleich wieder aufzustehen und Ulrike anzurufen. Sie brauchte nur mal zehn Minuten Ruhe vor dem Sturm. Danach würde sie sich um alles kümmern.

Magdalena tauchte plötzlich in ihrem Kopf auf, Magdalena in einem roten Abendkleid, das sie bei der Preisverleihung einer Frauenzeitschrift getragen hatte. Die Leserinnen hatten sie zur beliebtesten Schriftstellerin des Jahres gewählt, der Preis wurde im Rahmen einer großen Gala übergeben, der Ballsaal des berühmten Münchener Hotels war voll von Prominenz aus Film, Funk und Fernsehen. Alexandra hatte Magdalenas Kleid zu sexy gefunden, sie zeigte für diesen Anlass viel zu viel Haut, hatte auf Alexandras vorsichtigen Hinweis aber sehr beleidigt reagiert. Alexandra stand wieder an der Champagnerbar und sah Magdalena auf sich zukommen. Und dann kam Katja, sie hielt einen gehäkelten Poncho in die Luft, Alexandra erkannte ihn sofort wieder. Sie hatte ihn selbst gehäkelt, er bestand aus vielen rosa, gelben und grünen Blumen, Katja hatte ihr damals geholfen, die Einzelteile zum Poncho zusammenzunähen. Und jetzt legte sie ihn der dekolletierten Magdalena über die Schultern. Erleichtert winkte Alexandra ihr zu. So ein schöner Poncho. Und er bedeckte so wunderbar die viele nackte Haut. Als Magdalena ihn endlich trug, ertönte eine Klingel. Immer und immer wieder, es klang wie Beifall.

Alexandra fuhr erschrocken hoch, als sie das Geräusch endlich einordnen konnte. Es war die Haustür. Sie war wohl doch eingeschlafen. Jetzt rieb sie sich kurz über die Augen, schwang die Beine vom Sofa und stand langsam auf, in Erwartung des nächsten Schwindels. Er kam prompt. Sie ging vorsichtig zur

Tür und stützte sich mit einer Hand an der Wand ab. Vermutlich hatte Katja nicht an den Hausschlüssel gedacht. Alexandra drückte den Summer für die Hauseingangstür unten, lehnte die Wohnungstür an und tappte zurück zum Sofa. Sie hatte sich gerade wieder zugedeckt, als die Wohnungstür langsam aufgedrückt wurde. Aber statt der Stimme ihrer Schwester hörte sie die eines Mannes: »Frau Weise? Alexandra? Entschuldigen Sie bitte. Ich bin es. Jan Magnus. Darf ich reinkommen?«

Jan Magnus. Alexandras Blutdruck schoss in die Höhe. Einer der bekanntesten Journalisten der Republik. Bekannt für seinen investigativen Journalismus beim wichtigsten Magazin der Republik. Selbst Buchautor. Natürlich wusste er über die Sache mit Magdalena Mohr Bescheid. Und jetzt stand er bei ihr in der Wohnung! Und sie Esel hatte ihm die Tür geöffnet. Das war ja jetzt wohl der Super-Gau.

Und während Alexandra hektisch aufsprang und ihr sofort schwindelig wurde, hörte sie eine zweite Stimme. Laut, weiblich und nicht besonders freundlich: »Können Sie mir mal sagen, wie Sie hier reingekommen sind? Und was Sie hier wollen?«

Katja. Alexandra war noch nie so froh gewesen, eine große Schwester zu haben, wie in diesem Augenblick.

Weißenburg
20. Mai

Jule

»Und dann stand ich plötzlich vor dem Nichts.« Die Stimme der Patientin klang dumpf, weil sie in die Frotteeumrandung der Gesichtsaussparung sprach. In der Hoffnung, sie zum Schweigen zu bringen, verstärkte Jule den Druck ihrer Hände. Vergeblich, nach einem kurzen Stöhnen fuhr Frau Gerbers fort. »Wissen Sie, ich habe mich jahrelang für meinen Mann aufgeopfert, habe gekocht, gewaschen, gebügelt, habe ihn auf diese furchtbaren Ingenieursbälle begleitet, habe alles getan und gemacht. Und wofür?« Jules Hände fanden die Stelle, an der es knackte. Laut und vernehmlich löste sie die Blockade, für einen kurzen Moment herrschte Ruhe. Es war wirklich nur ein kurzer Moment. »Damit er mich nach zwanzig Jahren Ehe verlässt und ich …«

»Frau Gerbers.« Jule konnte es nicht mehr ertragen. »Entspannen Sie sich doch mal und denken Sie an etwas Schönes. Wir haben nur noch fünfzehn Minuten, lassen Sie einfach mal los.«

»Sie haben ja recht, Frau Petersen, aber ich bin so wahnsinnig angespannt und fertig, meine Therapeutin sagt, ich soll mich öffnen und darüber reden, das tut mir nämlich gut und …«

Jule rollte unbemerkt mit den Augen, massierte weiter und

ließ sie reden. Dann würde sie eben an etwas Schönes denken. An Torge Haber zum Beispiel. Er hatte sie tatsächlich gestern Abend angerufen, es war schon halb neun gewesen, und Jule hatte den Fernseher leise gestellt, eigentlich hatte sie den Film schon lange mal sehen wollen. Als sie das Telefonat beendet hatten, lief gerade der Abspann, Jule hatte tatsächlich über eine Stunde mit ihm telefoniert. Zu Beginn hatte er ihr seine Rückenbeschwerden beschrieben, und sie hatte ihm dreimal erklärt, dass sie jetzt keinen Termin mit ihm vereinbaren konnte, weil der Kalender in der Praxis lag und sie ihn gern zurückrufen würde, aber er hörte nicht auf. Danach redeten sie über Lauras schreckliche Hochzeit, über was auch sonst, es war bislang die einzige Gemeinsamkeit, die sie hatten. Sie lästerten ein bisschen über die jungen Bräute von heute, lachten sich schlapp über die teilweise skurrilen Reden, und Torge erzählte von seiner Freundschaft zu Fabians Vater. Sie redeten und redeten, und Jule fragte sich, ob Lars wohl recht hatte und Torge sich tatsächlich nicht nur für ihre Massagen interessierte. Den Eindruck konnte man durchaus gewinnen, auch wenn es sich eher so anfühlte, als würde man mit seinem Lieblingskollegen telefonieren. Allerdings vermied er Fragen nach ihrem Privatleben, und so war es am Ende lediglich ein kurzweiliges, abendliches Telefonat. Trotzdem hatte Jule ihn jetzt im Kopf. Und das war irgendwie ein schönes Gefühl.

Jule hatte das lange nicht gehabt, sie wusste im Moment gar nicht, wie sie damit umgehen sollte. Ihr erster Reflex war, alles sofort wieder zu vergessen. Vor allen Dingen das, was Lars angedeutet hatte. Es würde sowieso nichts daraus werden, das wusste sie jetzt schon. Für solche Dinge hatte sie kein Talent, das war ihr mittlerweile klar geworden. Nach ihrer gescheiterten Ehe hatte in dieser Hinsicht nichts mehr funktioniert.

»Ja, jetzt sitze ich allein da und muss von vorn anfangen.

Wie gesagt, ich stehe vor dem Nichts. Und nur wegen dieser, dieser … kleinen blonden Schlampe.«

»Bitte einmal den Arm zur Seite legen.« Jule ließ sie einfach vor sich hin reden, massierte routiniert die harten Stellen und ließ ihre Gedanken wandern.

Sie hatte seit acht Jahren keinen Sex mehr gehabt. Sie wusste gar nicht, ob sie das noch könnte. Und sie hatte das auch nie jemandem erzählt. Weil es ihr peinlich war. Und wem könnte sie das auch erzählen? Ihre Tennisfreundinnen waren alle verheiratet, die einzigen Singlefrauen, die Jule kannte, waren ihre Mitarbeiterin und drei Patientinnen. Mit keiner von ihnen würde sie über so intime Dinge reden.

»Was soll ich denn jetzt im Urlaub machen? Ich gehe doch nicht allein auf ein Kreuzfahrtschiff. Und er fährt mit seiner neuen Freundin ans Mittelmeer, ich könnte einen Anfall kriegen.«

Vier Patientinnen, hier lag ja gerade eine neue Singlefrau.

Jules letzter Sex war tatsächlich ein One-Night-Stand gewesen, ein Teilnehmer einer Fortbildung in Berlin. Am letzten Abend waren sie in der Hotelbar versackt. Jule vertrug nicht viel Alkohol und hatte die Wirkung der Cocktails grandios unterschätzt, schon nach dem zweiten hatte sie einen sitzen, und dann hatte sie aufgehört zu zählen. Irgendwann hatte sie den Mann neben sich gefragt, ob er mit ihr aufs Zimmer käme. Er hieß Sven, das erinnerte sie immerhin noch, und er sah Philipp ein bisschen ähnlich. Außerdem war er lustig und mindestens so betrunken wie sie. Der Sex war miserabel, er brauchte furchtbar lange, Jule war irgendwann übel geworden, und gegen sieben Uhr hatte doch tatsächlich seine Frau angerufen. Er hatte sein Handy nicht ausgestellt und ging sofort dran. Sie hatten sich danach förmlich und verlegen voneinander verabschiedet, und seitdem hoffte Jule, dass sein Name nie wieder auf einer Teilnehmerliste auftauchte. Bis jetzt hatte sie Glück gehabt. Sie hatte es nicht richtig bereut, sie hatte damals gedacht, dass es doch ganz schön wäre, hin und wieder mal Sex zu haben. Auf Erfahrungen dieser Art konnte sie allerdings gut verzichten. Aber acht Jahre ganz ohne Sex – das war ja auch nicht normal. Nur, mit wem sollte sie darüber sprechen?

»Und bluten wird er, das schwöre ich Ihnen, der wird bluten.«

Mit einem Blick auf die Uhr legte Jule beide Hände mit gleichmäßigem Druck auf die Schultern. »So, das war's, Frau Gerbers, bleiben Sie gern noch einen Moment liegen, bevor Sie sich anziehen. Bis gleich.«

Sie wusch sich gründlich die Hände, dann verließ sie mit einem letzten Blick auf ihre Patientin den Massageraum und ging zum Empfang, an dem Tina Rechnungen schrieb. »Na?«, fragte die, ohne ihre Augen vom Bildschirm zu lösen. »Hat sie dir ihr Herz ausgeschüttet? Über all ihr Unglück?«

»Das kann man wohl sagen.« Jule zog den Terminkalender näher zu sich. »Kennst du sie?«

»Sicher.« Tina nickte. »Die wohnen in derselben Straße wie meine Schwester, von der kenne ich schon die ganzen Geschichten. Sie hatte mal eine Affäre mit ihrem Personaltrainer, die dann aufgeflogen ist. Aber sie sah überhaupt nicht ein, sich deshalb von ihrem Gatten zu trennen. Das hat der allerdings anders gesehen und ist ungefähr vor einem Jahr ausgezogen. Sie hatte wohl angenommen, er käme wieder, wenn er sich beruhigt hat.«

»Sie hat gesagt, der Grund sei eine junge blonde Schlampe.«

Tina lachte kurz auf. »Die Schlampe ist genauso alt wie Frau Gerbers und Zahnärztin. Herr Gerbers hat sie vor ein paar Monaten kennengelernt. Und will jetzt das Haus verkaufen. Und der Personaltrainer kommt auch nicht mehr. Jetzt ist sie sauer.«

»Aha.« Jule hatte keine große Lust auf Trennungsgeschichten. Eigentlich waren sie ja alle gleich, nie sonderlich originell, aber immer eine persönliche Katastrophe. Sie war damit durch. »Dann kann ich ja jetzt Mittagspause machen, oder?«, fragte sie mit einem abschließenden Blick auf den Kalender. »Herr Schröder kommt erst um drei, dann fahre ich jetzt nämlich einkaufen und den Bulli waschen, der sieht aus wie die Sau, seit Pia ihn hatte.«

»Aber du hast doch noch jemanden im Wartezimmer.« Tina sah hoch. »Er hat gesagt, du hättest ihn eingeschoben und wüsstest Bescheid.«

»Ich soll jemanden eingeschoben haben?« Stirnrunzelnd ging sie zum Wartezimmer und blieb überrascht stehen. Der Mann in Jeans und blauem Hemd sah sofort von seiner Frauenzeitschrift hoch und stand auf. »Ich war gerade in der Gegend und dachte, ich könnte den Termin ja auch vor Ort machen. Dann musst du mich nicht anrufen.« Torge Habers Lächeln löste bei Jule sofort erhöhten Pulsschlag aus. Sie hatte fast vergessen, wie attraktiv er war.

»Das ist ja jetzt …«, weiter wusste sie im Moment auch nicht, stattdessen sah sie ihn nur fragend an.

Er trat einen Schritt auf sie zu. »Gehen wir was essen? Herr Schröder kommt ja erst um drei.«

Jule fing sich schnell genug, bevor es peinlich wurde. »Warum nicht? Falls du diese Zeitschrift nicht vielleicht erst noch zu Ende lesen möchtest?«

»Nein, nein.« Er legte sie zurück auf den kleinen Tisch. »Ich sehe mir immer nur die Schminktipps an, und die habe ich durch. Gehen wir?« Diese Fältchen um seine Augen, wenn er lächelte, die waren einfach umwerfend.

Acht Jahre, dachte Jule und wurde rot. Hoffentlich sah man ihr das nicht an.

Das kleine Bistro am Marktplatz war nur ein paar Schritte von der Praxis entfernt, sie setzten sich an einen Tisch am Fenster und bestellten beide das Tagesgericht. Als die Bedienung weg war, sah Torge sie an. Er hatte sehr blaue Augen, dasselbe Blau wie sein Hemd. »Wie lange hast du die Praxis eigentlich schon?«

»Wie lange?« Jule überlegte und musste dabei seinem Blick ausweichen, um sich zu konzentrieren. »Seit, warte mal, seit Anfang 1999, also eine Ewigkeit. Ich bin hier aufgewachsen und habe nach dem Abi mein Praktikum hier gemacht. Und nach der Trennung von meinem Mann bin ich erst mal wieder zurückgekommen. Und etwas später hat meine Chefin mir vorgeschlagen, die Praxis zu übernehmen. Das hat sich alles ganz gut gefügt.«

»Vermisst du die Großstadt nicht? Lars hat erzählt, dass du auch lange in Hamburg gelebt hast.«

Lars hatte erzählt? Was hatte Torge ihn denn gefragt? Jule konnte das alles gerade überhaupt nicht einschätzen. »Nein«, antwortete sie schließlich zögernd. »Nicht mehr. Ich bin ja noch ab und zu in Hamburg, wenn ich Lars oder meine Tochter besuche. Aber mittlerweile ist es mir in der Stadt zu laut und zu hektisch. Ich mag diese Überschaubarkeit hier, es ist alles etwas langsamer und sicher auch spießiger, aber auch viel weniger anstrengend. Und du? Wohnst du mitten in der Stadt?«

Torge nickte. »Ja. Über meiner Kanzlei, das ist echt praktisch. Du kennst die Straße ja, die Anwaltskanzlei von Lars liegt nur fünf Häuser weiter. So spare ich mir den Arbeitsweg, ich muss nur die Treppe runtersteigen.«

Jule sah ihn an und dachte plötzlich an seine Ehefrau. Lars hatte ihr schon erzählt, dass sie getrennt waren, und Torge sprach immer nur in der ersten Person. Fragen würde sie ihn trotzdem nicht. Erst als das Essen gebracht wurde und Jule das

Besteck aus der Serviette wickelte, stellte sie fest, dass sie Lachsnudeln bestellt hatte. Dabei hasste sie Lachs.

»Stand das so auf der Karte?« Torge sah sie unsicher an. »Ich mag überhaupt keinen Lachs.«

»Ich auch nicht.« Sie mussten beide lachen, bis Torge die Schultern hob und die Gabel in die Hand nahm. »Dann müssen wir eben um den Fisch herum arbeiten. Das ist ja ein toller Anfang.«

»Ein toller Anfang«. Hatte er das tatsächlich gesagt? Der Satz ging Jule den ganzen Nachmittag nicht mehr aus dem Kopf. Während sie das operierte Knie von Herrn Schröder behandelte, Frau Wilksens Nackenmuskulatur lockerte, Frau Büschers Rücken massierte und dem netten Herrn Kruse Übungen gegen seinen Bandscheibenvorfall zeigte, ging ihr unentwegt dieser Satz im Kopf herum. »Ein toller Anfang«. Sie hatte Torge natürlich nicht gefragt, wie sein Beziehungsstatus sei, und sie wollte auch nicht darüber nachdenken, ob sie womöglich gerade im Begriff war, sich zu verlieben. Eigentlich hatte sie im Moment überhaupt keinen Kopf für eine solche Geschichte. In zwei Wochen war Pfingsten, sie brauchte alle Energie, um zu entscheiden, was sie an diesem Wochenende machen würde. Und deshalb würde sie genug über Beziehungen, Liebesgeschichten, Trennungen und Neuanfänge nachdenken müssen, für Torge Haber hatte sie eigentlich keinen Platz im Kopf. Aber vielleicht hinterher. Immerhin hatten sie einen tollen Anfang.

Ein Anfang. Wann hatte Jule überhaupt ihren letzten Anfang gemacht? Es war lange her, seit Jahren hatte sie nichts Neues angefangen, sie hatte ein Leben gefunden, das ihr gefiel. Gut, manchmal war es ein bisschen langweilig und überschaubar, manchmal auch einsam, aber zumindest gab es keine größeren Katastrophen mehr. Es war alles vertraut, berechenbar, gemütlich. Keine Unruhe, keine Panik, keine Unsicherheit, keine unliebsamen Überraschungen. Sie hatte alles im Griff. Und sie war froh darüber. Sie liebte ihren Job, ihre Tochter, ihre Tennismannschaft, ihre Fernsehserien, ihre Talkshows. Sie hatte überlegt, sich einen Hund anzuschaffen, und recherchierte seit einigen Monaten nach Rassen, die auch allergische Patienten nicht störten, das Tier müsste ja mit in die Praxis kommen. Das war aber auch schon die einzige Neuerung, mit der sie sich in der letzten Zeit beschäftigt hatte. Sie machte nichts mehr spontan, ließ sich inzwischen mit allem Zeit, ihre frühere Spontaneität hatte meistens katastrophale Ereignisse nach sich gezogen. So wie damals. Als Prinzessin Diana starb. Vor zwanzig Jahren. Es gibt Ereignisse, bei denen man sich auch noch Jahrzehnte danach genau erinnern kann, was man in dem Moment gemacht hat, als die Nachricht kam. Jule hatte diesen Moment von damals sofort wieder im Kopf.

An diesem Tag hatte sie in einem alten Jogginganzug auf dem Küchenfußboden gekniet und versucht, die tobende Pia zu beruhigen. Wenn man einer müden Vierjährigen morgens das Brot falsch schneidet, kann das im Weltuntergang enden. Jules Welt ging gerade unter, sie war übernächtigt, genervt und hatte pochende Kopfschmerzen. Pia hatte seit einer Woche einen hartnäckigen Husten, der Jule im Stundentakt aus dem Schlaf riss, Philipp hatte die ganze Woche Nachtdienst gehabt, also war wieder alles an ihr hängengeblieben. Und jetzt brüllte Pia wie am Spieß, obwohl Philipp oben schlief, Jules Geduld hing an einem hauchdünnen Faden. Sie quälte sich aus der Hocke hoch und machte das Küchenradio an, manchmal half Musik, um das Kind zu beruhigen. Und dann kam die Eilmeldung.

»Paris. Prinzessin Diana ist tot. Kurz nach Mitternacht verunglückte der Wagen der Prinzessin von Wales, Ex-Frau des britischen Thronfolgers Prinz Charles, aus noch ungeklärten Gründen in einem Straßentunnel unter der Place de l'Alma in Paris. Auch der Fahrer Henri Paul, Sicherheitsmanager des Hotel Ritz, und ein weiterer Insasse, Dodi Al-Fayed, haben den Unfall nicht überlebt.«

Mit einem entsetzten Aufstöhnen verharrte Jule, die Finger immer noch am Lautstärkeregler. Wie furchtbar! Die arme Diana, unglücklich, betrogen, verstoßen, aber so schön! Und endlich hatte sie wieder einen Mann gefunden. Ein paar Wochen zuvor hatte sie noch diese plakativen Fotos gesehen, Diana im Badeanzug auf dem Sprungbrett einer Yacht, hinter ihr das blaue Meer und der Himmel. Es war schrecklich, Jule merkte, wie sich ihr der Hals zuschnürte, und im selben Moment registrierte sie, dass Pia plötzlich still war. Sofort drehte sie sich zu ihr und sah erleichtert, dass ihre Tochter zusammengerollt auf dem kleinen Flickenteppich lag und kurz vorm Einschlafen war. Mit einem dankbaren Blick auf das Kind holte Jule das Telefon und rief Marie an.

»Marie? Diana ist tot.« Im selben Moment kamen ihr die Tränen.

»Wer?« Marie hatte nichts verstanden. »Jule, was ist los? Wer ist tot?«

Jule konnte kaum sprechen. »Dia…«

»Pia? Ist was mit Pia?« Jetzt klang Maries Stimme alarmiert. »Sag doch was.«

»Prinzessin Diana«, Jule schrie es fast raus. »In Paris. Ein Autounfall!«

»Ach.« In diesem kleinen Ach steckte jede Menge Erleichterung. Nur einen Moment später sagte Marie: »Ich dachte erst, dass … Prinzessin Diana? Das ist ja furchtbar.«

»Sag ich doch.« Jule angelte nach einem Stück Küchenrolle

und putzte sich lautstark die Nase. »Wir waren doch schon bei der Hochzeit dabei, weißt du noch? Und die beiden Kinder … Ist das nicht unfassbar traurig? Was machst du gerade?«

Es war der Sommer nach dem Abitur gewesen, als alle vier vor dem Fernseher die Trauung des englischen Thronfolgers gesehen hatten. Jule war völlig verzückt gewesen, Alexandra hatte sich Spekulationen hingegeben, warum Diana überhaupt diesen Mann heiratete. Friederike hatte damals nüchtern konstatiert, dass Marie und sie jetzt genauso alt waren wie Diana und damit zu alt, um noch an Traumprinzen und Märchenschlösser zu glauben. Sie war fest davon überzeugt, dass diese Ehe nicht gut gehen würde. Jule hatte trotzdem Tränen der Rührung geweint und das herrliche Brautkleid bewundert. Und nun dieses tragische Ende.

»Ich muss ohnehin in die Bildredaktion«, sagte Marie jetzt. »Auf dem Weg kann ich vorbeikommen. Kriege ich einen Kaffee bei euch?«

»Ja, klar«, stimmte Jule sofort zu. »Aber Philipp schläft, er hatte Nachtdienst. Nicht klingeln, ich sehe dich aus dem Küchenfenster.«

»Okay! Ich bin in einer halben Stunde da. Soll ich was vom Bäcker mitbringen?«

»Nein, danke.« Jule wischte sich mit dem Handrücken die letzten Tränen ab. »Bis gleich.«

Marie brachte Ruhe und den Duft von frischgebackenem Butterkuchen mit ins Haus. »An dem kam ich nicht vorbei«, sagte sie. »Der roch einfach zu gut. Hallo, ihr beiden!« Sie legte das Kuchenpaket auf den Tisch, küsste Jule auf die Wange und kniete sich vor die schon wieder weinende Pia. »Hey, meine Süße«, sagte sie leise und strich Pia die feuchten Haare aus der Stirn. »Was ist denn los?« Sie nahm die Kleine hoch, sofort legte Pia den Kopf an Maries Schulter und steckte den Daumen in den Mund. Jule sah kopfschüttelnd zu. »Ich verstehe nicht, wie du das immer machst«, sagte sie verwundert. »Sie brüllt heute in einer Tour, ich kann machen, was ich will, wenn sie nicht gerade vor Erschöpfung umfällt und für ein paar Minuten einschläft, macht sie Theater.«

Marie wippte sie sanft, bis Pia tatsächlich die Augen zugefallen waren. »Sie merkt, dass du nicht gut drauf bist«, flüsterte Marie. »Das macht sie unruhig.«

»Ich bin gut drauf«, widersprach Jule. »Nur müde. Das merkt Pia doch gar nicht.« Sie drehte sich sofort zur Tür, als sie ein Geräusch hörte. »Oh, haben wir dich geweckt?«

Philipp kam die Treppe runter, lächelte müde und küsste Jule flüchtig, bevor er zu Marie ging. »Nein, ich bin schon länger wach und sogar schon geduscht. Hallo, Marie, soll ich sie dir mal abnehmen? Ich lege sie in den Kinderwagen, vielleicht schläft sie da mal ein bisschen länger.« Unter den Blicken von Jule und Marie nahm er Pia auf den Arm und legte sie vorsichtig in den Wagen, bevor sie zudeckte. Jule sah ihm stolz dabei zu. Er war so wahnsinnig attraktiv mit diesen leicht verwuschelten Haaren und dem Dreitagebart. Und er war ein toller Vater. Und ihr Ehemann. Jule seufzte und sah zu Marie, die aber nicht das Vater-Tochter Gespann, sondern Jule beobachtet hatte. Sie lächelte kurz und setzte sich an den Tisch. »Hast du einen Kaffee?«

Jule nickte und holte drei Tassen aus dem Schrank. Philipp strich Pia sanft über die Wange und richtete sich wieder auf. »Für mich nicht, Jule, ich muss gleich los. Wir haben eine Besprechung in der Klinik.«

»Vor Dienstbeginn?« Mit gerunzelter Stirn sah sie ihn an. »Warum das denn?«

Er zuckte nur die Achseln und griff nach seinem Sakko über der Stuhllehne. »Geht nicht anders. Schönen Tag euch beiden, bis später!« Er küsste Jule auf den Mund, lächelte Marie zu und ging. Jule sah ihm hinterher, dann schüttelte sie den Kopf und setzte sich zu Marie. »Er arbeitet zu viel. Na ja.« Sie stützte missmutig das Kinn auf die Faust, bevor ihr plötzlich wieder einfiel, was passiert war. »Die arme Diana«, sagte sie. »In dem Alter!«

Eine Woche später saß sie tränenüberströmt bei Marie auf dem Sofa, ein zerknülltes Tempotuch in den Händen und schnappte nach Luft. Die Trauerfeier für die verstorbene Diana zerriss ihr schier das Herz. Marie weinte auch, während Friederike die beiden eher irritiert ansah und Alexandra am Küchentresen die Nudelsauce rührte.

»Ihr tut ja gerade so, als wäre eine von uns gestorben«, sagte Friederike schließlich. »Hallo, es ist die geschiedene Frau des britischen Thronfolgers, ihr habt sie doch gar nicht gekannt.«

Marie putzte sich die Nase. »Ich heule ja nur, weil Jule so heult. Und der kleine Harry tut mir so leid, der musste die ganze Zeit hinter dem Sarg herlaufen, das ist doch furchtbar.«

»Man sollte Kinder aus so was raushalten.« Alexandras Stimme klang dumpf, weil sie gegen das Geräusch der Dunstabzugshaube anredete. »Ich verstehe diese ganze Hysterie nicht. Muss man denn eine Trauerfeier überhaupt im Fernsehen übertragen? Die armen Kinder, also ich finde das krank.«

»Wenn sich nur die Hälfte der Zuschauer so aufführt wie Jule, dann ist das Grund genug«, antwortete Friederike, ohne Jule aus den Augen zu lassen. »Die halbe Welt trauert live und in Farbe, das wird eine Traumquote. Hallo, Frau Petersen-Postel, Diana war kein Familienmitglied, du kanntest sie doch nur aus den bunten Blättern!«

Verständnislos sah Jule sie an. Mit Tränen in der Stimme sagte sie: »Du bist echt ein unsentimentaler Klotz. Diana war schön, mitfühlend, unglücklich verheiratet, wurde ihre ganze Ehe lang nur betrogen, war eine tolle Mutter, ist vom Hof regelrecht verstoßen worden, hat endlich eine neue Liebe gefunden, sich mit allem arrangiert – und jetzt kommt sie bei so einem Scheißunfall ums Leben! Das ist doch nicht gerecht.«

So sehr sie sich gefreut hatte, dass Friederike ihr mallorquinisches Hotel für eine Reisemesse in Hamburg verlassen hatte und Alexandra aus München nach Hamburg gekommen war, weil sie irgendeine Familienangelegenheit absolvieren musste, konnte sie sich im Moment vor lauter Traurigkeit kaum auf die beiden einlassen. Marie war die Einzige, die annährend verstand, was Jule so fertigmachte.

Als sie schließlich bei Spaghetti und Rotwein um Maries runden Esstisch saßen, sagte Alexandra: »Jetzt ist Diana Spencer unsterblich geworden. So wie Marilyn Monroe. Die schönen Frauen, die früh sterben, bleiben immer schön und jung. Egal, wie blöde sie waren, nach ihrem frühen Tod werden sie alle zu Heiligen.«

»Wieso waren sie blöd?« Jule sah sie stirnrunzelnd an. »Diana konnte doch gar nichts dafür. Sie hat ihr früheres Leben aufgegeben, um Charles zu heiraten und für das Königshaus zu leben. Sie hat die Thronfolger bekommen, für wohltätige Zwecke gearbeitet, und zum Dank betrügt dieser alte Mann sie mit dieser hässlichen Camilla. Und Diana ist plötzlich ganz allein.«

»Jule.« Friederike lachte laut auf. »Deine Diana war psychisch labil, bulimisch, hat die Presse manipuliert und nicht gerade wenige Affären gehabt. Es sind immer zwei schuld, wenn eine Ehe in die Brüche geht, jetzt komm mal von deiner rosa Wolke.«

Marie behielt Jule im Blick und bemerkte, dass ihre Augen wieder feucht wurden. Sie beugte sich über den Tisch und griff nach Jules Hand. »Hey, was ist los? Es ist doch nicht nur Diana?«

Langsam rollten die Tränen über Jules Gesicht, sie schüttelte den Kopf. »Nein. Bei uns ist auch irgendwas nicht in Ordnung. Ich weiß nicht, was ich machen soll. Philipp arbeitet nur noch, er nimmt sich kaum noch Zeit für mich, wir reden nur noch über Pia, wer wann was einkauft, was für Termine anstehen, aber ansonsten passiert gar nichts mehr.«

Friederike stützte ihr Kinn auf die Faust. »Habt ihr noch Sex?«

Jule zuckte die Achseln. »Selten bis gar nicht. Er ist immer viel zu kaputt. Die Klinik frisst ihn echt auf. Und er ist ein engagierter Arzt, das finde ich ja eigentlich auch toll.«

»Das finanziert ja auch dein Leben.« Friederike hatte noch nie Umwege gemacht. »Du Arztgattin. Kann es nicht sein, dass du dich in den letzten vier Jahren, also seit du Mutter bist, ein bisschen zu sehr auf deiner Wolke eingerichtet hast?«

»Was meinst du damit?« Jule sah sie mit großen Augen an. »Das ist doch Unsinn. Ich arbeite auch.«

»Zwei halbe Tage«, ergänzte Friederike. »Jule, du weißt, ich meine es nicht böse, aber ich habe beim letzten Mal schon gedacht, dass du es dir vielleicht ein bisschen zu leicht machst. Du warst früher so aktiv, hast viel Sport gemacht, warst dauernd unterwegs, sahst immer super aus, hattest immer gute Laune. Und jetzt sitzt du nur noch zu Hause, drehst dich um dich und Pia, läufst in ausgebeulten Klamotten rum, stöhnst rum und interessierst dich für kaum etwas anderes. Das kann es doch nicht sein.«

»Das kannst du doch gar nicht beurteilen«, protestierte Jule sofort. »Du arbeitest in Palma und bist in der letzten Zeit gar nicht mehr hier gewesen!«

»Im Februar, Ostern, Pfingsten und Ende Juni«, zählte Friederike mit Hilfe ihrer Finger auf. »Und wir haben uns jedes

Mal gesehen, falls ich dich daran erinnern darf. Und so selten telefonieren wir ja auch nicht.«

Ertappt sah Jule an sich hinunter. Sie trug eine etwas zu weite Jeans mit Obstflecken auf dem Oberschenkel, die Bluse war nicht gebügelt, an der Strickjacke, die ohnehin nicht zur Bluse passte, fehlten zwei Knöpfe. »Mit Kind hat man einfach nicht mehr die Zeit«, verteidigte sie sich lahm. »Ihr habt ja keine Ahnung.«

»Das ist ein Totschlag-Argument«, entgegnete Friederike. »Aber es gibt auch Mütter, die sich nicht so gehen lassen. Und ich ...«

»Fiedi, lass mal.« Marie ging jetzt dazwischen. »Nimm sie doch nicht so in die Zange. Aber Jule, ganz ehrlich: Eigentlich hat sie recht, ich hätte es nur nicht so hart ausgedrückt. Kannst du nicht mal allein mit Philipp irgendwohin fahren? Einfach spontan übers Wochenende? Ich kann gern auf Pia aufpassen, ich nehme sie mit ins Haus am See, da würde Laura sich auch freuen.«

»Er arbeitet doch fast jedes Wochenende,« Jule spielte nachdenklich mit ihrem Besteck. »Und wenn er mal nicht arbeitet, dann macht er Fortbildungen. Nächstes Wochenende fährt er nach Sylt zum Ärztekongress, da ist er auch schon wieder fünf Tage weg.«

»Sylt!« Friederike schlug begeistert auf den Tisch. »Na bitte. Dann buchst du jetzt ein schönes Hotel, gehst zum Friseur, kaufst dir heiße Unterwäsche, knipst deine gute Laune von früher an und überraschst ihn. Und dann macht ihr es euch ein paar Tage nett, ohne Kind, ohne Alltag, und redet mal in Ruhe über alles. Das ist doch eine super Idee, oder? Marie? Alex?«

Marie nickte sofort. »Ich finde es gut. Ich habe noch irgendwo ein paar schöne Hoteladressen, wir können gleich mal schauen.«

»Ich weiß nicht.« Unsicher sah Jule Alex an, die sich noch gar nicht geäußert hatte. Die wich ihrem Blick aus, bis Jule sagte: »Was würdest du denn machen, Alex?«

»Schwer zu sagen.« Alexandra fing an, die leeren Teller übereinanderzustellen. »Meine Schwester hat auch gerade ziemlichen Ehestress. Katja ist Jochen neulich hinterhergefahren, das kam bei ihm nicht besonders gut an. Bei den beiden läuft es jetzt wohl auf eine Trennung hinaus, deswegen bin ich ja auch hergekommen. Katja ist ziemlich fertig und will es nicht wahrhaben. Und ich finde, mit ihren Versuchen, ihm nachzuspionieren, hat sie sich ziemlich zum Affen gemacht.«

»Jule spioniert ihm doch nicht nach«, entgegnete Marie. »Es ist der Versuch, ein schönes kinderloses Wochenende zu verbringen. Und von Ehestress redet ja auch noch niemand.«

»Wir haben keinen Stress«, pflichtete Jule ihr bei. »Es ist nur nicht mehr so, wie es sein könnte. Vielleicht ist die Idee wirklich gut. Wenn du Pia nehmen könntest …?«

»Aber natürlich.« Marie stand auf. »Ich suche mal meine Sylter Adressen, dann buchen wir dir was Schönes.«

»Das lass mal die Fachfrau machen.« Friederike zog Marie am Arm wieder zurück. »Ich habe einen Studienkollegen, der gerade ein tolles Haus auf Sylt leitet. Ich rufe den gleich an, unter Kollegen bekommt man schönere Zimmer und bessere Preise.«

Jule lächelte und fühlte eine kleine Vorfreude in sich aufsteigen. »Danke«, sagte sie und sah ihre Freundinnen an. »Auch dass ihr Klartext geredet habt. Ich muss jetzt los, Philipp hat gleich Dienst. Fiedi, ich rufe dich nachher an, wenn Pia im Bett ist, okay?«

»Und ich buche gleich, okay?« Friederike nickte, Marie ebenfalls, nur Alexandras Miene blieb skeptisch. Jule vermutete, dass Alex gerade genügend Stress mit ihrer Schwester und deren Trennungsgeschichte hatte. Es war ja auch furchtbar, dem Scheitern von Liebesbeziehungen zuzuschauen. Alexandra litt bestimmt sehr mit. Spontan stand Jule auf, beugte sich zu Alex und küsste sie auf die Wange. »Melde dich doch wieder öfter«, sagte sie. »Seit du in München bist, sehen wir uns viel zu selten.«

»Ja.« Alex lächelte flüchtig und drückte ihre Hand. »Ich habe so wahnsinnig viel zu tun. Aber ich versuche es.«

»Gut.« Jule sah dankbar lächelnd in die Runde. »Ich bin so froh, dass es euch gibt.«

Langsam kehrte Jule in die Gegenwart zurück und atmete tief durch. Es war tatsächlich schon zwanzig Jahre her. Dianas Tod. Und die Idee, ein spontanes Liebeswochenende mit Philipp zu organisieren. Sie war so naiv gewesen. Und hatte damals gelernt, dass Spontanität nicht immer zum Erfolg führte. Ganz im Gegenteil.

Friederike

Die Geschirrspülmaschine gab ein schmatzendes Geräusch von sich und stoppte das Programm. Friederike hörte ein Gluckern, dann leuchtete die rote Lampe auf, die eine Störung anzeigte. Langsam stand Friederike auf und öffnete vorsichtig die Tür. Schmutziges Geschirr und jede Menge Wasser, die Maschine wollte nicht mehr. Wie befürchtet hatte sie ihren Geist jetzt endgültig aufgegeben. Genervt warf Friederike die Tür wieder zu und lehnte sich mit verschränkten Armen dagegen. Es war genau das, was ihr heute noch fehlte.

»Was ist los?« Tom war gerade mit feuchten Haaren und in einer Wolke von Duschbad und Eau de Toilette in die Küche gekommen und sah sie erstaunt an. »Schlechte Nachrichten?«

»Die Spülmaschine.« Friederike deutete hinter sich. »Dieses Scheißding. Jetzt ist sie anscheinend ganz im Eimer.«

»Die ist ja auch schon uralt.« Tom setzte sich an den Tisch und schraubte eine Wasserflasche auf, die er sich an die Lippen setzte. »So ein Modell hatte meine Mutter. Vor zwanzig Jahren. Das ist eine total veraltete Technik.«

»Sie hat aber bis gestern funktioniert.« Friederike beobachtete ihn nachdenklich. Seine Mutter. Okay.

Er war gestern Abend gekommen, nachdem sie sich ein paar Tage weder gesehen noch gehört hatten. Beladen mit Tüten und Taschen hatte er unangemeldet vor ihrer Tür gestanden und Friederikes Frage, warum er sie denn nicht vorher angerufen hätte, ignoriert. Stattdessen hatte er sofort angefangen, jede Menge Lebensmittel auszupacken und sich in ihrer Küche ausgebreitet. Und Friederike hatte danebengesessen, ihm stumm beim Kochen zugeschaut und sich eingestanden, dass sie sich gar nicht freute, ihn zu sehen. Ja, doch, er war attraktiv und sexy. Aber er ging ihr nicht ans Herz.

Während er Zwiebeln und Knoblauch gehackt, Kräuter gewaschen und den Fisch vorbereitet hatte, war sie in Gedanken bei dem Gespräch gewesen, das sie mit Hanna in Maries Garten geführt hatte. »Ich hatte eine unbändige Wut auf Sie«, hatte Hanna gesagt, und Friederike hatte in diesem Moment begriffen, warum Marie sie geliebt hatte. Und plötzlich saß sie im Kopf wieder Hanna gegenüber. Auf der Terrasse vom Haus am See. In das sie ein paar Tage zuvor mit blutenden Händen und zerrissener Kleidung eingedrungen war …»Marie hat mir nie von Ihnen erzählt«, Friederike sah sie forschend an. »Seit wann waren Sie ein Paar?«

Hannas Antwort kam prompt. »Seit dem 11. Mai 1998. An dem Tag haben wir beide gemerkt, dass ein Leben ohne die andere nicht vollständig wäre.«

»Woran merkt man das?«

Hanna lächelte. »Das weiß man, wenn es so weit ist. Und an diesem Tag wussten wir es beide.«

»Aber warum hat Marie nie mit uns darüber geredet?«

»Haben Sie sie jemals danach gefragt? Haben Sie sie gefragt, ob sie verliebt war? Ob sie sich einsam gefühlt hat?«

Friederike sah sie nachdenklich an. »Ich glaube nicht. Nein, wir haben sie tatsächlich nie gefragt. Marie war so … so aus einer anderen Welt. Sie war immer gleichbleibend heiter und freundlich, es sah nie so aus, als würde sie etwas vermissen, sie war so … konstant. Ich hätte mir nie vorstellen können, dass sie sich in irgendjemanden verliebt, das passierte Jule dauernd, aber Marie doch nicht. Sie war so unabhängig.«

»Ja.« Hanna nickte. »Das war sie. Bis zum Schluss. Und sie hat nie viel Aufhebens um ihre Person gemacht. Ich weiß, dass sie Ihnen von uns erzählen wollte. Aber immer, wenn es eine Gelegenheit gegeben hatte, war irgendein anderes Problem größer, hatte eine von Ihnen etwas erlebt oder erlitten, was wichtiger war. Marie hat einfach nie den richtigen Moment erwischt. Und je länger man es sich vornimmt, ohne dass es gelingt, desto schwerer wird es. In diesen Jahren ist ja bei Ihnen allen so viel passiert. Vielleicht hatte Marie auch die Befürchtung, dass sich Ihre Freundschaft ändern würde, wenn sie es erzählt. Dass Marie sich in eine Frau verliebt hatte, war zu der Zeit ja noch nicht so selbstverständlich wie heute.«

Friederike widersprach vehement. »Das ist doch Unsinn, Marie wusste genau, dass keine von uns ein Problem damit gehabt hätte. Wir hätten uns erst daran gewöhnen müssen, okay, und wir waren vielleicht ein bisschen egoistisch und oberflächlich ihr gegenüber. Aber keine von uns war spießig. Wir hätten uns bestimmt für Marie gefreut.«

»Sind Sie sich da ganz sicher?« Hanna lächelte sie an. »1998? Das war ja schon noch eine andere Zeit. Der Paragraph 175 war erst vier Jahre zuvor abgeschafft worden.«

»Aber ich bitte Sie, für uns hätte das überhaupt keine Rolle gespielt.« Das wollte Friederike nun wirklich nicht auf sich sitzen lassen. »Das kann nicht der Grund gewesen sein, uns nichts davon zu erzählen.«

»Mag sein.« Hanna hob die Schultern und fuhr gleichmütig fort. »Dann waren es andere Gründe. Wie auch immer. Marie hat sich ja in allem immer sehr zurückgenommen, vielleicht fand sie es sogar egoistisch, Sie alle mit ihrer Liebesgeschichte zu konfrontieren in einer Zeit, als ihre Freundinnen so viel Pech in der Liebe hatten.«

»Hatten wir?« Friederike dachte nach. »Was bedeutet denn Glück oder Pech in der Liebe?«

»Na: Glück meint doch wohl, den richtigen Menschen zu treffen. Nachdem ich Marie kennengelernt hatte, wusste ich, was ich vorher in meinem Leben vermisst hatte. Und konnte mir nicht vorstellen, ohne sie weiterzuleben. Ich bin so unendlich dankbar für diese Jahre, die ich mit ihr hatte. Sie hat mich zu einem besseren Menschen gemacht. Das klingt vielleicht etwas pathetisch, aber ich meine es genau so. Vor Marie war ich wahnsinnig ehrgeizig und ernsthaft, mein Leben hat sich ausschließlich um die Musik und den Erfolg gedreht. Und dann kam Marie, die so dankbar und sensibel die Welt betrachtet hat. Sie hat das Leben geliebt und immer auch die kleinen Dinge gesehen. Sie konnte ja nicht alles machen, ihr krankes Herz hat es nie zugelassen, aber das, was sie konnte und erlebt hat, hat sie mit jeder Faser ihres Körpers genossen. Und das hat sie auch mir beigebracht. Schöne Dinge zu sehen und dankbar zu sein. Mein Leben ist durch sie heller geworden. Das meine ich mit Glück in der Liebe. Und dass man sich jeden Abend vor dem Einschlafen beim anderen für den schönen Tag bedanken möchte.«

»Ich mach uns erst mal einen Kaffee. Und dir einen Tee. Und dann retten wir die Spülmaschine.«

Toms Stimme holte sie jäh wieder in ihre Küche und in die Gegenwart. Friederike hob den Kopf und musste einen Moment überlegen. »Die kann keiner mehr retten. Ich brauche eine neue.«

Er sah sie kurz an, dann stand er auf und drückte auf den Knopf der vollautomatischen Kaffeemaschine. Im Display blinkte der Satz *Wassertank füllen*. Tom folgte der Anweisung, stellte den vollen Wassertank wieder zurück und las den nächsten Satz. *Satzbehälter leeren.* Er schüttelte den Kopf. »Das glaube ich jetzt nicht.«

»Ich mach schon.« Friederike schob ihn zur Seite. »Lass mal.«

Langsam ließ Tom die Arme sinken. »Ich kann das auch. Was ist eigentlich los mit dir? Du bist so anders, so bedrückt. Die ganze Zeit schon. Ist irgendetwas los, das ich wissen sollte?«

Friederike sah ihn unentschlossen an. Tom Henries war ein attraktiver, freundlicher, lässiger und immer gut gelaunter Mann, der sich das Leben schön machte und in den sich im Lauf seines Lebens bestimmt noch eine Menge Frauen verlieben würden. Eine ganze Menge, nur sie selbst gehörte nicht dazu.

Gestern Abend hatte sie seine Anwesenheit zum ersten Mal tatsächlich als störend empfunden. In ihrem Kopf kreisten die Gedanken um Hanna und Marie, die Erinnerungen, das beklommene Gefühl vor diesem ersten Treffen an Pfingsten und die Angst, was wohl alles an verdrängten Dingen wieder hochkommen würde. Und Tom, arglos wie er war, hatte gut gelaunt gekocht, beim Essen lustige Geschichten aus der Bar erzählt und von Menschen, die sie nicht kannte. Sie hatten Wein getrunken, und irgendwann waren sie miteinander ins Bett gegangen. Friederike hatte ein schlechtes Gewissen gehabt und vielleicht auch deshalb mit ihm geschlafen. Er war wirklich ein guter Liebhaber, das war er immer schon gewesen, sie hatte den Sex mit ihm immer sehr gemocht, diesen Sex, den nur ihr Körper wollte, während in ihrem Kopf ganz andere Bilder liefen. Gestern war er danach sofort eingeschlafen, während sie noch stundenlang gegen die Tränen gekämpft hatte. Ohne genau zu wissen, woher diese Traurigkeit und dieses schlechte

Gefühl eigentlich kamen. Vielleicht einfach daher, dass ihr Leben durch ihn nicht heller geworden war?

»Tom, ich glaube, wir sollten das alles lassen.«

Hatte sie diesen Satz wirklich gesagt? Mit einer Mischung aus Erschrecken und Erleichterung wartete sie auf Toms Reaktion. Er lehnte sich an die Arbeitsplatte und verschränkte langsam seine Arme vor der Brust. Er sah sich erst in der Küche um, dann wieder zu ihr. Sein Gesichtsausdruck war eher ungläubig als geschockt.

»Was lassen?«

Friederike schloss kurz die Augen, dann sah sie ihn fest an. »Wir sollten unsere Beziehung beenden. Es geht nicht mehr.«

Er starrte sie an. »Und gibt es dafür einen konkreten Grund?«

»Ja. Ich liebe dich nicht.« Friederike antwortete leise. »Du bist ein toller Mann, Tom, aber diese Beziehung, die wir haben, die ist für keinen von uns von Gewicht. Wir sehen uns, haben Sex, kochen zusammen, aber wir teilen doch unser Leben nicht miteinander. Wir ...«

Tom schlug unvermittelt mit der flachen Hand auf die Arbeitsplatte. »Ach. Und an wem liegt das? Ich bin doch derjenige, der schon seit ewigen Zeiten davon spricht, dass wir zusammenziehen sollten. Und wer sträubt sich mit Händen und Füßen dagegen? Ich hätte es nur zu gern ein bisschen verbindlicher, aber die kontrollierte und perfekte Frau Brenner will ja ihre Freiheiten nicht aufgeben. Ich habe das lange Zeit in Ordnung gefunden, Friederike, ich weiß ja, dass es keinen Zweck hat, dich zu etwas zu überreden, was du nicht willst. Aber du kannst mir das jetzt beim besten Willen nicht zum Vorwurf machen. Was soll das?«

»Ich mache es dir ja auch gar nicht zum Vorwurf.« Toms Lautstärke ließ Friederike zusammenzucken. Natürlich konnte er nichts dafür. Er hatte ja nicht mit einem solchen Gesprächsverlauf rechnen können.« »Es ist nicht deine Schuld, und du hast an keiner Stelle irgendetwas falsch gemacht. Ich habe nur in der letzten Zeit viel über mein Leben nachgedacht und gemerkt, dass ich einiges ändern muss. Ich will keine halben Sachen mehr, ich will nicht einfach so weitermachen, nur weil es mal so angefangen hat und nicht mehr in Frage gestellt wird. Ich ...«

»Ich, ich, ich.« Toms Stimme troff vor Zynismus. »Du hast doch alles immer so gemacht, wie du es wolltest. Und ich war derjenige, der sich mit dir abgesprochen und dir alles erzählt hat. Du bist von dir aus nie zu mir gekommen.«

Friederike schwieg. Er hatte recht. Und er war noch nicht fertig. »Ich hatte ein Angebot, die Bar im *Grandhotel* in Hamburg zu übernehmen. Ich muss dir nicht erklären, was das heißt. Aber ich Trottel habe es abgesagt. Und weißt du, warum? Weil ich dich neulich gefragt habe, ob du dir vorstellen könntest, aus Bremen wegzugehen. Und du hast Nein gesagt. So viel zu dem Satz, dass unsere Beziehung nicht verbindlich ist. Für dich vielleicht nicht, für mich war sie es schon.«

Das Einfachste in dieser Situation wäre gewesen, das nicht zu kommentieren. Friederike hatte Tom nichts von ihrem Gespräch auf Norderney erzählt, sie wusste selbst nicht genau, was sie davon abgehalten hatte. Aber sie ahnte es. Laut sagte sie: »Ich weiß von dem Angebot. Ich habe mit Peter Engel zusammen studiert, er hat mir auf Norderney erzählt, dass er sich mit dir treffen wollte. Er wusste ja nicht, dass wir liiert sind.«

Fassungslos sah Tom sie an. »Du kennst Peter Engel? Und hast mit ihm gesprochen? Wann wolltest du mir das denn sagen? Wolltest du das überhaupt? Oder hattest du gehofft, dass ich das Angebot annehme, nach Hamburg gehe und dir dann aus dem Weg bin? Und die Beziehung einfach so ausläuft? War das dein Plan?«

»Ich hatte keinen Plan«, widersprach Friederike. »Er hat mir übrigens die Leitung des Hotels angeboten. Ich habe bisher weder ab- noch zugesagt. Ich habe seither noch nicht mal mehr mit ihm gesprochen.«

»Aha.« Tom nickte übertrieben. »Dann wolltest du also erst mal mit mir sprechen, was ich möchte, und dann wären wir zusammen nach Hamburg gegangen und hätten uns ein schönes Leben gemacht? Das ist ja wie im Märchen.«

Friederike schloss kurz die Augen. Die Wirklichkeit war noch viel schlimmer. Sie hatte nicht einmal darüber nachgedacht, dass Toms Entscheidung irgendetwas mit ihrer zu tun haben könnte. Er gehörte einfach nicht zu ihrem Leben. Das war die traurige Wahrheit. Nach fast neun Jahren Beziehung oder wie immer sie das nennen wollte, hatte sie ihn nie wirklich in ihr Leben gelassen. Das hatte er nicht verdient. Langsam stellte sich Friederike vor ihn. »Tom«, sie klang heiser. »Es tut mir leid. Es liegt ausschließlich an mir. Aber ich kann nicht anders. So will ich das alles nicht mehr. Wir …«

»Sag nie wieder ›wir‹, wenn du von dir und mir redest.« Mit einer schnellen Bewegung stieß Tom sich ab und kam einen Schritt auf sie zu. »Ich habe keine Ahnung, was mit dir los ist. Ob dich der Tod deiner alten Freundin oder dieses Treffen in Hamburg so aus der Spur gebracht hat oder ob du mir die ganzen Jahre was vorgemacht hast. Vielleicht war ich es auch selbst, der sich was vorgemacht hat. Ich weiß ja, dass du dich nie ganz auf uns eingelassen hast, auch wenn ich bis heute keine Ahnung habe, was dich davon abgehalten hat. Vielleicht kannst du ja auch gar nicht richtig lieben. Ich habe dich so oft gefragt, Friederike, so oft, aber du hast mir nie gesagt, was das Problem ist. Ich habe immer gedacht, irgendwann finde ich es heraus, oder du erzählst es mir. Aber vielleicht bist du einfach so, und man bekommt nie alles von dir. Aber jetzt ist auch bei mir ein Punkt erreicht: Nach der Sache mit Peter Engel fühle ich mich von dir manipuliert. Wenn das dein Weg ist, wünsche ich dir viel Glück, Friederike. Und ich hoffe für dich, dass du irgendwann mal herausfindest, was du eigentlich willst. Kannst du mir jetzt bitte meinen Hausschlüssel geben? Deine Sachen lasse ich dir ins Hotel bringen.«

Mit eingefrorener Miene hielt er ihr die Hand entgegen. Sie ging langsam in den Flur und kehrte mit dem Schlüssel zurück, den sie ihm vorsichtig in seine Hand legte. »Es tut mir leid«, wiederholte sie leise, während er die Finger um den Schlüssel schloss und einen Schritt zurücktrat.

»Das sagtest du bereits.« Seine Stimme war jetzt ganz kühl, er mied ihren Blick. »Mach's gut.«

Als die Tür krachend hinter ihm ins Schloss gefallen war und sie auf das immer noch leuchtende Display der Kaffeemaschine sah, kamen ihr die Tränen. Er hatte noch nicht einmal einen Kaffee getrunken. Ihren Schlüssel brauchte sie gar nicht von ihm zurückzufordern, er hatte nie einen bekommen. Und nicht einmal in all den Jahren hatte sie sich bei ihm für einen schönen Tag bedankt.

Unter Tränen zog sie den vollen Satzbehälter aus der Maschine und leerte ihn aus. Die Hälfte des Kaffeesatzes fiel neben den Mülleimer, ihre Hände zitterten. Achtlos ließ sie das Pulver auf dem Boden liegen. Sie lehnte sich an den Kühlschrank und wartete auf ein Gefühl der Erleichterung, das sich aber nicht einstellte. Stattdessen spürte sie nur ein schlechtes Gewissen in Form eines großen Klumpens Trauer in ihrem Hals. Und Selbstmitleid. Jede Menge Selbstmitleid. Weil das Leben für sie nicht das Glück vorgesehen hatte, das Hanna und Marie empfunden hatten. Obwohl sie einmal ganz dicht dran gewesen war. Ganz dicht. Und trotzdem hatte sie es nicht gesehen. Langsam ging sie in die Knie und blieb auf dem Boden vor dem Kühlschrank hocken. Mit den Armen umfing sie ihre Beine und legte die Stirn ab. Und dann dachte sie an die Zeit, die sie so lange verdrängt hatte. 1990 hatte es begonnen. Mit einem völlig banalen Satz. Auf dem Polterabend einer ihrer damals besten Freundinnen.

»Ist dir auch so warm?«

Friederike fühlte sich gar nicht angesprochen. Erst als die Frage wiederholt wurde, wandte sie den Kopf in die Richtung, aus der die Stimme kam. Ihr fiel der Name nicht mehr ein, irgendwas Kurzes war es gewesen, aber sie erkannte Philipps Freund aus dem Krankenhaus sofort wieder. Er war schließlich Trauzeuge. Sein dichter blonder Lockenkopf gab ihm etwas Jungenhaftes, und wenn er lächelte, bildeten sich Grübchen in den Wangen.

»Es geht so«, antwortete sie schnell. »Hitze macht mir nicht viel aus, aber mir war es gerade etwas zu laut.«

Einladend hob er eine eisgekühlte Flasche Weißwein hoch, in der anderen Hand zwei leere Gläser. »Ich würde gern auf diesem Bootssteg da draußen ein stilles, kühles Glas Wein trinken und suche dafür eine Begleitung.«

Friederike musterte ihn und fragte sich, ob es eine blöde Anmache oder einfach eine gute Idee war. Die Aussicht, dem Partylärm und der Wärme für einen Moment zu entfliehen, war schon verlockend.

»Ich bin Ulli«, schob er jetzt eilig hinterher. »Ein alter Freund von Philipp. Und ich verfolge keine blöden Absichten, sondern weiß einfach nicht, wie man zu diesem Bootssteg kommt. Ich habe ihn nur von oben gesehen. Und da ist ein Zaun davor.«

»Der ist nur an der Seite.« Friederike nahm ihm die Gläser ab und ging voraus. »Zum Bootssteg läuft man einfach durch den Garten. Hättest du vermutlich auch allein hinbekommen.

Aber wir sind auf einem Polterabend, da will ich mal nicht so sein.«

Er war ihr vorhin schon aufgefallen, ein sympathischer Typ, zurückhaltend und freundlich. Sie saßen sich am Tisch zwar gegenüber, waren aber noch nicht miteinander ins Gespräch gekommen. Eine Kollegin von Jule hatte ihn in Beschlag genommen, von der Friederike erst dachte, sie wäre seine Frau oder Freundin. Es klärte sich zwar später auf, dass es nicht so war, Friederike hatte aber trotzdem nicht mitbekommen, ob er allein oder in Begleitung hier war.

Die stille Kühle des Gartens war die reine Erholung, Friederike blieb kurz stehen, um durchzuatmen und zu warten, dass Ulli zu ihr aufschloss. »Herrlich, oder?«, fragte sie ihn. »Das war eine gute Idee.«

»Und wie.« Er sah sich um. »Was für ein Grundstück. Das ist ja ein Traum! Und wenn ich jetzt noch meine Füße ins Wasser halten kann, bin ich glücklich.«

Friederike lächelte und ging langsam über den abfallenden Rasen zum Seeufer. Am Schuppen blieb sie kurz stehen, zog die Tür auf und griff nach den Sitzkissen, die immer rechts neben der Tür im Regal lagen. »Es sitzt sich besser«, sagte sie und drückte die Tür wieder zu, bevor sie an ihm vorbei auf den Steg ging. Sie setzten sich nebeneinander auf die Kissen, Ulli zog Schuhe und Strümpfe aus, krempelte seine Hosenbeine hoch und tauchte seine Füße vorsichtig in den See. Friederike sah ihm dabei zu. Er hatte durchtrainierte Waden, sie fragte sich, was er für einen Sport machte. Vom Herumsitzen bekam man solche Beine nicht.

Sie löste die Riemchen ihrer Sandalen und streifte sie ab, bevor sie den Saum ihres grünen Kleides etwas hochraffte und sich neben Ulli niederließ. Seufzend ließ sie die Beine baumeln und tunkte nur die Zehen ins Wasser. Sie schwiegen, während

Ulli die Weingläser füllte und ihr eines reichte. Die Musik und das Gelächter klangen gedämpft durch die Abendluft, die Grillen übertönten alles.

»Wenn die anderen mitbekommen, wie schön es hier ist, dann ist der Steg gleich voll«, flüsterte Ulli und lächelte sie an. »Prost. Auf Jule und Philipp und dass sie immer glücklich und verliebt bleiben.«

Friederike hob ihr Glas in seine Richtung und lächelte. »Das wünsche ich ihnen auch. Im Moment sieht es ja ganz so aus.«

Sie tranken, beide den Blick auf den stillen See gerichtet. Schließlich fragte Ulli: »Und du gehörst zu diesem Kleeblatt, von dem Jule mir erzählt hat? Seit hundert Jahren befreundet und alle für eine und immer zusammen und ohne Geheimnisse voreinander?«

Friederike lachte laut auf. »Hat sie das so erzählt? Das ist typisch Jule, sie trägt gern rosa Brillen. Wir sind tatsächlich schon seit unserer Kindheit befreundet. Dass wir uns immer noch so regelmäßig sehen, liegt aber vor allem an Marie, die überlässt da nichts dem Zufall und kümmert sich sehr. Sie organisiert unsere Treffen mit größter Zuverlässigkeit. Unser Pfingsttreffen am See ist legendär. Und darauf will wirklich niemand verzichten.«

»Ja, das ist wirklich ein besonderer Ort.« Ulli nickte und sah sich um. »An welchem Ort lebst du, wenn du nicht hier bist?«

»Hamburg.« Friederike sah ihn an. »Warum?«

Er zuckte lässig mit den Achseln. »Nur so. War eine von euch nicht auf Mallorca?«

»Ja, das war ich auch.« Friederike tauchte einen Fuß ganz ins Wasser. Es war kühl. Und weich. Auf einmal war ihr ganz romantisch zumute hier auf dem Steg. Sie war selbst überrascht. »Ich habe nach meinem Studium für ein Jahr in einem Hotel in Palma gearbeitet. Es war toll, vielleicht gehe ich irgendwann noch mal für eine Zeit dorthin. Aber jetzt bin ich erst mal seit September letzten Jahres wieder in Hamburg. Im *Hafenhotel*. Und du? Wie lange kennst du Philipp schon?«

»Wir haben zusammen studiert. Und jetzt sind wir an derselben Klinik in Hamburg. Ich bin Kinderarzt.«

»Aha.« Friederike warf ihm einen vorsichtigen Blick zu. Sie wollte nicht den Anschein erwecken, ein persönliches Interesse an ihm zu haben, wobei sie zugeben musste, dass er etwas an sich hatte, was sie anzog. Das brauchte er aber nicht mitzubekommen. »Kinderarzt? Interessant. Da muss man Kinder aber sehr mögen, oder?«

Etwas überrascht sah er sie an. »Ja. Ich mag Kinder sehr. Wer nicht?« Er machte eine kleine Pause, bis er fragte: »Hast du Kinder?«

Friederike schüttelte sofort den Kopf. »Um Gottes willen, ich habe noch nicht einmal einen Mann.« Sofort biss sie sich auf die Lippe, sie hatte es gar nicht so schroff sagen wollen. Ulli nahm es nicht übel, sondern meinte: »Ich habe zwei Kinder. Sie sind vier und sechs. Und wirklich großartig.«

Friederike spürte, wie ihr dieser letzte Satz einen Stich versetzte. Schade, er war wirklich sympathisch, aber sie konnte verheiratete Männer, die mit fremden Frauen auf einem Bootssteg nachts kalten Weißwein tranken, nicht leiden. Sie griff zu ihrem Glas und trank es aus. »Das ist ja sehr schön«, sagte sie schnell. »Ich glaube, ich gehe wieder zurück zur Party. Die Mücken kommen gleich.«

»Welche Mücken?« Ulli sah irritiert, dass sie aufstehen wollte. »Habe ich was Falsches gesagt?«

»Nein, nein«, Friederike knipste ihr professionellstes Lächeln an. »Aber ich bin abgekühlt genug. Jetzt kann man sich wieder unters Partyvolk mischen. Und vielleicht wirst du auch schon vermisst.«

»Wie?« Ulli war wirklich schwer von Begriff. »Wer sollte mich vermissen?«

»Deine Frau?«

»Ach so.« Er lachte. »Das waren also die Mücken? Nein, nein, wir leben getrennt, schon seit über einem Jahr. Und die Mutter meiner Kinder ist heute gar nicht eingeladen. Ich kann hier also sitzen, so lange ich will.«

Friederike entspannte sich sofort. Nicht dass sie sich jetzt sofort auf ihn stürzen würde, aber es fühlte sich einfach schöner an zu wissen, bei der Rückkehr ins Haus nicht gleich von einem weiblichen Augenpaar getötet zu werden. Sie bemühte sich um einen unverbindlichen Ton. »Das ist bestimmt nicht einfach. Irgendwie baden es am Ende doch immer vor allem die Kinder aus, oder?«

Ulli beobachtete einen vorbeischwimmenden Haubentaucher, bevor er antwortete: »Wir bekommen es, ehrlich gesagt, auch nicht besonders gut hin. Aber das ist kein gutes Thema auf einer Hochzeit. Ich habe mir vorgenommen, an das Gelingen einer Ehe zu glauben, wenigstens heute, schließlich bin ich Trauzeuge. Und Philipp und Jule haben sicher mehr Glück. Es sei ihnen gegönnt.« Er hob sein Glas und prostete in Richtung Haus. Friederikes Blick fiel dabei auf sein wunderschönes Profil. »Macht es anständig«, sagte er leise in die Nacht hinein.

»Ich habe ein gutes Gefühl. Jule ist so ein sonniger Mensch«, auch Friederike sah jetzt zum Haus rüber. »Und sie wollte ja immer verheiratet sein. Sie ist sehr glücklich.«

»Sonnig trifft es gut.« Ulli nickte lächelnd. »Ich habe sie noch nie schlecht gelaunt erlebt. War sie immer schon so?«

»Ich glaube schon.« Friederike dachte kurz nach. »Ja. Seit ich sie kenne. Seit unserer Einschulung.«

»Ich weiß.« Ulli nickte. »Seit hundert Jahren befreundet.« Er warf ihr einen forschenden Blick zu. »Wobei ich es schon bemerkenswert finde, wenn man bedenkt, wie unterschiedlich ihr seid.«

»Ich glaube, das ist gerade der Grund, weshalb es so gut funktioniert«, antwortete Friederike. »Marie hat einmal gesagt, alleine wären wir schon alle ziemlich klasse, aber zusammen sind wir ein Traum. Oder so. Da waren wir vierzehn, es war Sommer, und wir lagen alle hier, wo du jetzt sitzt, auf Handtüchern in der Sonne.«

»Ein schönes Bild. Du wirkst übrigens auf mich viel erwachsener als Jule. Sie hat noch so etwas Mädchenhaft-Naives. Als hätte sie ihr bisheriges Leben auf diesem Steg verbracht, ohne Probleme, nur mit Sonne, Handtuch und besten Freundinnen.«

Friederike lachte leise. »Auch ein schönes Bild. Aber naiv ist Jule nicht. Romantisch, das ja. Und unglaublich positiv. Blöde Sachen kann sie richtig gut ausblenden. In der Hoffnung, sie verschwinden dann von selbst. Manchmal klappt das sogar.«

Am Ende der Nacht wusste sie nicht mehr, wie lange sie da so gesessen hatten. Ganz nah beieinander, hinter ihnen das Haus voller Musik, Stimmen und Gelächter. Vor ihnen eine Entenfamilie, die friedlich ihre Kreise zog. Friederike hatte ihn immerzu anschauen müssen, sein schönes Profil, seinen klaren Blick, und war plötzlich ganz erfüllt von einem Gefühl, das sie seit Jahren nicht mehr gespürt hatte. Ganz tief in ihr löste sich ein Knoten, als sie eine lange Zeit später eng umschlungen zum Haus zurückgingen.

»Guten Morgen, ich bin's!«

Isabelles Stimme katapultierte sie zurück in die Gegenwart. Bevor Friederike reagieren konnte, stand sie schon in der Küche und blickte erschrocken auf ein am Kühlschrank kauerndes Elend. »Um Gottes willen, was ist denn passiert?«

Friederike sah sie kurz an und erhob sich so lässig sie konnte. »Nichts, ich wollte nur kurz mal auf dem Fußboden sitzen. Hast du nie dieses Bedürfnis?«

»Meine Liebe.« Isabelles Armbänder klimperten laut, als sie ihre Hand ausstreckte, um sie Friederike sanft auf die Schulter zu legen. »Möchtest du darüber reden? Du hast gerade eine ganz dunkle Aura.«

»Das liegt daran, dass die Spülmaschine kaputt und der Fußboden voller Kaffeesatz ist. Und nein, ich will jetzt nicht reden, ich rufe den Kundendienst an.«

Sie ging zur Tür, dabei fiel ihr Blick auf den Stapel Zeitungen, die Isabelle auf den Tisch gelegt hatte.

»BETRUG EINER BESTSELLERAUTORIN, MILLIONEN BÜCHER PLAGIATE, VERLAGSCHEFIN ABGETAUCHT.«

Sie schlug die Zeitung auf und las den kurzen Artikel mit gerunzelter Stirn, bevor sie sie langsam wieder sinken ließ.

Seit hundert Jahren befreundet und alle für eine … Es war eine Ewigkeit her, dass dieser Satz gesagt wurde. Eine Ewigkeit.

Maries Tagebuch

Ich kann vom Bett aus die Berge sehen. Sie sind noch schnee-bedeckt, dabei blühen im Garten am See schon die Narzissen. Das hat meine Mutter mir am Telefon gesagt. Und dass es auch schon zwei Tage gegeben hat, an denen die Temperatur fast die zwanzig Grad erreicht hat. Ich weiß, was sie mir damit sagen will. Dass der Frühling kommt und ich bald wieder am See sein werde. Auch hier habe ich einen wunderschönen Blick auf den See, allerdings auf den Starnberger See, nicht auf »meinen«. Wobei dieser wirklich wunderschöne Fleck Erde mir auch in den letzten Wochen immer vertrauter wird. Ich bin jetzt schon seit über zwei Monaten in dieser Klinik. Der Kardiologe ist ein Japaner, Herr Tanaka, ein reizender Mann. Er lebt seit zwanzig Jahren hier und gilt als einer der besten Spezialisten der Welt. Das hat mein Vater jetzt rausgefunden. Aber auch der reizende Herr Tanaka hat nicht einfach ein neues Herz herumliegen, das er gegen meines eintauschen könnte. Deshalb versucht er alles andere an Therapien, um mir zu helfen. Und lächelt mich jeden Tag hoffnungsvoll an mit seinem freundlichen Gesicht. Und mir geht es tatsächlich schon viel besser. Was wir uns jeden Tag gegenseitig versichern. Herr Tanaka freut sich darüber, und ich arbeite daran, bald nach Hause zu kommen. Weil es so viele Gründe dafür gibt.

Ich bin schon im Februar operiert worden, und seitdem bin ich hier. Es ist nicht so, dass mir langweilig ist, das ist nicht das Problem. Ich kann schon seit einiger Zeit wieder ein bisschen spazieren gehen, ich lese viel, habe jetzt ein Laptop und kann so meine Bilder bearbeiten. Ich habe viel Besuch gehabt, meine Mutter war hier, auch mein Vater kam ein paar Mal, und an einigen Wochenenden hat Alex mich besucht. Ein ganz wunderbarer Besuch steht noch aus, aber dazu später.

Jule und Fiedi wissen nichts von der letzten OP, sie würden sich doch nur Sorgen machen, und sie haben im Moment beide genug eigene Probleme. Sie denken, ich arbeite für einige Zeit als Fotografin in München und habe mir hier ein Zimmer gemietet. Es ist nur eine kleine Weglassung von Wahrheit, aber mir ist wohler dabei. Alex lebt in München, für sie ist es ein Katzensprung, und sie weiß es ja ohnehin, weil sie bei meinem Zusammenbruch dabei war.

Es ist bei meiner letzten Vernissage passiert, zum Glück erst nach dem offiziellen Teil, so dass die meisten Gäste schon gegangen waren. Es wäre ja zu peinlich gewesen, wenn es alle mitbekommen hätten, da hatte ich wirklich Glück. Ich kann mich gar nicht mehr genau erinnern, ich weiß nur noch, dass plötzlich alles so furchtbar hell war und ich keine Luft mehr bekam. Und das Nächste, an das ich mich erinnere, ist der freundliche Professor Tanaka. Alex war an dem Abend ganz wunderbar, sie hat sich um alles gekümmert, meine Sachen aus dem Hotel geholt und die halbe Nacht meine Eltern in der Wartezone der Klinik beruhigt. Ich hatte nur am Anfang Angst, dann habe ich gedacht, dass ich doch Glück hatte, dass es gerade hier passiert ist, in der Nähe dieser tollen Klinik·und in Anwesenheit von Alex und meinen Eltern. Eine Woche vorher war ich allein im Haus am See, da wäre es vielleicht anders ausgegangen. Aber so ist es doch eigentlich noch ganz gut gelaufen. Der Witz ist ja, dass meine Fotoausstellung den Titel trug ›*Dieses kurze, schöne Leben*‹, aber so kurz soll es ja nun auch wieder nicht sein.

Ich habe viele Gespräche mit dem freundlichen Herrn Tanaka geführt, der nicht mit seinem Titel angeredet werden will. Wir haben darüber philosophiert, wie man lebt, wenn man weiß, dass man es nicht so lange kann wie die anderen. Ich finde mein Leben schön, vielleicht weil ich weiß, wie viel Glück ich habe, dass ich immer noch da bin. Herr Tanaka sagt, dass ich bei meinem Lebenswillen und meiner Disziplin auch noch einige Jahre bleibe, das ist natürlich schön zu hören. Aber manchmal werde ich ungeduldig, weil es noch einige Dinge gibt, die ich sehen und machen möchte. Und an diesen ungeduldigen Tagen bekomme ich das Gefühl, dass mir die Zeit davonläuft. Das ist nicht gut, weil ich nicht ungeduldig und schnell sein darf, aber manchmal komme ich nur schwer dagegen an. Da muss ich aufpassen.

Ungeduldig macht mich die Tatsache, nicht helfen zu können, wenn Menschen, die mir so nahe sind, Kummer haben. Alex zum Beispiel. Seit sie wieder in München lebt, hat sie sich sehr verändert. Nein, eigentlich hat sie sich schon vor einiger Zeit verändert, vielleicht ist sie deshalb nach München gegangen. Sie hat schon lange etwas Trauriges in sich. Sie winkt ab, wenn sie gefragt wird, schiebt es auf Stress, den sie im Verlag hat, redet dann über ihre Schwester Katja, die sie im letzten Jahr bei ihrer Scheidung unterstützen musste, über die Schwierigkeiten mit einer Kollegin, aber ich halte das alles für Ausflüchte. Sie hat irgendein größeres Problem, über das sie nicht sprechen will, mit niemandem, auch mit mir nicht. In diesen letzten Wochen hat sie sich so liebevoll um mich gekümmert, sie war so viel für mich da, wir sind so vertraut miteinander, aber ab und zu sieht sie mich an, als wolle sie mir etwas erzählen, doch bevor sie es tut, überlegt sie es sich jedes Mal wieder anders. Am letzten Wochenende habe ich sie mal gefragt, wie sie sich eigentlich ihre Lebensliebe vorstellt. Oder ob sie sie schon gefunden hat. Sie hat ja einen Freund, von dem ich aber nur weiß, dass er Christopher heißt und auch in München arbeitet. Sie hat ihn mir noch nicht vorgestellt. Aber auf die Frage nach ihrer Lebensliebe hat sie mich ganz entsetzt angesehen. Und sofort das Thema gewechselt. Dabei wollte ich ihr so gern von meiner erzählen, das habe ich natürlich dann nicht mehr gemacht. Stattdessen hat sie wieder von der Scheidung ihrer Schwester angefangen und von dem großen Streit zwischen Katja und Alex: Katja hatte ihr vorgeworfen, die ganze Zeit auf Jochens Seite gestanden zu haben, statt ihre Schwester zu unterstützen. Was Alex natürlich abgestritten hatte. »Aber soll ich ihn überreden, eine zerrüttete Ehe fortzuführen?«, hatte sie mich gefragt. »Das hilft doch meiner Schwester auch nicht.«

Ich habe nicht viel dazu gesagt, ich kenne Katja ja nur flüchtig, aber Alex war schon sehr verwundert, dass ihre Schwester mit allen Mitteln versucht hatte, diese Ehe zu retten. »Ich wäre nach diesen Streitereien sofort gegangen«, hatte sie gemeint. »Das wäre mir zu blöd gewesen.«

Das ist eben Alex. Sie ist so gerade und klar. Sie hat immer genau gewusst, was sie wollte, sowohl privat als auch beruflich, da ist sie ganz anders als Fiedi oder Jule.

Fiedi. Das soll ich ja nicht mehr sagen, hat sie angeordnet, wir sind schließlich alle schon Ende dreißig. Also Friederike. Seit drei Jahren ist sie jetzt schon auf Mallorca. Einerseits ist es ganz schön, weil man doch relativ schnell da ist und sie in einem wirklich schönen Hotel arbeitet. Es sogar leitet. Ich war schon fünfmal da, zweimal mit meiner Mutter, zweimal mit Jule und einmal mit Alex. Alle zusammen haben wir es noch nie geschafft. Das wollen wir aber Pfingsten am See jetzt endlich mal festmachen. Dieses Jahr sind wir auch alle wieder zusammen am See. Ich freue mich so darauf. Ich habe mir in den letzten Wochen hier viele Gedanken um uns alle gemacht. Ich hatte ja genug Zeit. Und ich habe mir vorgenommen, endlich mal mit Fiedi, sorry, Friederike, ein ernstes Wort zu sprechen. Wir sollten über Ulli reden. Weil ich gerade beim Thema Lebensliebe bin: Ich glaube nämlich, das heißt, ich bin davon überzeugt, dass Ulli Friederikes Lebensliebe ist. Das schreibe ich nur hier so direkt auf, Fiedi gegenüber würde ich es natürlich diplomatischer machen. Ja, ich weiß auch, dass die beiden sich nach fünf Jahren Beziehung getrennt haben, vielmehr Fiedi hat sich getrennt, aber ich weiß auch, dass Ulli sie immer noch liebt. Und sie ihn auch. Fiedi war ja über Silvester mit mir am See, wir hatten wirklich eine schöne Woche. Es hatte geschneit, der See war sogar zugefroren. Wir haben viel geschlafen, sind ab und zu mal spazieren gegangen und haben abends den Kamin angemacht. Und auch eine Menge geredet. Am letzten Abend hatte Fiedi ganz schön einen sitzen und fing plötzlich an, von Ulli zu erzählen. Es wurde ein ziemlich langer und liebevoller Monolog, und anschließend hat sie geweint. Weil er sich nicht mehr bei ihr meldete. Und weil sie offenbar einen großen Fehler gemacht hatte. Am nächsten Morgen war sie wieder nüchtern und hat alles relativiert, das sei doch nur dem Rotwein und dem Kamin geschuldet gewesen. Feuer und Alkohol machten sie halt melancholisch, und es sei alles gut so, wie es war. Ich habe selten eine so dämliche Ausrede gehört. Wie auch immer, ich habe nicht weiter insistiert, sondern in der Woche danach einfach mal Ulli angerufen. Ich mag ihn sehr, und außerdem hat er am 8. Januar Geburtstag. Nach den üblichen Gratulationen habe ich ihm vorgeschlagen, mal zusammen essen zu gehen, wir hätten uns doch lange nicht mehr gesehen. Er hat sofort zugestimmt. Wir hatten einen wirklich netten Abend, er hat viel von seiner Arbeit in der Klinik erzählt, ich habe nach den Kindern gefragt, von ihnen hat er auch viel erzählt, und dann habe ich ihn gefragt, ob er immer noch allein lebt. Ab da war er dann doch etwas zugeknöpfter. Männer sprechen einfach nicht gern über ihr Privatleben, da sind die meisten Frauen wirklich anders. Aber anscheinend lebt er noch allein, die Kinder kommen alle vierzehn Tage zu ihm, mehr habe ich nicht aus ihm herausbekommen. Das war natürlich schade. Aber ich habe ihm trotzdem unaufgefordert ein bisschen was von Fiedi erzählt, von Silvester, von meinen letzten Ferien bei ihr auf Mallorca, aber er hatte sein Pokerface aufgesetzt und ging gar nicht näher darauf ein. Ich habe trotzdem seinen Gesichtsausdruck gesehen. So viel Gefühl und Sehnsucht. Wir haben dann verabredet, in Kontakt zu bleiben, das ist doch schon mal ein Anfang. Und mit Fiedi rede ich an Pfingsten. Das, was zwischen den beiden war, ist noch nicht das Ende. Das habe ich im Gefühl.

Das Gefühl, das ich habe, wenn ich an Jule und Philipp denke, ist leider nicht so gut. Als ich auf dem Weg zum See kurz nach Weihnachten bei ihnen vorbeigefahren bin, um Pia mein Weihnachtsgeschenk zu bringen, bin ich ganz ungelegen gekommen. Philipp hatte mir mit hochrotem Kopf die Tür geöffnet. Er hatte sie sogar wütend aufgerissen und mich dann verwirrt angesehen. »Marie«, hatte er nur kurz gesagt. »Im Moment ist es gerade schlecht.« Im selben Augenblick war Jule hinter ihm aufgetaucht, in Jogginghose und Strickjacke, mit verheulten Augen und roten Flecken am Hals. »Komm doch rein.« Ihre Stimme war ganz rau. »Philipp muss sowieso in die Klinik, nicht wahr, Schatz?«

Ich habe selten das »z« in Schatz so betont gehört. Philipp ging tatsächlich, und ich saß zwei Stunden neben Jule, deren

Stimmung im Minutentakt zwischen Wut und Verzweiflung wechselte. Seit wir sie überredet haben, Philipp auf Sylt zu überraschen, stecken die beiden in einer schweren Ehekrise. Es war gar nicht so leicht gewesen, Jule etwas zu entlocken. Es war aber wohl so gewesen, dass Jule sich abends in die Bar des Hotels gesetzt hatte, in dem Philipp wohnte. Es war ausgebucht gewesen, deshalb hatte Jule sich selbst in einem anderen Hotel einquartiert, vielmehr hatte Fiedi das für sie getan. Und wir fanden noch, dass diese getrennten Hotels ja durchaus einen Reiz haben könnten. Aber als Philipp schließlich in Begleitung von Kollegen in die Bar kam, hat er sich wohl sehr seltsam benommen. Ich halte das hier jetzt mal genau so fest, wie Jule es erzählt hat.

»Er hat mich fassungslos angesehen und nur gefragt, ob was mit Pia sei«, hat Jule gesagt. »Und dann wurde er hektisch und musste erst mal ganz schnell auf sein Zimmer. Ich sollte in der Bar auf ihn warten, er würde nur seine Sachen holen und dann mit mir in mein Hotel fahren. Er hat aber ewig gebraucht, und bevor er runterkam, kam eine Kollegin von ihm in die Bar, die mich völlig entsetzt angesehen hat. Ich kenne sie vom Sehen, und ich weiß, dass sie Philipp toll findet, aber ihr Blick war echt auffällig. Sie hat mir auch nur kurz zugenickt und ist sofort wieder verschwunden, erst nach einer ganzen Zeit kam Philipp zurück und fuhr mit mir los. Ich kann dir nicht erklären, warum, aber irgendwie wusste ich plötzlich, dass zwischen den beiden was läuft.«

»Hast du ihn gefragt?«

»Natürlich, aber er hat es vehement abgestritten.«

Ich konnte nicht viel dazu sagen, aber dieser Überraschungsbesuch war anscheinend keine gute Idee gewesen. Das war im September, und seitdem ist Philipp permanent angespannt und Jule misstrauisch. Und sie streiten dauernd. Wie gesagt, ich habe da kein gutes Gefühl.

Unsere Freundschaft dauert jetzt schon fast dreißig Jahre. Und es gibt nur wenige Dinge in meinem Leben, die für mich wichtiger sind. Ich glaube nicht, dass mein Leben ohne Fiedi, Jule und Alex genauso schön geworden wäre, manchmal denke ich, dass die drei alle Dinge, die ich selbst nie machen konnte, für mich machen und ich deshalb nie das Gefühl habe, weniger zu können. Auch wenn ich überall oft nur als Zuschauer dabei war, gehörte ich immer dazu. Das hat mir all die Jahre eine solche Kraft gegeben, dass ich alles dafür tun möchte, dass diese Freundschaft bestehen bleibt. Im Moment driften wir alle etwas auseinander. Jede ist so sehr mit ihren Problemen und ihrem Alltag beschäftigt, dabei könnten wir uns doch gegenseitig helfen. Ich habe mir in diesen letzten Wochen vorgenommen, uns vier wieder mehr zusammenzubringen. Eine von uns muss auf uns aufpassen, und ich mache das gern. Gerade weil mir etwas so Schönes passiert ist und ich genug Kraft für alle habe. Denn ich habe meine Lebensliebe gefunden. Und zum großen Glück beruht das auf Gegenseitigkeit. Das möchte ich jetzt endlich mit den Menschen teilen, die mich so lange schon eng begleiten. Und deshalb freue ich mich sehr auf unser Pfingsttreffen. Wir werden es uns schön machen, das haben wir schon so oft gemacht, das können wir. Hauptsache, wir sind alle zusammen, dann können wir es auch mit allen unseren Problemen aufnehmen. Da bin ich mir sicher. Und jetzt klopft es gerade dreimal an der Tür, das ist mein Freund Tanaka. Der sich davon überzeugen will, dass mein kleines Herz sich in seiner Obhut wieder erholt hat. Darüber freuen wir uns beide. Ich habe schließlich noch so viel vor.

München
21. Mai

Alexandra

»Ich habe kein Wort verstanden.« Katja saß zwischen Alexandra und Jan Magnus und sah ratlos von einem zum anderen. »Kann man das auch so erklären, dass es ein Normalsterblicher versteht?«

Jan Magnus schob mit einer lässigen Bewegung die Ärmel seines Pullis ein Stück hoch, bevor er antwortete. »Ich versuch's mal. Also: Magdalena Mohr ist eine Schriftstellerin, deren Bücher sich mittlerweile mehrere Millionen Mal verkauft haben. Sie hat insgesamt zehn Romane geschrieben. Und jetzt ist rausgekommen, dass sie mit Sicherheit drei davon zum Teil bei einer französischen Autorin abgeschrieben hat, nicht Satz für Satz, aber sie hat vieles von dem, was sich diese Französin ausgedacht hat, einfach übernommen. Oder geklaut, wenn man so will. Das verstößt natürlich gegen das Urheberrecht und wird Plagiat genannt. Und wenn jemand bei drei von zehn Büchern abgekupfert hat, kann man davon ausgehen, dass dieser Jemand die anderen Geschichten auch nicht ganz allein erfunden hat. Und das Problem ist, dass diese Geschichte gestern in der ›Blick‹ stand, also wussten es schon alle, bevor der Verlag überhaupt überlegen konnte, wie er mit dieser Sache umgeht.«

»Und was hat Ihre Tochter damit zu tun?« Katja hatte einen Tee gemacht und die Einkäufe ausgepackt, nachdem sie begriffen hatte, dass Jan Magnus ein Bekannter von Alexandra war. Sie hatte den Beginn des Gesprächs nicht mitbekommen.

»Sophia Magnus ist unsere neue Volontärin.« Alexandra strich sich eine Haarsträhne aus dem Gesicht, während sie an Katja vorbei ins Leere starrte. »Sie kannte zufällig das französische Original und ist deshalb überhaupt nur darauf gekommen. Und hat dann gleich mal zwei weitere Bücher geprüft. Ich habe aber auch gerade erst gehört, dass sie seine Tochter ist.« Sie wandte sich ruckartig zu ihm. »Warum haben Sie mir das eigentlich nicht schon in Köln erzählt? Dass Ihre Tochter bei uns volontiert?«

»Ich ....« Er sah sie verlegen an. »Ich weiß es auch nicht so genau. Ich wollte Sie erst besser kennenlernen.«

Alexandra hob eine Augenbraue.

»Das ist ja ein Zufall.« Katja musterte Jan Magnus gründlich. »Und Sie sind Journalist und haben die Information gleich mal weitergegeben?«

»Nein, nein.« Alexandra erhob sich langsam und hielt sich kurz am Tisch fest. »Er schreibt ja nicht für dieses Blatt. Dass die das mitbekommen haben, ist richtig blöd. Was heißt blöd, es ist eine Katastrophe.«

»Du sollst sitzen bleiben.« Katja war sofort aufgestanden. »Oder besser liegen. Soll ich dir was holen?«

»Ich muss aufs Klo.« Alexandra lächelte ihre Schwester mühsam an. »Das kannst auch du mir nicht abnehmen.«

Unter den wachsamen Blicken ihrer Schwester ging sie langsam durch den Raum. Als sie an der Tür stehen blieb, wandte Katja sich wieder an Jan Magnus. »Wie haben die das denn mitbekommen?«

Jan Magnus seufzte tief und schüttelte den Kopf. »Meine Tochter lebt seit einem halben Jahr mit ihrem Freund zusammen. Ich kann ihn nicht leiden, das kann man als Vater aber nicht sagen, weil sie ihn dann nur noch mehr verteidigt. Er ist ein kleiner Wichtigtuer, auch nicht besonders intelligent, und er arbeitet seit ein paar Monaten beim ›Blick‹. Sophia hat die Geschichte aufgedeckt. Deswegen hat sie den ganzen Abend versucht, Alexandra zu erreichen, weil sie mit niemand anderem darüber sprechen wollte. Und als sie sie schließlich abends von zu Hause aus erreicht hatte, hat sie nicht gemerkt, dass dieses kleine Miststück von ihrem Freund im Nebenraum zugehört hat. Und diese Knalltüte hatte nichts Besseres zu tun, als eine Mail an seinen Chef zu schicken und die Sache durchzustechen. Als Sophia die Schlagzeile heute gesehen hat, war ihr klar, woher die ihre Informationen hatten. Sie hat mich sofort angerufen. Sophia ist fix und fertig und sitzt heulend in meiner Wohnung.«

»Großer Gott.« Alexandra schüttelte den Kopf und verließ den Raum.

»Das arme Mädchen«, sagte Katja nach einem kurzen Moment. »Und was hat sie mit dem kleinen Scheißer gemacht?«

»Was?« Jan Magnus sah sie irritiert an.

»Na, mit ihrem Freund. Von dem wird sie sich ja jetzt wohl trennen. Oder ihn am besten gleich um die Ecke bringen.«

Jan Magnus grinste. »Das wäre die sauberste Lösung. Aber ich muss mit Ihrer Schwester zusammen überlegen, wie man jetzt mit dieser Situation am besten umgeht. Ich könnte ein Interview mit ihr machen für das nächste Heft, das wäre meines Erachtens das Beste: offensiv mit der Geschichte umzugehen. Schreiben müsste das dann jedoch einer meiner Kollegen – weil ich Ihre Schwester ja kenne und zudem meine Tochter bei ihr volontiert. So was hat sonst leicht einen komischen Beigeschmack.«

Katja hatte ihm aufmerksam zugehört. Sie war froh, dass er hier aufgetaucht war, er war sehr sympathisch und hatte anscheinend wirklich vor, Alex zu helfen. Sie nickte und meinte: »Dann hoffe ich, dass aus dieser Geschichte nicht der ganz große Skandal wird. Das hat Alexandra echt nicht verdient. Aber vielleicht wird es ja auch gar nicht so schlimm, wenn man nicht erst versucht, irgendetwas unter den Teppich zu kehren.«

»Das glaube ich kaum.« Alexandra war zurückgekehrt und ließ sich wieder aufs Sofa fallen. Katja registrierte erfreut, dass sie sich gekämmt und die Wimpern getuscht hatte. Alex lächelte. Es schien ihr besser zu gehen.

»Wie spät ist es denn jetzt?« Alexandra drehte sich zur Wanduhr. »Das geht ja noch. Ich rufe jetzt erst mal Ulrike und dann unseren Justitiar an. Und dann entscheide ich weiter.«

Sie sah Jan Magnus abwartend an, der diesen Blick richtig verstand und sich langsam erhob. »Dann mache ich mich wieder auf den Weg und tröste erst mal meine Tochter. Also, das Angebot mit dem Interview steht, ich halte das für eine gute Maßnahme. Wir könnten es heute oder morgen machen, dann erscheint es übermorgen im nächsten Heft. Rufen Sie mich an?«

Alexandra nickte und streckte ihm die Hand entgegen. »Gern. Und … vielen Dank, auch für Ihre Offenheit. Ich melde mich.«

Er hielt ihre Hand einen kleinen Moment länger als nötig, dann verabschiedete er sich von Katja und ging neben ihr zur Haustür. Als Katja zurückkam, telefonierte Alexandra schon.

Sie verharrte kurz, dann ging sie leise nach oben ins Gästezimmer. Sie wollte Alexandra nicht stören, die mit konzentriertem Gesicht mit einem Dr. Beckmann die Möglichkeiten des weiteren Vorgehens besprach.

Eine halbe Stunde später kam Katja ins Wohnzimmer zurück. »Hast du etwas erreichen können?«

»Ja.« Alexandra hatte das Telefon zwar noch in der Hand,

hob aber sofort den Kopf, als Katja vor ihr stand. »Das ist vielleicht ein Scheiß. Unser Justitiar sieht sich jetzt erst mal die Verträge an. Und nimmt morgen Kontakt zu dem französischen Verlag auf, die müssen ja auch Bescheid wissen. Und er plädiert ebenfalls für den offensiven Weg. Die Idee mit dem Interview hält er für sinnvoll.« Sie beugte sich nach vorn und legte das Telefon auf den Tisch, bevor sie ihre Schwester ansah. »Und du? Hast du alles gefunden? Handtücher sind im Schrank neben der Dusche.«

Katja winkte ab. »Ich habe nur schnell meine Sachen ausgepackt und das Bett überzogen. Den Rest kann ich nachher machen. Und was passiert jetzt mit Magdalena? Die kommt doch deswegen nicht in den Knast?«

»Nein, das nicht. Aber es kommt einiges auf sie zu. Und es wird um Schadensersatz gehen und vor allen Dingen um Schadensbegrenzung. Und ich muss sie dringend erreichen. Im Moment geht sie aber nicht ans Telefon. Ulrike versucht es ununterbrochen.« Sie schüttelte frustriert den Kopf. »Himmel, warum passiert mir das?«

Katja setzte sich Alex gegenüber in den Sessel und schlug die Beine übereinander. »Sag mal, ich will ja nicht neugierig sein, aber ich habe meine Kosmetiktasche ausgepackt und die Sachen in deinen Badezimmerschrank gestellt, damit nicht überall was rumliegt. Wem gehören denn der Rasierapparat, das Herren-Duschgel und die Zahnbürste?«

»Was?« Ertappt sah Alexandra sie an.

»Ich dachte, du hättest keine Beziehung.« Katja lächelte harmlos. »Aber das geht mich natürlich auch nichts an.«

»Ich habe ja auch keine.« Alexandra bemühte sich um einen neutralen Ton. »Also, keine richtige Beziehung. Das hat ein Freund hier vergessen, der ab und zu mal bei mir übernachtet. Das ist aber alles ziemlich unverbindlich.«

»Matthias hat seinen Rasierapparat erst nach acht Monaten in meinem Badezimmer gelassen.« Katja konnte sich einen Kommentar natürlich nicht verkneifen. »Aber das macht ja jeder anders. Ich wollte nicht indiskret sein.« Sie machte eine kleine Pause. »Wie heißt er denn?«

»Schöner Versuch.« Alexandra lachte kurz auf. »Aber es ist kein Name, den du dir merken musst. Es ist nicht wichtig. Ich packe den Rasierapparat demnächst ein und schicke ihn mit der Post weg. Oder werfe ihn in den Müllcontainer. Mal sehen.«

Katja nickte, blieb aber ernst. »Warum hast du eigentlich in deinen Papieren niemanden aufgeführt, der im Notfall benachrichtigt werden muss? Hätte ich nicht bei dir im Verlag angerufen, hätte ich gar nicht mitgekriegt, dass dir was passiert ist. Das geht doch nicht!«

»Ich habe noch nie darüber nachgedacht.« Alexandra zuckte die Achseln. »Aber du hast völlig recht, ich werde mich drum kümmern.«

»Gut.« Katja lächelte. »Dann trag mich ein, ich bin deine Schwester. Es muss sich doch jemand um dich kümmern.«

Die Rührung stieg Alexandra in den Hals. Ihre Gefühle wechselten zwischen Dankbarkeit, dass Katja so spontan gekommen war, und sehr schlechtem Gewissen, weil sie ihre Schwester in den letzten Jahrzehnten mehr oder weniger ignoriert hatte. Sie hatte plötzlich das Bedürfnis, sie ins Vertrauen zu ziehen. Diese Formulierung kam ihr tatsächlich in den Kopf: Sie wollte sie ins Vertrauen ziehen. Allerdings hatte sie nicht die blasseste Ahnung, an welcher Stelle sie damit anfangen sollte. Sie hatte ihr eigentlich noch nie irgendetwas von Bedeutung erzählt. Nicht mal die wirklich dramatischen Dinge: ihre verkorkste Liebesgeschichte, die Gefühle, die Maries Tod ausgelöst hatte, die Angst vor dem bevorstehenden Treffen am

See. Und eigentlich wusste sie genauso wenig über ihre Schwester, eigentlich kannten sie sich kaum.

Alexandra setzte sich aufrechter hin. »Möchtest du vielleicht ein Glas Champagner?«

Entsetzt sah Katja sie an. »Du kannst doch jetzt keinen Alkohol trinken. Du hast jede Menge Medikamente intus. Und außerdem ist es gerade mal halb sieben. Nein, nein, ich kann dir einen Tee machen. Wo ist dein Wasserkocher?«

»Katja.« Alexandra hob ihre Stimme. »Ich habe dich gefragt, ob du ein Glas Champagner möchtest. Von mir war gar nicht die Rede. Und ich kann aufstehen, du musst mich nicht bedienen. Also: möchtest du?«

»Champagner?« Katja hob die Augenbrauen. »Einfach so? Ehrlich gesagt habe ich noch nie in meinem Leben Champagner getrunken. Nur Sekt.«

»Dann wird es aber mal Zeit.« Alexandra stand mühsam auf und tappte zum Kühlschrank. Während sie die Flasche öffnete, dachte sie darüber nach, ob Katja es als dekadent empfand, dass sie immer Champagner im Kühlschrank hatte, während ihre Schwester so etwas noch nie im Leben getrunken hatte. Sie trug die Flasche und einen Kühler zurück zum Tisch und nahm zwei Gläser aus dem Schrank. »Nur ein bisschen zum Anstoßen. Ich möchte endlich mal auf dich trinken, weil du das alles für mich gemacht hast.

»Das ist selbstverständlich«, antwortete Katja und sah Alexandra beim Einschenken zu. »Das hättest du für mich auch getan.« Katja trank langsam und behielt das Glas in der Hand. »Der schmeckt ja gut.« Sie trank noch mal. »Ganz toll.«

Alexandra betrachtete ihre Schwester und dachte beschämt, dass eine solche Rettungsaktion für sie selbst mitnichten selbstverständlich gewesen wäre, Schwester hin oder her. Katja sah heute gelöster aus, als Alexandra sie sonst kannte. Ob es an der fremden Umgebung oder am unverhofften Champagner lag, war schwer zu sagen. Aber zu Hause wirkte Katja immer getrieben und angestrengt. Die Verkörperung von Mutter, Großmutter und Arbeitsbiene, es hatte Alexandra immer genervt. Und jetzt das.

»Ich habe mich in den letzten Jahren nicht besonders viel um euch gekümmert«, sagte sie langsam. »Das tut mir leid.«

Katja hatte das Glas schon fast ausgetrunken, jetzt sah sie erstaunt hoch. »Du warst ja auch selten da.«

»Sag ich doch.« Alexandra wickelte eine Haarsträhne um ihren Finger. »Das ist ja das, was mir leid tut. Dass du alles allein machen musstest, also mit Mama und früher auch mit Papa.«

»Das war doch immer so.« Katjas Antwort klang entspannt. »Das ist eben so, wenn das Nesthäkchen zehn Jahre jünger ist. Du musstest auch früher nie was machen, nur da sein, dann waren unsere Eltern doch schon zufrieden.«

»Ach komm.« Alexandra schüttelte ungläubig den Kopf. »Ganz so war das ja auch nicht. Ich habe das damals jedenfalls ganz anders empfunden. Mir wurde immer vorgehalten, was du alles machst und kannst. Und Mama war doch die ganzen Jahre immer auf dich und die Kinder konzentriert. Hat für euch geputzt und gekocht und auf die Kinder aufgepasst und den Garten gemacht. Wenn ich mal gekommen bin, habe ich mich manchmal wie ein Eindringling gefühlt. Es ging immer nur um die Kinder, die Schule, die Termine, das Essen und um irgendwelche Leute, die ich gar nicht kannte. Ihr wart so eng zusammen, da hatte ich doch überhaupt keine Chance, mitzureden.«

Ein bitteres Lächeln zog über Katjas Gesicht. »Ich habe es manchmal so gehasst«, sagte sie leise. »Natürlich hat Mama mir geholfen, und gerade nach der Scheidung war ich froh, dass sie so viel gemacht hat. Aber kannst du dir vorstellen, wie das ist, wenn nichts in deiner Wohnung mehr privat ist? Mama hat

meine Schränke aufgeräumt, sie hat sich in die Erziehung ein-
gemischt, sie hat, ohne mich zu fragen, im Garten alles Mögliche gepflanzt, sie hat meine Unterwäsche gebügelt, sie hat
meine Einkäufe kommentiert, ich bin eigentlich immer das
Kind geblieben, dem sie beibringen musste, wie man einen
Haushalt ordentlich führt. Sie hat es gut gemeint, aber sie hat
nicht verstanden, dass es mir zu viel war. Ich habe versucht, es
ihr zu erklären, es ging nicht. Du kannst dir gar nicht vorstellen, wie ich dich beneidet habe. Du kamst zu Besuch, alle
fanden dich toll, alle schwirrten um dich herum, und wenn du
weg warst, wurde mir erzählt, wie stolz sie auf dich sind, was
du alles geschafft hast, wie hübsch du bist und was du für eine
tolle Karriere machst. Ich hätte jedes Mal kotzen können.«

Erschrocken starrte Alexandra ihre Schwester an, die ganz
automatisch zur Flasche griff, um ihr Glas nachzufüllen. So
hatte Katja ja noch nie geredet. Jetzt bemerkte sie Alexandras
Blick und zuckte die Achseln. »Das war so.«

»Aber du hast nie was gesagt.«

»Was hätte ich denn sagen sollen?« Katja fuhr sich durch die
Haare. »Es ging doch nicht anders. Ich hätte wegziehen müssen, damit es sich ändert. Und dazu fehlten mir nach der
Scheidung das Geld und die Energie. Also bin ich dageblieben,
und alles ging immer so weiter. Es hatte ja auch Vorteile. Aber
weißt du …«, sie nahm ihr Glas in die Hand und betrachtete es
nachdenklich. »Die alten Zeiten sind jetzt auch vorbei. Ich gebe
mir gerade große Mühe, nicht dieselben Fehler bei Dani zu
machen. Und Matthias hilft mir dabei.«

Ihr Gesicht war leicht gerötet, Alexandra war sich nicht
sicher, ob es die Verlegenheit oder der Champagner war. Sie
hob den Kopf. »Was ist mit dir? Bereust du die alten Zeiten?«

»Ja.« Ohne nachzudenken, platzte Alexandra mit der Antwort raus. »Ja, ich bereue so einiges. Mein nicht existierendes

Privatleben zum Beispiel, eine völlig kaputte Affäre und dass ich Marie vor ihrem Tod nicht mehr gesehen habe.«

Jetzt war Katja erschrocken. »Mal langsam«, sagte sie. »Und in der richtigen Reihenfolge. Was für eine kaputte Affäre denn?«

Alexandra ließ sich langsam zurücksinken. »Ich weiß gar nicht, wo ich da anfangen soll«, antwortete sie. »Ich habe mich vor fast dreißig Jahren in den völlig falschen Mann verliebt und bin dieses Gefühl über all die Jahre nie mehr losgeworden. Ich habe mir eine ganze Menge damit versaut. Weißt du, Katja, siebzig Prozent von mir sind Fassade, die restlichen dreißig erbärmlich.«

»Das ist doch dummes Zeug.« Ihre Schwester stand auf, musste sich aber am Stuhl festhalten, weil sie den ungewohnten Champagner bereits merkte. »Du bist erfolgreich, attraktiv, du hast doch bestimmt auch einen tollen Freundeskreis, du hast diese super Wohnung, verdienst eine Menge Geld, da ist doch nichts erbärmlich. Ich fange jetzt an zu kochen, mir ist schon ganz flau im Magen.«

Alexandra setzte sich aufrecht hin. Vielleicht würde es Katja auch überfordern, wenn sie ihr jetzt die ganze Geschichte erzählte. Auf der anderen Seite hatte Alexandra gerade ein nahezu zwingendes Bedürfnis, endlich mal mit jemandem, der sie kannte, darüber zu sprechen. Bislang hatte sie es nur mit einer Therapeutin getan. Wenn man von einer sehr verkürzten und geschönten Version absah, die sie Lina erzählt hatte, damals in der Bar. Die Gesprächstherapie hatte sie nach einem halben Jahr abgebrochen, weil es zu quälend gewesen war. Sie wollte nicht hören, dass das, was ihr gerade passierte, jedem passieren konnte. Dass sie angeblich die Fähigkeit hätte, das alles jederzeit zu beenden, dass sie es nur wollen müsste. Sie wollte es ja gar nicht. Und das konnte sie weder ihrer Therapeutin noch sich selbst erklären.

»Willst du wissen …«, sie hatte die Frage noch nicht beendet, als die Klingel sie unterbrach. Jemand stand unten und klingelte Sturm. Und im selben Moment setzte auch das Telefon ein.

»Ich die Tür, du das Telefon.« Katja stand schon am Türöffner, während Alexandra sich noch strecken musste, um das Telefon vom Tisch zu angeln.

»Weise.«

Am anderen Ende war Stille, eine ganze Zeitlang. Und dann hörte Alexandra eine Stimme, mit der sie jahrelang regelmäßig telefoniert hatte. »Alex? Hier ist Friederike.«

Bevor Alexandra antworten konnte, kam Katja zurück. »Alex? Ich habe schon auf den Summer gedrückt. Stell dir vor, da unten steht diese Magdalena Mohr. Sie kommt gerade hoch.«

Jule

»Sie müssen sich natürlich ein paar Tage daran gewöhnen.«
Die Optikerin prüfte den Sitz des Brillenbügels über Jules Ohr,
bevor sie einen Schritt zurücktrat und Jule zufrieden musterte.
»Die Fassung steht Ihnen sehr gut.«

Jule sah in den Spiegel und nickte. »Sieht gut aus, ja.« Sie
nahm eine Folie mit Buchstaben in die Hand und las probe-
weise laut vor. »Ganz deutlich. Aber wenn ich mich jetzt um-
sehe, ist es an den Seiten ein bisschen verschwommen.«

»Immer genau den Punkt fixieren, den Sie sehen wollen«,
erklärte die Optikerin. »Das meine ich mit der Sehgewohnheit.
Das muss man ein bisschen üben. Es ist eben eine Gleitsichtbrille.«

»Gleitsichtbrille« war für Jule ein Wort, das sie bisher nur
mit ihrer Mutter in Verbindung gebracht hatte. Und jetzt war
sie selbst so weit. Aber nachdem sie zweimal nacheinander
statt Shampoo Körperlotion gekauft hatte und mittlerweile
ständig ihre Lesebrille suchte, hatte sie sich dazu entschlossen.

Mit einem abschließenden Blick in den Spiegel nickte sie.
Es gab ihr durchaus etwas Intellektuelles, sie war zufrieden
und folgte der Optikerin zur Kasse.

Als sie das Geschäft verlassen hatte, blieb sie unschlüssig unter dem Vordach stehen. Leichter Nieselregen hatte eingesetzt, bei diesem Wetter hatte sie überhaupt keine Lust, durch die Läden zu bummeln, auch wenn sie das ursprünglich vorgehabt hatte. Pia hatte nächsten Monat Geburtstag, Jule hatte noch keine Idee, was sie ihrer Tochter schenken könnte, sie wollte sich eigentlich heute danach umsehen. Außerdem brauchte sie eine neue Jeans und ein paar neue Schuhe, das alles hatte sie an diesem freien Tag in Hamburg erledigen wollen. Aber jetzt nieselte es, was ohnehin blöd, aber für den ersten Tag mit Gleitsichtbrille richtig blöd war. Andererseits hatte sie auch keine Lust, jetzt schon wieder zurück nach Hause zu fahren. Es würde ja doch nur mit Putzen und Aufräumen enden, eine denkbar schlechte Nutzung ihres freien Tages. Nach kurzer Überlegung kramte sie ihr Handy aus der Tasche und suchte in ihrem Adressverzeichnis nach der Nummer ihres Bruders. Während sie dem Freizeichen lauschte, schoss ihr ein Gedanke durch den Kopf. Lars war der Einzige in dieser Stadt, in der sie jahrelang gelebt hatte, den sie einfach so anrufen konnte, wenn sie sich spontan mit jemandem treffen wollte.

»Hallo, Jule, du hast aber Glück, dass du mich erwischst.«

»Hey, wo bist du denn gerade?«

»Auf dem Weg ins Gericht. Ich muss zu einer Verhandlung. Ist es wichtig, oder können wir später telefonieren?«

»Nein, es ist nicht wichtig.« Jule fühlte eine kleine Enttäuschung. »Ich stehe vor dem Optiker in der Mönckebergstraße , habe meine neue Gleitsichtbrille abgeholt und bin genervt, dass es regnet. Ich wollte eigentlich bummeln gehen, aber bei dem Wetter habe ich keine Lust, und außerdem wimmelt es hier vor Menschen, die wie die Blöden durch die Gegend rennen, das ist mir alles zu voll. Ich dachte, wir könnten zusammen was essen gehen.«

»Das klappt leider nicht«, antwortete Lars bedauernd. »Ich werde bis zum späten Nachmittag bei Gericht sein. Und im Anschluss habe ich noch einen anderen Termin.« Er überlegte einen Moment. »Aber wenn du gerade in der Innenstadt bist, um die Ecke, am Ballindamm, ist die Galerie Kertig. Da gibt es gerade eine tolle Ausstellung. Eigentlich wollte ich sowieso mit dir da hin. Geh doch jetzt rein.«

»Eine Ausstellung?« Jule war skeptisch. »Eine Gleitsichtbrille macht mich ja noch lange nicht zu einer Kulturmaus. Was wird denn da ausgestellt?«

Lars antwortete mit einem Lächeln in der Stimme »Bilder, Schwesterherz. Sieh sie dir mal an. Es könnte dir bei deinen ganzen Überlegungen, die du gerade anstellst, helfen. Mehr sage ich dazu nicht.«

»Welche Überlegungen denn?«

»Jule, ich muss los. Geh einfach in diese Ausstellung, und heute Abend rufe ich dich an, um zu fragen, wie es dir gefallen hat. Also dann, bis später.«

Er hatte aufgelegt. Irritiert schob Jule das Handy zurück in die Tasche und spannte ihren Regenschirm auf. Eine Ausstellung. Sie hatte keine Ahnung, wann sie das letzte Mal in einer Galerie oder in einem Museum gewesen war. Wie kam ihr Bruder darauf, dass sie sich dafür interessierte? Und was sollte das mit den Überlegungen? Na ja, sie könnte ja mal in die Richtung gehen. Es war nicht weit, und falls es uninteressant war, würde sie einfach irgendwo mittagessen. Und danach eine neue Jeans und ein Paar Schuhe kaufen. Und ein Geschenk für Pia suchen. Es wäre doch gelacht, wenn sie sich nicht auch allein einen schönen Tag machen könnte.

Sie war erst ein paar Minuten gegangen, als sie stehen bleiben musste, um zwei Frauen mit Kinderwagen auszuweichen. Sie brauchten den ganzen Fußweg, weil sie nebeneinander liefen und sich dabei, alle anderen Passanten ignorierend, laut unterhielten. Jule ließ die beiden vorbei und sah, dass eine ältere Dame, die auch an der Seite verharrte, den Kopf schüttelte. »Können die nicht hintereinander gehen, wenn es eng wird?«, murmelte sie. »Alle anderen müssen warten. Nur weil sie diese Kinderwagen schieben.«

Als die jungen Mütter vorbei waren, ging Jule langsam weiter. War sie auch so gewesen? Sie erinnerte sich, mit welch ungeheurem Stolz sie Pias Kinderwagen durch die Stadt geschoben hatte. Sie hatte immer das Gefühl gehabt, sie wäre etwas ganz Besonderes und alle müssten es merken. Sie, Jule Petersen-Postel, die mit einem tollen Mann verheiratet und Mutter dieses entzückenden Babys war. Manchmal war sie enttäuscht, dass nicht alle so begeistert in den Kinderwagen sahen, um ihr zu diesem Kind und ihrem Leben zu gratulieren. Stattdessen eilten alle an ihr vorbei, um sich mit Dingen zu beschäftigen, die im Gegensatz zu ihrem Mutterglück doch völlig unerheblich waren. Das, was galt und was wichtig war, das lag in diesem Kinderwagen. Und die, die das ignorierten, waren einfach nur neidisch.

An der nächsten Kreuzung blieb Jule bei Rot stehen und entdeckte ihr Spiegelbild in der Schaufensterscheibe eines Ladens. Die Brille gab ihr tatsächlich ein intellektuelles Aussehen, befand sie. Und sie war froh, dass sie heute ihren leichten blauen Sommermantel zu Jeans und weißer Bluse angezogen hatte, statt ihren alten Parka und irgendeinen Pulli überzuwerfen. Jetzt sah sie aus, als ob sie nie etwas anderes tat, als mitten in der Woche auf dem Weg zu einer Ausstellung den Ballindamm entlangzulaufen. Von der Provinzmaus keine Spur. Sie lächelte zufrieden. Allerdings nur kurz. Bis sie die winkende Frau entdeckte, die auf der anderen Seite der Straße ebenfalls darauf wartete, dass die Ampel umsprang. »Jule!« Sie erkannte die Stimme sofort. »Hallo, Jule!«

Hamburg hatte fast 1,9 Millionen Einwohner, aber sie musste an dieser Ampel ausgerechnet die Ehefrau ihres Exmannes treffen. Es war doch nicht zu fassen. Jule atmete tief durch und blieb stehen, obwohl die Ampel auf Grün sprang. Mit schnellen Schritten überquerte Steffi die Straße und eilte auf sie zu. Steffi umarmte sie sofort, obwohl Jule mit hängenden Armen einfach stehen blieb, hauchte zwei Küsse neben Jules Ohren in die Luft und trat danach sofort ein Stück zurück. Jule fragte sich, warum sie ihr nicht einfach die Hand gab. Oder besser noch, ihr nur höflich zunickte, aber Steffi hatte etwas übrig für demonstrativ herzliche Begrüßungen. »Das ist ja eine Überraschung«, rief sie laut. »Was machst du denn hier?«

»Ich hatte Termine in der Stadt.« Jule bemühte sich um ein freundliches Gesicht. »Und du? Wie geht es so?«

»Bestens.« Steffi trug trotz des Nieselregens eine Sonnenbrille im blond gesträhnten Haar. »Wunderbar. Ich war mit einer Freundin zu einem späten Frühstück verabredet, und jetzt wollte ich noch ein bisschen bummeln gehen. Heute ist doch ein guter Tag, um Schuhe zu kaufen.«

Jule schüttelte sich innerlich. Sie hasste es, wenn Frauen alle Klischees erfüllten, und Steffi war ein fleischgewordenes Klischee. Gut, auch Jule brauchte ein neues Paar neue Schuhe, aber sie brauchte sie wirklich, weil ein altes Paar total durchgelatscht war. Was Steffi meinte, war etwas anderes. Eben Klischee. »Dann wünsche ich dir viel Erfolg dabei.«

»Aber sollen wir nicht noch schnell was trinken gehen?« Steffi sah sie erstaunt an. »Wenn wir uns hier schon zufällig über den Weg laufen?«

»Ich weiß nicht ….« Jule zögerte. Wenn sie ihr sagen würde, dass sie auf dem Weg zu einer Ausstellung war, würde Steffi sich ihr garantiert sofort anschließen. Aber Kultur gepaart mit Steffi: Das würde Jule nicht aushalten. Außerdem musste sie aufs Klo, und eigentlich würde sie auch gern einen Kaffee trinken. Und sie hatte keine Lust, Steffi wieder einen Grund zu geben, dass sie sich bei Philipp über sie beschweren konnte. Heute war sie mal die Gute.

»Warum nicht«, sagte sie deshalb. »Auf einen schnellen Kaffee? Dann muss ich weiter.«

»Du, lange kann ich auch nicht«, Steffi sah sie wichtigtuerisch an. »Da vorn an der Ecke gibt es ein kleines französisches Bistro. Komm, ich lade dich ein.«

Bei dem Gedanken, dass auf diese Weise Philipp ihren Kaffee bezahlte, folgte Jule ihr mit einem kleinen fiesen Lächeln.

Das Bistro war eng, warm und ziemlich voll. Wäre Jule allein hier reingekommen, hätte sie auf dem Absatz kehrtgemacht und etwas anderes gesucht. Nicht so Steffi. Wie ein Bulldozer schob sie sich durch die engen Gänge und blieb am Tresen stehen, wo sie einen Jacques oder Nick oder wie immer er auch hieß, mit Luftküsschen begrüßte und kurz danach zu dem letzten Tisch in die hinterste Ecke geführt wurde. Jule folgte ihr, die große Handtasche vor den Bauch gedrückt, damit sie bloß nicht das Geschirr von den eng stehenden Tischen abräumte.

»Na bitte.« Steffi ließ sich auf den Stuhl fallen und schlüpfte etwas ungeschickt aus ihrer Jacke. »Meine Güte, ist das hier warm. Haben die im Mai noch die Heizung an?«

Jule hängte ihren dünnen Mantel über die Stuhllehne, bevor sie sich setzte. Es war ihr teuerster Mantel und sie hatte immer Angst, jemand würde ihn von der Garderobe klauen. Steffi winkte ihren die Bedienung an den Tisch und reichte ihr die Jacke. »Sind Sie so nett und hängen die auf? Jule, dein Mantel?«

»Nein, danke.« Jule lehnte sich dagegen. »Der kann hierbleiben. Und ich hätte gern einen Milchkaffee, bitte.«

»Ja, dann zwei Café au Lait, bitte«, Steffi sprach »Lait« nicht ganz richtig aus. »Möchtest du auch was essen?«

Jule schüttelte den Kopf, und Steffi entließ den jungen Mann, bevor sie sich zurücklehnte und Jule musterte. »Hast du eine neue Brille? Du hattest doch sonst keine, oder?«

»Gleitsicht.« Jule rückte das Gestell gerade, obwohl die Brille perfekt saß. »Ich hatte keine Lust mehr, dauernd meine Lesebrille zu suchen.«

Steffi nickte verständnisvoll. »Steht dir aber. Ich brauche zum Glück noch keine, vielleicht kommt es noch, wenn ich fünfzig werde. Altersweitsichtigkeit.«

Würde Pia jetzt hinter ihr sitzen, hätte sie bestimmt gesagt: »Schlag zu«, aber Jule hatte natürlich nie solche Gedanken. Stattdessen ließ sie nur ihren Blick über Steffis langen, engen Kaschmirpulli wandern. Viel zu eng am Bauch. Wirklich nicht sehr vorteilhaft. Jule lächelte, während Steffi sofort an ihrem Pulli zupfte. Dafür, dass Jule sieben Jahre älter war, hatte sie eindeutig die bessere Figur. Aber schlechtere Augen.

»Das kann man mit Brille ja alles beheben«, sagte sie laut und schob die kleine Vase mit den Blumen ein Stück zur Seite. »Zum Glück. Aber das wirst du bestimmt auch noch erleben. Philipp hat doch auch eine Gleitsichtbrille, oder?«

Steffi machte immer einen komischen Mund, wenn Jule oder auch Pia etwas über Philipp sagten. Sie mochte das nicht. Sie mochte es nicht, dass Philipp ein Leben vor ihr gehabt hatte, in dem sie keine Rolle gespielt hatte. Und was sie noch weniger mochte, war die Tatsache, dass Pia und Jule immer noch eine Rolle in seinem jetzigen Leben spielten. Das doch ihr gehörte. Aber den Satz mit der Brille hatte Jule sich einfach nicht verkneifen können. Und es hatte wieder geklappt.

»Wieso?« Steffis Stimme war lauernd. »Wo hast du ihn denn mit Brille gesehen?«

»Bei der Hochzeit.« Unschuldig sah Jule sie an. »Da hatte er sie auf der Nase.«

»Stimmt.« Steffi musste mit dem Stuhl ein Stück zur Seite rücken, damit der junge Mann mit seinem Tablett durchkam. Nachdem er die beiden Tassen auf den Tisch gestellt hatte und wieder abgezogen war, fuhr Steffi fort. »Ja, klar, wir waren ja schon im April beim Optiker und haben sie ausgesucht. Steht ihm gut, finde ich, es gibt ihm so was Seriöses. Aber es ist ja auch ein tolles Gestell. Das war gleich das erste, was ich bei diesem Optiker gesehen hatte, und meistens stimmt mein erster Blick.«

»Mhm.« Jule steckte sich den Keks von der Untertasse in den Mund und fragte sich, warum sie sich überhaupt auf dieses Kaffeetrinken eingelassen hatte. Sie war doch sonst eigentlich keine Masochistin.

»Wir haben ja so einen Stress.« Steffi redete einfach weiter. »Ich bekomme gerade eine neue Küche, die bauen die schon seit einer Woche ein, bei uns steht alles Kopf. Aber eine tolle Küche, alles in Weiß, ich konnte die alte auch nicht mehr sehen. Und Philipp ist da ja großzügig, er hat zu allem Ja und Amen gesagt, die Auswahl überlässt er immer mir. Die Arbeit natürlich auch, er ist im Moment nur noch in der Klinik. Er arbeitet sich einen Wolf, ich mache mir manchmal echt schon Sorgen.«

Jule starrte auf ihren Milchschaum, auf dem ein Herz aus Schokoladenpulver schwamm. Diese Sätze kamen ihr so bekannt vor. Und die Situation auch. Der engagierte, überarbeitete Chefarzt, der Schicht um Schicht in der Klinik abriss, und die arme Ehefrau, die das Haus in Ordnung hielt. Bei ihr war es damals das Wohnzimmer, das komplett renoviert wurde. Die Parkettleger waren auch tagelang da gewesen, öfter als Philipp.

»Aber jetzt habe ich zu Philipp gesagt, Schatz, es langt, über Pfingsten nimmst du dir endlich mal frei und wir fahren ans Meer. Wir brauchen Zeit für uns, das geht ja so nicht weiter.

Eigentlich wollte ich nach Sylt, aber da ist schon alles ausgebucht, und jetzt fahren wir nach Norderney. Da habe ich …«

Jule verschluckte sich an den trockenen Kekskrümeln und musste husten »Sorry«, sagte sie, immer noch mit kratziger Stimme. »Ja. Norderney. Ist schön da.«

»Ja?« Steffi sah wieder hoch. »Warst du schon mal da? Philipp kennt die Insel ja überhaupt nicht.«

»Doch.« Jule schob ihre Tasse zur Seite und griff hinter sich, um ihren Mantel zu sich zu ziehen. »Doch, Steffi, er war schon mal da. Hat er vermutlich verdrängt. Du, es tut mir leid, aber ich muss gehen. Mir ist noch was eingefallen, was ich dringend erledigen muss. Grüß schön und frohe Pfingsten!«

»Ja, aber …«, verwirrt lehnte Steffi sich zurück. »Du hast doch noch gar nicht ausgetrunken.«

Jule stand schon und hatte den Mantel jetzt über dem Arm. »Danke für den Kaffee. Tschüss.«

Als sie draußen stand, schloss sie kurz die Augen. Furchtbar. Jule hasste diese Überheblichkeit, die Steffi ausstrahlte, den Ton, in dem sie über Philipp redete, als würde er noch nicht mal so simple Dinge wie das Aussuchen einer Brille auf die Reihe kriegen, diese abschätzenden Blicke, mit denen sie Jule bedachte, sieh her, ich bin so glücklich mit deinem Exmann, du hast es ja nicht geschafft. Aber das alles war nicht so schlimm gewesen, wie von ihr das Wort »Norderney« im Zusammenhang mit Philipp zu hören. Nicht jetzt, dachte sie. Sie wollte sich nicht mehr daran erinnern. Jetzt würde sie in diese Ausstellung gehen, sich die Bilder ansehen und sich keine Sekunde länger mit Steffi beschäftigen. Diese Frau schaffte es nämlich, sie in wenigen Minuten in eine schlechtgelaunte Wolke zu wickeln. Und dazu hatte sie heute keine Lust.

Jule beschleunigte ihre Schritte, bis sie das Leuchtschild der

Galerie erkennen konnte. Sie war hier schon oft vorbeigelaufen, ohne jemals einzutreten. Sie blieb vor der Glasfront stehen und sah hinein. Bis auf einen Mann, der an der Tür stand, war kein Besucher in der Galerie. Eine Frau, vielleicht eine Angestellte, saß mit dem Rücken zum Eingang an einem Tisch. Jule überlegte noch einen Moment, aber als der Mann rauskam, sah er sie fragend an und hielt ihr die Tür auf. »Danke.« Jule nickte und lächelte ihm zu, bevor sie die Galerie betrat und sofort, nach Luft schnappend, stehen blieb.

Das Bild war etwa zwei Meter breit, genauso hoch und hing direkt gegenüber dem Eingang. Jule zwang sich, gleichmäßig zu atmen, ihre Knie wurden weich, ganz langsam, wie in Zeitlupe, näherte sie sich der Wand. Der Ausschnitt zeigte einen Holzsteg, blaues Wasser, rechts eine gerade aufgeblühte Seerose, daneben drei Paar Füße, die im Wasser schwebten, im Wasser, das so klar war, dass der Betrachter sehen konnte, dass jeder Fußnagel anders lackiert war. Eine bunte Farbexplosion in einem See. Es gab keine Gesichter, keine Frauen, es gab nur diese sechs bunten Füße, die einträchtig nebeneinander im klaren Wasser schwebten. Jule blieb fassungslos stehen, legte vorsichtig ihren Finger auf das Glas und zog erst Alexandras Fuß nach, dann ihren eigenen, zum Schluss Friederikes.

Jule konnte ein leises Stöhnen nicht unterdrücken, sie räusperte sich und ging ein paar Schritte weiter. Das nächste Bild, auch überdimensional vergrößert. Ein Tisch in einem Garten, im Hintergrund der See, vier gefüllte Weingläser auf einer weißen Tischdecke, eine wilde Rose in einer schmalen Vase, ein Windlicht wurde gerade angezündet, man sah nicht, wer es gerade anzündete, man sah nur einen schmalen Arm, am Handgelenk zwei zierliche silberne Armbänder, eine Hand, die das lange Zündholz hielt. Maries Hand, Jule erkannte die Armbänder. Sie hätte sie überall erkannt. Das nächste Bild. Atemlos stand Jule jetzt davor. Es waren Hände, zwei Hände, die gemeinsam ein Ruder umklammert hielten, die untere Hand war braun gebrannt, Jule erkannte den silbernen Ring auf dem kleinen Finger, die obere Hand heller und schmucklos, wieder die silbernen Armbänder. Marie und Friederike. Sie mussten eng hintereinander gesessen haben, und wie immer war Friederike gerudert, aber Maries Hand lag oben. Dann ein kleineres Format, eine Wäscheleine in einem Garten, der See auch hier im Hintergrund, der Himmel blau mit kleinen Federwolken, eine Katze auf einem Baumstumpf mit Blick zur Wäscheleine, darauf Badeanzüge, die sich im Wind bewegten. Der zweite Badeanzug von links war Jules.

Am Ende des Raumes stand ein freier Stuhl. Wie betäubt ging Jule auf ihn zu und setzte sich, ohne den Blick von den Badeanzügen zu nehmen. Das hier waren ihre Sommer. Staunend sah sie sich im Raum um. Auf keinem Bild war eine Person oder ein Gesicht zu erkennen. Es waren immer nur Ausschnitte. Hände, Füße, eine Lockenmähne, Alex' geflochtener Zopf, ein Paar Knie auf einer Badeinsel, die mussten zu Friederike gehören, Jule erkannte die kleine Narbe von einem Fahrradunfall. Maries Schatten in der Abendsonne, Friederikes Sonnenbrille auf einem Handtuch auf dem Steg, Alexandras Bücherstapel auf einem Liegestuhl. Es waren Momente reinen Sommerglücks, so intensiv eingefangen, dass Jule die Tränen kamen. Ihr verschwommener Blick fiel auf einen Stapel Prospekte neben ihr. Sie griff nach einem, nahm die neue Brille ab, wischte sich kurz über die Augen und setzte die Brille wieder auf.

›Dieses kurze schöne Leben‹ – *Fotografien Marie van Burig*

Jule ließ den Prospekt sinken und hob langsam den Kopf. Das war doch nicht möglich. Warum hatte sie das nicht gewusst? Sie presste die Lippen zusammen, um sich unter Kontrolle zu bekommen, sie kämpfte weiter mit den Tränen, sie merkte, dass sie zitterte. Langsam erhob sie sich wieder. Sie musste jemanden fragen, woher diese Bilder kamen, wer sie gebracht hatte, was mit ihnen passierte. Hilfesuchend sah sie sich um, in der anderen Ecke des Raumes saß immer noch die Frau, sie tat nichts, sie saß da nur und kümmerte sich nicht.

»Entschuldigung?«

Die Frau drehte sich langsam zu ihr um und stand auf. »Willkommen.«

Mit eleganten Bewegungen kam sie auf sie zu, Jule räusperte sich schnell, sie konnte einen Moment lang weder sprechen noch klar sehen. Plötzlich erkannte sie die Frau. Es war Hanna. Eine Mischung aus Erleichterung und Schock lief durch ihren Körper. Und Hanna, die jetzt vor ihr stand, beugte sich zu ihr und sagte nach einem kurzen Blick: »Ich glaube, Sie brauchen einen Cognac.«

Friederike

Die Telefonstimme klang wie früher, tief und etwas rau. »Weise.«
Sie brauchte einen Moment, bevor sie antwortete: »Alex? Hier
ist Friederike.«

Stille. Dafür hörte sie im Hintergrund Stimmen und das
Klappen von Türen. »Alexandra? Bist du noch dran?«

»Ja.« Die Antwort kam unentschlossen. »Ich … ähm, also
hier ist gerade …«

Friederike schob die Zeitung vor ihr zur Seite und drehte
sich mit ihrem Schreibtischstuhl zum Fenster. »Ich wollte nur
hören, ob du wirklich abgetaucht bist. Zwei Wochen vor diesem Pfingsttreffen. Aber du kannst mich auch später …«

»Warte einen Moment.« Das Telefon wurde auf den Tisch gelegt. Friederike versuchte, die Hintergrundgeräusche zuzuord-
nen. Das Schlagen einer Tür, Schritte, dann Frauenstimmen,
eine ruhig, aber zu weit entfernt, um sie zu verstehen, eine
andere laut, aufgebracht. »Ich muss mit ihr reden, sofort, sie
muss mir helfen!«, dann Alexandras Stimme. »Magdalena, ich
bin …«, der Rest ging in der Entfernung unter.

Friederike wartete ab und beobachtete dabei ein Flugzeug,
das einen weißen Kondensstreifen auf dem blauen Himmel
über Bremen hinterließ. Früher hatte jedes Flugzeug in ihr
große Sehnsucht ausgelöst, jetzt genau dort Passagier zu sein

und mitfliegen zu können. Sie hatte nie ein Ziel gehabt, sie hatte immer nur weg gewollt. Egal, wo sie gerade war, sie war der Überzeugung gewesen, dass es woanders besser sein könnte. Dass sie es irgendwo wiederfinden könnte, dieses Gefühl der Leichtigkeit, der Zufriedenheit, des Angekommenseins. Sie hatte es nur einige wenige Male in ihrem Leben gehabt. Damals, am See, auf dem Steg, inmitten von Menschen, bei denen sie sagen und denken konnte, was sie wollte, ohne dass jemand von ihnen sie deshalb nicht mehr gemocht hätte. Und dann später, in einer Zeit, in der das Leben anfangs so einfach schien. Aber nie hatte es gehalten.

Sie konzentrierte sich wieder auf die Hintergrundgeräusche aus dem Telefon, es war nicht auszumachen, was dort in München gerade passierte. Also wartete sie weiter und blickte wieder in den Himmel. Während der weiße Kondensstreifen sich langsam in einem fedrigen Schweif auflöste, war Alexandras Stimme im Hintergrund zwar leise, aber jetzt etwas klarer zu hören. »Das ist ja wohl nicht dein Ernst.«

Und plötzlich kamen Friederikes Erinnerungen an einen Sommerabend auf Mallorca, der über fünfzehn Jahre her war.

»Das ist ja wohl nicht dein Ernst.« Alex schob die Sonnenbrille mit Schwung auf den Kopf und sah Friederike mit aufgerissenen Augen an. »Du willst die mallorquinische Sonne mit Nieselregen in Bremen tauschen? Wirklich? Wann?«

»In sechs Wochen.« Friederike ließ mit dem Strohhalm die Eiswürfel in ihrem Cocktail klirren. »Ich wollte es nur noch nicht vorher erzählen, weil ich abergläubisch bin und der Vertrag noch nicht unterschrieben war. Aber jetzt ist alles klar.«

Alexandra schüttelte lächelnd den Kopf und hob ihr Glas. »Ja, Wahnsinn. Dann willkommen zurück in Deutschland.«

Sie war ganz spontan übers Wochenende gekommen, Friederike hatte sie am Flughafen in Palma abgeholt, und jetzt saßen sie auf der Dachterrasse des Hotels, das Friederike tatsächlich in wenigen Wochen verlassen würde. Was ihr immer noch ein mulmiges Gefühl verursachte. Sie sah Alexandra an. »Ich hoffe, dass die Entscheidung richtig ist. Ich habe mich so an das Leben in Spanien gewöhnt, dass ich gar nicht weiß, ob ich in Deutschland wieder zurechtkomme. Mal abgesehen vom Wetter.«

»Ach, Fiedi«, Alexandra lachte. »Du kommst doch überall zurecht.«

Friederike zuckte die Achseln und betrachtete Alexandra nachdenklich. Sie sah entspannter und gelöster aus als die letzten Male, was nicht nur an der lässigen Jeans und der langen weißen Hemdbluse lag, sondern auch an ihrem Gesichtsausdruck. Ihre Augen strahlten, sie wirkte fast wieder wie die alte Alex und nicht mehr wie die engagierte Verlegerin, die von Termin zu Termin raste, als wäre sie auf der Flucht.

»Ist eigentlich etwas in deinem Leben passiert, von dem ich noch nichts weiß?« Friederike ließ sie bei der Frage nicht aus den Augen. »Du bist irgendwie anders.«

Betont harmlos sah Alexandra sie an. »Wie anders? Was meinst du?«

Langsam stützte Friederike ihr Kinn auf die Hand und lächelte plötzlich. »Du hast dich verliebt? Oder so was in der Art. Du siehst nicht mehr so angestrengt aus. Du strahlst.«

Tatsächlich flog ein kleines beseeltes Lächeln über Alex' Gesicht. Sie nickte und sah an Friederike vorbei auf das atemberaubende Panorama. Meer, Himmel, vereinzelte Segelboote, weit hinten am Horizont ein Kreuzfahrtschiff. Sie wandte ihren Blick zurück, wieder ernsthaft. »Ich bin auch abergläubisch und möchte es erst erzählen, wenn es wirklich so weit ist.

Und es ist nicht nur schön, es wird vielleicht auch manches kompliziert machen.«

»Komm, mach eine Andeutung«, forderte Friederike sie auf. Alexandras Veränderung seit ihrem letzten Besuch war wirklich frappierend. Sie war vor einem halben Jahr zuletzt hier gewesen, abgekämpft, müde und von einer Traurigkeit umgeben, dass Friederike ihr an einem der Abende schon geraten hatte, den Job zu kündigen, der ihr anscheinend die letzten Lebensenergien raubte.

»Alex, du bist noch keine vierzig«, hatte sie gesagt. »Es kann doch nicht sein, dass du seit Jahren nur an deiner Karriere schraubst und überhaupt kein Privatleben hast. Es ist gerade unsere beste Zeit.« Dass ausgerechnet sie ihr das gesagt hatte, war der Treppenwitz des Jahres, selbst das war Alex nicht aufgefallen.

Aber anscheinend hatte sich gerade irgendetwas verändert. Etwas, das man Alex ansah. Wenn man sie gut kannte. Friederike hakte nach. »Sag schon. Ich rede auch mit niemandem darüber. Du kannst es den anderen dann in aller Ruhe selbst erzählen. Wenn es so weit ist. Du kannst ja die Details auslassen.«

Die Sonne schien Alexandra ins Gesicht und ließ ihre Augen smaragdgrün leuchten. Sie war selten so schön gewesen wie in diesem Moment. Sie überlegte einen kurzen Moment, dann gab sie sich einen sichtbaren Ruck und sagte: »Ich liebe seit fast zehn Jahren einen verheirateten Mann, der sich nicht aus seinem alten Leben lösen konnte. Obwohl er es gewollt und auch versucht hat. Ich habe so oft gedacht, dass ich gehen müsste, weil er die Entscheidung nicht treffen kann, aber ich habe es nicht geschafft. Und jetzt endlich hat er sich getrennt. Vor einiger Zeit schon.« Sie lächelte so zärtlich, dass es Friederike ans Herz ging. »Ja, und deshalb steuere ich wohl auf ein Happy End zu. That's it.«

Sie sah wieder aufs Meer. Bis Friederike fragte: »Und warum *wohl*? Und was heißt: *Wenn es wirklich so weit ist?*«

Alexandra sah sie an. »Das sind die Details, die ich auslassen sollte. Wir müssen warten, bis alle Sachen ordentlich geregelt sind, es gibt da auch ein Kind. Und ich habe so lange darauf gewartet, die paar Wochen oder Monate sind jetzt auch egal. Lass es dabei, Fiedi, den Rest erzähle ich dir, wenn du wieder in Deutschland bist. Okay?«

Friederike nickte. Dann sagte sie: »Warum hast du nie darüber geredet? Zehn Jahre, meine Güte!«

»Weil ich nicht darüber reden wollte. Es ist ja nicht gerade rühmlich, wenn man die Geliebte eines verheirateten Mannes ist. Und ich hatte auch noch andere Gründe, nicht darüber zu sprechen. Bitte. Themawechsel. Wann hast du Marie und Jule das letzte Mal gesehen?«

»Marie war Ostern hier. Schade war, dass ich überhaupt nicht freinehmen konnte, weil wir im Haus eine heftige Grippewelle hatten. Wir waren total unterbesetzt.«

»Wie geht es ihr denn? Ich habe nur ein paar Mal mit ihr telefoniert.«

»Es geht ihr gut, sie war den ganzen Tag mit ihrer Kamera unterwegs und hat dermaßen gute Bilder gemacht, dass ich ihr sofort zehn davon für den neuen Hotelprospekt abkaufen wollte.« Friederike lachte leise, als es ihr wieder einfiel. »Das hat sie abgelehnt, es wären ja nur Schnappschüsse, und hat tatsächlich noch mal neue gemacht. Muss ich dir zeigen, umwerfend. Sie ist eine so dermaßen gute Fotografin, wir sollten einige ihrer Fotos kaufen, irgendwann sind die richtig viel Geld wert. Aber irgendetwas hat sie auf dem Herzen gehabt«, Friederike biss sich auf die Lippe und sah Alexandra an. »Entschuldige, eine blöde Wendung, egal. Sie wollte mit mir über etwas reden, aber dann kam die Geschichte mit meinem Vater, und ich habe sie gar nicht mehr gefragt. Hinterher habe ich mich geärgert.«

»Mit deinem Vater?« Erstaunt hob Alexandra die Augenbrauen. »Ich denke, es gibt keinen Kontakt. Deine Mutter hat immer so getan, als hättest du keinen Vater.«

Friederike atmete tief aus. »Wenn es nach meiner Mutter ginge, wäre das auch so. Aber das hätte selbst Esther biologisch nicht allein geschafft. Und ich habe das Gefühl, dass ich ihn sehen muss. Ich will wissen, wie er ist. Und warum er uns sitzen gelassen hat. Und ob ich ihm ähnlich bin. Marie will mir dabei helfen.«

»Ist das eine gute Entscheidung?« Alexandras Frage klang skeptisch. »Das musst du dir überlegen. Vielleicht …«

»Lass gut sein.« Friederike legte ihre Hand auf Alexandras. »Ich habe jedes Für und Wider tausendmal durchdacht. Wenn wir uns Pfingsten sehen, weiß ich vermutlich schon mehr. Dann kann ich es mir immer noch überlegen.«

Alexandra nickte langsam. »Okay. Anderes Thema. Weißt du, wie es Jule geht? Ich habe von Marie gehört, dass sie sich auf einer Fortbildung in einen Kollegen verliebt hat. Ich habe sie aber ewig nicht gesprochen.«

»Dann ruf sie doch mal an.« Friederike gab dem Barkeeper ein Zeichen, zwei neue Cocktails zu mixen. »Es geht ihr gut, die Übernahme der Physiopraxis war die richtige Entscheidung, in ihrem Häuschen fühlt sie sich auch wohl, ich glaube, sie ist auf einem guten Weg, ihre Scheidung von Philipp zu verarbeiten. Ich spreche oft mit ihr, abends ist sie meistens zu Hause. Auch schon wegen Pia, da erwischt man sie fast immer.«

»Hat sie sich jetzt verliebt?«

Friederike hob die Schultern. »Es könnte sein. Zumindest hat sie mir das erste Mal mit mehr als zwei Sätzen von einem

Mann erzählt. Nichts gegen früher, aber schon mal ein Anfang.«

»Na, Gott sei Dank.«

»Friederike?«

Sie ließ den Hörer vor Schreck fast fallen, als plötzlich Alexandras reale Stimme an ihr Ohr drang. »Ja?«

»Sorry, aber du bist ja noch dran. Das dauert hier länger, kann ich dich nachher zurückrufen?«

Friederike kam nur langsam aus der Vergangenheit zurück und musste kurz nachdenken. Dann aber sagte sie sehr bestimmt: »Ja, du sollst. Bis zwanzig Uhr bin ich im Hotel, danach erreichst du mich privat. Hast du noch die Nummer?«

Die Antwort kam prompt. »Natürlich.«

Friederike legte den Hörer weg, stand auf und stellte sich ans Fenster. Sie verschränkte die Arme vor der Brust und verglich im Geist die frühere Alex mit der heutigen Alexandra. Sie war immer noch eine schöne Frau, das stand außer Frage. Aber diese Lebendigkeit, dieses Strahlen in den Augen, was sie damals auf der Dachterrasse gehabt hatte, das hatte Friederike danach nie wieder gesehen. Sie versuchte sich zu erinnern, ob es an den Pfingsttagen desselben Jahres gewesen war, als Alex sie unter vier Augen gebeten hatte, ihre Geschichte zu vergessen und nicht den anderen zu erzählen. Als Friederike irritiert gewesen war, hatte sie mit Tränen in den Augen gesagt, dass das Ganze ein großes Missverständnis gewesen sei. Und sie wolle nicht mehr darüber sprechen. Nie mehr.

Es klopfte an der Tür, Friederike drehte sich um. »Ja?«

»Frau Brenner?« Ihre Sekretärin öffnete die Tür nur halb und blieb an der Schwelle stehen. »Gibt es noch irgendetwas? Ansonsten würde ich jetzt Feierabend machen.«

»Ja, natürlich.« Friederike ging langsam um ihren Schreibtisch. »Stellen Sie das Telefon auf mich um, bevor Sie gehen. Und einen schönen Abend.«

»Ja, Ihnen auch. Bis morgen.« Die Tür schloss sich leise, und Friederike ließ sich wieder auf ihren Stuhl sinken. Sie war gespannt, wann Alexandra zurückrief. Und ob sie sich entschlossen hatte, sich in zwei Wochen ihrer Vergangenheit zu stellen.

Nach einem Blick auf die Uhr zog sie eine Mappe mit Unterlagen von einem Stapel. Sie konnte noch einiges erledigen, während sie auf den Rückruf von Alexandra wartete. Aber egal, wie oft sie das erste Schreiben las, sie verstand kein Wort. Resigniert warf sie die Mappe auf den Stapel und drehte ihren Stuhl zurück zum Fenster. Was war das für ein Tag gewesen? Erst Tom, dann die Sache mit Alexandra, sie konnte sich im Moment nicht darauf konzentrieren, ob eine Reisegruppe Zimmer bekam oder nicht. Sie dachte an Tom und versuchte nachzuspüren, wie es ihr dabei ging. Sie empfand einen Anflug von schlechtem Gewissen, aber auch eine Art Erleichterung, dass sie diese Entscheidung getroffen hatte. Es war Zeit, die bequemen Wege zu verlassen, sie musste sich endlich damit auseinandersetzen, was sie im Leben eigentlich wollte.

Das Telefon klingelte. Das Display zeigte eine Hamburger Vorwahl, also nicht Alexandra. Trotzdem hob Friederike ab.

»Brenner.«

»Michael Bergmann. Der Arzt Ihres Vertrauens.«

Friederike lächelte. »Ach, guten Abend. Was macht die Galle?«

»Wir werden uns in drei Wochen voneinander trennen. Aber für den Moment verhält sie sich ruhig, und ich bin wieder zu Hause. Ich wollte mich für die Apfelsine bedanken, sie hat den Heilungsprozess extrem beschleunigt.«

»Das freut mich. Vielleicht kann man diese Methode patentieren lassen, was meinen Sie?«

Er lachte leise. »Ich denke, das sollten Sie versuchen. Aber Sie werden natürlich eine Revolution in der Schulmedizin auslösen. Und Sie selbst müssen die Gesichter malen, ich bezweifle, dass eine Fremdbemalung denselben Effekt hat.«

»Das werde ich zeitlich nicht hinbekommen.« Friederike sah ihn vor sich, sie hörte das Lächeln in seiner Stimme und merkte, dass sich ihr Puls beschleunigt hatte. »Ich habe ja auch noch einen anderen Job. Aber im Ernst, geht es Ihnen gut?«

»Ja, danke. Ich wollte Sie fragen, ob Sie Lust hätten, mit mir einen kleinen Segeltörn zu machen. Bevor ich mich dann endgültig von meiner Galle trenne.«

»Segeln?« Friederike sah in den Himmel. »Wo denn?«

»Ich habe ein Boot an der Ostsee liegen. In Neustadt. Wunderschöne Ecke. Also, falls Sie Lust haben und seefest sind, würde mich das sehr freuen.«

Bei ihrem letzten Segeltörn war Friederike um Mallorca gesegelt. Das Boot hieß *Sweetie,* Ulli hatte es für zwei Wochen gechartert, und es war einer ihrer schönsten Urlaube gewesen. Nur sie beide, ohne Streitereien, weil es nur um Wind, Wasser und Zusammensein ging. Es war lange her.

Friederike räusperte sich. »Ich bin seefest. Und ich kann sogar segeln. Wann soll das denn stattfinden?«

»Pfingsten.« Michael Bergmanns Stimme klang erfreut. »Das ist schön. Samstag und Sonntag?«

Sie ließ ihre Schultern sinken. »Pfingsten kann ich leider nicht. Da habe ich schon etwas vor.«

»Oh.« Er machte eine kleine Pause. »Wie schade. Danach falle ich wegen bereits erwähnter Galle ein bisschen aus. Aber vielleicht klappt es ein anderes Mal.«

»Ja.« Friederike war über ihre Enttäuschung selbst überrascht. Ohne nachzudenken, sagte sie: »Der Sommer fängt ja erst an. Und falls Sie vor Ihrer OP noch zur Sicherheit eine bemalte Apfelsine brauchen, dann sagen Sie doch einfach Bescheid. Ich würde dann in der Woche nach Pfingsten glatt noch mal nach Hamburg kommen.«

»Selbstverständlich brauche ich eine!« Die Antwort kam spontan. »Lassen Sie uns gleich einen Termin machen. Die Übergabe muss aber nach dem Abendessen erfolgen. Donnerstag nach Pfingsten?«

»Ist notiert.« Friederike schrieb das Kürzel MB in ihren Kalender und unterstrich es. Private Termine notierte sie immer noch mit der Hand. »Wo und wann?«

Nach dem Telefonat blieb sie regungslos sitzen und starrte auf das Kalenderblatt. Es fühlte sich gut an. Und sie würde bei diesem Essen das Treffen im Haus am See schon hinter sich haben. Das war doch eine gute Perspektive.

München
21. Mai

Alexandra

»Mein Gott, dieses Gebrumme geht mir langsam auf den Geist.«
Mit einem Blick auf die heulende Magdalena sprang Katja
unvermittelt hoch und holte Alexandras Handy vom Sofa. Anklagend reichte sie es ihrer Schwester. »Mach das Ding mal
aus. Das nervt doch.«

Tatsächlich hatte es in der letzten Stunde in kurzen Abständen ankommende Nachrichten gemeldet, weil Alexandra aber
den Ton ausgestellt hatte, vibrierte es nur. Das aber andauernd.
Alexandra hatte es ignoriert und sich stattdessen auf Magdalenas tränenreiche und völlig verquere Erklärungen konzentriert. Jetzt nahm sie Katja das Telefon aus der Hand und entsperrte es.

*»Bist du noch sauer? Versuche, dich heute Abend anzurufen.
Kuss«* 17.11

»SMS nicht bekommen?« 17.32

»Was ist los?« 17.45

*»Habe gerade die seltsame Schlagzeile gelesen. Meinen die
dich?«* 18.03

*»Habe mehrmals versucht, dich anzurufen. Geh doch mal
ran.«* 18.18

»WO BIST DU?« 18.36

Sie überflog die Meldungen, bevor sie die Vibration ausstellte und das Telefon langsam neben sich auf den Tisch legte. Seine Anteilnahme hätte sie früher gebraucht. Jetzt löste sie nur noch eine Mischung aus Trauer und Ärger aus. Nicht darüber nachdenken. Sie heftete ihren Blick auf Magdalena, die gerade Luft holte. »Es reicht, Magdalena. Du kannst aufhören, ich möchte nichts mehr hören.«

»Aber du glaubst mir nicht. Weißt du, ich kann da gar nichts dafür. Ich habe ein fotografisches Gedächtnis, das habe ich schon, seit ich Kind bin. Ich lese etwas, und das bleibt einfach in meinem Kopf, ob ich will oder nicht.«

Alexandra sah sie stirnrunzelnd an. »Was ist das denn für ein Unsinn?«

»Es ist kein Unsinn.« Magdalenas Stimme hatte eine Tonlage bekommen, bei der man nicht mehr unterscheiden konnte, ob sie hysterisch oder einfach nur grundsätzlich irre war. »Das ist die Erklärung. Wahrscheinlich habe ich mal was von dieser Französin gelesen, so nebenbei, aber weil ich dieses ungewöhnliche fotografische Gedächtnis habe, ist es mir überhaupt nicht bewusst, dass diese Sätze gar nicht von mir erfunden wurden, sondern schon vorher in meinem Gehirn verankert waren. Sie fallen mir sofort wieder ein, wenn ich ein bestimmtes Stichwort höre, und schreiben sich sozusagen von selbst. Und dann kann ich überhaupt nicht mehr unterscheiden, wer von uns zum ersten Mal auf die Idee gekommen ist. Weil es so zusammenfließt, also meine Sätze und die anderen, die ich mal gelesen habe. Aber das hat doch nichts mit Abschreiben zu tun, das ist doch etwas völlig anderes.«

Alexandra musterte sie fassungslos und warf dann ihrer Schwester einen Blick zu. Die schüttelte nur den Kopf und sagte: »Das ist ja der größte Schwachsinn, den ich je gehört habe. Fotografisches Gedächtnis. Als ob man sich ein ganzes Buch merken kann. Wortwörtlich. So ein Quatsch.«

»Doch.« Magdalena funkelte sie böse an. »Das ist so. Es ist eine Begabung, ich hatte die schon immer. Als wenn ich bei anderen abschreiben müsste, das habe ich doch gar nicht nötig, ich bin die meistverkaufte Schriftstellerin Deutschlands. Alexandra, du musst mir glauben, ich kann gar nichts dafür.«

»Lass es gut sein, Magdalena.« Alexandra war gerade unglaublich müde. Und sie fand diese Geschichte dermaßen absurd, dass sie keine weiteren Ausführungen ertragen konnte. »Das Beste ist, du gehst jetzt nach Hause. Ich werde dich informieren, wie wir weiter verfahren. Aber für heute habe ich genug gehört.«

Magdalenas Finger krallten sich plötzlich in Alexandras Arm. »Was meinst du damit? Ich habe dir doch erklärt, dass ich …«

Katjas flache Hand schlug auf den Tisch. »Haben Sie nicht zugehört? Es reicht. Meine Schwester hat eine Gehirnerschütterung, sie soll sich schonen. Jetzt ist wirklich Schluss, reißen Sie sich mal zusammen, diesen Unsinn hält ja niemand aus.« Sie stand auf und sah zu Magdalena hinunter. Die ignorierte den Blick und sah Alexandra flehend an. »Können wir das nicht in Ruhe besprechen? Es ist doch gar nichts passiert. Wenn du jetzt sagst, dass …«

Alexandra legte zwei Finger an die Schläfen, sie hatte plötzlich rasende Kopfschmerzen. Sie schloss kurz die Augen und spürte sofort Katjas Hand auf ihrer Schulter. Und hörte dann ihre Stimme. »So, Frau Mohr, Sie gehen jetzt besser. Ich bringe Sie raus.«

»Aber …«

»Nichts aber.« Katja umschloss Magdalenas Arm wie eine

Schraubzwinge. »Meine Schwester meldet sich bei Ihnen, wenn es ihr wieder besser geht.«

Langsam hatte Alexandra sich erhoben und sah Katja zu, die Magdalena mit sanfter Gewalt zur Tür schob. »Magdalena?«

Sofort blieb die stehen und drehte sich mit hoffnungsvollem Blick um. »Ja?«

»Du hast mich wahnsinnig enttäuscht. Pass trotzdem auf dich auf.«

Unter lautem Schluchzen verließ Magdalena endlich die Wohnung, resolut schloss Katja die Tür hinter ihr und lehnte sich ausatmend dagegen. »Mein Gott«, stöhnte sie. »Fast eine Stunde. Die ist ja völlig durchgeknallt. Die hat ja einen richtigen Schaden. Sind alle Schriftsteller so?«

»Nicht alle.« Alexandra stand noch immer am Tisch, der Schmerz pulsierte durch ihre Schläfen. »Zum Glück nur wenige. Hast du hier irgendwo die Schmerztabletten gesehen, die der Arzt mir mitgegeben hat?«

»Geht es dir nicht gut?« Mit besorgtem Gesicht kam Katja näher. »Komm, leg dich hin. Das ist jetzt bestimmt die Aufregung. Ich hole dir eine Tablette, ich habe die eingepackt, wo ist denn meine Tasche? Ach da.«

Während Alexandra sich aufs Sofa legte, füllte Katja ein Wasserglas und brachte es ihr mit den Tabletten. Dann ließ sie sich auf den Sessel sinken und sah kopfschüttelnd ihre Schwester an. »Ich hoffe, deine Tage sind sonst ruhiger.«

Alexandra lächelte schwach, bevor sie die Tablette runterspülte und ihren Kopf anlehnte. »Heute ist es mir auch zu viel«, sagte sie leise. »Ich müsste eigentlich noch telefonieren.«

»Jetzt nicht.« Entschlossen stand Katja wieder auf. »Jetzt wartest du, bis die Tablette wirkt, und ich mache uns in der Zeit was zu essen. Und danach kannst du noch mal darüber nachdenken.«

Dankbar schloss Alexandra für einen Moment die Augen. Als sie kurz danach ihre Schwester in der Küche Schranktüren und Schubladen öffnen und dann Wasser laufen hörte, fühlte sie sich endlich sicher. Ganz langsam verlor der Schmerz an Schärfe, dankbar begann sie, sich zu entspannen.

Nach kurzer Zeit fielen ihr die Nachrichten auf ihrem Telefon ein. Sie hatte es noch gar nicht wieder laut geschaltet, vielleicht, nein, höchstwahrscheinlich hatte sich die Anzahl der Nachrichten verdoppelt. Wenn er nicht sogar versucht hatte, sie anzurufen. Je nachdem, wo er gerade war. Und vor allen Dingen mit wem. Alexandra legte den Arm über die Augen und dachte an ihren Gefühlszustand im Hotelzimmer. Sie hatte es in all den Jahren immer wieder zu schnell vergessen. Diese Momente des Schocks, der Trauer, der Demütigung, der Wut auf sich selbst und der Sehnsucht nach ihm. Diese Mischung aus allem, die niemand verstehen kann, der diese Situation nicht kennt. Weggeschoben, übersehen, verdrängt, verleugnet zu werden. Nicht die Richtige zu sein, nicht da sein zu dürfen, keine Entscheidung treffen zu können, es war ja nicht das erste Mal gewesen. Alexandra öffnete die Augen und starrte an die Decke. Und trotzdem hatte sie jetzt einen Anflug von schlechtem Gewissen, weil sie sich gar nicht bei ihm meldete, ihn im Ungewissen ließ. Natürlich würde ihn das ungeduldig machen. Vielleicht sogar besorgt. Vielleicht.

Damals, nur kurz nach ihrem dreißigsten Geburtstag, hätte ihr eine weise Frau prophezeien müssen, was auf sie zukommen würde. Vielleicht hätte sie dann einfach ihre Pläne für dieses Wochenende geändert, wäre in Hamburg geblieben, ins Kino gegangen, hätte Marie besucht und Manuskripte gelesen. Aber von der weisen Frau gab es damals wie heute weit und breit keine Spur, und deshalb hatte sie an einem sehr kalten Tag,

Ende März gegen Mittag, die Frisia-Fähre mit dem Ziel Norderney bestiegen.

Es waren nicht viele Passagiere an Bord. Für die Jahreszeit war es zu kalt, die Osterferien hatten noch nicht angefangen, nur ganz harte Küsten- und Inselliebhaber waren hier mit ihr unterwegs. Alex knöpfte schon auf dem Weg in den Salon die dicke Jacke auf und nahm die Mütze ab, es war warm an Bord, sie freute sich auf einen heißen Tee und verlangsamte ihr Tempo auf der Suche nach einem freien Tisch am Fenster. Sie hatte sofort einen entdeckt und beschleunigte ihre Schritte, ohne nach links oder rechts zu sehen. Kurz bevor sie ihn erreicht hatte, hörte sie eine überraschte Stimme. »Alex?«

Er saß allein an einem Tisch. In Jeans und schwarzem Rollkragenpulli, die Haare zerzaust, der schönste Mann, den sie kannte. Sie blieb stehen, sah ihn an und riss sich zusammen, um ihn nicht mit offenem Mund anzustarren. Sekunden später hatte sie sich wieder im Griff. »Philipp. Was machst du denn hier?«

Er grinste und stand langsam auf, um sie zur Begrüßung auf die Wange zu küssen. »Dasselbe wie du, vermute ich, ich fahre nach Norderney. Und du? Setz dich doch. Oder wartest du noch auf jemanden?«

»Ich …«, sie wickelte langsam ihren Schal ab und zog die Jacke aus. Beides vor den Bauch gepresst, ließ sie sich auf die Bank gegenüber von Philipp sinken. »Nein, ich warte auf niemanden. Und du? Wo ist Jule denn?« Sie sah sich um. »Fahrt ihr nur übers Wochenende rüber?«

Er schüttelte den Kopf, ohne den Blick von ihr abzuwenden. »Ich bin allein. Mein Vater wird 60 und feiert auf Norderney. Jule ist total erkältet und hat entschieden, nicht mitzukommen.« Er lächelte etwas bedauernd. »Sie kann nicht besonders gut mit meiner Mutter, aber das weißt du ja bestimmt. Jedenfalls muss ich als guter Sohn dahin, aber ich könnte mir weiß Gott etwas Schöneres vorstellen, als bei dieser Arschkälte mit meiner komplizierten Familie auf einer Insel zu hocken. Und du? Musst du hin oder willst du?«

»Ich darf.« Alexandra lächelte kurz und wich seinem Blick aus. »Ich habe zum Geburtstag von meinen Kollegen einen Hotelgutschein bekommen. Bei runden Geburtstagen fallen die Geschenke immer besonders großzügig aus. Drei Tage im *Haus am Deich*. Mit Wellness und allem Schnickschnack.«

Philipp nickte. »Tolles Geschenk. Ich wohne übrigens auch im *Haus am Deich*. Das ist sehr schön.« Er machte eine kleine Pause. »Die haben eine tolle Bar. Wir könnten uns da ja mal treffen. Das würde mein Wochenende retten.«

»Oh, ich glaube nicht, dass deine Mutter begeistert wäre, wenn ich mich an der Bar unter die Geburtstagsgäste mische«, bemerkte Alexandra und hatte sofort das Bild von Jules Schwiegermutter vor Augen. Sie war Augenärztin, sehr erfolgreich, sehr dünn, sehr aufgedonnert und sehr arrogant. Alexandra konnte verstehen, dass Jule nicht mit ihr auskam. »Das sollten wir besser lassen.«

»Sei sicher, ich würde dich vor dieser Feier schützen.« Philipp hob die Augenbrauen. »Meine Eltern, meine dauerbeleidigte Schwester und alle möglichen Golf- und Tennisfreunde meines Vaters. Fast nur Ärzte übrigens, mit Ausnahme eines Richters, eines Wirtschaftsprüfers und eines Bankers. Mit den entsprechenden Gattinnen. Sechzig Leute, hat natürlich alles eine tiefere Bedeutung. Glücklicherweise haben die sich aber alle im *Seeblick* einquartiert, ich bin der Einzige, der in einem anderen Hotel wohnt.«

»Warum?«

Philipp hob die Schultern. »Weil Jule das so wollte, sie fand es schöner, wenn wir ab und zu mal unsere Ruhe haben. Und weit genug entfernt von meiner Mutter sind.« Er strich mit der flachen Hand ein paar Krümel vom Tisch. »Und jetzt ist sie krank, und ich hänge da rum. Na ja. Also sei du eine gute Freundin und betrinke dich mit mir an der Bar.« Er grinste sie an. »Wir beide.«

»Hast du irgendwo einen Pürierstab?«

Katjas Stimme holte Alexandra von der Fähre zurück aufs Sofa, sie setzte sich sofort auf. »Wir beide«, dachte sie, damit hatte es angefangen. Sie wusste bis heute nicht, was er damit eigentlich gemeint hatte. »Im Schrank, oben rechts«, rief sie zurück.

»Ich habe ihn«, kam die Antwort. »Bleib liegen, es dauert noch eine Viertelstunde.«

Alexandra legte sich wieder hin und schloss die Augen.

Damals waren sie zusammen mit dem Taxi vom Hafen ins Hotel gefahren. Philipp hatte vorn gesessen, sie hatte sein Profil betrachtet und überlegt, ob er gleich Jule anrufen würde, um ihr zu sagen, dass sie sich hier getroffen hätten. Jule wusste gar nichts von diesem geschenkten Norderney-Wochenende. Alexandra hatte es nur Marie erzählt, mit der sie sich in der letzten Woche mal zum Mittagessen getroffen hatte. Marie war ganz begeistert gewesen und wäre am liebsten mitgefahren. Sie hatte nur keine Zeit gehabt.

Nach dem Einchecken im Hotel hatten sich ihre Wege getrennt, Philipp machte sich auf, um seine Eltern zu treffen, Alexandra hatte ihren ersten Massagetermin.

Während die Masseurin das Öl auf ihrem Rücken verteilte, dachte Alexandra an Jule, nicht nur weil die auch massierte. Jule war einen Monat vor Alexandra dreißig geworden, Philipp hatte eine Überraschungsparty für sie in einer Kneipe in Altona organisiert. Es war ein tolles Fest gewesen, sie hatten bis halb fünf getanzt. Jule, in einem engen roten Kleid, die Locken zu einem Knoten gesteckt, wirbelte durch den Raum, glücklich, aufgeregt, fröhlich, sie strahlte so viel Glück und Zufriedenheit aus, dass Alexandra einen kleinen Stich von Eifersucht spürte. Marie, die neben ihr saß und anscheinend Gedanken lesen konnte, beugte sich zu ihr und flüsterte: »Ich wünsche Jule wirklich, dass sie so glücklich bleibt. Sie hat es verdient. Und ich finde, sie hat noch nie so toll ausgesehen.«

Alexandra fühlte sich ertappt und nickte sofort. »Stimmt.« Sie war nicht neidisch auf Jules Leben, die große Wohnung an der Alster oder auf die Tatsache, dass Jule verheiratet war. Sie gönnte ihr alles Glück der Welt, unbedingt. Aber sie fühlte sich befangen, wenn Philipp mit ihr im Raum war. Seit sie ihn das erste Mal gesehen hatte. Das war nicht gut. Jule war eine ihrer engsten Vertrauten und Philipp war ihr Mann. Aber er tauchte nachts in Alexandras Träumen auf. Und deshalb ging sie seit einigen Monaten Jule und ihm aus dem Weg. Zu ihrem eigenen Schutz. Zumindest bis diese Befangenheit vorbei sein würde. Nur war sie jetzt mit ihm in einem Hotel. Allein. Ohne Jule. Und sie selbst lag auf einer Massageliege und spürte ihren Herzschlag. Es war überhaupt nicht gut.

»Essen ist fertig.«

Fast erleichtert unterbrach Alexandra ihre Tagträume, als Katja sie rief. Sie schwang ihre Beine vom Sofa und stand langsam auf. Die Kopfschmerzen waren fast verflogen, dankbar ging sie durch den Raum zum gedeckten Esstisch.

»Kartoffelsuppe?«

»Ja.« Katja griff nach einem Teller. »Mit Lachs. Ich hoffe, du magst die.«

»Aber ja!« Alexandra merkte erst beim Duft der Suppe, wie groß ihr Hunger war, und fing an zu essen.

»Sag mal …«, ihre Schwester machte eine lange Pause.

Alexandra sah hoch. »Ja? Was soll ich sagen?«

»Habe ich das vorhin richtig verstanden?« Katja legte den Löffel an den Tellerrand. »War das Friederike Brenner am Telefon?«

»Ja.«

»Und was wollte sie von dir?«

Alexandra hob die Schultern. »Ich muss sie noch zurückrufen. Fällt mir jetzt gerade ein, wo wir darüber reden. Mach ich nach dem Essen.«

»Was kann sie denn von dir wollen?« Katja heftete ihren Blick auf Alexandra. »Ich dachte, ihr hättet seit Jahren keinen Kontakt mehr.«

Jetzt legte auch Alexandra den Löffel zur Seite. Sie atmete tief durch, bevor sie ihre Schwester wieder ansah. »Marie hat einen seltsamen letzten Wunsch gehabt. Das habe ich dir noch nicht erzählt. Wir waren vor ein paar Wochen bei einem Hamburger Notar, also Friederike, Jule Petersen und ich. Marie hat uns das Haus am See vermacht, unter der Bedingung, dass wir uns fünf Jahre lang wieder an Pfingsten dort treffen. Und wir müssen uns einig sein. Wenn wir das nicht sind, dann geht das Haus in Maries Stiftung über. Wir haben bis nach Pfingsten Zeit, darüber nachzudenken.«

»Ach.« Katja hob die Augenbrauen. »Und? Wollt ihr das?«

»Jule war total entsetzt, Friederike hat gar nichts gesagt, und ich weiß es ehrlich gesagt nicht. Ich glaube, das wird schwierig.«

»Ihr müsst dahin fahren.« Katja nahm den Löffel wieder in die Hand. »Es ist Maries letzter Wunsch. Den schlägt man nicht ab. Das gehört sich nicht.« Sie löffelte einen Moment schweigend, dann sah sie entschlossen hoch. »Ich bleibe ja ohnehin eine Weile hier, dann fahren wir Pfingsten zusammen hoch. Ich bringe dich zum See, und wenn es Probleme gibt, dann kannst du mich anrufen und ich hole dich ab. Aber hinfahren musst du. Du hast dir Vorwürfe gemacht, dass du Marie vor ihrem Tod nicht mehr gesehen hast, jetzt erfülle ihr wenigstens ihren letzten Wunsch. Das kannst du nach dem Essen ja dann auch gleich Friederike sagen. Ich mochte die damals übrigens immer gern, Jule auch. Und Marie sowieso.«

Erstaunt hatte Alexandra ihr zugehört. Jetzt antwortete sie: »Ich halte das trotzdem für keine gute Idee. Es ist damals nicht gut auseinandergegangen, es ist so viel passiert. Ich weiß nicht, ob es richtig ist, sich nach so langer Zeit und allem, was war, gleich für drei Tage an diesem Ort zu treffen. Das kann im totalen Chaos enden, und ich …«

Sie verstummte, weil Katja die Hand gehoben hatte. »Alexandra, so wie du vorhin am Telefon ausgesehen hast, so wie du auf der Fahrt hierher um Marie geweint hast, kannst du mir nicht erzählen, dass du mit der Geschichte durch bist. Ich weiß ja nicht, worum es in eurem Streit damals ging, aber nichts kann so schlimm sein, als dass man es nicht nach all den Jahren irgendwie verstehen kann. Marie hat doch nur den Anfang gemacht, das heißt, dass sie auch daran geglaubt hat, dass ihr es wieder kitten könnt. Man kann vieles verzeihen. Vor allen Dingen wenn es so lange her ist. Und wenn ihr euch erinnert, wie eng eure Freundschaft die ganzen Jahre gewesen ist. Ich habe dich immer so sehr darum beneidet.«

Alexandra sah sie an. Und gleichzeitig schob sich ein anderes Bild davor. Philipps Hand, der in einer Bar auf Norderney nach ihr griff. Bunte Cocktails vor ihnen. Leise Klaviermusik im Hintergrund. Ihre Finger, die sich wie selbstverständlich ineinander verschränkten. Sein Oberschenkel, der sich an ihren drückte. Und ihre Stimme, die sagte: »Das dürfen wir nicht. Das geht nicht. Jule ist meine Freundin.«

Sie schloss kurz die Augen. Konnte man wirklich alles verzeihen?

»Alex?« Katjas besorgte Stimme vertrieb das Bild. »Alles in Ordnung?«

»Fast.« Sie lächelte sie an und stand langsam auf. »Ich muss mal eben auf mein Handy sehen.«

Unter Katjas fragendem Blick ging sie zum Sofa, entsperrte das Telefon und rief die Textmeldungen auf. 17. Und sechs Anrufe in Abwesenheit. Alle von derselben Nummer. Sie würde keine Nachricht beantworten und diese Nummer auch nicht zurückrufen. Sie ließ sich aufs Sofa sinken, atmete tief durch und fing an, die Nachrichten zu löschen. Eine nach der anderen. Bis keine mehr auf dem Display erschien. Danach löschte sie auch noch die Liste der Anrufer, erst dann legte sie das Handy zurück und sah ihre Schwester an.

»Ist noch Champagner in der Flasche?«

Es musste ein Ende haben.

Jule

»Noch einen?«

Hanna legte ihr kurz die Hand auf den Arm und deutete auf die Flasche. Jule schüttelte den Kopf. »Um Himmels willen, nein. Ich meine: nein danke.« Sie stellte ihr Glas auf den kleinen Tisch. »Normalerweise trinke ich überhaupt keinen Schnaps. Und schon gar nicht tagsüber. Aber der war jetzt nötig.«

»Das war ja kein Schnaps. Nur Cognac.« Hanna lächelte. »Aber Sie haben jetzt auch wieder Farbe im Gesicht. Ich hatte gerade die Befürchtung, dass Sie mir hier umkippen.«

Jule lächelte verlegen. »Es tut mir leid. Aber ich war auf diese Bilder nicht gefasst. Es ist so lange her, aber plötzlich ist alles wieder da.« Sie lehnte sich zurück und sah sich um. Die Galerie war nicht besonders groß, es waren vielleicht zwanzig Bilder in der Ausstellung. Jules Blick wanderte über ihre Sommererinnerungen. Friederikes Rücken, der weiße Streifen vom Bikinioberteil, Alexandras Dutt mit Jules glitzernder Haarnadel: ein pink-blauer Schmetterling, der aus bunten Glassteinen zusammengesetzt war. Friederike hatte immer blöde Witze über diesen Mädchenkitsch gemacht, worauf Alexandra den Schmetterling demonstrativ in ihren Dutt gesteckt hatte. Jule hätte sie dafür küssen können. Ein anderes Bild zeigte Maries glatten geflochtenen Zopf, den Jule mal mit Gänseblümchen geschmückt hatte. Gänseblümchen tauchten in einigen Bildern auf, im Kranz, in einer kleinen Vase. Marie hatte Gänseblümchen geliebt.

»Gänseblümchensommer«, sagte Jule leise, und plötzlich war sie erfüllt von einer Trauer, wie sie sie noch nie verspürt hatte: Trauer um Marie, um die vergangenen Zeiten, um ihre Freundinnen, um die Leichtigkeit, die sie mal hatten, um all die Hoffnungen und Enttäuschungen.

Jule musste sich zusammenreißen. Sie versuchte, ihre Gedanken wieder in die Gegenwart zu lenken, atmete tief durch und sah Hanna an: »Wie geht es Ihnen eigentlich?«

Überrascht blickte Hanna auf. Sie überlegte einen Moment, dann antwortete sie: »Sie sind die Erste, die mich das fragt.« Sie lächelte kurz. »Wissen Sie: An manchen Tagen fühle ich mich, als hätte jemand die Luft aus mir herausgelassen. Aber dann gibt es Tage, da ist so viel zu tun, dass ich gar nicht zur Besinnung komme. Marie und ich haben viel Zeit gehabt, uns auf ihren Tod vorzubereiten, ich weiß also genau, was zu tun ist, um was ich mich kümmern muss, was alles zu erledigen ist. Wenn ich dabei bin, ist es so, als hätte Marie mich gerade erst darum gebeten, so, als wäre sie nur nebenan und wartete darauf, dass ich sie zum Essen rufe. Aber dann wird mir klar, dass sie nicht mehr da ist, und die Trauer überfällt mich wie eine Steinlawine. Sie ist immer da, mal kleiner und sanfter, aber dann wieder brutal und heftig. Ich kann also gar nicht sagen, wie es mir geht. Ich habe noch so vieles zu regeln, und ich glaube, das wird mich erst mal durch die nächsten Monate tragen.«

Jule nickte. »Sie fehlt mir auch«, sagte sie leise. »Ich habe in den letzten Wochen erst gemerkt, wie sehr sie mir auch schon in den letzten Jahren gefehlt hat. Ich hätte sie ja nur anrufen müssen. Und habe es nicht getan. Nicht mal ihre Briefe oder Mails habe ich richtig beantwortet. Es tut mir alles so wahnsinnig leid. Und gleichzeitig bin ich so unendlich wütend auf mich.«

Hanna fuhr sich langsam mit der Hand durch die kurzen grauen Haare. »Es macht keinen Sinn, mit Dingen zu hadern, die man nicht mehr rückgängig machen kann. Das vergiftet nur die Seele. Glauben Sie nicht, dass mir das alles fremd wäre. Aber ich habe die Erfahrung gemacht, dass man den Blick trotzdem auf die Dinge richten muss, die vor einem liegen. Man kann versuchen, Fehler, die man mal gemacht hat, nicht zu wiederholen, aber man kann sie nicht aus der Geschichte löschen.«

»Nein.« Jule stand langsam auf. »Nein, man kann sie nicht löschen.« Sie ging ein paar Schritte und blieb vor dem Bild mit den vier Badeanzügen stehen. Vier junge Frauen in vier Badeanzügen, wie sie unterschiedlicher nicht sein konnten: Friederike trug einen grünen Anzug mit weißen Streifen. Ganz klar strukturiert, schmale Streifen, sehr klassisch, aber mit tiefem V-Ausschnitt. Alexandras war schwarz, mit schmalen Trägern und einem geraden Ausschnitt, ohne Muster, ganz pur. Nichts hatte von Alexandras perfekter Figur und ihrem schönen Gesicht abgelenkt. Und Jules Lieblingsstück war hellblau, mit Körbchen, breiten Trägern und vielen kleinen roten Herzchen. Maries war der kleinste. Und ganz weiß.

»Die Fotos sind zwischen 1979 und 1995 entstanden«, sagte Hanna, die plötzlich hinter ihr stand. »Marie hat in dieser Ausstellung, die schon in mehreren Galerien gezeigt worden ist, nur die Fotos ausgewählt, auf denen keine Gesichter zu erkennen sind. Nur sie hat immer gewusst, wen sie da fotografiert hat. Von wann dieses ist, müsste ich nachsehen.«

»Das war der Sommer nach unserem Abitur.« Jules Blick

blieb auf dem Bild. »Es war der erste Badeanzug, den ich mir mit Körbchen gekauft hatte. Ich war immer neidisch auf Friederikes Oberweite.« Sie lächelte. »Ein wunderschönes Foto.«

»Ja.« Hanna nickte. »Es gibt übrigens die meisten Motive auch noch in einem kleineren Format. Dreißig mal dreißig, falls man die großen Bilder nicht hängen kann.«

»Auch das mit den Füßen?«

»Ja.«

Jule dachte einen Moment nach, dann drehte sie sich um und sagte: »Dann möchte ich es gern dreimal kaufen.«

Hanna lächelte. »Gern. Ich hole sie Ihnen. Einen Moment bitte.«

Sie öffnete eine Tür und verschwand. Jule sah ihr nach, bevor sie sich wieder den Bildern zuwandte. Sie schritt die Wände langsam ab, ganz hinten war sie noch nicht gewesen, sie blieb plötzlich wie angewurzelt stehen: Das war ihr Bauch, sie erkannte ihn sofort, die kleine Wölbung, sie war damals im vierten Monat schwanger. Sie saß auf dem Steg, in einem kurzen, ärmellosen, geblümten Kleid, die Füße baumelten im Wasser. Marie hatte sie von oben fotografiert, so dass man nur ihren Bauch und die nackten Beine sehen konnte. Auf dem Bauch lagen zwei Hände, nicht ihre, sondern die von Friederike und Alexandra, die neben ihr gesessen hatten. Das Licht der Abendsonne tauchte die ganze Szene in Gold.

1992, dachte Jule. Ja, sie war Pfingsten hochschwanger gewesen, so glücklich wie noch nie in ihrem Leben. Sie starrte auf das Foto, und plötzlich geriet die Szene in Bewegung.

»Bleibt so.« Maries Stimme unterbrach Friederikes Ausführungen über Ulli. »Das Licht ist gerade so toll. Nein, Jule, du sollst mich nicht angucken, ich will den Bauch von oben.«

»Jedenfalls haben wir für August eine Woche Portugal gebucht. Ich habe auch auf Ende August bestanden, ich habe echt keine Lust, diese Gören auch noch mit in den Urlaub zu nehmen. Ulli nimmt die Kinder ja die ersten drei Wochen in den Ferien, sie fahren zusammen nach Fehmarn, ich habe mich da gleich ausgeklinkt. Und danach fliegt Ullis Ex-Frau mit ihnen nach Südfrankreich, das muss ja wieder schicker sein als das, was der Vater mit den Kindern macht. Sie ist so … «

»Fiedi, halt doch mal einen Moment die Klappe.« In ungewohnt rüdem Ton unterbrach Marie sie. Wenn es um die Lichtverhältnisse beim Fotografieren ging, war sie unerbittlich. »Du kannst mal die Hand auf Jules Bauch legen.«

»Da ist ja auch ein Gör drin.« Friederike lachte und tätschelte Jules Bauch. »Wobei das ja ein Gemeinschaftskind wird. Jule, ich wäre übrigens gern Patentante. Kommen wir ins Geschäft?«

Mit geschlossenen Augen, die Arme hinter sich aufgestützt, antwortete Jule in schläfrigem Ton: »Du bist mir nicht tantenhaft genug. Ich brauche etwas Sanftes, Liebes, fast schon Heiliges für mein Kind. Nicht so eine Giftspritze wie dich.«

»Du, heilig kann ich auch.« Friederike sah an Jule vorbei zu Alexandra. »Alex, was ist los? Bist du eingeschlafen?«

»Nein, aber du redest ja die ganze Zeit, da kommt man ohnehin nicht dazwischen.«

Marie machte ein Probebild von Alex und ein weiteres von Friederike und sah sich das Ergebnis an. Das Licht war wunderbar. Bei genauem Hinsehen runzelte sie die Stirn. Alexandra wirkte auf dem Foto so verloren und traurig, dass Marie die Kamera sinken ließ und Alex musterte. Die bemerkte es und sah zu ihr. »Ja?«

»Nichts.« Marie lächelte. »Alles in Ordnung?«

»Sicher.« Alex schüttelte unwillig den Kopf. »Was habt ihr denn? Nur weil ich mal fünf Minuten nichts sage, fragt mich jeder gleich, was los ist. Es ist alles in Ordnung. Jetzt mach das Foto, ich muss aufs Klo.«

Jule bemerkte den Blick, den sich Marie und Friederike zuwarfen. Sie sah zu Alexandra, die auf den See starrte. Mit ihr war nicht alles in Ordnung, irgendetwas schien sie zu beschäftigen, Jule fragte sich, wann sie es ihnen erzählen würde. Sie war zuversichtlich, dass es noch im Lauf dieses Wochenendes passierte. Dafür waren sie doch da. Sie stieß Alex sanft an. »Komm, ich will deine Hand auch auf dem Bauch. Sonst wird das Kind nur von Fiedi beeinflusst, und das geht schief.«

Alexandra sah sie an. Dann lächelte sie und legte ihre Hand sanft auf Jules Bauch. Ganz leicht zitterten ihre Finger.

»Hier sind sie.« Hanna kam mit den drei gerahmten Bildern zurück. »Ich lege Sie Ihnen hier auf den Tisch.« Sie verharrte, als sie Jules Gesicht sah, und stellte sich neben sie. »Ach, ja, das ist auch eine schöne Szene. Sie sind das, oder?«

»Ja.« Jule nickte, ohne sie anzusehen. »Pfingsten 1992. Eigentlich war es der letzte leichte Gänseblümchensommer. Danach wurde das Leben von uns allen schwieriger. Aber das hat damals noch niemand geahnt.« Sie dachte einen Moment nach. »Niemand stimmt nicht: *ich* nicht.«

Sie drehte sich zu Hanna um. »Danke.«

Erstaunt sah sie zurück. »Wofür?«

Jule nahm ihr die Bilder ab, die sie immer noch hielt. »Für diese Ausstellung hier, für den Cognac, für das Gespräch, dafür, dass Sie Maries Wunsch erfüllen und dass Sie freundlich geblieben sind, obwohl die Situation beim Notar für Sie sicher auch nicht besonders schön war.«

Hanna lächelte. »Ich hatte damit gerechnet. Und von außen betrachtet, war das ja für alle eine ziemliche Herausforderung. Haben Sie eigentlich schon entschieden, ob Sie Pfingsten kommen? Ich hatte beim Notar den Eindruck, als fiele Ihnen diese Entscheidung von allen am schwersten.«

Jule ließ ihre Blicke noch einmal über die Bilder schweifen. Dann sah sie Hanna entschlossen an. »Marie hat mich gerade überzeugt. Aber wenn es Streit gibt, bin ich sofort wieder weg.«

»Das ist Ihre Entscheidung«, antwortete Hanna. »Aber wer weiß: Vielleicht finden sich ja auch ein paar Spuren Ihrer Gänseblümchensommer.«

Jule wirkte nicht ganz überzeugt. »Ja, vielleicht«, sagte sie leise und ging langsam neben ihr zum Schreibtisch in der Ecke. »Dann möchte ich jetzt bezahlen. Was bekommen Sie für die Bilder?«

Sie drehte das oberste Bild um und suchte den Preis. Hanna legte ihr die Hand auf den Arm.

»Nein, lassen Sie, bitte. Ich möchte sie Ihnen gern schenken.«

Jule legte die Bilder auf den Tisch und kramte nach ihrem Portemonnaie. »Aber nein. Ich möchte sie wirklich gern kaufen. Es sind sechshundert Euro zusammen, stimmt's?« Sie zog ihre EC-Karte raus und legte sie auf den Tisch. »Kann ich das mit der Karte bezahlen?«. Sie hob die Hand, als Hanna protestieren wollte. »Wenn Sie es nicht wollen, dann nehmen Sie das Geld bitte für Maries Stiftung. Aber ich muss die Bilder bezahlen. Das ist mir wichtig.«

Hanna sah sie lange und intensiv an. Dann nahm sie die Karte, schob sie in das Gerät. Anschließend griff sie zu Folie und Papier und packte die Bilder sorgfältig ein. Schließlich reichte sie Jule eine große Papiertüte. »Warten Sie, Sie bekommen noch eine Spendenquittung.«

»Die brauche ich nicht.« Jule reichte Hanna die Hand. »Danke für alles. Bis Pfingsten dann.«

Hanna nickte. »Ja. Bis Pfingsten.«

Freitag vor Pfingsten

Auf der Autobahn

»Pass auf, der bremst!« Alexandras Stimme klang schrill, sie stemmte reflexartig ihren Fuß auf den Boden, als würde das was nützen – sie saß auf dem Beifahrersitz. Dabei hatte Katja alles im Griff und sah sie nur kurz an. »Alex. Ich hab das doch gesehen. Entspann dich.«

Sie waren an einer Raststätte zwischen Osnabrück und Bremen abgefahren, kurz nachdem Katja beschlossen hatte, dass sie jetzt Pommes essen und einen Kaffee trinken musste. Alexandra hatte nichts dagegen, sie lagen ja gut in der Zeit.

Katja fand einen freien Parkplatz genau vor dem Eingang. »Wunderbar«, sagte sie und lenkte den Wagen langsam in die Lücke. Als sie den Schlüssel abgezogen hatte, sah sie ihre Schwester eindringlich an: »Der Unfall steckt dir schon noch in den Knochen, oder?«

»Ich war gerade so in Gedanken. Und dann waren da plötzlich wieder die Bremslichter.« Alexandra schüttelte den Kopf. »Blöd. Ich wollte dich nicht anschreien. Willst du wirklich fiese Pommes essen?«

Katja hangelte ihre Handtasche von der Rückbank und öffnete die Fahrertür. »Unbedingt«, sagte sie beim Aussteigen. »Ich esse auf Raststätten immer Pommes, das gehört dazu. Zum Urlaubsgefühl.«

»Du fährst doch gar nicht in den Urlaub.« Alexandra dehnte ihren Rücken.

»Ich hatte Urlaub in München«, antwortete ihre Schwester. »Die Rückfahrt gehört noch dazu.«

Sie lief mit schnellen Schritten die Treppe zum Eingang hinauf, Alexandra folgte ihr in geringem Abstand und beobachtete sie. Katja hatte die Tage in München sichtlich genossen. Und es hatte ihnen beiden gutgetan. So nah wie in diesen letzten Tagen waren sie sich als Schwestern nicht mehr gewesen, seit Katja damals Jochen geheiratet hatte.

An der Eingangstür drehte Katja sich zu ihr um. »Wo bleibst du? Du bist doch sonst nicht so langsam.«

»Mir tun immer noch die Rippen weh. Ich komme ja schon.«

Katja lächelte und hielt ihr die Tür auf.

Kurz danach saßen sie sich an einem Tisch am Fenster gegenüber. Während Alexandra in ihrem Tee rührte, tunkte Katja zufrieden mit den Fingern ihre Pommes in den Ketchup. Sie sah gut aus, fand Alexandra. Sie waren zusammen bei Alexandras Friseur gewesen, der Katja endlich mal eine richtige Frisur verpasst hatte, es machte sie um Jahre jünger. Katja hatte sich in der ersten Woche rührend um alles gekümmert, und als es Alexandra wieder besser ging, hatte sie sich bemüht, ihrer Schwester noch ein paar schöne Tage in München zu machen. Offenbar war das gelungen.

Katja hob kauend den Kopf. »Habe ich Ketchup am Kinn? Oder Mayo am Ohr? Oder warum starrst du mich so an?«

Alexandra lächelte. »Nein. Ich habe nur gerade gedacht, dass du sehr schön aussiehst. Die Frisur steht dir gut und die neue Bluse auch.«

Verlegen sah Katja an sich runter. »Danke. Mir gefällt das auch. Ich bin ganz gespannt, was Matthias sagt. Der kennt mich gar nicht wieder.« Sie lachte leise. »Obwohl er mich auch vorher schön fand. Sagt er zumindest immer.«

Alexandra nickte. »Ihr habt wirklich Glück, dass ihr euch gefunden habt. Da behält man doch die Hoffnung, dass auch ältere Singlefrauen noch die Chance haben, sich zu verlieben. Ich könnte eigentlich mal einen Roman zu diesem Thema machen. Mal überlegen, welche Autorin den schreiben könnte. Also: selber schreiben könnte.«

»Du und dein Job.« Missbilligend schüttelte Katja den Kopf. »Vielleicht verliebst du dich ja auch privat noch mal. Wie wär es zum Beispiel mit Jan Magnus? Deine Freundin Lina hält das für eine sehr gute Idee.«

Vor drei Tagen, Alexandra war gerade erst nach Hause zurückgekommen, hatte es plötzlich an der Haustür geklingelt. Alexandra war am Vormittag kurz im Verlag gewesen, um sich mit dem Justitiar und dem Agenten von Magdalena Mohr zu treffen. Wie nicht anders zu erwarten, hatte der französische Verlag geklagt, jetzt mussten sie überlegen, wie es weitergehen sollte. Gegen den Rat des Agenten gab Magdalena selbstmitleidige Interviews, die ihr mehr schadeten als nützten, Alexandra war froh, dass sich jetzt die Juristen um den Fall kümmerten, sie war da erst mal raus.

Sie saß mit Katja am Esstisch und erzählte von ihrem Gespräch, als sie von der Klingel unterbrochen wurde. »Wer ist das denn jetzt?«

»Solange es nicht wieder die Verrückte ist«, Katja sah sie fragend an. »Nicht dass die durchdreht und dich umbringt.«

»Du liest zu viele schlechte Krimis«, antwortete Alexandra und ging zur Tür. »Und wenn, dann kannst du dich ja dazwischenwerfen. Ja?« Letzteres sagte sie in die Gegensprechanlage neben der Tür.

»Alexandra? Hier ist Lina! Mach mal auf.«

»Lina!?« Erstaunt drückte Alexandra auf den Summer und drehte sich zu ihrer Schwester. »Lina Hansen«, teilte sie ihr mit. »Das ist ja …«

Lina kam die Treppe hoch, im Arm einen großen Blumenstrauß. Sie sah Alexandra an der Tür stehen und strahlte sie an. »Überraschung. Ich wollte mich selbst davon überzeugen, dass du dieses ganze Theater heil überstanden hast. Du siehst ja wieder richtig gut aus. Das freut mich.«

Sie ließ den Blumenstrauß sinken und umarmte Alexandra, bevor sie ihn ihr feierlich übergab. »Na? Hast du dich schon ein bisschen erholt? Wie geht es der Gehirnerschütterung?«

»Danke, ganz gut.« Immer noch überrascht ließ Alexandra den Strauß sinken und trat einen Schritt zurück. »Sag mal, was machst du denn in München? Und wieso hast du nicht angerufen? Aber komm erst mal rein.«

Lina folgte ihr in die Wohnung. »Du, das war ganz spontan. Wir haben heute Abend zwei Autoren im Bayerischen Rundfunk. Karla wollte sie eigentlich begleiten, aber jetzt ist sie von der Grippe niedergestreckt, ich bin eingesprungen und habe einen frühen Flug gebucht, damit ich mich selbst davon überzeugen kann, dass es dir wieder gut geht. Hallo, ich bin Lina Hansen, und Sie sind bestimmt Katja.«

Katja stand vor ihnen und streckte ihre Hand aus. »Genau, freut mich. Das ist ja nett, dass Sie vorbeikommen. Möchten Sie einen Tee? Und soll ich mal die Blumen ins Wasser stellen?«

»Gern«, Lina lächelte und lockerte ihr buntes Tuch, das sie über einer weißen Bluse trug, bevor sie sich an den Tisch setzte und Alexandra ansah. »Ich habe vom Flughafen aus ein paar Mal versucht, dich zu erreichen, aber das Handy war die ganze Zeit aus. Daher mein Überfall.«

»Ich freue mich, Lina«, Alex strich ihr über den Rücken.

Katja ließ Wasser in eine Vase laufen und drehte sich zu ihnen um. »Ich habe Alex gesagt, sie soll das Ding mal eine Weile ausstellen. Sie ist bis zum Wochenende krankgeschrieben, da muss sie doch nicht dauernd erreichbar sein. Die Leute sollen im Verlag anrufen. Das Handy klingelt und piept ja jede Minute, das ist doch nicht normal.«

Alexandra stellte ihr eine Tasse hin. »Katja ist sehr rigoros in der Krankenpflege. Ich habe da keine Mitsprache. Aber das Handy war auch aus, weil ich heute Morgen im Verlag eine Besprechung hatte. Mit dem Agenten von Magdalena und unserem Anwalt.«

Lina war eine der Ersten gewesen, die Alexandra nach dem Zeitungsartikel angerufen hatte. Sie hatte sofort ihre Hilfe angeboten. Alexandra hatte zwar abgelehnt, war aber sehr gerührt, und sie hatten viel telefoniert in den letzten Tagen. Es half, mit einer Freundin zu reden, die genau einschätzen konnte, welche Tragweite dieser Plagiatsfall für eine Verlegerin hatte.

Jetzt sah sie Alexandra neugierig an: »Und an welchem Punkt seid ihr jetzt? Die Franzosen werden sicher klagen, oder?«

Alexandra nickte. »Ja, natürlich, das müssen sie. Es wird auf eine Entschädigungssumme hinauslaufen, die Magdalena zahlen muss. Aber das haben wir jetzt alles den Anwälten übergeben.« Sie schüttelte den Kopf. »Es ist ja nicht das erste Mal, dass so etwas irgendwo passiert. Aber wenn es einen dann selbst betrifft ... grauenhaft.«

»Du Arme.« Lina drückte kurz Alexandras Hand. »Aber ich fand die Mohr schon immer etwas seltsam. Ich habe mir überlegt, dass du vielleicht offensiv damit umgehen solltest. Bloß nicht verstecken, so etwas kann in jedem Verlag passieren.«

Katja kam zu ihnen und stellte die Blumen auf den Tisch. »So ein schöner Strauß«, sagte sie und setzte sich neben ihre Schwester. »Ist da noch Tee in der Kanne? Sonst koche ich noch einen. Oder möchtet ihr …«

Wieder unterbrach die Klingel den Satz, sofort sprang Katja auf. »Was ist denn heute hier los?«

Kurz danach hörten sie Stimmen im Flur, Katja begrüßte jemanden sehr herzlich und kam zurück. »Jetzt wird es voll in der Hütte. Jan Magnus, und das ist …«

Lina hatte sich langsam erhoben und starrte ihn erstaunt an. »Wir kennen uns. Hallo, Jan!«

»Lina. Das ist ja ein Ding. Mit dir habe ich hier nun gar nicht gerechnet.« Er lächelte und küsste sie zur Begrüßung rechts und links auf die Wangen, bevor er sich Alexandra zuwandte. »Hallo, Alexandra, entschuldigen Sie, dass wir einfach hier reinplatzen, aber Sophia hielt es nicht mehr aus. Und ich habe etwas für Sie.« Erst jetzt fiel Alexandras Blick auf ihre Volontärin, die noch in der Tür stand.

»Sie kennen sich?« Alexandra sah von Jan Magnus zu Lina. »Das wusste ich gar nicht.«

»Sie wissen doch selbst, wie klein die Bücherwelt ist.« Jan Magnus schaute sie an. »Pressefrauen und Journalisten laufen sich dauernd über den Weg. Lina und ich kennen uns seit Jahren, stimmt's?«

Lina nickte. »Seit Jahrzehnten, mein Lieber. Aber mit Alexandra habe ich aus mir unerfindlichen Gründen noch nie über dich gesprochen.«

Sophie war inzwischen auch eingetreten. Sie war sehr blass und wirkte neben ihrem Vater klein und sehr zierlich. »Frau Weise, es tut mir so leid. Mein Vater meinte, ich könne einfach mitkommen, um mit Ihnen zu reden. Ich habe so ein schlechtes Gewissen.«

»Sie? Warum denn das?« Alexandra schob einen weiteren Stuhl an den Tisch. »Ganz im Gegenteil, Sie haben dem Verlag einen großen Dienst erwiesen, wir können uns nur bei Ihnen bedanken. Wir reden noch in Ruhe darüber. Aber Sie müssen sich keine Gedanken machen. Lina, das ist übrigens unsere Volontärin Sophia Magnus, die dem Plagiat auf die Spur gekommen ist.«

»Sophia ist eure Volontärin?« Immer noch verblüfft über dieses unverhoffte Treffen sah Lina erst Sophia Magnus und dann Alexandra an. »Als ich dich das letzte Mal gesehen habe, hattest du noch ein Plüschpony unter dem Arm.«

»Lina.« Jan Magnus setzte sich ihr gegenüber und lächelte dieses hinreißende Lächeln, das bei Alexandra einen erhöhten Pulsschlag auslöste. »Das sind Sätze, die bei jungen Frauen immer Begeisterungsstürme entfachen. Sophia, du musst nicht über dein Pony sprechen.«

Sophia lächelte schief und sah Lina unsicher an. Die gab das Lächeln zurück. »Ich kenne deinen Vater seit zwanzig Jahren, er war immer mein Lieblingsjournalist, weil er alle Bücher, die ich ihm geschickt habe, sofort gelesen und besprochen hat. Und bei irgendeinem Verlagssommerfest in Hamburg hat er dich und dein Pony mal mitgebracht. Das ist wirklich lange her. Egal, aber jetzt bist du dieser Geschichte auf die Spur gekommen. Großartig.«

Alexandra hatte während des Gesprächs von einem zum anderen gesehen. Sophia war immer noch blass und wirkte von den Geschichten über Plüschponys irgendwie überfordert. »Sophia, wollen wir einen Moment …«

»Gleich.« Jan Magnus zog sofort einige zusammengefaltete Bögen aus der Innentasche seines Jacketts und glättete sie auf dem Tisch, bevor er sie zu Alexandra schob. »Ich wollte Ihnen vorher noch etwas geben. Das ist das Interview, das übermorgen im Magazin erscheint. Ich finde, dass der Kollege es hervorragend geschrieben hat.«

Er sah sie eindringlich an, Alexandra musste sich zwingen, wegzuschauen. Sie nahm die Bögen in die Hand und sagte zu Lina: »So viel zum Thema, ich solle die Geschichte offensiv angehen.«

»Deine Freundin Lina hält das für eine sehr gute Idee«, hatte Katja gerade gesagt. Jetzt schüttelte Alexandra die Bilder ab und warf einen kurzen Blick auf die restlichen Pommes, bevor sie nachfragte: »Was hat Lina zu dir gesagt?«

Katja lächelte sie an. »Dass Jan Magnus ein klasse Typ ist und so gut zu dir passen würde.«

»Was?« In einer Art Übersprunghandlung griff Alexandra nach den mittlerweile kalten Pommes und steckte sich eine in den Mund. »Wann hat sie das denn gesagt?«

Ihre Schwester zuckte die Achseln. »Als du dich mit Sophia in dein Arbeitszimmer verzogen hast. Jan ist da noch mal zum Auto gegangen, um irgendwas zu holen. Jedenfalls hat sie mir erzählt, dass sie ihn schon seit Jahren kennt und er ein ganz, wie hat sie sich ausgedrückt? Ach ja, ein ganz feiner Mann ist. Und auch sie das Gefühl hat, dass er dich ziemlich toll findet.«

»Wieso ›auch‹?«

»Na ja«, unbekümmert nickte Katja. »Ich habe das ja schon am ersten Abend bemerkt.«

»Unsinn.« Alexandra stützte das Kinn auf. »Und außerdem ist er, glaube ich, ohnehin liiert. Er pendelt zwischen Hamburg und München, das macht man doch nicht, wenn man allein lebt.«

»Er ist geschieden und pendelt wegen Sophia«, antwortete Katja sofort. »Und nein: Er ist nicht liiert.«

»Sagt Lina?«

»Nein«, Katja sah sie an. »Ich habe ihn gefragt. Und er hat geantwortet. Das ist manchmal ganz einfach.«

»Aha.« Etwas abrupt stellte Alexandra ihre leere Tasse auf das Tablett und stand auf. »Dann wissen wir jetzt ja Bescheid. Du musst aber keine Pläne für mich machen, im Moment habe ich keinen Kopf für so was. Und jetzt lass uns weiterfahren, es zieht sich noch ganz schön.«

Sie trug das Tablett zur Geschirrabgabe und folgte Katja nach draußen. Kurz bevor sie am Auto waren, hielt Katja sie am Ärmel fest.

»Alex, auch wenn du in den letzten Jahren keine guten Erfahrungen gemacht hast, heißt das noch lange nicht, dass es jedes Mal wieder schiefgeht. Ich hätte nach Jochen wirklich nicht gedacht, dass ich mich wieder auf eine Beziehung einlassen kann. Aber mit Matthias war das ganz leicht.«

Alexandra sah ihre Schwester nachdenklich an, bevor sie antwortete: »›Schiefgegangen‹ trifft es nicht richtig. Es war etwas anderes. Und ich bin gerade dabei, mich aus dieser Spirale zu lösen, das ist sehr schwer. Außerdem treffe ich gleich mein altes Leben wieder. Das steht mir einigermaßen bevor. Und wenn ich das alles überstanden habe, erst dann denke ich vielleicht mal wieder nach vorn. Das wird aber nicht nächste Woche oder nächsten Monat sein. Ich muss noch so vieles in meinem Kopf sortieren.«

Katja beugte sich nach vorn und küsste Alexandra auf die Wange. »Du wirst sehen, es wird sich alles zurechtruckeln«, sagte sie voller Überzeugung und hakte sich bei ihrer Schwester ein. »Das habe ich im Gefühl.«

Kurz vor Bremen fiel Alexandra wieder das Telefonat mit Friederike ein. Sie hatten sich sehr sachlich und höflich unterhalten, Friederike hatte sie schließlich gefragt, ob sie schon eine Entscheidung getroffen hatte in Sachen Pfingsttreffen.

»Ich denke, ich fahre hin«, hatte Alexandra ihr gesagt, und erst in diesem Moment verstanden, dass sie sich tatsächlich dafür entschieden hatte. »Meine Schwester ist gerade zu Besuch, sie fährt am Freitag vor Pfingsten wieder in den Norden und nimmt mich im Auto mit. Und wenn es am See tatsächlich unangenehm wird, kann ich ja immer noch abreisen. Was ist mit dir?«

»Ich fahre auch.« Friederikes Antwort kam knapp und etwas spröde. Das zumindest hatte sich nicht verändert. »Marie zuliebe, ihrer Frau zuliebe und vielleicht sogar mir zuliebe. Dann sehen wir uns also am See. Mach's gut, bis dahin.«

Als sie aufgelegt hatte, waren Alexandra die Tränen gekommen. Es tat einfach weh zu spüren, dass Welten zwischen diesem Telefonat und denen lagen, die sie früher miteinander geführt hatten. Damals war alles so leicht gewesen: Man hatte nur mal eben so durchgeklingelt, mitten in der Nacht, weil man sich über irgendetwas wahnsinnig geärgert oder gefreut hatte. Weil man sich gerade langweilte oder nicht schlafen konnte. Oder weil man einfach die Stimme der anderen hören wollte. Sie sah sich selbst im Schlafanzug und ungeschminkt auf dem Sofa sitzen, die Wolldecke über den Beinen, ein Glas Wein in der Hand, den Telefonhörer am Ohr. Es gab kaum etwas, über das sie nicht sprechen konnten. Na ja. Bis auf eine Sache. Sie waren so vertraut miteinander, alles war so selbstverständlich. Und jetzt? Ein Telefonat, das sie auch mit jeder Kollegin hätte führen können. Und das wäre sicher herzlicher ausgefallen. Die Tränen, die jetzt kamen, waren Ausdruck eines gewaltigen Verlustes. Nie wieder hatte Alexandra so leicht, so selbstverständlich, so unbeschwert mit einem anderen Menschen telefoniert.

Sie räusperte sich und sah ihre Schwester an. Die nahm kurz den Blick von der Straße und sagte: »Jetzt sind wir schon in Bremen, wir hätten ja auch Friederike mitnehmen können. Dann hättet ihr euch im Auto schon mal wieder annähern können.« Sie konnte also doch Gedanken lesen, langsam war Alexandra fest davon überzeugt. Trotzdem hatte sie keine Lust, jetzt darüber zu sprechen.

»Katja, wir sind keine zwölf mehr, und wir haben uns auch nicht darüber gestritten, wer zuerst das Kaninchen streicheln darf. Ich weiß überhaupt nicht, ob es hier noch um Annährung geht. Ich glaube, dass zu viel passiert und zu viel Zeit vergangen ist, als dass wir irgendwo anknüpfen könnten. Du hast gesagt, dass es sich gehört, Maries letzten Wunsch ernst zu nehmen, deshalb versuche ich, ihn zu erfüllen. Ich glaube aber nicht, dass wir es so hinbekommen, wie Marie es gewollt hat. Können wir bitte das Thema wechseln? Ich möchte jetzt nicht mehr darüber reden oder nachdenken, sonst überlege ich's mir womöglich im letzten Augenblick noch anders.«

»Gut.« Katja nickte. »Morgen bist du schlauer. Ich glaube ja, dass man unter Frauen alles wieder hinbekommt. Sieh es nicht zu pessimistisch. Aber Themenwechsel: Ist dir aufgefallen, dass du seit einer Woche nicht mehr dauernd auf dein Handy starrst? Ist das nicht viel entspannter?«

»Ja.« Alexandra lächelte matt und sah aus dem Fenster. Sie fühlte sich, als wäre sie auf Drogenentzug. Vor einer Woche hatte sie ihre letzte SMS an ihn geschickt, als Antwort auf eine Flut von Fragen und Anrufen.

Ich kann es im Moment nicht. Fahre am Freitag mit meiner Schwester nach Weißenburg und werde Pfingsten am See verbringen. Jule wird auch da sein. Ich möchte eine Zeitlang keinen Kontakt haben. Ich muss nachdenken. A.«

Natürlich waren auf diese Mitteilung wieder neue gekommen, bis hin zu der Ankündigung, dass er in der Woche nach Pfingsten in München bei seiner Mutter wäre und sie unbedingt sehen musste. Auch diese SMS hatte sie sofort gelöscht und nicht beantwortet. Ihr tat schon das Denken an ihn weh, gleichzeitig hatte sie das erleichternde Gefühl, dieses Mal könnte sie es schaffen. Darüber hatte sie mit ihrer Schwester nicht gesprochen. Katja wusste ja noch nicht mal, um wen es sich handelte. Vielleicht würde sie es ihr sagen, wenn alles endlich vorbei war. Dann könnte Katja auch den Grund des Zerwürfnisses besser verstehen und hielt ihn nicht mehr für ein Missverständnis. Aber im Moment konnte sie einfach nicht darüber sprechen. Erst musste sie den Knoten für sich selbst lösen. Vielleicht half ihr Marie nun doch dabei. Beim ersten Mal hatte Alexandra ihre Hilfe abgelehnt.

Freitag vor Pfingsten

Weißenburg

Jule blieb unschlüssig vor dem Schrank stehen, dann schob sie die Bügel zur Seite, bis sie gefunden hatte, was sie suchte. Sie hatte diesen Rock erst zweimal getragen, eigentlich fühlte sie sich nicht wohl damit, aber ihre Tennisfreundin Eva hatte ihn bei einem gemeinsamen Einkaufsbummel entdeckt und ihr massiv zugeredet. »Jule, du hast so schöne Beine und rennst immer nur in Jeans rum. Und runtergesetzt ist der auch, also komm, nimm ihn mit. Den kannst du anziehen, wenn du mal schick essen oder ins Theater gehst oder wenn du irgendwann mal wieder ein Date hast. Also, los.«

Jule hatte ihn also gekauft und einmal angehabt, als sie tatsächlich mit Pia im Theater war, das zweite Mal bei der Praxiseröffnung einer ehemaligen Kollegin.

Jetzt faltete sie ihn zusammen und legte ihn vorsichtig in ihre Reisetasche. Nur um ihn zwei Minuten später wieder rauszunehmen und zurück auf den Bügel zu hängen. Sie würde alles Mögliche im Haus am See brauchen. Was garantiert nicht dazugehörte, war ein enger, dunkelblauer Rock, der sexy genug für ein Date war.

Sie ließ sich aufs Bett sinken und betrachtete die Sachen, die um sie herum verteilt lagen. Seit einer Stunde packte sie jetzt schon die kleine Tasche, gefühlt hatte sie jedes Teil, das sie besaß, bereits einmal reingelegt und gleich wieder rausgenommen. Sie machte sich viel zu viel Gedanken, es ging um drei Tage! Früher war es ihr überhaupt nicht wichtig gewesen, was sie trugen. Sie hatten einfach was an. Und wenn etwas fehlte, dann konnte man es bei den anderen leihen. Friederike und Alexandra hatten ähnliche Größen, und sie selbst konnte mit Marie tauschen. Es war so praktisch gewesen. Betonung lag auf »gewesen«.

Jule stand langsam auf und nahm eine Strickjacke hoch, die sie kritisch musterte. Eigentlich war es egal, sie warf sie in die Reisetasche und hörte im selben Moment das Telefon klingeln.

Die Nummer auf dem Display ließ sie lächeln. »Hallo, Torge!« Sie nahm das Telefon mit ins Wohnzimmer und ließ sich in den Sessel fallen.

»Hallo, Jule.« Er hatte die erotischste Telefonstimme, die sie kannte, Jule schloss kurz die Augen, um sich besser auf seine Worte konzentrieren zu können. »Ich habe gerade an dich gedacht. Hast du schon gepackt?«

»Ich bin dabei. Noch nicht ganz fertig. Und du? Bist du noch im Büro?«

»Ja. Aber ich fahre gleich bei dir vorbei, habe ich dir das eigentlich gesagt? Ich muss zu einem Mandanten nach Danburg, das ist ja nur acht Kilometer von dir entfernt.«

»Hast du das extra gemacht?«

Er lachte. »Den Termin heute, ja. Ich würde dich gern noch sehen, bevor du fährst. Wenn das für dich okay ist.«

Jule setzte sich ganz gerade hin und sah auf die Uhr. »Natürlich ist es okay, was glaubst du denn? Ich muss nur gegen siebzehn Uhr los, jetzt ist es eins. Wann bist du denn hier?«

»Unter Berücksichtigung der Straßenverkehrsordnung in vierzig Minuten«, war seine Antwort. »Mein Termin ist erst heute Abend.«

»Schön.« Jule lächelte. »Ich freue mich.«

»Bist du nervös wegen eures Treffens?«

Sie überlegte und nickte heftig. »Ja.«

Das Lächeln in seiner Stimme war zu hören und ging ihr direkt in den Magen. »Ich kann dich vorher ja noch ein bisschen beruhigen. Also, bis gleich, bin schon auf dem Weg.«

Langsam legte sie das Telefon auf den Tisch und verschränkte die Arme im Nacken. Ihr ganzer Bauch bestand aus Freude. Noch vor wenigen Wochen hätte sie sich nicht träumen lassen, dass ihr so etwas noch mal passieren würde. Und sie sich jemals wieder so fühlen würde.

Ein paar Tage nach ihrem Besuch in der Galerie hatte sie einen spontanen Anruf von Torge aus dem Auto bekommen. Er war auf dem Heimweg von einem Mandanten gewesen. Jule war zu Hause gewesen, sie hatte aus einem Impuls heraus eine der Kisten vom Dachboden geholt, um die sie seit Jahren einen Bogen gemacht hatte. Es waren zwei Kisten, in die sie an einem verzweifelten Wochenende vor mehr als zehn Jahren alles reingepfeffert hatte, was sie mit drei anderen Frauen verbunden hatte. Fotos, Eintrittskarten, silberne Ohrringe mit einem violetten Stein, eine Mütze, Haarspangen, diverse geschenkte Tücher, Tagebücher, Briefe. Es waren Jahre, sogar Jahrzehnte gewesen, in denen sich diese Dinge angehäuft hatten. Und sie hatte alles aufbewahrt. Dann waren sie giftig geworden, und eigentlich war ihr Plan damals gewesen, alles in einem Feuer im Garten zu verbrennen. Nur weil es so geregnet hatte, hatten die Erinnerungen diesen Abend überlebt. Und später war der Widerwille, diese Kisten zu öffnen, so groß gewesen, dass sie seit Jahren unbeachtet auf dem Dachboden gestanden hatten. Mit Maries Fotos im Kopf hatte Jule es an diesem Abend geschafft.

Als Torge damals anrief, hatte Jule bereits seit drei Stunden und mit einer halben Flasche Wein intus in einem Wust aus Erinnerungen und sentimentalen Gedanken gesessen. Das Erinnern war genauso schlimm, wie sie befürchtet hatte. Ihre Stimme war ganz belegt, als sie ans Telefon ging. »Ja? Jule Petersen.«

»Hier ist Torge, ist was passiert? Du hörst dich so komisch an.«

Torge, dachte sie und merkte, dass ihr plötzlich ein bisschen schwindelig wurde. Der Wein, die Erinnerungen – und dann war sie viel zu schnell aufgestanden. Es tat ihr gut, dass er gerade jetzt anrief. Sie brauchte dringend andere Gedanken.

Kurz nach dem ersten Lachs-Mittagstisch waren sie abends zusammen essen gewesen. Torge hatte das Restaurant ausgesucht, sie hatten mit Blick auf den Hamburger Hafen sensationell gut gegessen, von oben den Schiffen nachgesehen, viel Wein getrunken und stundenlang geredet. Torge war witzig, charmant, klug, an vielen Dingen interessiert, es war keine Minute langweilig gewesen. Jule konnte ihren Blick gar nicht von ihm abwenden: seine Lachfältchen um die Augen, sein schöner Mund, der Wirbel am Haaransatz, seine schlanken Finger, die elegante Armbanduhr, die blonden Härchen auf seinem Unterarm. Sie fand ihn wahnsinnig attraktiv, nein, nicht nur das, »sexy« fiel ihr dazu eher ein, und bei dem Gedanken wurde sie fast rot.

Während er sehr kurzweilig von einem Segelkurs erzählte, den er während seines letzten Urlaubs gemacht hatte, stellte Jule sich vor, wie es wäre, ihn zu küssen. Und rief sich sofort zur Ordnung. Sie war sich noch nicht einmal sicher, ob sie das überhaupt wollte. Nach dem Essen waren sie noch in einer Bar gewesen, und es hatte sich angefühlt, als würden sie sich schon seit Jahren kennen. Nicht mal das Thema Ehe hatten sie ausgespart, obwohl es für beide nicht sonderlich positiv besetzt war. Ihre Geschichten waren unterschiedlich – aber die Traurigkeit und die Enttäuschung über das Scheitern hatte sich für beide offenbar sehr ähnlich angefühlt. Sie hatte kurz überlegt, ob sie diesen schönen Abend bei ihm oder ihr beenden sollten, aber bei der Vorstellung, dass sie zusammen im Bett landen würden, war sie dann doch zurückgezuckt. Das war viel zu früh.

Sie war sich nicht sicher, wie Torge das alles empfand. Wozu sie keine Lust hatte, war eine unverbindliche Affäre. Aber mindestens so große Angst hatte sie vor einer verbindlichen Liebesgeschichte. Was genau sie wollte, war ihr momentan selbst noch nicht ganz klar. Ihn besser kennenlernen gehörte auf jeden Fall dazu. Er machte es ihr leicht. Vom ersten Abend an hatte er sie täglich angerufen, sie waren schon zusammen in einem Jazzclub und in ein paar der angesagten neuen Bars in der Hafencity gewesen, als er sie gefragt hatte, ob sie Lust hätte, demnächst mal mit ihm nach Kopenhagen zu fahren. Er wollte sich die Stadt schon so lange ansehen. Sie bat um Bedenkzeit.

Bei aller Vertrautheit, die sich sehr schnell eingestellt hatte, war bis auf eine flüchtige Umarmung beim Abschied noch nichts passiert. Als wenn sich keiner von ihnen getraut hätte, einen Anfang zu machen. Bislang waren sie nach jedem ihrer Treffen getrennt nach Hause gefahren. »Jule?« Seine Stimme hatte an dem Abend drängend geklungen. »Bist du noch dran?«

»Ja.« Sie bekam einen Schluckauf. »Entschuldigung.«

»Ist alles in Ordnung?«

»Es geht so.« Jule schob mit dem nackten Fuß ein paar Briefe zusammen. Sie waren von Friederike. Mit mallorquinischen Briefmarken. »Also, um ehrlich zu sein: Ich sitze gerade in einem Wust von Erinnerungen und bereite mich auf ein Wochenende vor, das mir echt Angst macht. Ich habe ein bisschen zu viel Wein getrunken und dabei ein bisschen an dich gedacht.

Zwischendurch. Aber stell dir vor, ich habe hier Briefe, die sind mit Pesetas frankiert. Das heißt echt Pesetas, nur die Deutschen sagen Peseten. Ist das nicht albern?«

Am anderen Ende entstand eine kurze Pause, dann hörte sie Torges Stimme wieder, dieses Mal entschieden. »Sag mir doch mal deine Adresse, ich bin gerade in der Nähe und kann in einer halben Stunde da sein.«

Er kam an diesem Abend zum ersten Mal in ihr Haus, hatte Jules etwas desolaten Zustand offenbar richtig eingeschätzt und umarmte sie umstandslos. »So, und jetzt erzähl«, forderte er sie auf, nachdem er auf dem Sofa saß und den unsortierten Haufen neben der Kiste betrachtete. »Was macht dir Angst?«

Jule, inzwischen mit einem Kaffeebecher in der Hand, zuckte mit den Achseln. »Ich habe gerade ein Problem, von dem ich dir noch gar nichts erzählt habe, weil es so kompliziert ist. Ich versuche es mal in Kurzfassung: Eine enge Freundin von mir, Marie, die ich schlecht behandelt habe, ist vor kurzem gestorben, ich habe sie seit Jahren nicht mehr gesehen, was ein großer Fehler war. Ich habe jetzt zusammen mit zwei Frauen, von denen ich früher dachte, ich könnte niemals ohne sie sein, ein Haus von Marie geerbt. In den letzten zehn Jahren habe ich nichts mehr mit den beiden anderen zu tun gehabt, was auch aus verschiedenen Gründen richtig war. Wir haben nichts, also gar nichts mehr gemeinsam. Und jetzt muss ich sie treffen und mit ihnen in diesem geerbten Haus Pfingsten verbringen. Was unter Garantie ein einziges Desaster wird. Und dieser Scheiß hier …«, sie machte eine wegwerfende Geste, »das sind die gesammelten Erinnerungen an meine Vergangenheit. Und an diese beiden Frauen. Und meine verstorbene Freundin. Ich habe das Zeug nicht mehr angesehen seit unserem Zerwürfnis.

Und jetzt dachte ich, ich mache mich sozusagen für Pfingsten schon mal warm. Aber es ist grausam.«

»Und du musst da hin? Kannst du das nicht absagen?«

»Nein.« Jule zog ihre Beine auf den Sessel. »Ich muss es für meine Freundin machen. Für Marie. Es war ihr letzter Wunsch. Ich habe keine Wahl.«

Mitleidig sah Torge sie an. »So schlimm?«

»Schlimmer.« Jule betrachtete nachdenklich den Haufen Erinnerungen, der vor ihr auf dem Boden verstreut war. »Ich habe so vieles hinter mir gelassen, das dachte ich zumindest. Und jetzt ploppt alles wieder auf.«

»Willst du darüber reden?«

Sie hob den Kopf und sah ihn an. Seine warmen Augen waren auf sie gerichtet, sein Blick traf sie mitten ins Herz. In diesem Moment wurde ihr klar, was Torge empfand. Sie lächelte und spürte ihren Herzschlag. »Jetzt nicht«, sagte sie leise.

Torge nickte sanft. »Dann bin ich jetzt dran. Und am besten mache ich das auch in Kurzform: Du gehst mir nicht mehr aus dem Kopf, seit ich dich zum ersten Mal gesehen habe. Ich glaube, ich habe mich in dich verliebt. Nein, ich weiß, ich habe mich in dich verliebt. Das wollte ich dir schon gestern sagen. Und vorgestern. Und vorvorgestern. Eigentlich schon bei diesem schrecklichen Lachs.«

Regungslos sah Jule ihn an. Er war wunderbar. Und er löste in ihr etwas aus, das sie schon seit Jahren nicht mehr empfunden hatte. Vertrautheit. Zärtlichkeit. Neugier. Hoffnung. Zuversicht. Freude auf das, was kommen würde. Diese Gewissheit legte sich über all die schwankenden Gefühle, die sie über all die Jahre begleitet hatten: Würde sie sich überhaupt wieder auf jemanden einlassen können? Wollte sie das? Sie war keine dreißig mehr, auch keine vierzig. Bei ihrem letzten Sex hatte sie noch die Pille genommen, jetzt brauchte sie sie womöglich gar nicht mehr. Und trotzdem prickelte ihre Haut, wenn sie Torge ansah und wenn er ihren Blick so wie jetzt erwiderte. Plötzlich waren die Ängste und die Zweifel verschwunden. Sein Blick war sicher, er lächelte sie an. Bis sie aufstand und zu ihm ging. Als sie ihn küsste, umschloss er sie sanft mit seinen Armen.

Seitdem hatten sie sich jeden Tag gesehen und sehr oft telefoniert. Ihre Gespräche waren wie Fortsetzungsromane über ihrer beider Leben, Kapitel für Kapitel rollten sie auf, und sie waren noch lange nicht fertig. In den ersten gemeinsamen Nächten, in denen langsam eine Vertrautheit und Nähe entstand, die sie beide gespannt und ein bisschen aufgeregt zuließen, lag Jule manchmal hellwach im Halbdunkel neben dem schlafenden Torge und sah ihn an. Es war alles noch so neu, so ungewohnt, so spannend. Sie konnte es noch immer nicht richtig fassen. Ihr Leben war dabei, sich komplett zu verändern.

Sie packte ihre Tasche fertig und legte vorsichtig die beiden Bilder obendrauf. Sie wusste noch gar nicht, ob sie tatsächlich Alexandra und Friederike diese Fotos ihres schönsten Sommers schenken würde, aber im Augenblick hatte sie es noch vor.

Energisch zog Jule den Reißverschluss zu und stellte die Tasche in den Flur. Sie war vorbereitet. Und es war ein großes Glück, dass Torge vorher noch zu ihr kam. Auch wenn das Ganze nichts mit ihm zu tun hatte, konnte er ihr Sicherheit und Zuversicht vermitteln. Die Zuversicht, dass sie auch dieses Wochenende irgendwie meistern konnte. Allein weil er es ihr zutraute.

Sie stellte sich vor den Spiegel und betrachtete sich. Jeans, enge weiße Bluse, brauner Gürtel, Sneakers, die Haare hochgesteckt, ein bisschen Wimperntusche, ein bisschen Lippenstift. Nicht schlecht, dachte sie. Das machte die Aussicht auf dieses bevorstehende Wochenende tatsächlich leichter. Sie sah wenigstens nicht aus wie die letzte Provinzmaus, sie sollte es mit der mondänen Verlegerin und der toughen Hotelchefin aufnehmen können. Und falls es unangenehm würde, könnte sie einfach an Torge denken. Und dass das Leben mit ihm einen Ausweg aus der Sackgasse bereithielt. Wenn es so weiterging, würde es vielleicht tatsächlich neu und aufregend werden. Es gab keinen Grund mehr für Jule, der Vergangenheit nachzutrauern. Das Leben war früher auch nicht immer schön gewesen.

Als es klingelte, war sie mit zwei Schritten an der Tür und riss sie auf. Torges Hände lagen schon auf ihrem Rücken, bevor sie etwas sagen konnte.

Ein paar Stunden später stand Jule erneut vor dem Flurspiegel und zog sich die Lippen nach. »Schöne Frau.« Torge stellte sich hinter sie und küsste ihren Nacken. »Hast du die Uhr im Blick?«

»Ja.« Jule steckte den Lippenstift zurück in die Hülle und warf einen abschließenden Blick in den Spiegel. »Ich muss los.« Sie drehte sich zu ihm und legte ihre Hände auf seine Brust. »Das war schön, dass du hier warst. Ich bin nicht mehr so nervös wie heute Morgen.«

Er lächelte und küsste sie leicht auf die Stirn. »Das freut mich. Und ich danke dir, dass du noch den Nerv hattest, mich zu sehen, bevor du dich dem Wochenende stellst. Und warte ab, vielleicht wird es gar nicht so furchtbar. Meistens ist die Angst vor solchen Dingen viel schlimmer als das, was dann passiert. Du schaffst das schon. Und wenn du früher abreist, ist das auch in Ordnung. Hauptsache, es geht dir damit gut. Und vielleicht seht ihr die Dinge nach all den Jahren auch in einem anderen Licht, manches ist dann womöglich gar nicht mehr so wichtig. Und ihr könnt jetzt darüber reden.«

Jule wandte sich um und nahm ihren Autoschlüssel vom Haken. Sie hatte ihm noch nicht alles erzählt, die Gründe für den Streit hatte sie ausgelassen. Erst mal musste sie dieses Wochenende aushalten, vielleicht könnte sie danach auch wieder über Alexandra und Friederike sprechen. Und über das, was alles geschehen war. Jetzt ging das noch nicht.

»Ruf mich an, wenn etwas ist«, sagte Torge jetzt und umarmte sie fest. »Und auch sonst. Ich denke an dich.«

»Danke.« Jule folgte ihm nach draußen und wartete, bis er in sein Auto gestiegen war. »Ich rufe dich auf jeden Fall an.« Das sagte sie mehr zu sich selbst.

Er warf ihr eine Kusshand zu und fuhr rückwärts die Einfahrt hinunter. Als sein Wagen um die Ecke verschwunden war, schloss Jule die Haustür ab, nahm ihre Tasche und stieg in ihren Bus. Sie steckte den Schlüssel ins Schloss, legte die Hände einen Moment aufs Lenkrad und atmete tief durch. Okay, dachte sie. Ich bin Jule Petersen, ich bin erfolgreich in meiner eigenen Praxis, ich habe ein schönes Haus, ein schönes Leben, eine tolle Tochter und werde seit Neuestem von einem tollen Mann geliebt. Mit dem ich gerade Sex hatte. Mir kann gar nichts passieren. Ich mache es jetzt Marie zuliebe und vielleicht ein bisschen wegen Hanna. Und ich muss mich weder mit Alexandra noch mit Friederike über irgendetwas unterhalten. Wir sind keine Freundinnen. Ich brauche sie nicht mehr. Überhaupt nicht.

Sie drehte den Schlüssel im Zündschloss, das Radio ging sofort in voller Lautstärke an. »... es ist zu diesem Zeitpunkt unmöglich einzuschätzen, ob diese Friedensverhandlungen erfolgreich verlaufen werden, so der Korrespondent der ›Washington Post‹.«

Jule drehte der Nachrichtensprecherin den Ton ab. Wenn der Korrespondent der ›Washington Post‹ schon zweifelte … Entschlossen legte sie den Rückwärtsgang ein und fuhr los.

Brove

Friederike war mindestens fünfmal an der Einfahrt vorbeigefahren. Sie hatte den Weg zu dem abgelegenen Waldfriedhof anders in Erinnerung, letztlich hatte sie eine junge Frau gefragt, die an einer Bushaltestelle stand. Die hatte ihr den Weg zum Friedhof beschrieben, danach hatte Friederike sofort die kleine Einfahrt gefunden.

Sie stellte ihr Auto auf dem Parkplatz vor der Kapelle ab und ging langsam zu der schiefen Pforte, die vermutlich den nächsten Herbststurm nicht mehr überleben würde. Die Scharniere mussten dringend geölt werden, es war ein schlimmes Geräusch, das Friederikes Ankunft ankündigte. Sie ließ die Pforte hinter sich wieder zuklappen und blieb unschlüssig stehen. Sie war das letzte Mal bei Lauras Beerdigung hier gewesen, das war jetzt auch schon über acht Jahre her. Maries Vater war ein Jahr vorher bei einem Autounfall ums Leben gekommen, das hatte Laura nie verwunden. Man konnte wirklich vermuten, sie sei an ihrem gebrochenen Herzen gestorben. Es war eine zutiefst erschütternde Beerdigung gewesen, Friederike hatte immer noch das Bild der verzweifelten, blassen und zitternden Marie im Kopf, die am Grab gestanden hatte und deren Fassungslosigkeit sich über die gesamte Trauergemeinde gelegt hatte. Und alle, die Laura gekannt hatten, dachten dasselbe: was für ein mieser Witz des Schicksals, dass gerade sie, die sich ihr Leben lang um das kranke Herz ihrer Tochter gesorgt hatte, nun selbst an einem gebrochenen Herzen gestorben war.

Friederike spürte einen kalten Schauer, als sie daran zurückdachte, und schüttelte den Kopf. Sie hatte alles so erfolgreich verdrängt, aber jetzt kam es wieder hoch, und sie konnte nicht mehr ausweichen. Sie blieb unschlüssig stehen und versuchte, sich zu erinnern, wo das Grab lag. Es war am Rand des Friedhofs gewesen, das wusste sie noch, und hinter dem Grab hatte eine große Magnolie gestanden. Langsam ging sie an den Gräbern vorbei, betrachtete die Namen und die Blumen auf den Gräbern, einige Namen kamen ihr bekannt vor, einer war ihr alter Grundschullehrer, auch der eine oder andere Nachbar lag hier, sie war erstaunt, an wen sie sich plötzlich wieder erinnerte.

Die Magnolie blühte in einem zarten Rosa, ein paar Blütenblätter lagen auf dem Grab, vor dem Friederike schließlich stehen blieb. Es war mit Heide und Rosen bepflanzt, der Stein war schlicht und weiß, auf ihm standen nur drei Namen, keine Daten.

Hier ruhen

Carl van Barig

Laura van Barig, geb. Hohnstein

Marie van Barig

Friederike bückte sich und legte eine weiße Rose auf die Heide. Dann blieb sie einen Moment stehen, die Augen auf den Stein gerichtet. Den Namen Schwarz auf Weiß zu lesen ließ den Schmerz mit einer solchen Wucht in sie fahren, dass ihr die Tränen kamen. Marie war tot und hier begraben, es stand auf diesem Stein, es ließ sich nicht mehr ändern. Marie war weg und würde nie wieder zurückkommen. Alles, was es noch zu sagen gab, würde unausgesprochen bleiben. Friederike hatte die Zeit, in der sie es noch gekonnt hätte, vertan.

Sie trat ein Stück zurück und sah sich tränenblind um. Hinter ihr stand eine Bank, ihr war ganz zittrig in den Beinen, es waren nur zwei unsichere Schritte, bis sie sich auf die Bank sinken lassen konnte, die nassen Augen auf Maries Namen gerichtet. Warum war ich so dumm, dachte sie und spürte die Tränen laufen. Was würde ich alles dafür tun, dass du noch da wärst? Wenn ich mit dir reden, dir alles erklären könnte.

Friederike verschränkte die Arme vor der Brust und lehnte sich fröstelnd zurück. Der Entschluss, auf dem Weg zum See am Friedhof vorbeizufahren, war ihr erst kurz vorher gekommen. Sie hatte urplötzlich das dringende Bedürfnis gehabt, das Grab sehen. Aber dass es so schlimm werden würde, hatte sie nicht vermutet. Sie wischte die Tränen mit dem Handrücken ab. Dann räusperte sie sich und starrte wieder auf den Stein. »Hey, Marie«, sagte sie, ihre Stimme war kratzig, aber laut, sie sah sich vorsichtshalber um, niemand war zu sehen, anscheinend war sie die Einzige, die auf diesem Friedhof vor einem Grab saß und einfach mal reden wollte.

»Ich weiß gar nicht so genau, was ich sagen soll. Eine blöde Entschuldigung? Oder soll ich dich fragen, warum du mich nicht mehr angerufen hast, um mir zu sagen, dass du gehen musst? Nein, warte, du hast mich ja immer angerufen. Ich war diejenige, die nicht zurückgerufen und sich nicht bei dir gemeldet hat.« Sie suchte in ihrer Jacke nach einem Taschentuch und putzte sich die Nase. »Ich kann gar nicht so viel heulen, wie ich mich fühle, Marie. Weil du nicht mehr da bist. Weil ich dich vorher schon verlassen habe. Weil ich so furchtbar war. Und weil wir doch noch nicht alles geklärt hatten.«

Friederike rieb die Tränen unter den Augen weg, die Wimperntusche blieb an ihren Fingern kleben, sie wischte sie an ihrer Jeans ab. »Es ist grausam. Ich hatte alle Zeit der Welt, und jetzt muss ich an deinem Grab sitzen, um endlich mit dir zu reden. Ich weiß nicht mal, ob du sauer auf mich warst. Oder enttäuscht. Du hättest alles Recht dazu, ich habe mich einfach ganz furchtbar benommen. Ich war ignorant, beleidigt, neidisch, es tut mir so unendlich leid.« Ein Magnolienblatt segelte langsam auf die Erde und blieb neben Friederikes Rose liegen. Nachdenklich betrachtete sie das Blatt. »Kam das von dir?«

Sie atmete ein paarmal tief ein und aus, ganz tief, bis sie sich etwas beruhigt hatte. Sie lächelte unter Tränen. »Du nimmst die Entschuldigung an? Das würdest du vermutlich tun. Das würdest du sogar ganz bestimmt tun. Du warst nie nachtragend. Du hattest immer Verständnis, egal, was für einen Scheiß ich gemacht habe. Oder die anderen. Du hast uns immer gemocht. Ohne Vorbehalte. Ich weiß gar nicht, ob ich so lieben kann. Wahrscheinlich nicht. Weil ich mich selbst zu wichtig nehme. Das ist bei dir anders. War …«

Friederike stand auf, ging zum Grab und legte die Rose ein Stück weiter in die Mitte. Sie musterte die Anordnung, dann ging sie zurück zur Bank. »Weißt du, ich habe mein ganzes Leben lang Angst davor gehabt, so zu werden wie meine Mutter. Neidisch, ungerecht, egozentrisch. Wir haben da so oft drüber gesprochen, erinnerst du dich? Deine Mutter war ein Engel, und Esther … Na ja, du kennst sie ja. Und sie waren trotz allem befreundet. Das lag natürlich an Laura, das wissen wir beide. Ich habe mal zu dir gesagt, wenn du merkst, dass es bei uns beiden genauso läuft, dann sollst du mir eine reinhauen. Das hast du aber nie gemacht. Natürlich nicht. Das war nicht dein Stil. Aber warum hast du das nicht getan? Weil ich nicht so geworden bin wie Esther? Oder weil du ein genauso treuer Engel warst wie Laura? Marie, ich habe mich in den letzten

Jahren fast so blöd benommen, wie ich es von meiner Mutter kenne. Ich war schon fast wie Esther. Manchmal. Nicht immer. Aber zu oft. Dabei warst du für mich immer einer der wichtigsten Menschen auf der Welt. Ich hätte es dir sagen müssen. Ich hoffe so sehr, dass du das trotzdem gewusst hast.«

Friederike suchte erneut ihr Taschentuch und sah sich wieder um. Immer noch kein Mensch weit und breit. Sie wischte sich hastig über die Augen und hustete, bevor sie wieder auf den Grabstein sah.

»Ich bin so wütend auf mich. Weil ich so doof war.«

Ein weiteres Magnolienblatt fiel leise neben die Rose. Friederike nickte. »Doch. Das war ich.« Sie konnte sich nicht erinnern, wann sie das letzte Mal so viele Tränen gehabt hatte. Jetzt ließ sie sie einfach laufen. »Als die Nachricht von deinem Tod kam, ist irgendein Knoten in meinem Kopf geplatzt. Es ist, als hätte ich mir in den letzten Jahren selbst beim Leben zugesehen, ich kann es nicht besser ausdrücken, es war, als würde ich einen langweiligen Film anschauen, in dem ich die Hauptrolle spiele. So, als ob ich auf irgendetwas warte, um dann wieder richtig mitzumachen. Ich glaube, ich habe auf uns gewartet. Auf die Sommer am See, auf das Nach-Hause-Kommen zu dir und zu den anderen. Dabei habe ich selbst jede Menge dazu beigetragen, dass das alles kaputtgegangen ist.«

Ein Eichhörnchen sprang plötzlich über den Weg, Friederike zuckte zusammen. Sie sah ihm nach, wie es in rasender Geschwindigkeit auf die Magnolie kletterte, dann wandte sie sich wieder zum Grab.

»Ist das dein Freund?« Sie schwieg einen Moment und beobachtete das Eichhörnchen auf der Magnolie. »Und jetzt hast du das organisiert. Es ist ein seltsames Vermächtnis, das du uns hinterlassen hast. Anfangs fand ich es unmöglich, auch weil uns das von einer uns fremden Person, Hanna, übermittelt wurde. Ich war sogar fast wütend, weil ich dachte, es ginge sie doch gar nichts an. Natürlich wusste ich, wer sie ist, ich habe sie schon auf Lauras Beerdigung gesehen. Flüchtig jedenfalls. Bis mir aufging, dass es ja meine eigene Schuld war, sie nicht zu kennen. Sie war der Mittelpunkt deines Lebens, und ich habe mich nicht mit dir darüber gefreut.« Ein bitteres Lächeln huschte über ihr Gesicht. »Das lag ausschließlich an mir. Es war ja unser erstes Treffen nach dem Streit, drei Jahre zuvor. Ich war natürlich traurig über Lauras Tod, aber ich hatte ihre Beerdigung als Chance gesehen, mich wieder mit dir zu versöhnen. Und dann stand Hanna da, und ich war eifersüchtig, weil ich dich doch trösten wollte. Ich habe sofort gewusst, dass ihr ein Paar seid. Und fühlte mich ausgeschlossen. Ich bin wirklich die Tochter meiner Mutter. Ich habe mich damals schon geschämt, auch wenn ich es nie zugegeben hätte. Deshalb bin ich nach der Beisetzung sofort gegangen. Ohne mit dir zu sprechen. Das war kindisch, herzlos und eigensüchtig von mir.«

.Die Tränen liefen und liefen, als wollten sie nie mehr versiegen. Friederike wischte sie mit dem schon durchfeuchteten Taschentuch weg und zwang sich, ruhig und gleichmäßig zu atmen. Abrupt stand sie auf und ging zurück zum Grab, um die Magnolienblätter aufzuheben. Sie behielt sie in der Hand, als sie sich wieder setzte.

»Aber selbst das hast du mir nicht übel genommen, sondern mir anschließend die Kette von Laura geschickt, die ich immer so mochte. Und du hast einen Brief geschrieben, einen versöhnlichen Brief, ich hätte mich nur ins Auto setzen und dich besuchen müssen, dann wäre alles gut gewesen.« Langsam rollte sie das Magnolienblatt zwischen den Fingern und schüttelte den Kopf. »Weißt du, warum ich das nicht gemacht habe? Ich hatte Tom in der Zeit kennengelernt und wollte ein leichtes

Leben. Ich war zu feige, mich mit den alten Geschichten auseinanderzusetzen. Und dann verging die Zeit, irgendwann war der Moment verstrichen, einen neuen Anfang zu machen.«

Sie löste die Finger und ließ das gerollte Blatt auf den Boden fallen. Es sah komisch aus, sie hob es wieder auf. »Und außerdem hatte ich damals erfahren, dass Ulli wieder mit seiner Exfrau zusammen war. Das hat mir dann den Rest gegeben. Marie, du warst all die Jahre meine beste Freundin, aber ich hatte dich nie verdient.«

Eine alte Dame kam langsam den Weg entlang. Friederike senkte ihren Blick und wartete, dass sie vorbeiging. Als sie hochsah, war die Frau gerade auf ihrer Höhe und schaute sie an. Sie neigte leicht den Kopf. »Guten Tag.«

»Tag.« Friederike wandte den Blick ab, sie wollte hier und jetzt keine Sitznachbarin.

»Ist alles in Ordnung mit Ihnen?«

»Ja.« Friederike sah sie an. »Danke. Schönen Tag noch.«

Die alte Dame lächelte trotz der abweisenden Antwort, trat einen Schritt näher und sagte: »Solange wir an die Menschen denken und über sie reden, leben sie in unseren Herzen weiter. Irgendwann ist die Trauer zu ertragen, irgendwann werden Sie beim Gedanken an die Toten lächeln, weil Ihnen so schöne Dinge einfallen. Ich wünsche Ihnen ein tapferes Herz.«

Sie nickte, drehte sich um und setzte mit langsamen Schritten ihren Weg fort, ohne sich noch mal umzusehen. Friederike sah ihr nach, bis sie nach der nächsten Wegbiegung nicht mehr zu sehen war.

»Gib es zu«, Friederike beugte sich nach vorn. »Die hast du geschickt.« Sie lehnte sich wieder an und fixierte die Magnolie. Ein weiteres Blatt schwebte zu Boden, Friederike nickte. »Okay. Ich wusste es. Also: schöne Dinge? Warte, ja. Du auf der Badeinsel. Dein weißes Kleid mit den blauen Punkten. Dein Gesicht beim Fotografieren. Das blaue Ruderboot, das du nie allein bewegen konntest. Bananensplit. Apropos, ich habe Bananensplit bei uns im Hotelrestaurant auf die Karte setzen lassen. Mein Koch hat mich angesehen, als wäre ich bescheuert, und gefragt, ob ich etwa auch auf diesen Retroscheiß abfahre. Es steht jetzt auf der Karte. Bananensplit Marie. Du bist die Einzige, die ich kenne, die nie anderes Eis als Bananensplit gegessen hat.«

Sie lächelte. »Und jetzt wird es andauernd bestellt.« Sie legte den Kopf in den Nacken und schloss die Augen. »Das ist das, was mich am meisten umtreibt, Marie. Dass ich nicht die Zeit, die wir hatten, genutzt habe. Dass ich mich nicht mehr bei dir gemeldet habe, dass ich dich nicht mehr getroffen habe, dass ich dir nie gesagt habe, was für ein toller Mensch du bist … du immer warst. Und für mich immer bleiben wirst.«

Das Eichhörnchen raschelte in der Magnolie und sprang plötzlich herunter, verharrte kurz auf dem Rasen und lief in Windeseile über drei Gräber, bis es in den nächsten Baum sprang. Friederike lächelte unter Tränen. »Ja, ich hör schon auf. Du konntest noch nie mit Komplimenten umgehen, es sei denn, du hast sie gemacht. Und ich will mit dir auch nicht nur über traurige Dinge reden.«

Sie sah sich wieder um. Es war so still hier, so friedlich. Sie blickte auf die Rose. »Ja, und jetzt treffen wir uns gleich in deinem Haus am See. Ich habe ein bisschen Angst, weil du natürlich fehlst. Andererseits wirst du ja auf andere Weise sowieso dabei sein. Hanna wird für dich da sein. Wir werden sicher viel weinen. Das ist das Mindeste. Ich weiß nicht, wie es Jule und Alexandra geht. Mit Alex habe ich einmal telefoniert, das war etwas förmlich, aber was willst du auch erwarten? Nach all der Zeit. Jule habe ich nur beim Notar gesehen. Du glaubst es nicht, sie sieht immer noch genauso aus wie früher. Vielleicht zwei neue Falten um die Augen, das war es dann aber auch. Und Alex ist immer noch schön. Auf eine andere Art als damals. Beeindruckend. Allerdings habe ich keine Ahnung, was sie denkt. Sie hat immer noch dieses Pokergesicht. Zumindest kommen beide. Das ist dein Verdienst. So wie unsere Freundschaft über all die Jahre dein Verdienst gewesen ist. Du warst unsere Seele, unser Motor, ohne dich hätte es diese Freundschaft nie gegeben. Zumindest nicht so lange und so schön. Ich hoffe sehr, dass es so kommt, wie du es dir gewünscht hast. Du wirst eine Vorstellung davon gehabt haben, Hanna wird sie kennen, schick uns von deiner Wolke gute Gedanken, damit das gelingen möge.« Sie beugte sich ein Stück nach vorn. »Hanna ist eine ganz besondere Frau.« Sie sprach jetzt sehr leise. »Ich kann verstehen, warum du sie geliebt hast. Sie hält sich tapfer, finde ich, sie ist bewundernswert. Sie liebt dich sehr, weißt du, das merkt man an ihren Augen, wenn sie über dich spricht.« Friederike machte eine lange Pause, bevor sie fortfuhr. »Ich habe so lange nicht gewusst, dass du sie gefunden hast, du hast es uns ja nicht erzählt. Weil wir alle dauernd etwas anderes hatten, das weiß ich von Hanna, das war tatsächlich so. Wir waren so wahnsinnig egozentrisch, Marie, bitte verzeih uns.«

Umständlich stand sie auf, ihr Bein war eingeschlafen, sie machte ein paar Schritte, bis es besser war. Vor dem Grab blieb sie stehen. »Ich muss jetzt los, Marie. Danke, dass ich hier sitzen durfte. Und danke, dass es dich gab.«

Wieder ein Blatt, dieses Mal schwebte es direkt vor Friederikes Füße. Sie bückte sich, um es aufzuheben, und betrachtete es lange. »Du fehlst mir, Marie. Du hast mir auch in den letzten zehn Jahren gefehlt. Ich habe nur nicht gewusst, wie sehr.« Unschlüssig sah sie auf den Grabstein, dann räusperte sie sich. »Vielleicht hilft es, mit den anderen von dir zu sprechen. Das hast du ja deine Botin gerade sagen lassen. Ja, vielleicht hilft es. Nur müssen wir wohl vorher noch einiges klären. Aber wir bekommen das hin. Um deinetwillen. Du hast das so gewollt. Und wir sind es dir schuldig.«

Sie strich das Blatt glatt und schob es vorsichtig in ihre Tasche. »Ich nehme es mal mit. Vielleicht bringt es Glück, wenn ich es zwischendurch berühre. Also dann.«

Sie trat einen Schritt zurück und wandte sich um. Nach ein paar Metern kehrte sie um und stellte sich vor das Grab. »Ich komme auf dem Rückweg wieder vorbei. Ich kann dir nichts versprechen, aber ich werde alles tun, um deine Wünsche zu erfüllen. Auch wenn es nicht leicht wird. Aber ich versuche es. Versprochen.«

Ein Blütenblatt kreiselte in diesem Moment durch die Luft, genau in Friederikes Richtung. Sie streckte die Hand aus und fing es auf, ihre Finger schlossen sich um das zarte Blatt. Sie nickte. »Gern geschehen. Bis bald, Marie.«

Das Haus am See

»Ich glaube, es kommt nach der nächsten Kurve.« Alexandra beugte sich nach vorn. »Diese Fliederhecken waren damals nicht so hoch, es sieht alles ganz anders aus.«

»Hier ist nirgendwo eine Einfahrt.« Katja verlangsamte die Geschwindigkeit und sah in den Rückspiegel. »Wir sind doch noch nicht vorbeigefahren, oder?«

»Nein, es muss da vorn sein. Stopp, hier links.«

Sofort trat ihre Schwester auf die Bremse, die Einfahrt lag neben ihnen, sie hatten sie fast verpasst. »Na bitte.« Katja legte den Rückwärtsgang ein, als Alexandra ihr die Hand auf den Arm legte. »Nein, lass mal. Du musst nicht bis vors Haus fahren, du kannst mich hier rauslassen.«

»Warum?« Erstaunt sah Katja sie an. »Ich muss doch sowieso umdrehen.«

»Kannst du ja.« Entschlossen löste Alexandra den Sicherheitsgurt. »Ich gehe die paar Meter bis zum Haus. Dann habe ich noch einen Moment Ruhe, bis der Vorhang hochgeht.«

»Okay.« Katja spürte deutlich Alexandras Anspannung. »Schwesterherz? Du wirst mit ganz anderen Frauen fertig, das habe ich in den letzten Tagen gemerkt. Also, Brust raus, Kinn hoch, und wenn es blöd wird, rufst du mich an. Ich bin gerade im Rettermodus.«

Alexandra lachte leise, beugte sich zu ihrer Schwester und küsste sie auf die Wange. »Du bist einfach ein Schatz. Ich danke dir. Für alles«, sagte sie leise. »Wir sehen uns spätestens am Montag. Grüß Matthias. Und Mama. Und sag ihr, dass ich Montag komme. Und dass ich sie lieb habe. In der Hoffnung, dass sie weiß, von wem du redest.«

»Mach ich.« Katja deutete nach hinten. »Vergiss deinen Koffer nicht.«

Alexandra blieb stehen und wartete, bis Katja das Auto gewendet hatte und hinter der nächsten Kurve verschwunden war, erst dann wandte sie sich zum offenen Tor, zog den Koffergriff hoch und ging langsam die Auffahrt hoch. Sie wollte nicht vors Haus gefahren werden, weil sie die Erinnerung an das Bild von Marie, die ihr sonst freudig entgegengelaufen war, gerade nicht ertragen konnte. Heute würde Marie nicht am Fenster stehen und auf ihre Ankunft warten.

Es roch überall nach Flieder, ein Duft, der in Alexandras Erinnerung untrennbar mit ihren Pfingsttreffen verbunden war. Sie blieb stehen und atmete mit geschlossenen Augen tief ein. Damals waren diese Hecken niedriger gewesen, viel niedriger, aber der Flieder hatte denselben intensiven Geruch verströmt. Sie öffnete die Augen und lächelte. Wie sehr Gerüche Erinnerungen hervorriefen. Und wie manche dadurch verklärt wurden. Langsam ging sie weiter. Der Koffer ließ sich auf dem Kies nicht nur schlecht ziehen, er machte auch ein unangenehmes Geräusch. Nach wenigen Metern blieb Alexandra stehen, schob den Griff wieder zurück und stellte den Koffer an die Fliederhecke. Sie sah sich um, niemand war zu sehen, nach kurzer Überlegung lief sie mit langen Schritten über den Rasen zum See: Zwischen Bäumen und Sträuchern blitzte schon das Blau des Wassers hindurch. Alexandra ging über den zum Ufer hin abfallenden Rasen, er war erst vor kurzem gemäht worden, das frische Gras verlangte eigentlich Barfußlaufen. Die Lücken zwischen den Bäumen und Hecken wurden größer, dann hatte sie die Stelle erreicht, auf die sie sich schon damals jedes Jahr gefreut hatte. Auf diesen Moment, in dem man plötzlich den freien Blick über den See bekam. Rechts von ihr lag der Steg, daneben das Bootshaus, davor das blaue Ruderboot. Überrascht blieb Alexandra stehen, sie hatte nicht damit gerechnet, dass hier alles unverändert war. Nichts hatte sich verändert. Gar nichts. Langsam trat sie näher, bis sie die Holzstufe zum Steg erreicht hatte. Hier war die Zeit stehengeblieben. Als wäre ich nie weg gewesen, schoss es ihr durch den Kopf. Es war ein seltsames Gefühl, das sich in ihr ausbreitete. Eine Spur von Glück, wieder an diesem Ort zu sein, aber auch eine große Trauer, weil sie wusste, dass es nie wieder so sein würde, wie es mal war.

Sie setzte sich auf die Stufe und zog ihre Schuhe aus. Es waren noch keine hochsommerlichen Temperaturen, aber Alexandra liebte das Gefühl von nackten Füßen auf Holz. Mit den Schuhen in der Hand trat sie auf den Steg und ging langsam über die Holzplanken bis nach vorn, wo sie sich wie selbstverständlich an der Kante niederließ. Sie hielt die Füße über das Wasser, das Wasser musste noch eiskalt sein, ganz vorsichtig tunkte sie ihre Zehen hinein, es war eiskalt. Sie zog die Beine hoch und umschlang sie. Das Kinn auf die Knie gestützt schaute sie auf den See und fragte sich, warum sie so lange nicht mehr an diesen Ort gedacht hatte. Es war schon unglaublich, wie weit weg man Erinnerungen verschieben konnte.

Alexandra sah zur Seite auf das Bootshaus und das blaue Ruderboot, das ganz leicht auf dem Wasser schaukelte. Das hier war der zentrale Platz ihres Lebens gewesen. Hier hatten sie herumgealbert, lange, ernsthafte, ängstliche, wütende oder banale Gespräche geführt. Hier hatten sie auf Handtüchern gelegen, die Gesichter in die Sonne gehalten, sie hatten schläfrig die nervigen Mücken verscheucht und sich kichernd ihre Gedanken erzählt. Und hier hatte auch der Anfang vom Ende stattgefunden. Ohne dass es die anderen bemerkt hätten, auch Alexandra hatte es nicht geahnt. Alles hatte lediglich mit einer kleinen Gefühlsverwirrung begonnen.

Es war ungewöhnlich heiß gewesen an diesem Pfingstwochenende vor fast dreißig Jahren.

»Wo seid ihr denn alle?« Jules kräftige Stimme kam so plötzlich aus dem Nichts, dass Friederike erschrocken hochfuhr und fast das Gleichgewicht verloren hätte. Im letzten Moment hielt sie sich an Alexandra fest, sonst wäre sie von der Stegkante ins Wasser gerutscht.

»Meine Güte, Jule!« Anklagend sah Friederike hoch. »Wieso brüllst du denn so durch die Gegend?« Sie kniff die Augen zusammen, um Jule gegen die Sonne überhaupt erkennen zu können. »Und wieso kommst du so spät? Wir waren schon baden.«

»Erst mal hallo, ihr Süßen.« Unbekümmert ging Jule in die Hocke und küsste erst Friederike und dann Alexandra auf die Wangen. »Ihr seid ja ganz sonnenwarm. Schöner Strohhut, Alex, bei mir sehen Hüte immer scheiße aus, wie machst du das?«

»Hey, Jule.« Alexandra zupfte an der Krempe des Hutes und lächelte. »Marie ist in der Küche und macht Waldmeisterbowle, falls du sie suchst. Sie müsste auch bald so weit sein. Hoffe ich, wir haben so einen Durst.«

Jule wirkte plötzlich verlegen. »Ja, ich weiß. Ich, also wir, haben sie gerade begrüßt.«

Sofort beugte Friederike sich vor und schob ihre Sonnenbrille auf den Kopf. »Wir? Wer ist wir?«

»Ich habe jemanden mitgebracht.« Jule wischte sich eine unsichtbare Locke aus dem Gesicht. »Philipp. Wir haben uns in der Klinik kennengelernt, er ist da Assistenzarzt, und er … wie soll ich ihn beschreiben? Er ist perfekt.«

»Echt?« Neugierig sah Alexandra sie an. »Seit wann geht das denn schon?«

»Na, so seit einem halben Jahr vielleicht. Wobei ich ihn schon länger kenne. Und auch schon in ihn verknallt war. Ich habe nur nichts erzählt, weil ich nicht dachte, dass da was draus wird. Aber vor einem halben Jahr hat es gefunkt. So richtig. Und zwar so, dass ich ihn euch unbedingt vorstellen muss.«

»Das ist ja mal eine Neuigkeit!« Friederike grinste. »Unsere Jule. Dass du so lange dichtgehalten hast! Da du das erste Mal in Liebesdingen verschwiegen warst, glaube ich sofort, dass es was Ernstes ist. Dann zeig uns doch mal den Wunderknaben, wo ist er denn?«

»Er hat sich noch mit Marie unterhalten. Wir können ja mal ins Haus …«

»Nicht nötig.« Friederike schirmte ihre Augen mit der Hand vor der Sonne ab und sah an Jule vorbei. »Da kommen sie schon über den Rasen. Und der Wunderknabe trägt die Waldmeisterbowle, das ist doch ein gutes Zeichen.«

Alexandra beobachtete amüsiert die aufgeregte Jule, die so sichtbar verliebt war, dass es sie kaum auf der Stelle hielt. Schließlich lief sie Marie und Philipp entgegen.

»Philipp, komm, ich will dich noch den anderen beiden vorstellen.«

Während Philipp das Bowlengefäß auf den Tisch stellte, wechselte Alexandra einen Blick mit Marie, die den Daumen hochhielt. Alexandra erhob sich langsam, strich das dünne, kurze Kleid glatt und wandte sich dann Philipp zu, der sich in diesem Moment umdrehte und sie ansah.

»Hallo, ich bin Philipp«, sagte er mit warmer Stimme und streckte die Hand aus. Er war über einen Kopf größer als sie, sein dunkles Haar war lockig, seine Augen braun, es fehlten nur noch das Surfbrett und der hawaiianische Strand, dann wäre das Bild perfekt gewesen.

»Alex«, antwortete sie nur, spürte seinen festen Händedruck und sah ihm in die Augen. Es war nicht so, dass es einen lauten Knall gab oder ein Orchester im Hintergrund zu spielen begann oder ein Feuerwerk abgebrannt wurde. Nichts von dem passierte. Aber Alexandra fühlte sich so, als würde das alles gerade stattfinden. Genau ab diesem Moment fühlte sich ihr Leben anders an. Sie wandte den Blick so schnell ab, wie sie konnte. Aber nicht schnell genug, um zu wissen, dass sie ab jetzt ein Problem hatte. Ausgerechnet sie, die nie an Liebe auf den ersten Blick geglaubt hatte. Ausgerechnet sie, die sich noch nie richtig verliebt hatte. Ausgerechnet sie war hier gerade vom Schlag getroffen worden.

Das war tatsächlich dreißig Jahre her. Alexandra schlang die Arme fester um die Beine und legte die Stirn auf die Knie. Sie erinnerte sich an einen anderen Sommertag, der noch länger her war, den sie auch hier auf dem Steg verbracht hatten. Damals hatte Jule sich ausgemalt, wie es sein würde, wenn sie alle erwachsen wären. Eine ihrer größten Sorgen war gewesen, was wäre, wenn eine von ihnen einen Mann heiraten würde, den die anderen nicht leiden konnten. Und wie sich das auf ihre Freundschaft auswirken könnte. Was aber wäre, wenn sich eine von ihnen in diesen Mann verlieben würde, darüber hatten sie damals nicht gesprochen. Das war ihnen offenbar viel zu abseitig erschienen. Oder einfach nicht eingefallen. Und trotzdem war genau das passiert.

Alexandra atmete tief aus und stand langsam auf. Sie zog

ihre Schuhe wieder an und machte sich, nach einem letzten Blick über den See, auf den Weg zu ihrem Koffer. Es war Zeit, endlich einen Strich unter das ganze Gefühlschaos zu ziehen.

Es war ein seltsames Gefühl, vor dieser Haustür zu stehen und nach dem Klingeln darauf zu warten, dass jemand öffnete. Alexandra erinnerte sich nicht daran, es schon einmal gemacht zu haben. Laura oder Marie hatten immer in der offenen Tür gestanden. Oder sie waren zusammen gekommen. Oder der Schlüssel hatte außen gesteckt. Jetzt wartete Alexandra darauf, dass jemand anderes sie hineinließ. Was auch passierte, Hanna öffnete die Tür und sah sie erfreut an, bevor sie ihr die Hand entgegenstreckte. »Alexandra, danke, dass Sie gekommen sind.«

Alexandra gab ihr etwas förmlicher, als sie wollte, die Hand und lächelte vorsichtig. »Guten Tag. Ich hoffe, ich bin nicht zu früh? Meine Schwester hat mich hergebracht, und wir sind so gut durchgekommen.«

Hanna zog die Haustür weiter auf und trat zur Seite. »Sie sind aber nicht direkt aus München gekommen, oder?«

»Doch.« Alexandra hob den Koffer hoch und trat ein. Auch hier im Haus war die Zeit stehen geblieben, alles sah aus wie früher. »Aber die Fahrt war sehr entspannt.« Sie konzentrierte sich auf Hanna, um den Blick auf die Familienfotos an der gegenüberliegenden Wand zu vermeiden. »Bin ich die Erste?«

»Ja.« Hanna schloss die Tür hinter ihr und zeigte auf die Treppe. »Wollen Sie erst mal den Koffer aufs Zimmer bringen? Sie kennen sich ja aus, ich dachte, Sie schlafen in Ihrem alten Zimmer. Und anschließend können wir im Wintergarten erst mal einen Kaffee trinken. Oder lieber Tee?« Sie blieb vor Alexandra stehen und sah sie abwartend an.

»Nein, Kaffee ist gut.« Alexandra antwortete automatisch, während sie zur Treppe blickte. »Dasselbe Zimmer? Wir haben da immer zu zweit geschlafen. Ist das jetzt nicht …«

»Ich weiß, Marie hat mir das erzählt.« Hanna nickte. »Dasselbe Zimmer. Zusammen mit Jule. Und ich würde Sie bitten, dass wir das so beibehalten. Dann bis gleich im Wintergarten.« Sie drehte sich um und verschwand in der Küche.

Alexandra sah ihr stirnrunzelnd nach, bevor sie nach ihrem Koffer griff und sich zur Treppe wandte. Das ging ja gut los. Sie war gespannt, ob Jule einen Aufstand machen würde. Vor der Tür blieb sie einen Moment stehen, dann drückte sie entschlossen die Klinke runter und schob die Tür langsam auf. Es gab keine Überraschung, auch dieses Zimmer sah aus wie früher. Die beiden Betten, die rechts und links an der Wand standen, waren frisch bezogen, eines der bodentiefen Fenster war gekippt, die Sonne schien auf den hellen Holzfußboden. Auf dem kleinen weißen Tisch vor dem Fenster stand eine Schale mit Obst und eine zweite mit Schokolade, wie früher. Jule hatte die Obstschale nie angesehen, dafür hatte sie immer ganz allein die gesamte Schokolade aufgefuttert, die anderen hatten nie verstanden, warum Jule trotzdem so dünn blieb.

Alexandra verharrte kurz an der Tür, dann gab sie sich einen Ruck und stellte ihren Koffer vor das rechte Bett. Wie früher. Der einzige Unterschied war, dass sie dieses Mal ihren Koffer nicht sofort auspacken würde. Damit würde sie warten. Bis sie sicher war, dass sie auch tatsächlich hier schlafen würde. Es konnte immerhin sein, dass ihnen alles schon vorher um die Ohren flog.

Hanna saß bereits im Wintergarten, als Alexandra wieder runterkam. Sie hatte den Tisch mit dem alten Geschirr gedeckt, Alexandra hatte sich sofort wieder daran erinnert. Auf dem

Tisch stand eine Vase mit weißen Fliederzweigen. Hanna sah ihr erwartungsvoll entgegen. »Alles in Ordnung?«

»Ja, danke.« Alexandra nickte. »Es ist alles wie damals. Schon seltsam.«

»Das kann ich mir vorstellen«, antwortete Hanna und lächelte. »Kaffee?«

»Gern.« Alexandra ließ sich in den Korbsessel gegenüber sinken und sah zu, wie Hanna Kaffee in eine Tasse goss und danach zur Milch griff.

»Immer noch mit Milch?«

»Ja.« Irritiert hob Alexandra die Augenbrauen.

Hanna stellte die Tasse vor sie hin und setzte sich wieder. »Wie geht es Ihnen eigentlich? Ich habe das Interview mit Ihnen im ›Magazin‹ gelesen. Ich fand das sehr interessant, bislang hatte ich mir nie darüber Gedanken gemacht, was ein Plagiat bedeutet. Für einen Verlag ist das ja eine Katastrophe. Und für Sie als Verlegerin.«

Alexandra hatte noch den Blick auf ihre Tasse geheftet, jetzt hob sie den Kopf. *Immer noch mit Milch?* Was für eine eigenartige Frage.

»Das stimmt.« Alexandra konzentrierte sich auf ihr Gegenüber. »Es ist tatsächlich unerfreulich. Aber am schlimmsten ist, dass Magdalena Mohr so ein labiler Mensch ist. Und bei allem Ärger, den sie uns gerade bereitet, tut sie mir auch leid. Sie ist sich anscheinend gar keiner Schuld bewusst, sie gehört zu den Menschen, die sich ihr Leben schönreden können, unabhängig davon, was gerade in der Realität passiert.« Ein Gedanke schoss ihr durch den Kopf, auch sie selbst hatte sich ihr Leben in den letzten Jahren schöngeredet. Sie war keinen Deut besser.

Hannas Blick ruhte auf ihr. Langsam nickte sie. »Das ist tragisch, das stimmt. Aber manchmal muss man sich auch Dinge schönreden, weil man sie sonst gar nicht ertragen kann. Die

Seele ist rätselhaft, sie kennt so viele Tricks, um nicht zu zerbrechen.«

Alexandra stellte die Tasse ab und sah Hanna an. Sie hatte das Gefühl, dass Hanna viel mehr wusste, als Alexandra recht war. Und damit meinte sie nicht die Frage, ob jemand Milch in den Kaffee rührte. Jetzt nickte sie und fragte: »Wie ist es eigentlich für Sie?«

»Was meinen Sie?«

»Dieses Wochenende.« Alexandra lehnte sich zurück. »Sie tauchen in Maries altes Leben ein, Sie haben uns alle eingeladen oder hergebeten, Sie wissen nicht, wie wir damit umgehen werden, dabei trauern Sie um Marie und müssen sich jetzt auch noch mit alten Streitereien und Animositäten befassen, die gar nichts mit Ihnen zu tun haben. Ist das nicht auch für Sie schwer?«

Hannas Blick wirkte fest. »Es geht ja hier nicht um mich. Es geht um Marie und um das, was sie sich gewünscht hat. Und alles, was ich noch für sie tun kann, hilft mir in meiner Trauer. Deshalb müssen Sie sich um mich keine Gedanken machen. Ich weiß nicht, ob Sie in diesen Tagen einen Weg finden können, sich anzunähern, darauf habe ich keinen Einfluss. Mir ist es wichtig, den Rahmen zu schaffen, um den Marie mich gebeten hatte. Sie selbst hat es so sehr gewollt und nicht mehr geschafft. Also versuche ich jetzt, die letzten Fäden zu verknoten. Es ist ein Versuch. Und wie stabil diese Knoten werden, das liegt dann an Ihnen. Ist da ein Auto gekommen?«

Wie zur Bestätigung ertönte eine Hupe vor dem Haus, Hanna stand auf und ging zur Tür. Alexandra blieb sitzen und sah auf ihre verschränkten Finger. Maries letzte Fäden. Sie hatten die Pflicht, sie wenigstens aufzunehmen. Das war das Mindeste, was sie nach all den Jahren machen konnten. Sie löste ihre Finger und lehnte sich wieder zurück. Gespannt, wer jetzt gleich in den Wintergarten kam, sah sie zur Tür. Neugier und ein beklommenes Gefühl wechselten sich ab. Sie hatten doch fast ihr ganzes Leben lang alles voneinander gewusst. Jede Kleinigkeit war von Bedeutung, wenn sie mit einer von ihnen zu tun hatte. Jede neue Bekanntschaft, jede Frisur, jedes neue Schmuckstück, jeder Schmerz, jede Freude. Und plötzlich war alles vorbei gewesen. Es war wie ein kalter Entzug. Als wenn alle zugleich gestorben wären. Und jetzt war eine von ihnen tatsächlich gestorben. Und ausgerechnet sie, die Tote, führte sie hier wieder zusammen. Langsam stand sie auf. Sie hatte die Tür noch nicht erreicht, als sie Friederike kommen sah. Deren Wimperntusche war total verschmiert, dafür schien sie den Lippenstift gerade nachgezogen zu haben. Sie trug Jeans und eine helle Wildlederjacke und verlangsamte ihren Gang, als sie Alexandra entdeckte.

»Hallo, Friederike.« Alexandra machte den Anfang und ging auf sie zu. Sie standen sich einen Moment unbeholfen gegenüber, nicht wissend, ob sie sich umarmen oder die Hand geben sollten. Beides ging nicht, Friederike nickte. »Alex«, sagte sie leise, bevor sie sich eine Haarsträhne aus dem Gesicht wischte. »Hast du alles überstanden?«

Alexandra nickte. »Ja, danke.«

»Setzen Sie sich doch bitte.« Hanna bereitete dem verstolperten Anfang ein Ende. »Friederike, möchten Sie Kaffee oder Tee?«

»Tee«, antwortete Friederike und setzte sich und spürte Dankbarkeit für Hannas Anwesenheit bei diesem ersten Treffen. Verstohlen musterte sie Alexandra, die inzwischen auch wieder Platz genommen hatte und zusah, wie Hanna Friederike eine Tasse Tee eingoss. Friederike überlegte, wie lange sie Alexandra nicht mehr getroffen hatte, abgesehen von dem Termin beim Notar. Es war tatsächlich lange her.

Damals, nur wenige Tage nach dem großen Streit, hatte Alexandra sie angerufen und um ein Gespräch gebeten. Friederike hatte das vehement abgelehnt, sie hatte überhaupt keine Lust auf Rechtfertigungen und auf blumige Schilderungen irgendeiner Liebesgeschichte. Sie hatte damals wund vor Liebeskummer und wütend über das Pfingstwochenende in ihrem nun mehr alleinigen Schlafzimmer gelegen, hatte sich von ihrer Hausärztin wegen akuter Kreislaufprobleme krankschreiben lassen und wollte niemanden sehen und schon gar nicht hören.

Friederike hatte sich drei Wochen lang selbst bemitleidet, zu viel Alkohol getrunken, zu viel geheult und geflucht. Sie hatte sich im Bett verkrochen, war nur ab und zu aufgestanden, um das Wichtigste einzukaufen, was damals aus Wein, Zigaretten, Weißbrot und Käse bestand, und danach sofort wieder ins Bett gegangen. Erst nach drei Wochen hatte sie es geschafft, aus diesem Loch herauszukriechen. Nach einem Blick in den Spiegel hatte sie einen Friseurtermin gemacht, um sich die langen Haare auf Kinnlänge kürzen zu lassen, hatte das Haus geputzt, Wäsche gewaschen und gebügelt und war wieder arbeiten gegangen.

Damals hatte sie sich vorgenommen, nie wieder irgendjemandem etwas zu Privates zu erzählen, ab jetzt würde sie ihr Leben in dieser Beziehung allein regeln. Sie brauchte niemanden mehr. Nie mehr. Daran hatte sie sich bis heute gehalten.

Ein einziges Mal hatte sie später Alexandra getroffen. Am Flughafen in München, wo sie zufällig an nebeneinanderliegenden Gates auf ihre Flüge gewartet hatten. Es war kurz nach Lauras Tod gewesen, ungefähr drei Jahre nach ihrem Streit. Alexandra war, trotz der Einladung von Marie, nicht zur Beerdigung gekommen. Diese Beerdigung, die zu den schlimmsten Tagen gehörte, die Friederike überhaupt erlebt hatte. Nicht nur weil Laura gestorben und Marie so völlig verzweifelt gewesen war, sondern auch weil Friederike an diesem Tag sehr deutlich begriffen hatte, wie sehr ihr die Freundschaft zu Marie fehlte. Sie hatte sich sehr ausgeschlossen und einsam gefühlt und war noch vor dem Kaffeetrinken wieder gefahren. Eine Woche später hatte sie Alexandra am Flughafen gesehen, telefonierend, lachend, schön wie immer, und all das hatte in Friederike eine Welle des Zorns hochkochen lassen. Alex war doch der Grund für das ganze Desaster damals, sie hatte es verursacht, und jetzt saß sie hier am Gate und lachte! Kurz bevor Friederike einstieg, hatte Alexandra sie noch entdeckt und war tatsächlich zu ihr gekommen. Friederike hatte sich höchst professionell verhalten, ganz so, als würde sie mit einem schwierigen Gast sprechen. Ihre ehemalige Stellvertreterin Marlene hatte diesen Ton einmal als »schweren Frost von oben« bezeichnet und sich gewünscht, dass Friederike so nie mit ihr reden würde. Alexandra hätte sie ja nicht ansprechen müssen. Im Flugzeug hatte Friederike zwei Gläser Weißwein getrunken. Um das enttäuschte Gesicht von Alexandra aus dem Kopf zu bekommen.

Es war lange her. Friederikes Blick fiel auf die Teetasse, sie kam ihr bekannt vor, als sie sie Hanna dankend abnahm und vor sich auf den Tisch stellte. Jetzt waren sie hier. Alexandra und sie. Weil Marie nicht mehr da war. Das hätte sie sich damals am Flughafen nicht vorstellen können. Sie sah Alexandra nun direkt an. Alexandra wirkte nicht so perfekt wie beim Notar. Sie trug kaum Make-up, hatte nur die Augen dezent geschminkt, die Nägel waren nicht lackiert, statt Hosenanzug trug sie heute Jeans und eine schlichte blaue Bluse. Sie bemerkte den Blick und erwiderte ihn stumm. Friederike räusperte sich. »Ich war auf dem Friedhof. Am Grab von Marie.«

Alexandra starrte sie ausdruckslos an, Hanna nickte leicht. »Aha«, sagte sie. »Blühen die Rosen schon?«

Friederike öffnete den Mund, schloss ihn wieder und schüttelte den Kopf. Dann sah sie hoch und fragte: »Warum haben Sie uns nicht zur Beerdigung kommen lassen? Warum erst zum Notar?«

»Wären Sie denn wirklich gekommen?« Hanna stellte die Frage sehr sachlich. »Mal im Ernst: Hätten Sie die anderen wirklich sehen wollen, in dieser Situation, nach all dem, was geschehen war zwischen Ihnen? Hätten Sie sich wirklich an Maries Grab böse oder beschämte oder vielleicht auch nur neugierige Blicke zuwerfen mögen? Ja, vielleicht wären Sie sogar gekommen, vielleicht hätten Sie auch mit einer Notlüge abgesagt, aber das ist nicht wichtig. Soll ich ehrlich sein? Ich hätte es nicht ertragen können, nicht an diesem Tag. Für mich war es einfacher beim Notar, zumal Sie ja auch nicht wussten, dass Sie auf die anderen treffen würden. In dieser schweren Zeit war das so ein wenig leichter. Für mich.«

Friederike sah auf Alexandras unruhige Hände. Sie knetete dauernd ihre Finger, es machte Friederike ganz nervös. Warum hielt sie sie nicht ruhig? Sie war doch früher nie so nervös gewesen.

»Ich habe vorhin eine Stunde auf der Bank vor ihrem Grab gesessen und mit ihr gesprochen. Immer wenn sie geantwortet hätte, segelte ein Magnolienblatt zur Erde.« Friederike blickte zu Alexandra, die hielt plötzlich ihre Hände ganz still. »Vielleicht sollten wir morgen zusammen zu ihr fahren. Damit wir wirklich begreifen, dass sie tot ist.«

»Ich muss das nicht erst begreifen«, Alexandras Stimme war belegt. »Ich habe es bereits begriffen. Schon beim Notar.«

»Möchte jemand etwas anderes trinken? Vielleicht einen Sherry?« Hanna stand plötzlich auf. »Oder ein Glas Wein?«

»Nein danke.« Friederike hob ablehnend die Hand. »Ich glaube, es ist besser, wenn wir nüchtern bleiben. Was ist eigentlich mit Jule?« Sie wandte sich an Alexandra. »Hat jemand etwas von ihr gehört? Ob sie kommt?«

»Keine Ahnung.« Alexandra zuckte die Achseln und sah Hanna an. »Wissen Sie etwas?«

»Sie kommt.« Hanna stand immer noch an derselben Stelle. »Also, ich trinke jetzt einen Sherry. Wer noch?«

»Ich auch.« Ohne dass die anderen ihr Kommen bemerkt hätten, stand Jule plötzlich in der Tür. »Hallo, die Haustür stand offen.«

Hanna hatte sich sofort umgedreht. »Da sind Sie ja, wir haben gerade von Ihnen gesprochen.«

»Aha.« Jules Blick huschte über Alexandra hinweg, auf Friederike blieb er etwas länger liegen. Dann wandte sie sich wieder an Hanna. »War das ein ernst gemeint mit dem Sherry?«

»Natürlich.« Hanna lächelte ungezwungen. »Ich hole uns mal einen, setzen Sie sich doch, ich bin gleich wieder da. Und in einer Stunde gibt es dann Abendessen.«

Sie verschwand und ließ Jule mitten im Raum stehen. »Geschicktes Manöver.« Friederike schob ihren Stuhl ein Stück zur Seite, ohne Jule aus den Augen zu lassen. »Sie lässt uns allein, damit sie beim ersten Angriff nicht zuschauen muss. Hallo, Jule, der Stuhl hier ist noch frei.«

Jule zögerte einen Moment, bevor sie sagte: »Meine Tasche steht noch mitten im Flur. Vielleicht sollte ich die vorher …«

»Wir schlafen im alten Zimmer.« Alexandra sah sie jetzt an. »Falls du deine Sachen hochbringen willst.«

»Was?« Ungläubig sah Jule sie an. »Das ist nicht euer Ernst. Es gibt doch genug Zimmer im Haus, was soll das denn?«

Alexandra hob die Schultern. »Eine Bitte von Hanna. Weil Marie es so wollte. Ich werde sie erfüllen.«

Sie sah müde aus, fand Jule und überlegte, ob es daran lag, dass Alexandra kaum geschminkt war. Mittlerweile war die schöne Alexandra ohne Hilfsmittel auch nicht mehr so schön. Auch sie hatte Augenringe und ein paar Falten. Irgendwie gab es Jule ein gutes Gefühl.

Sie zog den Stuhl neben Friederike zurück und setzte sich. Alle drei schwiegen, es herrschte eine beklemmende Atmosphäre, und Jule fragte sich, wie sie so diese drei Tage aushalten sollten. Es würde nicht funktionieren, es konnte gar nicht funktionieren.

Jule warf einen verstohlenen Blick auf Friederike. Sie sah ein bisschen verheult aus, ihre Lider waren geschwollen und ihre Wimperntusche verschmiert. Vielleicht hatte sie auch nur Heuschnupfen, Friederike war nie eine Heulsuse gewesen, da musste schon einiges passieren, damit ihr die Tränen kamen. Aber dafür wirkte sie zu ausgeglichen, sie saß sehr entspannt auf ihrem Stuhl, die Beine ausgestreckt, der Gesichtsausdruck eher abwartend als bedrückt.

Alexandra hatte die Beine übereinandergeschlagen, die meisten Frauen saßen so, und anschließend kamen sie zur Physiotherapie, weil sie Hüftschmerzen hatten. Anscheinend fühlte Alexandra sich genauso unwohl wie Jule, man merkte es ihr an, weil sie die ganze Zeit an ihren Händen herumnestelte. Jule sah irritiert zu; als hätte Alexandra das gemerkt, verschränkte sie sofort die Finger und legte sie in den Schoß.

Nach einer gefühlten Ewigkeit unterbrach Friederike die Stille. »Wenn wir jetzt weiter so eisig vor uns hin schweigen, wird die Zeit überhaupt nicht vergehen. Also, wie ist der Plan?«

Jule wandte den Blick von Alexandras Händen ab. »Das musst du Hanna fragen. Ich hoffe, dass sie einen hat. Ich will das Ganze hier nur einigermaßen unbeschadet hinter mich bringen. Und mich von Marie verabschieden. Das habe ich mir vorgenommen. Bei allem anderen haben mir schon diese ersten zehn Minuten gezeigt, dass es wohl illusorisch ist.«

»Glaubst du?« In Alexandras Stimme lag ein leichter Sarkasmus. Zumindest empfand Jule es so. Und wurde sofort sauer. »Ja, das glaube ich«, antwortete sie lauter, als sie eigentlich wollte. »Da musst du gar nicht so komisch nachfragen.«

»Das war doch nicht komisch nachgefragt«, mischte sich Friederike ein. »Was meinst …«

»Friederike.« Jules Zorn fand sofort ein anderes Zielobjekt. »Du musst mir nicht erklären, wie ich was verstehen soll. Vielen Dank, das kriege ich inzwischen selbst hin.«

Genauso hatte sie es sich vorgestellt, keine halbe Stunde in einem Raum, und schon kam die Wut. Sie würde nicht bis zum Schluss bleiben, sie bekam ja jetzt schon keine Luft mehr. Abrupt stand Jule auf, genau in dem Moment, als Hanna mit einer Flasche und Gläsern in der Hand eintrat.

»Also: Sherry?«, fragte sie und tat so, als wäre es ganz normal, dass Jule mitten im Raum stand und mit einer Zornesfalte über der Nase giftige Blicke versprühte. Hanna stellte die Gläser auf den Tisch, schenkte den Sherry ein und reichte ihn Jule. »Willkommen«, sagte sie und hob ihr Glas.

Jule trank in einem Zug aus, stellte das leere Glas zurück auf den Tisch und ging zur Tür. »Ich mache einen kleinen Spaziergang«, sagte sie. »Zum Essen bin ich wieder zurück.«

Stumm sahen Alexandra und Friederike ihr nach.

Vor dem Haus blieb Jule unschlüssig stehen, dann ging sie mit langen Schritten in Richtung See. Neben dem Bootshaus gab es einen Durchgang im Zaun, der zum Wanderweg um den See führte. Eine Zeitlang war sie diese Strecke zusammen mit Alexandra gejoggt, damals, in einem anderen Leben. Jetzt hielt sie es kaum mit ihr zusammen in einem Zimmer aus. Allein schon dieser Ton, den sie in ihre Frage gelegt hatte. Arrogant, überheblich, belehrend. Diese blöde Kuh.

Jule beschleunigte ihr Tempo, die Wut trieb sie an. Zumindest die ersten Minuten, dann merkte sie, dass sie schon ins Schwitzen kam, und verlangsamte ihre Schritte. Sie blieb kurz stehen und richtete den Blick auf den See. Für diesen Moment hatte sich allerdings der Weg sehr wohl gelohnt. Der See lag vor ihr, das Wasser glitzerte in der Sonne, am gegenüberliegenden Ufer erkannte sie die Terrasse vom *Café Beermann*, vor der immer noch einige Tretboote festgemacht waren. Auf der rechten Seite sah sie Segelboote, genau vor ihr erhob sich plötzlich eine Ente in die Luft, die vorher noch ruhig ihre Bahn gezogen hatte. Jule verfolgte ihren Flug, bevor sie tief ausatmete und langsam weiterging. Sie wäre jetzt gern bis zu *Beermann* gelaufen, hätte ein kaltes Bier auf der Terrasse getrunken und anschließend Torge angerufen, um ihm zu sagen, dass sich alles genauso furchtbar anfühlte, wie sie es sich vorgestellt hatte. Aber der Weg zu *Beermann* dauerte zu Fuß fast eine Stunde, und sie hatte sich in der Galerie vorgenommen, alles, was Hanna hier vorhatte, mitzumachen. Also auch das gemeinsame Essen, das hier gleich stattfinden würde. Man konnte ja nur gespannt sein, wie das werden würde. Jule nahm sich vor, einfach gar nichts zu sagen. Und ihre Wut im Zaum zu halten, um keinen Streit zu provozieren. An ihr würde es nicht liegen.

Langsam schlenderte sie den Uferweg entlang, die Sicht aufs Wasser beruhigte sie, nach und nach verlor sie sich in Gedanken. Früher hatten sie nie gestritten. Obwohl sie alle so unterschiedlich und auch nicht immer einer Meinung gewesen waren, konnte Jule sich tatsächlich kaum an einen Streit oder an eine böse Auseinandersetzung erinnern. Sie hatten diskutiert, oft heftig, sich auch gegenseitig kritisiert, aufgezogen oder geschimpft, aber es war immer liebevoll und zugewandt gewesen.

Jule bückte sich und nahm einen flachen Stein auf. Sie ging

über den Rasen näher zur Uferböschung und ließ den Stein über die Wasseroberfläche springen. Viermal, es klappte noch. Sie hatte das immer schon am besten von allen gekonnt, auch wenn Marie am meisten geübt hatte. Neben ihr lag ein gefällter Baumstamm, sie beschloss, hier sitzen zu bleiben und auf den See zu schauen. Bis zum Essen. Um sich zu entspannen.

Beim Beobachten einer Entenfamilie fiel ihr dann aber doch ein Streit ein. Eine laute und heftige Diskussion, die vor Jahren hier stattgefunden hatte und nach der Jule ziemlich verletzt gewesen war. Sie grub ein bisschen tiefer in ihrem Gedächtnis, bis sie sich wieder erinnern konnte. Sie war Anfang vierzig gewesen, es waren vier Jahre nach ihrer Scheidung vergangen, und sie hatte kurz vorher den runden Geburtstag ihres Vaters hinter sich gebracht. Mitsamt einem Familienfest.

»Ich weiß nicht, ob ihr diesen Landgasthof kennt«, hatte sie angefangen, den anderen das Fest zu schildern. Sie hatten um den großen Küchentisch gesessen, und wie immer am ersten Abend hatte Marie Pizza gemacht, eine Hälfte Schinken und Salami, die andere Hälfte Thunfisch. Es gehörte einfach dazu, genauso wie der Rotwein. Glücklicherweise war der grausame Lambrusco mittlerweile einem besseren Chianti gewichen, seitdem hatten sie am Pfingstsamstagmorgen alle weniger Kopfschmerzen.

»Meine Mutter hatte das Lokal ausgesucht, natürlich sie, mein Vater wird ja überhaupt nicht mehr gefragt, er büßt seit über zwanzig Jahren für die Affäre, die er damals hatte. Deshalb musste der Arme auch in diesem fürchterlichen Saal seinen Geburtstag feiern. Mit den ganzen besoffenen Nachbarn am Nebentisch.«

Jule nahm einen großen Schluck Rotwein. »Und neben mir zappelte Pia herum, die sich den ganzen Abend bis zur schlechten Laune gelangweilt hat, sie ist noch nicht mal zehn, was soll sie auch auf so einem Fest? Aber meine Mutter macht gerade wieder einen auf Familie, sie bestand darauf, dass Pia mitkommt. Damit alle Leute sehen, dass wir eine große, glückliche Familie sind. Ich hatte echt noch Glück, dass Philipp abgesagt hat, der Superschwiegersohn, entschuldigt, Ex-Superschwiegersohn, er war natürlich eingeladen, aber er hatte ja einen wichtigen Kongress, das war auch mal wieder gelogen. Meine Mutter war untröstlich, sie liebt ihn doch heiß und innig. Und gibt mir immer noch die Schuld, dass meine Ehe nicht gehalten hat.«

»Jule«, Alex legte ihr die Hand auf den Arm und schenkte ihr gleichzeitig neuen Wein ein. »Du redest dich gerade wieder in Rage, hol mal Luft.«

»Ich muss mich gar nicht in Rage reden, ich bin in Rage.« Jules Augen funkelten. »Ich verstehe überhaupt nicht, dass mein Vater damals geblieben ist. Er hätte sich trennen sollen, stattdessen lässt er sich immer noch von ihr terrorisieren. Er sollte sich mal ein Beispiel an Philipp nehmen, der ist Knall auf Fall ausgezogen, als ihm was Besseres über den Weg gelaufen ist. Der hat sich nicht angestrengt, irgendetwas zu retten. Und ich bin nicht so schlimm wie meine Mutter. Und außerdem …«

»Jule«, dieses Mal versuchte Friederike, sie zu unterbrechen. Ergebnislos. Jule schlug stattdessen wütend mit der Hand auf den Tisch. »Und außerdem hat Philipp wohl schon wieder eine Neue. Hat Pia mir erzählt. Ich habe ihn angerufen, aber er will nicht darüber reden. Aber Pia hat was mitbekommen. Und die soll auch noch …«

»Jule!« Friederike versuchte es lauter, dieses Mal erfolgreich, Jule schloss den Mund und sah Friederike an. Die räusperte sich und meinte: »Hörst du dir eigentlich selbst zu? Wahrscheinlich nicht, sonst wäre es nicht jedes Mal dasselbe, was du erzählst. Jule, du bist seit fast vier Jahren von Philipp getrennt, aber sein Name fällt spätestens nach der ersten halben Stunde. Es ist immer alles furchtbar, was du erlebst, das kann doch nicht sein. Es sind die ewig gleichen Geschichten. Die kaputte Ehe deiner Eltern, deine kaputte Ehe, blöde Nachbarn, blöde Patienten, Pia, die Stress macht, irgendwelche neuen Affären von Philipp, von denen du irgendetwas von irgendjemandem gehört hast – mach doch endlich mal einen Strich unter diesen ganzen Scheiß, ich kann es echt nicht mehr hören.«

»Was …?«, verletzt sah Jule sie an. »Ich …«

Hilfesuchend warf sie einen Blick zu Alex und Marie. Letztere legte ihre Hand über Jules und strich kurz mit dem Daumen drüber. »Dein Leben ist doch gar nicht so schlecht, Jule. Du hast eine tolle Tochter, deine Praxis läuft immer besser, dein Häuschen ist süß, jetzt schließ doch mal mit deiner Vergangenheit ab und versuch wieder, in der Gegenwart zu leben. Hol Philipp vom Sockel, er gehört da nicht drauf. Und sei wieder die Jule von früher. Die Lustige, die vor nichts Angst hat, die Liebevolle, die Umtriebige, komm, du musst das Alte abschütteln, fang wieder neu an.«

»Die Jule von früher?« Zweifelnd schüttelte Jule den Kopf. »Wieso? Was passt euch denn jetzt nicht an mir?«

»Du bist negativ, pessimistisch, ängstlich, rachsüchtig und kleinlich geworden.« Alex beugte sich nach vorn. »Du drehst dich immer um dieselben Dinge. Genau genommen um deine Vergangenheit und deine Trennung. Du gehst nicht mehr aus, du interessierst dich für nichts, du meckerst eigentlich nur noch rum und bedauerst dich selbst. Komm, Jule, es gibt noch ein anderes Leben. Mach endlich was.«

»Ihr habt doch keine Ahnung, wie das ist, alleinerziehend, voll berufstätig, das ist ein ewiges Jonglieren.« Vor lauter Selbstmitleid kamen ihr die Tränen. »Ich bin jetzt über vierzig, habe kein Privatleben, es kreist alles nur um Kind, Haushalt,

Geld verdienen, manchmal habe ich alles so satt. Und jetzt kritisiert ihr mich auch noch dafür, dass ich hier mal mein Herz ausschütte!«

Friederike sandte einen Blick zur Zimmerdecke, bevor sie sagte: »Wir kritisieren dich nicht, wir machen dich nur auf Dinge aufmerksam, die nicht rund laufen. Außerdem weißt du, dass wir dir jederzeit helfen, wenn was ist, du bist schließlich nicht allein.«

»Eben.« Alex verschränkte die Arme vor der Brust. »Du hast uns, Philipp kümmert sich auch regelmäßig um Pia, ist ein guter Vater und gibt sich wirklich Mühe. Und außerdem bekommst du genug Geld von ihm. Es ist doch nicht so, dass du am Rand des Abgrunds stehst. Also komm, reiß dich mal zusammen. So kann es doch nicht weitergehen.«

Jule schreckte auf ihrem Baumstamm hoch, weil ein Fischreiher plötzlich über sie hinwegflog. Nach diesem Gespräch damals war sie total beleidigt gewesen, weil sie die geballte Kritik so ungerecht fand und das Gefühl gehabt hatte, dass alle gegen sie waren. Am nächsten Tag hatte sie einen Spaziergang mit Marie gemacht, deren sanfte, aber bestimmte Art sie zur Besinnung gebracht hatte. Denn bei genauerer Betrachtung hatten sie ja Recht gehabt. Jule musste zugeben, dass sie es sich zu der Zeit in ihrem Elend bequem gemacht hatte. Und in den Monaten danach veränderte sich tatsächlich ihre Haltung zu einigen Dingen. Was aber blieb, war ihre Irritation über Alex. Sie hatte Philipp nicht zum ersten Mal verteidigt, heute wusste Jule auch, warum.

Mit einem Blick auf die Uhr stand sie auf und klopfte sich die Hose ab. Ein paar Holzstücke fielen auf die Erde. Alex. Wie hatte sie ihr eigentlich in die Augen sehen können? Und wer gab ihr überhaupt das Recht, Jule zu kritisieren?

Langsam machte sie sich auf den Weg zurück ins Haus. Zum gemeinsamen Essen. Jule sah in den Himmel. »Marie, ich hoffe, du bist nicht zu enttäuscht von uns. Aber ich fürchte, dass du uns in deinem Plan tatsächlich überschätzt hast.«

Friederike saß auf ihrem Bett und starrte minutenlang auf das leere Bett gegenüber. Wenigstens lag das kleine Plüschtier nicht mehr da, das Maries Kissen geziert hatte, bis sie fünfzehn oder sechzehn war. Es war ein kleines, ehemals rosa Schwein gewesen. Marie hatte das Glücksschwein schon als Kind vor ihrem ersten Krankenhausaufenthalt bekommen. Zum Schluss hatte das Viech eine Farbe, die an Kalbsleberwurst erinnerte, Friederike fand das Schwein richtig fies, Marie hatte es aber immer verteidigt, irgendwann hatte es sich im Kopfkissenbezug verfangen und war von der Waschmaschine im Schleudergang gekillt worden. Marie war darüber tief betrübt – Friederike eher erleichtert. Das Schwein wurde nie ersetzt. Jetzt wünschte Friederike sich, dass sie damals ein neues Schwein für Marie besorgt hätte.

Mit einem Seufzer stand sie auf. Maries Bett war wenigstens nicht bezogen, jemand hatte eine bunte Decke und Kissen daraufgelegt, es machte es nicht leichter. Friederike rieb sich fröstelnd über die Arme, griff nach ihrer Strickjacke und verließ das Zimmer.

Bereits auf der Treppe stieg ihr ein bekannter Geruch in die Nase. Es roch nach überbackenem Käse, nach Teig, nach Pizza. Sie verharrte einen Moment im Flur, dann hob sie das Kinn und drückte die angelehnte Küchentür auf. Hanna nahm gerade Gläser aus dem Schrank und sah ihr entgegen. »Friederike«, sagte sie und deutete auf den Tisch. »Sind Sie so nett und öffnen schon mal den Wein? Die Pizza ist in zehn Minuten fertig.«

»Gern.« Auf dem Weg zum Tisch sah Friederike durch die Scheibe in den Backofen. Eine Hälfte der Pizza war mit Schinken und Salami belegt, die andere mit Thunfisch. Sie hob die Augenbrauen und sah Hanna an. »Das war früher auch immer das Essen am ersten Abend.«

»Ach.« Hanna klang nicht sonderlich überrascht. »Der Korkenzieher liegt neben der Flasche.«

Friederike entkorkte den Wein und beobachtete Hanna, die die Gläser auf den Tisch stellte, Servietten verteilte und die Backofentür öffnete. Ihr Gesichtsausdruck war nicht zu deuten. Irgendwie sah sie aus, als würde sie hier einen Job machen.

»Pizza?« Mit irritiertem Gesichtsausdruck kam Alexandra in die Küche, blieb stehen und musterte erst den gedeckten Tisch, dann Hanna und schließlich Friederike. »Déjà-vu?«

»Sieht so aus.« Der Korken glitt aus der Flasche, Friederike drehte ihn vom Öffner und behielt ihn in der Hand. Alexandra hatte sich umgezogen, trug jetzt einen schwarzen Pullover zur Jeans, er machte sie blass. Sie ging langsam zum Tisch und legte die Hand auf eine der Stuhllehnen. Es war der Stuhl, auf dem sie auch früher gesessen hatte. »Kann ich noch irgendetwas helfen?«

»Nein, danke.« Hanna zog das Backblech aus dem Ofen und stellte es auf ein Holzbrett. »Setzen Sie sich doch. Es ist alles fertig.«

»Riecht das hier nach …«, Jule trug die lockigen Haare jetzt offen, Friederike sah sie in der Tür stehen und registrierte erstaunt, wie wenig sie sich verändert hatte. Sie sah zehn Jahre jünger aus, als sie war, Friederike fühlte sich in eine andere Zeit versetzt. Jule sah sie an. »Ist was?«

»Nein.« Friederike riss sich von ihrem Anblick los, ging zum Abfalleimer und warf den Korken hinein. »Wer möchte ein Glas Rotwein?«

»Bitte alle Platz zu nehmen«, forderte Hanna sie noch mal auf, während sie die geschnittene Pizza mitsamt Blech auf den

Tisch stellte. Wie Marie früher. Auf deren Platz setzte Hanna sich jetzt auch, nahm ihr Weinglas und hielt es hoch. »Ich hätte gern ein Glas.«

Friederike schenkte ein, während Jule und Alexandra sich zögernd setzten. Hanna wartete, bis alle Gläser gefüllt waren, dann hob sie ihres und sagte: »Auf Marie. Und darauf, dass wir verstehen, warum wir hier sind.«

Friederike sah sie an, hob ebenfalls ihr Glas und ergänzte: »Und darauf, dass wir uns wie erwachsene Menschen benehmen. Marie zuliebe.«

Nur Hanna lächelte. Sie war es auch, die versuchte, ein Gespräch in Gang zu bringen. »Alexandra, wie geht man denn mit so einem Plagiat um? Gibt es jetzt ein Gerichtsverfahren? Wird diese Frau Mohr noch mal irgendwo etwas unter ihrem Namen veröffentlichen können? Kommt das oft vor? Ich habe ja gar keine Ahnung von der Verlagsbranche.«

Selbst wenn sich Alexandra über diesen Beginn wunderte, so ließ sie sich jedenfalls nichts anmerken, sondern antwortete souverän, sprach von Schadensersatz, Urheberrecht und juristischen Schritten. Jule würdigte Alexandra keines Blickes, sondern begann demonstrativ konzentriert, ihre Pizza zu essen. Salami und Schinken, wie früher, Jule hasste Thunfisch. Friederike hörte Alexandra nur mit einem Ohr zu, sie hatte das Interview im ›Magazin‹ gelesen, da hatte alles, was sie hier hörte, ja schon gestanden. Als Alexandra ihre Ausführungen beendet hatte, sah sie fast schon entspannt aus, man merkte ihr an, dass sie sich auf vertrautem Terrain sofort sicher fühlte.

»Und bei Ihnen, Jule?«, wandte Hanna sich jetzt zur anderen Seite. »Ich habe neulich gelesen, dass Sitzen das neue Rauchen ist und alle Menschen Rückenbeschwerden haben. Merken Sie das in Ihrer Praxis?«

Ganz langsam legte Jule ihr Besteck auf den Teller und sah

Hanna an. »Entschuldigen Sie«, sagte sie mit aller Geduld, die sie aufbringen konnte. »Ich weiß, dass Sie sich gerade sehr bemühen, eine Unterhaltung in Gang zu bringen, aber ich habe überhaupt keine Lust, über Rückenbeschwerden, Schriftstellerinnen, die ich nicht kenne, und vermutlich gleich auch noch über den Hotelalltag von Friederike zu reden. Wir sitzen nicht hier, weil wir uns füreinander interessieren, sondern weil Marie tot ist. Wir können also gern über Marie reden, aber bitte nicht über unsere heutigen Leben. Mir sind eure Leben ziemlich egal, und meins geht euch nichts an. Hanna, das ist nicht gegen Sie gerichtet, nehmen Sie es nicht persönlich.«

Gelassen blickte Hanna zurück. Sie nickte leicht, bevor sie sagte: »Gut. Dann sollten wir das Heute lassen und zurück in die Vergangenheit gehen. Lassen Sie uns doch mal über das letzte Pfingstfest am See sprechen. Und über Ihren Streit und wie er entstanden ist. Er hängt sowieso den ganzen Abend über in diesem Raum.«

Abrupt schob Jule ihren Teller zurück. »Darüber werde ich ebenfalls nicht mehr reden. Auf keinen Fall.«

»Aber vielleicht sollten wir das endlich mal tun.« Mit sanfter Stimme mischte Alexandra sich jetzt ein. »Es waren so viele Missverständnisse.«

Jule fuhr herum und sah sie wütend an. »Das sagt genau die Richtige. An deiner Stelle würde ich besser den Mund halten.«

»Jule, bitte!« In der Bemühung, die aufkommenden Wogen zu glätten, hob Friederike die Hand. »Wir sind doch keine zwanzig mehr, und wir sollten uns auch nicht so benehmen. Ich weiß nach all den Jahren nicht mal mehr genau, wie der Streit damals entstanden ist. Eigentlich fing doch alles damit an, dass ich euch erzählt habe, dass Ulli mich verlassen hatte. Ihr habt irgendwie so gleichgültig reagiert, deswegen wurde ich sauer.«

»Was meinen Sie mit gleichgültig?« Hanna sah Friederike interessiert an. Die zuckte die Achseln.

»Jule sah komplett desinteressiert aus, und Alexandra hat irgendwas gemurmelt von wegen: ›Das hatten wir doch schon mal‹. Nur Marie war echt erschrocken und hat zumindest nach den Gründen gefragt. Ich konnte das damals überhaupt nicht verstehen. Ich war am Boden zerstört, und ihr habt Pizza gegessen.«

»Ihr hattet euch doch schon mal getrennt«, erinnerte Alexandra sie. »Und zwar aus ähnlichen Gründen. Es ging immer um dasselbe, immer um seine Kinder. Wir hatten das alles schon gehört. In allen Details, bei der ersten Trennung. Und fünf Jahre später seid ihr wieder zusammen gewesen. Und nun ging es wieder los. Das hatte ich damals gemeint.«

»Du hast es überhaupt nicht ernst genommen«, blaffte Jule sie an. »Es hat dich doch gar nicht interessiert, wie es Friederike ging. Sie war damals fix und fertig. Dir sind die Beziehungen anderer immer schon egal gewesen. Das ist dein Problem.«

Jetzt hob Hanna die Hand. »Jetzt wird es aber unsachlich. Ich dachte, es ginge um Friederike?«

»Auch.« Jules Stimme war sarkastisch. »Friederike wurde wütend, weil ich gesagt habe, dass sie ein Drama gemacht hat, wo keines war. Herrgott, es waren seine *Kinder*, über die du dich aufgeregt hast. Die waren schon da, bevor du ihn kanntest.«

Friederike biss sich auf die Lippe. Sie würde nichts dazu sagen. Nicht hier und jetzt. Stattdessen schüttelte sie nur den Kopf. Jule beobachtete sie. »Und dann bist du mit eurem Geheimnis rausgeplatzt, was ihr die ganze Zeit so schön für euch behalten habt, damit unsere so kostbare Freundschaft nicht den Bach runtergeht.« Jetzt war es raus. Sie hatte es ganz ruhig gesagt. Ruhig und kalt. »Habt ihr das eigentlich auf Bitte von

Marie gemacht? Hat es euch Spaß gemacht, mich die ganze Zeit so zu verarschen?«

»Jule, es war leider alles ein bisschen komplizierter«, begann Alexandra, wurde aber sofort von Jule unterbrochen.

»Hör bloß auf damit. Ich bin doch nicht blöd. Ihr hättet das alles wirklich ein bisschen geschickter anstellen können.«

Friederike sah kurz Alexandra an. Dann sagte sie: »Jule, es war kein gemeinsames Geheimnis, das haben wir dir damals schon gesagt. Ich habe es nur als Beispiel genannt. Und aus Wut, weil du so selbstgerecht warst. Das war natürlich völlig daneben, aber du hast total überreagiert.«

»Das geht jetzt gerade sehr durcheinander«, spreizte Hanna sich ein. »Darf ich fragen, um welches Geheimnis es sich handelt?«

Friederike vermied Jules Blick. »Es gab kein Geheimnis. Ich fühlte mich damals von Jule provoziert, die gesagt hatte, ich hätte ja keine Ahnung, wie Kinder jemanden verändern könnten. Sie selbst wüsste das besser, ihre Ehe sei vor Pias Geburt ganz eng und symbiotisch gewesen, sie hätte immer gewusst, was Philipp gedacht und gemacht hätte, erst als sie Eltern wurden, hätte sich alles verändert. Ich habe ihr damals in meiner Wut erzählt, dass Ulli aber Alexandra und Philipp auf Norderney getroffen hat, als er mit seinen Kindern, aber ohne mich, da war. Er hat die beiden dort gesehen, ohne zu wissen, was sie da zusammen gemacht haben. Und das war vor Pias Geburt. Aber es ging uns nichts an, deshalb war es ein Fehler, das im Streit zu sagen.«

»Doch, Friederike.« Jule presste ihre Lippen zusammen, bevor sie weitersprach. »Es ging dich etwas an. Du warst meine Freundin. Und mich ging es auch etwas an, ich war nämlich mit Philipp verheiratet. Und der hat, noch vor Pias Geburt, mit einer meiner besten Freundinnen eine Affäre angefangen. Es ging euch alle was an, ihr habt nur nichts gesagt. Aber ihr habt es alle gewusst.«

»Damals auf Norderney ist überhaupt nichts passiert«, versuchte Alexandra es wieder. »Das habe ich dir doch schon hundertmal gesagt.«

Jule ging gar nicht auf sie ein. Zu Hanna gewandt sagte sie: »Ich war zehn Jahre mit Philipp zusammen, acht Jahre mit ihm verheiratet und habe nicht geahnt, dass eine meiner besten Freundinnen der Trennungsgrund war. Wollen Sie immer noch wissen, worum es sich bei unserem Streit eigentlich handelte?«

Hanna wollte antworten, aber Friederike legte ihr kurz die Hand auf den Arm. »Moment. Jule, hast du nicht irgendwann mal darüber nachgedacht, dass es auch alles ganz anders gewesen sein könnte? Dass Alexandra die Wahrheit sagt?«

Jule sah sie lange an. »So ein Schwachsinn«, antwortete sie schließlich. »Jetzt endlich könntet ihr es auch zugeben. Mir ist sowieso klar, was damals abgelaufen ist. Und ich finde es schon ätzend genug, dass Philipp die ganzen Jahre so rumgeeiert und alles immer nur vage gehalten hat. Er hätte einfach dazu stehen sollen, dass Alex der Grund war. Also spart euch eure verqueren Erklärungen. Sie sind bescheuert.«

Sie warf ihre Serviette auf den Teller, auf dem noch fast das ganze Stück Pizza lag. »Es hat keinen Zweck, ich dachte wirklich, ich könnte es aushalten. Aber es geht nicht. Hanna, es tut mir leid, aber ich kann das hier nicht ertragen.« Sie stand auf und ging zur Tür.

»Jule.« Hanna war ebenfalls aufgestanden. »Warten Sie bitte.«

Sie folgte Jule nach draußen und schloss hinter sich die Küchentür. Jule sah sie an und atmete tief durch. »Ich dachte wirklich, ich könnte es. Aber diese ganze Geschichte damals hat mich fast umgebracht. Und jetzt kommt gerade alles wieder hoch. Das schaffe ich nicht.«

»Das kann ich gut verstehen«, antwortete Hanna. »Und es ist natürlich Ihre Entscheidung. Aber Marie ist immer davon ausgegangen, dass sich dieser Streit und diese Missverständnisse in Ordnung bringen lassen. Dafür hatte sie gute Gründe. Sie hat Ihnen allen einen Brief geschrieben, etwa ein halbes Jahr vor ihrem Tod. Darin hat sie ihre Sicht der Dinge beschrieben. Und versucht, noch mal alles zu erklären. Bitte lesen Sie ihn. Und vielleicht können Sie sich danach doch entscheiden, hierzubleiben. Marie hat es sich so sehr gewünscht.« Sie zog einen weißen Briefumschlag aus ihrer Tasche und gab ihn Jule. Die sah auf die Schrift, die sie sofort und überall wiedererkannt hätte, und ihr Hals schnürte sich zu. Hanna legte die Hand an Jules Arm. »Lesen Sie ihn in Ruhe. Danach können Sie entscheiden.«

Sie trat ein Stück zurück. Jule schob den Umschlag in ihre Jackentasche und nickte. »Ich gehe auf den Steg«, sagte sie mit leiser Stimme.

»Ich bin nicht überrascht«, sagte Alexandra, nachdem die Tür sich hinter Hanna und Jule geschlossen hatte. »Eigentlich habe ich es mir genauso vorgestellt. Ich bin für Jule ein rotes Tuch, und sie beharrt auf ihrer Wahrheit. Sie will doch gar nicht wissen, was damals wirklich passiert ist.«

Friederike drehte nachdenklich ihr Weinglas. »Vielleicht. Dann müsste sie ja über die Gründe für ihre Trennung nachdenken. Und auch überlegen, welche Fehler sie gemacht hat. So ist das natürlich viel einfacher. Du bist schuld, und natürlich Philipp. Und sie ist das Opfer. Damit lebt man besser. Und fühlt sich ehrenhaft. Und wird auch noch bemitleidet.«

Sie hing einen Moment ihren Gedanken nach, dann hob sie den Kopf. »Ist auf Norderney wirklich nichts zwischen dir und Philipp gewesen?«

»Nein.« Alexandra stützte ihr Kinn auf die Faust und sah sie an. » Es war ein zufälliges Treffen. Wir haben in der Bar gesessen. Ich kam von der Massage, die zu meinem geschenkten Wellnesswochenende gehörte, und Philipp kam von diesem wohl anstrengenden Familienfest. Wir haben ziemlich viel getrunken und uns gefreut, dass wir uns da zufällig getroffen haben. Wir haben auch geflirtet. Und es hätte auch was passieren können, wenn ich nicht plötzlich einen hellen Moment gehabt und an Jule gedacht hätte. Ich habe mich damals für sie und gegen ihn entschieden.«

Friederike sah sie an, Alexandra hielt dem Blick stand. Dann griff sie zu ihrem Weinglas und trank. Als sie es abgesetzt hatte, sagte sie: »Es war allerdings nicht so, dass es mir leichtgefallen ist. Nur zur Vervollständigung.«

»Aha.« Friederike lächelte kurz. »Deshalb hattest du damals dieses schlechte Gewissen. Darüber hatte ich mich gewundert. Während des Streits. Ich war mir nie sicher, ob ihr nicht doch was miteinander gehabt hattet. Wie auch immer, es ist so lange her. Es spielt doch heute gar keine Rolle mehr.«

Alexandra stand langsam auf und trat ans Fenster. Von hier konnte man das Dach des Bootshauses sehen. Und dahinter den See. Sie drehte sich zu Friederike um. »Das Schlimme ist, dass man nichts ungeschehen machen kann. Und weil es so auseinandergegangen ist, haben die ganzen Jahre vorher ihren Zauber verloren. Das ist das, was mich dabei so traurig macht. Und ich glaube, das war auch für Marie das Schlimmste. Dass wir noch nicht einmal mehr die schönen Erinnerungen zugelassen haben. Als wäre die ganze Zeit im Nachhinein nichts wert gewesen. Dabei wären wir vermutlich heute nicht diejenigen, die wir geworden sind, wenn wir uns damals nicht gefunden hätten.«

»Tja, vermutlich stimmt das.« Friederike war auch aufgestanden und stellte sich jetzt neben sie. Mit Blick auf den See sagte sie: »Wir haben es echt versaut. Und Marie gibt uns gerade eine zweite Chance. Mal sehen.«

Als Hanna zurück in die Küche kam, sah sie Alexandra und Friederike einträchtig nebeneinander am Fenster stehen. Friederikes Hand lag auf Alexandras Schulter.

Tag zwei

Jule wachte aus einem Traum auf, in dem Pia und Alexandra ihr eingehakt entgegenkamen, beide in einem weißen Pelzmantel und einen Schlitten hinter sich herziehend, auf dem Philipp und Torge saßen, sich an den Händen hielten und Weihnachtslieder sangen.

Sie öffnete die Augen und musste sich einen Moment orientieren. Das Weihnachtslied klang in ihrem Kopf nach, es verursachte ihr leichte Kopfschmerzen. Nur langsam kam Jule in der Gegenwart an. Was war denn das für ein blöder Traum gewesen?

Plötzlich fiel ihr ein, wo sie war, sofort sah sie zur Seite. Das andere Bett war leer, sie setzte sich langsam auf und lehnte sich, nach einem Blick auf die Uhr, an die Wand. Es war erst sieben Uhr, anscheinend litt Alexandra an präseniler Bettflucht.

Als Jule am Abend vorher aufs Zimmer gegangen war, hatte Alexandra noch mit Friederike in der Küche gesessen, Jule hatte sich unbemerkt an ihnen vorbeigeschlichen. Nur mit Hanna, die schon vorher mit einer Rotweinflasche, einem Glas und einer Wolldecke zum Steg gekommen war, hatte sie noch gesprochen.

»Ich wollte nachsehen, ob alles in Ordnung ist«, hatte sie mit ihrer sanften Stimme gesagt und Jules verweinte Augen ignoriert. »Es wird langsam kühl, ich habe Ihnen eine Decke und etwas zu trinken mitgebracht. Falls Sie hier noch länger sitzen möchten.«

»Ja, das möchte ich.« Jule hatte dankbar den Rotwein und die Decke genommen, sie hatte im Schneidersitz auf dem Steg gesessen, Maries Brief noch in der Hand. Mit einem kurzen Blick darauf hatte Hanna sich neben sie gesetzt. »Wie geht's Ihnen mit diesem Brief?«

Jule sah sie an und wischte sich über die Augen. »Ich weiß es noch nicht. Sie fehlt mir gerade so. Es wäre so viel einfacher, wenn sie mir das alles gesagt hätte.«

»Ja.« Hanna nickte. »Das hätte sie auch sehr gern gemacht. Und deswegen war es ihr auch so wichtig, dass dieses Treffen hier stattfindet, auch wenn sie selbst nicht mehr dabei sein kann. Aber ist sie es nicht eigentlich doch?«

Jule musste lächeln, Hanna drückte ihre Hand und erhob sich wieder. »Wenn Sie noch etwas brauchen, sagen Sie Bescheid. Reden wir morgen weiter?«

»Ja.« Jule nickte. »Wir reden morgen weiter.«

»Danke«, sagte Hanna. »Ich bin froh, dass Sie bleiben.« Sie legte ihre Hand kurz auf Jules Schulter und ging zurück ins Haus.

Als Jule später nachkam, hörte sie hinter der geschlossenen Küchentür noch leises Stimmengemurmel. Sie wollte jetzt weder Friederike noch Alexandra sehen, deshalb stellte sie die Rotweinflasche und ihr leeres Glas auf die Kommode in der Diele, legte die Wolldecke über einen Stuhl und stieg auf Zehenspitzen die Treppe hoch. Kurz bevor sie die Tür ihres Zimmers erreicht hatte, kam Hanna ihr aus dem Badezimmer entgegen. »Ach, Jule, es wird draußen jetzt doch zu kalt, nicht wahr?«

Jule fror tatsächlich und nickte. »Ja, ich gehe ins Bett. Vielen Dank noch mal, für den Wein und die Decke. Und den Rest.«

»Gern.« Hanna lächelte kurz. »Ich habe Handtücher ins Bad gelegt. Schlafen Sie gut, bis morgen.«

Tatsächlich hatte Jule es gerade noch geschafft, sich die Zähne zu putzen und ins Bett zu legen. Sekunden später war sie eingeschlafen.

Jetzt war ihr Mund völlig ausgetrocknet, das Schlucken tat schon weh. Sie hatte vergessen, sich eine Flasche Wasser mit hochzunehmen, sie hatte aber auch keine Lust, im Schlafanzug durchs Haus zu schleichen und schon vor dem ersten Kaffee Alexandra zu begegnen.

Als sie Kinder waren, hatte Laura ihnen jeden Abend einen Krug mit Wasser und bunten Gläsern auf die Fensterbank gestellt. Falls sie Durst bekamen, sollten sie nicht im Dunkeln die Treppe zur Küche runtersteigen müssen. Die Toilette war auf dieser Etage, da konnte nichts passieren. Aber der Kühlschrank war unten. Laura hatte immer Angst gehabt, dass eines der Mädchen nachts im Halbschlaf die Treppe hinunterfallen könnte. Bei der Erinnerung daran musste Jule lächeln. Die wunderbare Laura. Sie schlug die Bettdecke zur Seite und stellte die Beine auf den Boden. Es war warm im Zimmer, sie zog die Gardine auf, um ein Fenster zu öffnen. Auf der Fensterbank standen ein Krug mit Wasser und zwei bunte Gläser. Jule hielt inne, schüttelte dann langsam den Kopf. Verrückt, dachte sie und starrte auf das Blumenmuster der Gläser. Es waren dieselben wie früher. Sie goss Wasser in eines der bunten Gläser und trank es in einem Zug aus, danach ließ sie sich wieder auf die Bettkante sinken.

Es war fast schon gespenstisch, wieder hier zu sein, inmitten der Dinge, die ihr immer noch vertraut waren. Obwohl sie sich bemüht hatte, das alles aus ihrer Erinnerung zu verbannen. Und es waren nicht nur die bunten Gläser.

Entschlossen zog sie die Nachtschrankschublade auf und nahm Maries Brief heraus. Sie griff nach ihrer Brille und lehnte sich wieder an die Wand. Marie fehlte ihr. Gestern war es schon so furchtbar gewesen, aber heute fühlte es sich noch schlimmer an.

Ich kann mir vorstellen, wie du dich bei diesem Treffen fühlst, liebe Jule, ich kann es mir sogar richtig gut vorstellen. Du warst, neben mir, immer diejenige von uns, für die Harmonie ganz wichtig war. Und das Schlimme an unserem Streit war, dass jede von uns sich an diesem Abend von einer Seite gezeigt hat, die wir uns gegenseitig gar nicht zugetraut hätten.

Jule ließ den Briefbogen sinken und sah aus dem Fenster. Das hatte Marie wirklich sehr zurückhaltend ausgedrückt. In der Realität war es damals so gewesen, dass Jule fast handgreiflich geworden wäre. Sie hatte nie gedacht, dass sie wütend genug werden könnte, um den Drang zu verspüren, jemanden verprügeln zu müssen. Sie war fast so weit gewesen, Marie hatte mit ihr das Zimmer verlassen, damit sie sich beruhigte. Alexandra hatte Glück gehabt.

Du warst so verletzt und zornig, dass du nicht mehr in der Lage warst, mir zuzuhören. Du hast so gewütet, dass niemand mehr an dich rankam. Ich weiß, dass du selbst darüber erschrocken warst, vielleicht war das auch ein Grund dafür, dass du den Kontakt abgebrochen hast. Weil wir dich so gesehen haben, wie du sonst nie gewesen bist. Ich konnte das sogar verstehen, auch ich habe in dem Moment, in dem Friederike ihren Giftpfeil abgeschossen hat, die Luft angehalten. Verletzte Tiere beißen um sich, und sie war sehr verletzt. Ich will sie hier nicht verteidigen, sie wird heute, nach all den Jahren, wissen, dass es ein Fehler war, und sie wird

dir erklären können, warum das passiert ist. Ich wünsche
mir so, dass ihr die Gelegenheit, die ich euch hier gebe, nutzt,
darüber zu sprechen. Es wird euch allen das Herz leichter
machen.

Jule hatte ganz lange das wütende Gesicht von Friederike in
diesem Moment im Kopf gehabt. Das Schlimmste war, dass
sich dieser Gesichtsausdruck bei ihr eingeprägt hatte. An die
Friederike, mit der Jule den größten Teil ihres Lebens so eng
befreundet war, konnte sie sich erst wieder erinnern, seit Marie
tot war.

Ich denke in diesen letzten Monaten, die mir bleiben, natür-
lich viel über mein Leben nach, versuche herauszufinden, ob
es ein gutes Leben war (ja, das war es), ob ich alles richtig
gemacht habe (sicher nicht alles, aber ich hoffe, das meiste),
wem ich das zu verdanken habe (neben meinen Eltern na-
türlich euch und in den letzten Jahren Hanna) und ob ich ein
guter Mensch gewesen bin. Die letzte Frage hätte ich mit ja
beantwortet, wenn dieser Streit und die nachfolgenden Jahre
nicht gewesen wären. Auch ich habe mich da nicht so ver-
halten, wie ich es gern im Nachhinein getan hätte. Friederike
hatte mir damals sehr aufgeregt erzählt, dass Ulli Alex und
Philipp auf Norderney in einer Bar gesehen hat, allein, ver-
traut, ausgelassen. Sie hat das verstört erzählt, wollte mit
dir und auch mit Alex reden, ich habe ihr abgeraten. Ich
wusste, dass Alex das Wochenende geschenkt bekommen
hatte, ich habe sie angerufen und sie nach Philipp gefragt,
sie hat mir gesagt, dass es eine zufällige Begegnung war und
dass nichts passiert ist, was dich verletzen würde. Ich habe
ihr geglaubt und es auch Friederike gesagt. Ich habe nicht
gewusst, dass Alex und Philipp dir nie etwas von diesem

Treffen erzählt haben, ich habe mich einfach nicht mehr da-
rum gekümmert. Weil ich es nicht wollte. Und weil ich Angst
hatte, dass dieser Vorfall unsere Freundschaft beschädigen
könnte. Das war vielleicht falsch. Als der Streit losbrach,
habe ich mich ganz zurückgehalten. Ich wollte euch an die-
sem Abend so gern von Hanna und mir erzählen. Das wollte
ich auch vorher schon, aber an diesem Abend hatte ich es
mir fest vorgenommen. Ich hatte Fotos von Hanna dabei, ich
wollte, dass ihr sie seht, ich wollte es auch, weil ich es Hanna
schuldig war, dass ich sie offiziell in unseren Kreis einführe.
Und während ich noch über die Formulierungen nach-
dachte, brach dieser unsinnige Streit los. Auch deshalb habe
ich nicht versucht zu schlichten, habe kein Wort dazu ge-
sagt, nur versucht, eine noch größere, schlimmere Auseinan-
dersetzung zu vermeiden, indem ich mit dir rausgegangen
bin. Ich hätte damals vielleicht noch etwas retten können,
ich habe es gar nicht versucht. Du siehst, liebe Jule, nicht nur
du hast dich ungut verhalten, ich habe genauso versagt.

Es war nichts passiert, was sie verletzen würde? Jule nahm ihre
Brille ab und rieb sich über die Augen. Auch wenn sie keinen
Grund hatte, Marie nicht zu glauben, das damalige Verhalten
Alexandras ließ andere Rückschlüsse zu. Marie konnte sich
auch irren, das hatte sie in diesem Fall zweifelsohne getan.

Jule sah in den Himmel, es würde ein schöner Tag werden.
Keine Wolke war zu sehen, der Himmel war blau, und die Morgensonne tauchte den Garten, in den sie vom Bett aus sehen
konnte, in ein besonderes Licht.

Früher wäre sie jetzt auf Zehenspitzen über den Flur in
Maries Zimmer geschlichen und hätte sich entweder bei Friederike oder bei Marie mit Schwung aufs Bett geworfen. Mit so

viel Schwung, dass diejenige, die noch im Bett lag, einen kleinen Hüpfer machte. Und sofort wach wurde. Jule hatte immer Angst gehabt, die Zeit hier nicht genug auszunutzen. Sie wollte nicht lange schlafen, sie wollte barfuß über den feuchten Rasen zum See gehen, sie wollte die ersten Sonnenstrahlen sehen, schon vor dem Frühstück schwimmen und mit nassen Haaren im Bademantel den ersten Kakao und in späteren Jahren dann Kaffee trinken, sie wollte den ganzen Tag vor sich haben mit all den schönen Dingen, die passieren würden. Sie wollte …

Als sie ein Geräusch an der Tür hörte, schob sie den Brief schnell unter die Bettdecke. Die Tür öffnete sich sehr langsam, und Alexandra trat leise ein, in einem blau-weiß gestreiften Pyjama, mit bloßen Füßen. »Guten Morgen«, sagte sie und setzte sich im Schneidersitz auf ihr Bett, den Blick unverwandt auf Jule gerichtet.

»Morgen«, antwortete die nur knapp und zog ihre Decke bis zum Kinn. Selbst wenn sie unter dem Eindruck des Briefes mit Alexandra hätte reden wollen, sie hatte keine Ahnung, wie sie den Anfang machen könnte. Also wandte sie sich ab und starrte aus dem Fenster, sollte Alexandra sich doch den Beginn des Gesprächs ausdenken, sie hatte keine Ahnung, wie das gehen sollte.

Alexandra anscheinend auch nicht. Stattdessen beugte sie sich nach vorn, zog ihre Reisetasche unter dem Bett hervor und einen Packen bedruckter Blätter heraus. Sie nahm ihre Brille vom Nachttisch, setzte sie auf und fing an zu lesen. Jule sah unauffällig zu ihr und sofort wieder weg. Alexandra sah ungeschminkt fast so aus wie die alte Alex. Sie hatte sogar noch dieselbe Falte über der Nase, wenn sie sich konzentrierte. Und das tat sie anscheinend gerade. Jule fragte sich, wie Alexandra diese Situation aushielt und einfach so zu ihrem Tagesgeschäft übergehen konnte. Vermutlich war das ein Manuskript, das sie las, die erfolgreiche Verlegerin, die sich keine private Schwäche erlaubte, sondern stets ihre Pflicht erfüllte. Und das tat sie natürlich auch hier. Im Haus einer verstorbenen Freundin, im Schatten ihrer Vergangenheit, mit unbewältigten Auseinandersetzungen, aber kaum gab es einen Moment Ruhe, fing sie an zu arbeiten. Völlig konzentriert, völlig selbstverständlich. Es war nicht nachzuvollziehen, wie leicht Alexandra das alles nahm. Oder es war ihr tatsächlich mittlerweile völlig egal, und sie versuchte nur, die Zeit sinnvoll zu nutzen. Während Jule sich mit tausend Gedanken quälte.

»Warum bist du überhaupt hierhergekommen?« Jule fand plötzlich einen Anfang, sie konnte diese zur Schau gestellte Gleichgültigkeit kaum ertragen. »Um zu arbeiten?«

Bedächtig schob Alexandra die Brille auf den Kopf und sah sie an. Nach einer Weile sagte sie: »Weil Marie das so wollte. Und ich es ihr schuldig bin.« Ihr Blick fiel auf den Krug und das leere Glas auf der Fensterbank, und ein Lächeln erschien auf ihrem Gesicht. »Laura«, sagte sie leise. »Wie früher.«

Jule setzte sich sofort auf und hielt die Decke über der Brust fest. »Ja, Laura«, antwortete sie und war selbst erschrocken, wie wütend sie schon wieder wurde. »Du warst noch nicht mal auf ihrer Beerdigung. Es hat dich doch alles nicht interessiert. Und deswegen musst du jetzt auch nicht mehr sentimental werden. Das ist zu spät.«

Ohne sichtbare Regung hielt Alexandra ihren Blick weiterhin auf die Fensterbank gerichtet. Sie sagte nichts, saß einfach bewegungslos im Schneidersitz auf dem Bett und schwieg. Jule rang die Versuchung nieder, ihr ins Gesicht zu schlagen. Stattdessen legte sie sich wieder auf den Rücken und schloss die Augen. Alexandras Stimme drang durch Jules Wut. »Ich konnte damals nicht zu Lauras Beerdigung kommen, ich war aber trotzdem traurig. Manche Dinge im Leben sind nicht so einfach, wie du sie dir denkst, Jule. Auch die zwischen uns nicht.«

Jule blieb mit geschlossenen Augen liegen, während sie antwortete: »Schönen Dank für die Belehrung, Alexandra, jetzt habe ich es endlich verstanden. Das mit dem Leben und so. Danke, danke.«

Sie hörte, dass Alexandra nach einem Moment aufstand, dann die Geräusche, die ihr sagten, dass Alexandra sich etwas überzog, schließlich klappte die Tür. Sie war weg, und Jule setzte sich wieder auf. Ihr Blick ging zu dem leeren Bett.

Mitten in der Nacht war Jule schon mal wachgeworden, weil sie zur Toilette gemusst hatte. An der Tür war ihr Blick auf die schlafende Alexandra gefallen, und plötzlich hatte sie eine Welle von Sentimentalität überrollt. Es war nicht das erste Mal in ihrem Leben, dass sie an dieser Tür stand und Alex beim Schlafen beobachtet hatte. In diesen Momenten war Jule immer von einer großen Zuneigung erfasst worden, sie hatte an der Tür verharrt, hatte das entspannte, schöne Gesicht betrachtet, die langen Wimpern, die dunklen, dichten Haare, und manchmal hatte sie sie sanft berührt. Nur so, und weil sie froh war, dass sie Freundinnen waren und Alex mit ihr in diesem Zimmer schlief. Und heute Nacht, in ihrem Halbschlaf, hatte Jule dieser Empfindung plötzlich nachgespürt. Nur dass sie Alexandra nicht mehr berührt hatte, vorher war sie zum Glück zu Verstand gekommen. Aber sie hatte danach schlecht einschlafen können, weil sie sich auf die bösen Bilder konzentrieren musste, um das schlafende, schöne Gesicht aus dem Kopf zu bekommen.

»Schläfst du noch?« Das Öffnen der Tür und Friederikes Stimme weckten sie plötzlich, erschrocken fuhr Jule hoch. Sie war tatsächlich noch mal fest eingeschlafen, das hatte sie gar nicht gewollt. »Ja, ich …«

»Lass dir Zeit, alles in Ruhe. Aber Hanna hat Frühstück gemacht. Auf der Terrasse.« Friederike wartete nicht auf Antwort, sondern schloss die Tür wieder. Jule hörte ihre Schritte auf der Treppe und schwang sofort die Beine aus dem Bett. Es war schon neun, so lange schlief sie sonst nie. Noch etwas benommen blieb sie kurz auf der Bettkante sitzen, bevor sie aufstand und ein paar Sachen aus ihrer Reisetasche nahm. Immer noch müde drückte Jule ihr Kleiderbündel vor den Körper und huschte ins Bad.

Friederike blieb an der Küchentür stehen und atmete tief durch, bis sie fragte: »Kann ich was helfen?«

Hanna goss Kaffee in eine Thermoskanne und sah hoch. »Nein, vielen Dank«, antwortete sie freundlich. »Ich habe alles fertig. Wissen die anderen Bescheid?«

»Alex ist schon draußen im Garten. Und Jule habe ich gerade geweckt.« Friederike betrachtete die Kaffeekanne in Hannas Hand und sah sich in der Küche um. »Ich würde mir gern einen Tee machen. Ist das in Ordnung?«

»Der ist schon draußen. Ich weiß ja, dass Sie Teetrinkerin sind. Besser gesagt, Marie hat es gewusst. Assam mit Milch, oder?«

Friederike sah sie verblüfft an, bevor sie langsam nickte. »Ja. Genau. Danke.« Sie folgte ihr langsam auf die Terrasse.

Als sie durch die Tür trat, sah sie als Erstes Alexandra, die mit dem Rücken zum Haus stand und auf den See blickte. Als sie hinter sich jemanden hörte, drehte sie sich um. »Guten Morgen.« Ihr Lächeln war angestrengt, die Arme vor der Brust verschränkt.

Hanna ging an ihr vorbei zum Tisch. »Morgen. Ich hoffe, Sie haben gut geschlafen.«

»Danke.« Alexandra drehte sich um und ging langsam zu

einem der Stühle, die um den Tisch gruppiert waren. »Gibt es noch Sitzkissen? Soll ich die holen?«

»Die Sitzkissen, ja.« Mit gerunzelter Stirn sah Hanna sie an. »Die habe ich ganz vergessen, jetzt muss ich überlegen. Wo lagen die noch?«

Friederike überlegte einen Moment, dann sah sie kurz zu Alexandra. »Im kleinen Schuppen«, meinte sie schließlich. »Da waren die früher immer. Rechts neben der Tür.«

»Ich geh schon.« Hanna sah ihr nach. »Sie hat geweint«, stellte sie mit einem Blick auf Friederike fest. »Sie ist froh, einen Moment hier wegzukommen.«

Friederike antwortete nicht, ließ sich stattdessen auf einen Stuhl sinken und sah Hanna zu, die mit letzten Handgriffen den Frühstückstisch fertig deckte. Es war dasselbe Geschirr wie früher. Dunkelblau mit weißen Punkten. Und die alte Tischdecke. Friederike bekam eine Gänsehaut. Hanna warf ihr einen kurzen Blick zu, nachdem sie den Tisch gemustert hatte. »Fehlt noch etwas? Fällt Ihnen noch was ein? Oder ist alles da?«

Friederike hob die Schultern. »Ich glaube, es ist alles da. Danke für den Tee.« Sie hob die Kanne vom Stövchen und schenkte sich eine Tasse ein. »Ist es überhaupt okay, wenn ich schon einschenke?«

»Natürlich.« Hanna nickte, zögerte einen Moment und setzte sich dann auf den Stuhl, der am dichtesten am Eingang stand. Maries Platz. Es war in Ordnung, dachte Friederike, dort konnte nur Hanna sitzen, jede andere wäre falsch gewesen. Beide schwiegen, bis Alexandra zurückkam, unter jedem Arm zwei Stuhlauflagen. Ohne zu sprechen, standen Friederike und Hanna wieder auf und nahmen ihr die Kissen ab.

»Sie lagen da, wo sie immer lagen«, sagte Alexandra lächelnd. »Ich glaube, es sind sogar noch dieselben.« Sie verteilte die Auflagen auf die beiden anderen Stühle, Hanna sah ihr dabei zu. »Ja, es sind alten«, sagte sie leise. »Ich habe vor ein paar Jahren neue Kissen gekauft, die hat Marie aber ignoriert. Ich habe sie irgendwann mit nach Flensburg genommen, Marie hatte die neuen noch nicht einmal ausgepackt. Sie hat auf den alten Sitzkissen bestanden.«

»Entschuldigung, ich bin noch mal eingeschlafen.« Jules Stimme drang durch die gerade entstandene Stille. Sie blieb stehen und musterte die Frauen flüchtig. Dann sah sie erstaunt auf den Tisch. »Oh«, sagte sie und kam nach einem fast unmerklichen Zögern näher. Hinter ihrem alten Platz blieb sie stehen und legte ihre Hände auf die Lehne. Sie strich leicht über das verblichene Muster der Auflagen, dann zog sie kurz entschlossen den Stuhl nach hinten und setzte sich. »Guten Morgen.«

Friederike hatte Jule nicht aus den Augen gelassen. Anscheinend kam auch ihr diese Szene gespenstisch vor. Es sah tatsächlich exakt aus wie beim letzten Treffen vor über zehn Jahren – bis hin zur Auswahl an Aufschnitt, Käse, Obst, Brot und Marmeladen. Zwei Fehler gab es in dieser nachgestellten Szene: Die Stimmung war angespannt, und Hanna war nicht Marie. Und trotzdem war sie die Einzige, die Jule antwortete: »Guten Morgen, Jule. Und ich hatte gedacht, Sie wären schwimmen gewesen.«

»Nein.« Jule hatte die Hände in den Schoß gelegt und schaute sehnsüchtig zur Kaffeekanne. »Wie kommen Sie darauf?«

Hanna lächelte sie an. »Weil es so ruhig in Ihrem Zimmer war. Und weil Sie das doch immer vor dem Frühstücken gemacht haben. Egal, bei welchem Wetter.«

Jule schluckte und wandte den Blick ab, bevor sie entschlossen zur Kaffeekanne griff. »Das war früher«, sagte sie nur. »Heute bin ich einfach wieder eingeschlafen. Kann ich bitte mal die Milch haben?«

Sie saßen eine gefühlte Ewigkeit stumm am Tisch, jede eine

Tasse in beiden Händen, den Blickkontakt meidend. Schließlich sah Friederike in die Runde und sagte: »Wie lange wollen wir uns jetzt hier anschweigen? Bis die Sonne untergeht?«

»Nein.« Alexandra hob sofort den Kopf. »Wir sollten uns schon überlegen, wie wir das hier hinbekommen. Es macht keinen Sinn, schweigend die Zeit abzusitzen, das ist sicherlich nicht das, was Marie sich vorgestellt hat. Vielleicht fällt uns ja etwas ein, wie wir das Beste aus der Situation machen.«

»Das Beste«, wiederholte Jule. »Da bin ich ja gespannt.«

Friederike beugte sich vor und stellte ihre Tasse auf den Tisch. »Ja, Jule, das Beste. Wir könnten über Marie reden, über unsere Erinnerungen, sogar über uns selbst, es gibt jede Menge Möglichkeiten. Nur hier rumsitzen und beleidigt gucken ist jedenfalls keine Option.«

»Ich gucke gar nicht beleidigt«, protestierte Jule. »Wie kommst du darauf, dass ich beleidigt bin?«

Achselzuckend sah Friederike sie an. »War nur so ein Gedanke. Wenn ich mich getäuscht habe, dann ist ja alles gut. Dann können wir ja jetzt frühstücken.«

»Danke«, mischte sich Hanna ein. »Vielleicht hilft es, wenn ich Ihnen nachher sage, wie mein Plan für heute aussieht, es ist ja nicht so, dass ich keinen hätte. Darüber reden wir nach dem Frühstück. Möchte jemand ein Ei? Die hier haben fünf Minuten gekocht, die anderen sieben. Guten Appetit.«

Friederike hasste gekochte Eier, für sie war auch keins vorgesehen. Jule und Alexandra mochten sie genau so, wie Hanna sie gekocht hatte, Jule schüttelte irritiert den Kopf, nahm aber trotzdem das Ei, auf das ein J gemalt war. Sie hob ihr Messer und köpfte es mit mehr Kraft, als nötig gewesen wäre.

Nach dem Frühstück, das bis auf die eine oder andere Bemerkung von Hanna und Friederike schweigend verlaufen war, stand Hanna auf. »Es ist jetzt kurz vor elf«, sagte sie. »Und es wird warm heute. Ich habe eine kleine Fahrradtour geplant und würde gern in einer Stunde losfahren. Falls Sie sich noch umziehen wollen oder telefonieren müssen oder irgendetwas anderes vorhaben, wäre jetzt Zeit dafür. Wie gesagt, in einer Stunde möchte ich gern los.«

Es hörte sich nicht an wie eine Frage oder ein Vorschlag, es war eine Ansage. Friederike sah die beiden anderen an, bevor sie auch aufstand. »Ich helfe Ihnen schnell beim Abräumen, Hanna. Sie müssen uns ja nicht die ganze Zeit bedienen.«

»Wo sollen wir denn für alle Fahrräder herbekommen?« Jule war sitzen geblieben. »Gibt es hier einen Verleih oder so was?«

»Wie haben Sie es denn früher gemacht?«, fragte Hanna sanft. »Sie waren in den Ferien doch viel mit den Rädern unterwegs.«

»Wir hatten irgendwann mal alte Fahrräder mitgebracht«, antwortete Jule. »Die blieben dann hier. Aber die sind …«

»Eben.« Hanna nickte. »Die stehen immer noch im großen Schuppen. Also, bis gleich.« Sie hatte das Tablett vollgestellt und trug es jetzt ins Haus. Jule sah ihr nach und dann mit skeptischem Blick Friederike an. »Die alten Fahrräder? Die sind doch wahrscheinlich total verrostet und vergammelt. War hier nicht doch irgendwo ein Fahrradverleih? Unten am See? Ich google das mal. Auch wenn die Idee, jetzt eine Fahrradtour zu machen …, ich sage mal nichts dazu.« Sie stand auf und schob ihren Stuhl an den Tisch. Alexandra schüttelte den Kopf, überlegte einen Moment, dann erhob sie sich auch und meinte: »Ich sehe mir die Räder im Schuppen mal an. Ich habe da so ein eigenartiges Gefühl.«

Friederike stellte das Geschirr, das sie gerade in der Hand gehabt hatte, wieder ab und folgte ihr über den Rasen zum Schuppen. Auch Jule schloss sich nach einem Moment des

Zögerns an. Sie folgte den beiden langsam und kam in dem Moment dazu, als Alexandra gerade ihr altes Fahrrad aus dem Schuppen schob. Von Rost oder platten Reifen keine Spur, das Fahrrad sah aus wie neu. Alexandra hob den Kopf. »Die sind alle vier überholt. Sogar mein Lenker ist ausgewechselt. Geputzt, geölt und repariert.«

Als Friederike zuerst Maries Fahrrad aus dem Schuppen schob, kamen Jule die Tränen. Auf der Klingel klebte immer noch eine Prilblume.

Kurz vor zwölf standen Hanna und Alexandra inmitten der Fahrräder auf der Auffahrt. Beide hatten sich umgezogen, Hanna trug jetzt eine weiße schmale Hose, einen blauen Pulli, darüber eine Steppweste. Alexandra wirkte in ihrer Jeans, dem geringelten T-Shirt, dem um die Hüfte geschlungenen Kapuzenpulli und dem locker gebundenen Pferdeschwanz jünger, als sie war, Jule wandte ihren Blick ab, dieses Gefühl zwischen großer Vertrautheit und dieser verstörenden Distanz konnte sie nur schlecht ertragen. Sie sah zu Friederike, die ihr Fahrrad neben sich schob und jetzt vor Hanna stehen blieb. »Fertig?«, fragte sie. »Wo soll es eigentlich hingehen?«

»Ich fahre mal vor.« Hanna stellte einen Fuß auf das Pedal und trat es runter. »Ich hoffe, ich finde den Weg auf Anhieb wieder. Ich bin die Strecke erst einmal gefahren.«

»Wir kannten uns hier mal ganz gut aus«, warf Alexandra ein, »wenn Sie nicht weiterwissen, einfach fragen.«

Sie setzten sich langsam in Bewegung, Hanna vorn, dahinter Alexandra, dann Friederike, und das Schlusslicht bildete Jule. Den Blick fest auf Friederikes Rücken gerichtet, versuchte Jule auszublenden, wann sie diese Strecke das letzte Mal gefahren war. Und mit wem. Und in welchem Leben. Das Schutzblech von Friederikes Rad schleifte, das Geräusch ging Jule auf die

Nerven. Das hätten diese Fahrradmonteure doch mitmachen können. Sie hatten den Radweg am See erreicht, hier wurde er breiter, Hanna und Alexandra fuhren jetzt nebeneinander und unterhielten sich. Jule trat schneller in die Pedale und kam neben Friederike an. »Tritt doch mal gegen das Schutzblech, das nervt.«

Friederike trat, ohne zu überlegen, und das Schnarren hörte auf. »Liegen deine Nerven blank?«

»Nein.« Jule konzentrierte sich auf den Weg. »Aber deswegen muss man ja nicht die ganze Zeit so ein beknacktes Schutzblech schleifen hören.« Sie entdeckte mehrere neue Häuser, die dicht am Seeufer entstanden waren. »Das hat sich hier auch ganz schön verändert.«

Jule hatte sich entschlossen, ihre Abneigung gegen Alexandra in den hintersten Teil ihres Kopfes zu schieben. Sie wollte dieses Wochenende jetzt durchziehen. Das hatte auch Torge ihr geraten, mit dem sie nach dem Frühstück noch telefoniert hatte. »Was soll dir schon passieren?«, hatte er gefragt. »Du hast doch bestimmt schon so manches Mal Zeit mit Menschen verbringen müssen, mit denen du nichts anfangen konntest. Blende deine schlechten Erinnerungen aus, so gut es geht, und tu so, als hättest du Alexandra und Friederike erst vor kurzem kennengelernt.«

Der Rat war gar nicht schlecht gewesen, vor allem war er sehr einfach umzusetzen. Tatsächlich kamen Alexandra und auch Friederike ihr die meiste Zeit fremd vor, von einigen kleinen Momenten abgesehen, in denen sie plötzlich von einer sentimentalen Erinnerung eingeholt wurde. Klein genug, um sie zu ignorieren. Aber deutlich genug, um Maries Wunsch, mit welchem Ergebnis auch immer, zu verstehen. Es ging um Marie, alles andere musste zur Nebensache werden.

Friederike nickte und zeigte nach rechts. »Lauter neue Wohnungen, die Zeiten, in denen der See ein Geheimtipp war, sind echt vorbei.«

Sie fuhren an einem neuen Hotel vorbei, für den ein kleiner Park hatte weichen müssen. Jule verlor für einen Moment die Orientierung. »Jetzt weiß ich nicht mehr, wo wir eigentlich sind. Wo sind wir denn früher immer hochgefahren, wenn wir zu …« Sie musste einer Baumwurzel ausweichen, hielt ihren Lenker fest umklammert und ließ die Frage unvollständig. Friederike beantwortete sie trotzdem. »Hinter dieser großen Eiche, da vorn, da geht gleich rechts der Weg hoch. Genau da, wo Hanna und Alex gerade reinfahren.«

Beide verlangsamten ihre Fahrt und sahen sich an. »Zu *Beermann*?« Jule hatte die Frage gestellt. »Ist das ihr Ernst?«

Friederike nickte mit zusammengepressten Lippen. »Es sieht ganz so aus. Wer als Erste heult, hat verloren.«

Nicht alles hatte sich verändert, manche Dinge waren geblieben. Der See sah aus wie immer, die roten Klinkergebäude rund um den kleinen Platz waren noch da, auch die Waschbetonkübel, die neben den verwitterten Bänken standen, waren dieselben. Und waren wie früher mit kleinen rosa Rosen bepflanzt. Der Glasanbau des gegenüberliegenden Hotels war neu und passte nicht richtig zu den roten Klinkersteinen, genauso wenig wie die große Werbetafel mitten auf dem Platz und der Computerladen, der das Blumengeschäft an der Ecke ersetzt hatte. Aber ein Gebäude war völlig unverändert. Ein kleines Haus mit Sprossenfenstern, einer blau gestrichenen Eingangstür und dem Schild mit dem Hinweis, dass die Seeterrasse geöffnet sei. Der Fahrradständer war wie damals rot gestrichen und stand genau neben dem Eingang, über dem ein großes Schild mit der verschnörkelten Aufschrift »Café Beermann« prangte.

Hanna hatte bereits das Fahrrad, Maries Fahrrad, dachte Jule, in den Fahrradständer geschoben und abgeschlossen, bevor sie hochsah und die anderen anlächelte. »Es war Maries Wunsch, dass wir die Tradition fortsetzen.«

Wir? Jule wollte sie nicht korrigieren, sie war genug damit beschäftigt, die sentimentale Welle zu bezwingen, die sie gerade überrollte. *Café Beermann*. Ohne Marie. Dafür wieder mit Alexandra und Friederike. Es war sehr, sehr eigenartig. Zielsicher ging Hanna auf eine der Bedienungen zu und sprach mit ihr, während Jule, Alexandra und Friederike immer noch neben ihren Fahrrädern standen. Keine wollte den ersten Schritt machen. Aber Hanna winkte ihnen jetzt zu. »Kommen Sie bitte, ich habe einen Tisch reserviert.«

Sie mussten ganz durch das Café gehen, um zu ihrem Tisch zu kommen. Alexandra sah sich auf dem Weg um, es war alles so wie in ihrer Erinnerung. An diesem Lokal war der Modernisierungszwang vorbeigegangen, es waren noch die alten Möbel, die alten Tapeten, die alten Speisekarten, die alten Kuchen- und Eisvitrinen, Alexandra fühlte sich in die Vergangenheit zurückversetzt. Sie hörte Friederikes Stimme hinter sich: »Original Siebzigerjahre. Hier ist ja gar nichts passiert.«

»Das ist auch gut so.« Jules Stimme klang belegt, sie räusperte sich. »Es kann ja auch mal was so bleiben, wie es war.«

Sie war zehn Jahre alt gewesen, als sie das *Café Beermann* das erste Mal betreten hatte. Ihre Eltern hatten ihr erlaubt, ein paar Tage mit Marie, ihren Eltern und Friederike zum Haus am See zu fahren. Das erste Mal ganz allein, ohne ihre Eltern und ihren Bruder. Und natürlich hatte sie schon in der ersten Nacht Heimweh bekommen. So bald sie allein im Bett gelegen hatte, waren ihr die Tränen gekommen. Und waren gar nicht mehr versiegt. Zumindest so lange, bis Marie aus ihrem Zimmer in Jules Gästezimmer getappt war und sich neben sie gelegt hatte.

Sie hatte ihre Hand gehalten und ihr gesagt, dass es ganz normal sei, Heimweh zu haben. Und dann hatte sie Jule erzählt, dass sie jedes Mal im Krankenhaus geweint hätte. Nicht weil sie Schmerzen oder Angst gehabt hätte, sondern nur aus Heimweh. »Aber weißt du was?«, hatte sie gesagt und Jules Hand gedrückt. »Das hier, mit mir und Fiedi und Mama und Papa, das ist ja eigentlich auch ein Zuhause für dich. Und Fiedi und ich sind ja bei dir, und morgen, Jule, morgen machen wir was ganz Schönes. Morgen fahren wir nämlich zusammen ins *Café Beermann*, da gibt es Bananensplit, so was Tolles hast du noch nie gegessen, das ist das Beste auf der Welt. Und glaub mir, danach ist dein Heimweh weg.«

So war es tatsächlich gewesen, weniger wegen des Bananensplits, Jule mochte nicht gern Bananen, sondern weil sie am nächsten Tag auf einer Luftmatratze neben Fiedi und Marie schlafen durfte. Und als sie später das Gästezimmer mit Alex teilte, war selbst die Erinnerung an diese erste verweinte Nacht fast vergessen.

Bis heute, dachte Jule und ließ ihre Blicke durch dieses alte Café schweifen, bis heute hatte sie nie mehr daran gedacht. Aber *Beermann* war immer etwas Besonderes geblieben, es hatte seinen Zauber als Seelentröster behalten. Sie hoffte, dass dieser Zauber nichts von seiner Kraft eingebüßt hatte.

Hanna stand schon neben einem Tisch und deutete auf die anderen Stühle. »Da wären wir.«

Es standen fünf Stühle um den Tisch, Friederike überlegte, ob sie einen zur Seite stellen sollte, traute sich aber nicht. Es wäre zu demonstrativ gewesen. Auch Alexandra und Jule hatten es bemerkt, kurz gestutzt und sich gesetzt. Nebeneinander. Auf dem leeren Stuhl lag Hannas Weste; als die Bedienung fragte, ob sie noch warten wollten, bis sie vollzählig wären, schüttelte Hanna den Kopf. »Nein, wir können bestellen. Oder? Müssen Sie noch in die Karte sehen?«

Alexandra bestellte Kaffee, Friederike einen Tee, Hanna ein Wasser, und Jule sah auf den leeren Stuhl. Dann atmete sie tief durch und sagte: »Für mich eine Eisschokolade wie immer und dann noch ein Bananensplit extra. Vielen Dank.«

Gelassen erwiderte sie die erschrockenen Blicke. »Was denn? Marie hat nie etwas anderes bestellt als Bananensplit. Und ich will, dass das auf diesem Tisch steht. So wie früher.«

»Ja.« Friederike nickte und wandte sich an die Bedienung. »Und bitte vier Löffel dazu.«

Die Bedienung schien sich noch nicht einmal zu wundern, zumindest ließ sie sich das nicht anmerken. Stattdessen nickte sie, wiederholte kurz die Bestellung und ging.

Jule sah ihr nach, dann lenkte sie ihren Blick auf die Bilder an der Wand. Auch die hatten sich nicht verändert, neben historischen Schwarz-Weiß-Fotos aus der Gegend hingen hier immer noch die mittlerweile verblassten Aquarelle von Blumen, Bäumen und dem Seeufer. Alle in fürchterlichen braunen Holzrahmen. Friederike war dem Blick gefolgt und schüttelte den Kopf. »Marie fand diese Bilder damals schon gruselig. Sie hat gesagt, dass ihr jedes Mal die Augen wehtun, wenn sie diese Aquarellbildchen ansehen muss.«

»Die Malerin war eine Schwester vom alten Beermann«, bemerkte Alexandra. »Deshalb mussten sie die hier aufhängen.«

»Ach ja«, Friederike grinste. »Stimmt. Das hatte ich vergessen. Marie hat sich fast beim Sohn von Beermann entschuldigt. Der konnte seine Tante Ilse aber auch nicht leiden. Aber wie hieß denn noch der Sohn? Gott, den Namen habe ich vergessen, dabei war er so oft bei uns, dieser nette Rothaarige. Mit seinem Freund. Das kann doch nicht wahr sein, dass mir sein Name nicht mehr einfällt.«

»Sie können ihn gleich selbst fragen.« Hanna deutete mit dem Kopf in eine Richtung. »Da kommt er.«

Von den roten Haaren war nichts mehr zu sehen, der Mann, der plötzlich mit einem Tablett vor ihnen stand, war groß, hatte einen Bauch, einen hohen Haaransatz und kurze weiße Haare. Sein breites Lächeln war so entwaffnend, dass Jule sofort wusste, wer hier vor ihnen stand. »Micha«, sagte sie laut und erhob sich langsam. »Michael Beermann, wie lange ist das her?«

»Jule.« Er stellte das Tablett auf dem Nebentisch ab, bevor er Jule kräftig umarmte. »Ich habe dich auch sofort erkannt, du hast dich ja überhaupt nicht verändert.« Er hielt sie eine Armlänge entfernt von sich fest und bekam sich kaum wieder ein. »Das ist ja toll. Wie früher siehst du aus, das gibt es ja gar nicht.« Er ließ sie los und wandte sich an die anderen. »Alex und Friederike, ihr auch. Unverändert. Nach … wie lange? Bestimmt fünfzehn Jahren? Herzlich willkommen zurück, das wurde auch mal wieder Zeit. Hanna?«

Zu Jules Überraschung beugte er sich nach vorn und küsste Hanna auf die Wange, die das wie selbstverständlich hinnahm. Sie war nicht im Mindesten überrascht, wahrscheinlich gehörte Micha auch zu ihrem Plan. Während er die Getränke verteilte und wie ein Wasserfall auf die anderen einredete, beobachtete Jule ihn. Michael Beermann und sein bester Freund Paul waren oft zu Besuch bei ihnen am Haus gewesen. Die beiden Jungen waren etwas jünger als sie, die Mädchen hatten ihre Bewunderung am Anfang genossen und sich später daran gewöhnt, dass die beiden immer da waren, wenn sie sie gebraucht hatten. Ob das Ruderboot repariert, ein Auto aus dem Graben gezogen, die Musikanlage aufgebaut oder Karten für ein Sommerfest des Schützenvereins gebraucht wurden, Michael und Paul taten alles für sie. Jule hatte nie über die Gründe nachgedacht, aber es war immer lustig mit ihnen gewesen.

Und jetzt stand Micha Beermann vor ihnen, sah inzwischen genauso aus wie sein Vater und freute sich unbändig, sie zu sehen. Jule fragte sich insgeheim, warum man immer fand, dass nur die anderen älter geworden waren. Aber in diesem Fall hatte Micha wirklich nicht mehr viel mit dem rothaarigen, schlaksigen Jungen von früher zu tun. Obwohl sein Lächeln noch dasselbe war.

»Darf ich mich setzen?« Er hatte schon den fünften Stuhl zurückgezogen, bevor jemand antworten konnte. »Ich freue mich so, euch zu sehen. Auch wenn Hanna es mir schon erzählt hat, also, dass ihr heute kommt.«

Alexandra sah Jule und Friederike kurz an, sie dachten dasselbe, es war Maries Platz, auf dem er jetzt saß. Hanna hatte den Blickwechsel bemerkt. »Natürlich, setz dich, mein Lieber.« Sie nahm ihre Weste vom Stuhl. Zu den anderen gewandt sagte sie: »Ich weiß gar nicht, ob Sie wissen, dass Michaels Eltern sich schon damals immer um das Haus der van Barigs gekümmert haben, wenn sie nicht da waren. Nach dem Tod von Hans Beermann hat Michael das übernommen. Deshalb haben wir uns in den letzten Jahren kennengelernt.«

»Stimmt, ja«, Friederike nickte. »Jetzt fällt es mir auch wieder ein. Dein Vater hat uns ein paar Mal den Schlüssel gebracht, weil Marie ihren zu Hause vergessen hatte. Und jetzt kümmerst du dich um alles?«

»Genau.« Michael nickte. »Aber es ist ja nicht viel zu tun, ich sehe nur ab und zu nach dem Rechten, einmal durchlüften, im Winter die Heizung anmachen und so was. Wir haben uns in den letzten zwei Jahren öfter in Flensburg getroffen, Marie konnte ja nicht mehr so viel reisen.« Mit einer zärtlichen Geste legte er seine große Hand auf Hannas, die sie dankbar drückte. »Deshalb habe ich Marie dann besucht. Und ihr Rosen vom Haus und Kuchen von *Beermann* mitgebracht. Gegen ihr Heimweh. Ich glaube, sie hat sich immer darüber gefreut.« Er lachte leise, und Jule schossen die Tränen in die Augen, weil seine große Hand, die immer noch über Hannas lag, sie so rührte.

»Ja.« Hanna nickte. »Marie hat sich immer gefreut, wenn du kamst. Sie hatte viel Sehnsucht nach dem See und dem Haus und *Café Beermann*. Und allem anderen.« Sie zog ihre Hand zurück und sah dabei erst Jule, dann Friederike und schließlich Alexandra an. »Marie und Michael haben sich sehr gemocht. Und viel über Fotografie und das richtige Leben gesprochen. Das war immer schön.«

»Ja.« Micha strahlte sie an, bevor er seine Aufmerksamkeit wieder in die Runde lenkte. »Das war schön. Und ihr so? Wie geht es euch allen?«

Friederike lachte auf. Da saß dieser große, etwas übergewichtige Mann mit den Geheimratsecken, aber mit diesem immer noch kindlich-fröhlichen Grinsen vor ihnen und stellte diese Frage, als ob sie sich erst in den letzten Ferien zuletzt gesehen hätten. Er hatte immer diese Frage gestellt. Und sie hatten immer gleich geantwortet. »Jetzt gut.« Wie hatte sie nur seinen Namen vergessen können? Er gehörte doch zu ihren Sommern am See.

»Jetzt gut«, sagte Friederike und sah rüber zu Alexandra und Jule. Alex lächelte kurz und senkte sofort den Blick. »Und bei dir?«

»Auch gut.« Das Strahlen ließ sein Gesicht jünger aussehen, fast wie früher. »Das Wetter soll ja über Pfingsten richtig schön werden.«

»Und ein Bananensplit.« Unbemerkt war die Bedienung an den Tisch getreten und stellte den Eisbecher in die Mitte. Die vier Löffel lagen auf einem Extrateller. »Chef, möchten Sie auch was trinken?«

»Ich hole mir gleich was, danke.« Er sah ihr nach, dann sagte er: »Das ist Jutta. Meine beste Kraft. Ist schon seit vielen Jahren hier. Die müsstet ihr doch eigentlich auch noch kennen.«

Alexandra zuckte die Achseln. »Kann gut sein, ich bin mir aber nicht sicher.« Michael lachte. »Das wundert mich gar nicht, ihr seid immer so mit euch beschäftigt gewesen, ihr habt nie so richtig was mitbekommen außerhalb eures Kosmos. Paul und ich waren ja immer schon ganz glücklich, dass ihr uns wenigstens bemerkt habt.«

»Ja. Ihr seid ja einfach vorbeigekommen«, antwortete Jule. »Irgendwann habt ihr uns zum ersten Mal besucht, einfach so, und dann hat sich das so eingebürgert.«

»Wie alt wart ihr da eigentlich?«, fragte Hanna und sah Micha an. Der antwortete wie aus der Pistole geschossen: »Wir waren vierzehn und ihr ungefähr sechzehn. Ich sollte vier Wasserkisten zu den van Barigs bringen, dafür hat mein Vater mir extra einen Anhänger an mein Fahrrad gemacht. Und Paul war gerade bei mir, der sollte zum Tragen mit. Ja, und dann kamen wir in den Garten, wo ihr alle auf einer Wolldecke gelegen und gekichert habt. Ich weiß noch, dass Paul und ich total verlegen waren.«

»Stimmt«, lächelnd hob Jule den Kopf. Plötzlich konnte sie sich wieder genau an diese Szene erinnern. Zwei magerere Jungs in kurzen Hosen, einer rothaarig, einer blond. Jule war die Einzige, die noch kleiner gewesen war als die beiden. »Ich kann mich erinnern, dass ihr vor uns gestanden und euch sehr höflich vorgestellt habt. Ihr hattet so einen Durst.«

Auch Alexandras Gedächtnis funktionierte wieder. »Stimmt! Ihr habt uns erzählt, dass ihr einen Anhänger fürs Fahrrad habt und wir da mal mitfahren könnten. Falls wir nicht mehr laufen mögen.«

»Ja.« Micha nickte. »Marie hat uns eingeladen, uns dazuzusetzen. Und wir haben mit euch Pfirsicheistee getrunken. Ihr habt so viel geredet, und irgendwann habt ihr uns total vergessen. Wir saßen beide stumm da und haben euch zugehört und fanden das alles toll. Ich denke heute noch an diesen Tag, wenn ich Pfirsiche rieche.«

»Wirklich?« Friederike lachte. »Weil das so ein exotisches Getränk war?«

»Nein.« Micha stützte sein Kinn auf den Ellenbogen. »Weil Paul und ich uns an diesem Tag so verliebt haben.«

»Echt? In wen?« Jule konnte sich die Frage nicht verkneifen, obwohl sie die Antwort schon ahnte. Alle waren damals in Alex verliebt gewesen. Alle. Damals und auch später.

Micha sah sie mit großen Augen an. »Paul in dich und ich in Friederike. Und ihr habt es nie gemerkt.«

»Echt?« Erstaunt sah Friederike ihn an. »Das tut mir leid, das habe ich wirklich nie mitbekommen.«

»Ich weiß.« Micha lächelte melancholisch. »Das war ja unser Elend. Wir haben später so viel mit euch zusammen gemacht, und ihr fandet uns immer nur nett.« Er sah Friederike an. »Was haben wir uns alles ausgedacht: Fahrradtouren, Bootsfahrten auf dem See, oder wir haben euch zum Tanzen ins nächste Dorf gefahren. Aber egal, was wir zusammen gemacht haben: So richtig ernst genommen habt ihr uns nie. Ich habe ganz viele Fotos von dir gemacht, damals. Ich glaube, du hast immer gedacht, ich würde nur mit der Kamera üben, damit ich so gut werde wie Marie. Das war ich natürlich nie, dafür hatte ich hunderte Fotos von dir, die konnte ich mir zumindest immer ansehen. Und glaubt nicht, dass es Paul besser ging. Jule hat doch nicht mal geahnt, dass Paul sie so angehimmelt hat. Meine Güte, harte Zeiten waren das damals!« Micha lachte, aber man nahm es ihm nicht ganz ab. Friederike legte ihm die Hand auf den Arm. »Ich hoffe aber doch, dass du mit der Zeit darüber hinweggekommen bist?«

»Doch, doch.« Micha tätschelte kurz ihre Hand. »Ich habe vor zwanzig Jahren meine Frau geheiratet und bin stolzer Vater zweier Töchter. Aber zehn Jahre Liebeskummer hast du mich gekostet.«

»Und was ist aus Paul geworden?«, fragte Jule, der jetzt immer mehr Sachen wieder einfielen, die sie in den Sommern am See mit den beiden Jungs gemacht hatten. »Ich weiß noch, dass er mich auf dem Schützenfest in der Sektbar mal geküsst hat. Da war ich neunzehn und er siebzehn, und ich fand das einfach nur süß.«

Micha sah kurz auf seine Hände, bevor er wieder den Kopf hob und sich räusperte. »Pauls Tiefpunkt war dein Polterabend. Marie hatte uns ja eingeladen, und Paul war fix und fertig. In seiner Nervosität hatte er sich morgens in die Küche gestellt, um für alle Gäste Kartoffelsalat zu machen. Mit Würstchen. Obwohl er ja wusste, dass Marie ein Büffet bestellt hatte. Aber er wollte unbedingt etwas mitbringen.«

»Jetzt fällt es mir wieder ein.« Friederike schlug sich die Hand vor den Mund, um nicht zu lachen. »Diese Tonnen von Kartoffelsalat, keiner wusste, wo die hergekommen waren. Und Paul hat nichts gesagt, und am Ende der Nacht war er total betrunken. Ach je, der arme Kerl. Jule, du hättest doch was merken müssen?«

»Hast du ja auch nicht.« Jule schüttelte den Kopf. »Wie furchtbar. Hat Paul denn jetzt jemanden? Und mich endlich vergessen?«

»Paul ist tot.« Michas Stimme war rau, Hanna sah ihn liebevoll an. Er atmete tief durch, dann fuhr er fort. »Paul ist tödlich verunglückt. Auf seinem Motorrad. Ein Traktor hat ihm die Vorfahrt genommen, er hatte keine Chance. Er kam damals von mir, wir haben uns an dem Abend fürchterlich gestritten, weil ich dachte, dass er was von meiner damaligen Freundin wollte. Das stimmte natürlich nicht, ich hatte es mir bloß eingebildet, aber ich war früher wahnsinnig eifersüchtig. Und wir haben uns nicht vertragen, er ist im Streit weg, und eine halbe Stunde später war er tot.« Er machte eine Pause, während drei Augenpaare ihn bestürzt ansahen. Dann fuhr er leise fort: »Mit meiner damaligen Freundin habe ich danach Schluss gemacht, ich musste immer an Paul denken, wenn ich sie ansah. Und ich habe mir diesen Streit nie verziehen. Bis heute nicht. Weil wir uns nicht versöhnt haben. Marie hat mich verstanden, mit ihr konnte ich immer darüber reden. Aber ich habe eines gelernt: Man darf nie im Streit auseinandergehen. Marie und ich haben oft darüber gesprochen. Auch sie hat das Thema sehr beschäftigt. Und wir waren uns einig: Man wird niemals damit fertig.«

Die Stille am Tisch lastete schwer, Jule hatte plötzlich eine Abfolge von Bildern in ihrem Kopf. Zwei Jungs, die nebeneinander in einem Ruderboot saßen und mit hochroten Köpfen ihre ganze Kraft ins Rudern legten, um die angebundene Badeinsel mit vier Mädchen darauf über den See zu ziehen. Eine Fahrradtour zu sechst, Paul, der sich neben Micha über eine Landkarte beugte, während Jule, Friederike, Alex und Marie in der Schlange vor einem Eiswagen standen. Paul, auf dem Trecker, um Jules Auto aus dem Graben zu ziehen, weil Alex damit beim Fahrenüben zu schnell unterwegs gewesen war. Sie hatten die Jungs damals ihre Schatten genannt, immer wenn sie sie brauchten, waren sie da, gestört hatten sie nie.

Jetzt beugte sich Alexandra nach vorn und fragte: »Warum haben wir das denn nicht gewusst?«

Micha sah sie traurig an. »Ich konnte damals nicht darüber reden. Und wir haben ja gar nicht mehr hier gewohnt, wir waren ja in Kiel, Paul und ich. Ich bin erst ein paar Jahre nach dem Unfall zurückgekommen. Ihr habt doch gar nicht gemerkt, dass wir nicht mehr da waren, das war auch in Ordnung so. Marie war die Einzige, die es erfahren hat. Aber auch erst ein paar Jahre später.«

Jule griff zu einem der vier Löffel, die auf dem Extrateller lagen, und reichte ihn rüber. »Bananensplit? Marie hat gesagt, dass es gegen alles hilft.«

Langsam nahm Micha den Löffel, während Jule kurz entschlossen die drei anderen nahm und sie vor Alexandra, Friederike und Hanna legte. »Los jetzt, das war immer das Allheilmittel von Marie. Gegen Kummer jeder Art.«

Mit Blick auf den Eisbecher nahm Alexandra ihren Kaffeelöffel von der Untertasse und hielt ihn Jule hin. »Hier. Auch wenn du nicht gern Bananen isst. Lass sie weg und nimm nur das Eis. Wie früher.«

Nach einem kurzen Zögern griff Jule danach. Ohne lange zu überlegen, schob sie Alexandras Löffel in das Eis neben der Banane.

Die Dämmerung senkte sich langsam über den See, und Friederike begann zu frösteln. Sie hätte doch eine Jacke mitnehmen sollen, aber an solche Banalitäten hatte sie vorhin gar nicht gedacht. Dieser Tag war so seltsam gewesen, dass Jacken darin die geringste Bedeutung hatten.

Sie ließ sich auf dem Bootssteg nieder und krempelte ihre Hosenbeine hoch, um einmal ganz kurz die Zehen ins Wasser zu tunken. Es war so viel passiert, dass ihr davon ganz schwindelig war. Nach dem Besuch bei *Beermann* hatten sie ihre Fahrradtour fortgesetzt. Sie fuhren, jede für sich, hintereinander her, jede in ihre eigenen Gedanken versunken. Aber diesmal war es kein bedrückendes Schweigen, es hatte einfach nur niemand Lust zu reden. Wieder im Haus hatte Hanna sich zurückgezogen, sie wollte noch etwas vorbereiten. Die anderen hatten sich ebenfalls erleichtert verstreut, Friederike hatte sich hingelegt, Alexandra wollte arbeiten, und Jule ging spazieren. Erst zum Essen hatten sie sich wiedergetroffen, zunächst wieder distanziert, bis Hanna vorschlug, Fotos und Videos von Marie zu zeigen …

Jetzt gingen Friederike die letzten Bilder von Marie nicht aus dem Kopf. Die zarte Marie, ein halbes Jahr vor ihrem Tod, mittlerweile tatsächlich mit grauem Haar, aber einem immer noch fast faltenlosen Gesicht. Sie war noch schmaler gewesen als früher, sehr blass, aber mit diesem klaren und festen Blick. Marie in ihrem Haus in Flensburg, Marie am Meer, Marie kurz vor ihrem Tod im Hospiz. Ganz vertraut, schmerzhaft vertraut, dass allen die Tränen gekommen waren. Friederike hatte sie nie mit diesen grauen Haaren gesehen, die aber hatte Marie tatsächlich schon zwei Jahre vor ihrem Tod gehabt. Zwei Jahre. In denen alles in allem nur zwei Telefonate stattgefunden hatten. Um sich gegenseitig am selben Tag zum Geburtstag zu gratulieren. Und beide Male hatte Marie angerufen. Friederike tauchte ihre Füße jetzt ganz in das eiskalte Wasser ein und zählte mit zusammengepressten Lippen bis zehn. Es war so kalt, dass es wehtat. Ihr entfuhr ein lautes Stöhnen, bevor sie hinter sich Schritte und dann eine Stimme hörte.

»Alles okay?« Alexandra stand plötzlich neben ihr und sah mit gerunzelter Stirn zu ihr herunter.

»Ja.« Friederike zog die Beine an und legte ihre Hände um die eiskalten Füße. »Das Wasser ist kälter, als ich dachte.«

Alexandra blieb unschlüssig neben ihr stehen, dann gab sie sich einen Ruck und setzte sich neben Friederike auf den Steg. »Was für ein Tag.«

Friederike massierte ihre Füße und nickte. »Das kannst du laut sagen. Wo ist Jule?«

»Sie sitzt mit Hanna in der Küche. Sie sehen sich immer noch die Fotos an.«

»Ich konnte das nicht mehr.« Friederike sah auf den See. »Mein Kopf ist so voller Bilder, ich kann das gar nicht mehr sortieren. Ich brauche einen Moment ohne Erinnerungen.«

»Verstehe ich.«

Sie schwiegen einen Moment, lauschten nur dem leisen Plätschern der Wellen, dem schrägen Gesang der Frösche und den Grillen. Schließlich sagte Friederike: »Wir wissen einfach zu viel voneinander, und wir waren uns zu lange zu nah, als dass wir diese Fremdheit lange aufrechterhalten können. Geht dir das auch so?«

»Was meinst du?«

»Vorhin, im *Café Beermann*, als Micha anfing, die Geschichten von früher zu erzählen, da habe ich mich genauso gefühlt wie früher. Ich habe euch angesehen und wusste, was ihr gerade dachtet, ganz vertraut war das plötzlich wieder, wie immer. Und das nach all den Jahren. Trotz allem, was passiert ist. Aber ich merke, dass ich ganz leicht und schnell in die alten Muster und Gefühle zurückfalle. Als wenn es das andere, das Fremde, das Böse gar nicht gegeben hätte. Ohne euch kann ich nur, wenn ich euch nicht sehe. Wenn ihr da seid, kann ich mich nicht lange verstellen, dann werde ich irgendwie wieder Fiedi. Ich kann es nicht besser erklären.«

Alexandra dachte nach. Schließlich sagte sie: »Ich weiß, was du meinst, es geht mir ähnlich. Ich musste mir ein paar Mal vergegenwärtigen, dass wir hier nur einen Ausflug in die Vergangenheit machen und es nichts mehr mit dem normalen Leben zu tun hat. Aber das ist ja auch kein Wunder, so wie Hanna das Ganze inszeniert hat. Natürlich legt sie es darauf an, dass wir uns erinnern. Oder mehr noch: konfrontieren. Ist doch klar, dass einem so alles Mögliche wieder einfällt.«

»Hat das alles wirklich nichts mehr mit unseren heutigen Leben zu tun?«

Alexandra sah Friederike an. »Nein, ich glaube, es ist nur eine sentimentale Reise. Wir haben uns alle zu sehr verändert.«

»Glaubst du?« Friederike sah zum anderen Ufer. Vereinzelt waren Lichter zu sehen, früher standen an der Stelle überhaupt keine Häuser. Auch das hatte sich verändert. »Ich glaube, dass auch unsere heutigen Leben ganz viel damit zu tun haben. Jede von uns wäre eine andere, hätte andere Entscheidungen getroffen, wenn wir nicht miteinander befreundet gewesen wären. Wir haben uns gegenseitig viel mehr beeinflusst, als wir heute zugeben. Und dann ist dieser bescheuerte Streit passiert, in dem jede von uns sich von den anderen im Stich gelassen gefühlt hat: Ich habe mich missachtet gefühlt, du dich missverstanden, Jule verraten und Marie vollständig übergangen. Und schon geben wir auf, bemitleiden uns selbst, ohne auch nur einmal zu fragen, was in den anderen vorging. Wir haben vollständig vergessen, was uns zusammengebracht hat, was uns verbunden hat – und was uns eigentlich zu dem gemacht hat, was wir heute sind. Es ist unsere Geschichte gewesen, mit allem, was dazugehört. Und uns ist nichts Besseres eingefallen, als alles über Bord zu werfen, weil wir unsere jeweils persönlichen Verletzungen über alles gestellt haben.«

»Aber Friederike, für diese Einsicht ist es doch jetzt wirklich zu spät. Wir können nach der ganzen Zeit nicht einfach weitermachen, als wäre zwischendurch nichts gewesen. Ich glaube nicht, dass wir heute noch mal so befreundet sein könnten. Und du siehst ja, dass Jule daran überhaupt kein Interesse hat. Sie ist keinen Meter weiter als zum Zeitpunkt unseres Streits. Für sie bin ich die Wurzel all ihres Leids, und sie lehnt mich konsequent ab, ich habe nicht mal die Chance, mit ihr zu reden. Und ich weiß auch ehrlich gesagt nicht, was ich ihr sagen soll.«

»Dann denk drüber nach.« Abrupt erhob Friederike sich und streckte ihren Rücken durch. »Ich gehe jetzt ins Bett. Ich weiß ja nicht, wie es dir mit all dem geht. Aber keine von uns hat sich über all die Jahre mit Ruhm bekleckert. Aus Feigheit, aus Dummheit, was weiß ich, klar ist nur: Wir haben es verbockt. Aber es gab Zeiten, da ging es uns immer gut miteinander. Das hat Marie immer ganz klar vor Augen gestanden. Und sie hat offenbar daran geglaubt, dass wir es wieder hinbekommen, sonst hätte sie diesen etwas seltsamen Zauber hier gar nicht veranstaltet. Und wenn es etwas bewirkt hat, dann das: Ich habe erst jetzt wirklich begriffen, dass ich mich in meinem Leben mit euch besser gefühlt habe als jemals später ohne euch. Auch wenn ich sicher vieles idealisiere. Aber ich war nie so allein, wie ich es jetzt oft bin. Und jetzt sind wir nur noch drei, Marie ist tot und wir zerstritten. Schlaf gut.«

Sie ging, und Alexandra starrte weiter auf den See, so als könnte Marie aus ihm hervorsteigen und ihr erklären, was genau sie sich bei diesem Plan gedacht hatte. Aber solange sie auch hinsah, der See blieb ruhig. Das Einzige, was sich bewegte, war eine vorbeischwimmende Entenfamilie. Die war noch zu viert.

»Kann ich das behalten?« Jule betrachtete immer noch das Foto von Marie, das sie nun schon seit zehn Minuten in der Hand hielt. Hanna nickte. »Ja, ich habe von allen Bildern Abzüge gemacht.«

»Okay.« Jule stand langsam auf, während sie das Foto noch in der Hand hielt. »Danke, Hanna. Ich gehe dann mal ins Bett. Gute Nacht und bis morgen.«

Das Zimmer war leer, Jule hatte keine Ahnung, wo Alexandra und Friederike steckten, es war ihr auch egal. Sie ließ sich erleichtert aufs Bett sinken, froh, einen Augenblick ungestört auf Maries Gesicht sehen und die Gedanken laufen lassen zu können.

Marie strahlte in die Kamera, die blonden Haare zu einem lässigen Knoten gesteckt, die Sonnenbrille im Haar, ein paar Strähnen hatten sich gelöst und umspielten ihr Gesicht. Auf ihrer Nase tanzten ein paar Sommersprossen, sie sah glücklich aus, von der Sonne geküsst, es musste der Sommer nach ihrem Abitur gewesen sein. Da war die Welt noch in Ordnung.

Jule lehnte das Foto an die Nachttischlampe und schlüpfte unter die Bettdecke, bevor sie das Bild wieder in die Hand nahm. Sie waren zu einer Party am anderen Seeufer gefahren: Lagerfeuer, Grillbuden, eine Band und sehr viel Alkohol. So viel Alkohol, dass Friederike auf dem Weg nach Hause einfach mit dem Fahrrad umkippte. Mehrere Male. Aber immer wieder aufstieg, um zur Seite zu stürzen. Es war typisch für Friederike, hatte Marie gesagt, sie will sich nie helfen lassen. Micha musste ihr das Rad fast mit Gewalt wegnehmen, um sie dann mitsamt dem verbogenen Fahrrad auf dem Trecker nach Hause zu fahren. Noch auf dem Trecker hatte sie laut gesungen. Irgendetwas von Abba. Man konnte den Text nur nicht mehr verstehen. Aber sie hatten alle Bauchschmerzen vom Lachen.

Jule lächelte wehmütig bei der Erinnerung. Es war einer dieser Abende gewesen, wie es in ihren Sommern am See so viele gegeben hatte. Alexandra am Lagerfeuer, das Gesicht vom flackernden Licht beschienen, um sie herum irgendwelche Typen, die sie verzückt anhimmelten und von ihr freundlich ignoriert wurden. Friederike mit ihrem lauten Lachen, inmitten anderer Jugendlicher. Sie erzählte witzige Geschichten, verblüffte mit ihrer Schlagfertigkeit und trank ein Bier nach dem anderen aus der Flasche. Jule hatte neben Marie gesessen und die beiden beobachtet. Irgendwann hatte sie gesagt: »Weißt du was, Marie, ich habe immer das Gefühl, dass Alex und Fiedi alles können und hinkriegen, nur wir beide hängen immer ein bisschen hinterher.« Marie hatte sie ganz entsetzt angesehen. »Wie kommst du denn darauf, Jule? Das ist doch Quatsch! Die beiden sind vielleicht lauter und größer und haben vielleicht auch manchmal mehr Mut. Aber wir sind zäher als die beiden. Und ohne uns kämen die sowieso nicht klar. Sei sicher.« Als ob Alex und Fiedi es gehört hätten, in diesem Moment hatten sie beide zu ihnen rübergeschaut. Liebevoll, verschwörerisch und sehr zuversichtlich. Ihnen konnte einfach gar nichts passieren, sie hatten ja sich.

Jule seufzte leise und stellte das Foto wieder an die Lampe. Marie. Jule hatte ihr an dem Abend geglaubt. Aber Marie hatte sich geirrt. Seit zehn Jahren kamen Alex und Fiedi sogar sehr gut ohne sie klar. Zumindest taten sie so. Und man nahm es ihnen auch irgendwie ab. Das war es, was Jule wirklich ärgerte. Sie hätte sich gewünscht, dass beide unter dem Ende ihrer Freundschaft genauso gelitten hätten wie sie selbst. Vielleicht sogar noch ein bisschen mehr.

Sie schob das Kopfkissen unter ihrem Kopf zusammen und drehte sich mit dem Gesicht zum Fenster. Auch wenn dieser Tag nicht so schlimm gewesen war wie der erste: Das Pfingstwochenende war noch nicht vorbei.

Tag drei

Jule konnte das Geräusch, das sie geweckt hatte, zunächst nicht einordnen. Sie blieb mit geschlossenen Augen liegen und wartete darauf, dass es wiederkam. Es kam. Ein Stöhnen. Und gleich danach hörte es sich an, als würde jemand leise schluchzen. Jule drehte langsam ihren Kopf. Sie konnte Alexandras Gesicht nicht richtig sehen, es war mitten in der Nacht. Vielleicht träumte ihre Bettnachbarin auch nur schlecht. Es war kein Schluchzen, befand Jule, es war nur ein sehr schweres Atmen.

Jule schloss die Augen und versuchte, wieder einzuschlafen. Das schwere Atmen setzte sich fort. Am liebsten hätte sie es ignoriert. Aber Alexandra stöhnte auch zwischendurch. Nicht dass sie hier krank wurde. Nach einem tiefen Atemzug sagte Jule schließlich: »Alex! Ist alles in Ordnung?«

Es wurde schlagartig ruhig. Wenige Sekunden später kam ein »Ja«, gefolgt von einem lauten Naseputzen. Jule drehte sich auf die andere Seite. Mehr wollte sie nicht wissen. Sie presste die Augen zusammen und wartete darauf, dass sie wieder einschlief. Vergeblich. Stattdessen schossen ihr plötzlich Bilder durch den Kopf: Alexandra und Philipp in einem zerwühlten Bett auf Norderney, Alexandras Zurückhaltung beim anschließenden Pfingsttreffen, ihre verhaltene Reaktion auf Jules Eröffnung, dass sie schwanger war. Sie hatte zu dem Zeitpunkt keine Ahnung gehabt, dass nur ein paar Wochen vorher der größte Verrat ihres Lebens passiert war.

Alexandra atmete gequält aus, und Jule öffnete wieder die

Augen. Es war doch nicht zu fassen, dass Alexandra Weise hier das große Leiden inszenierte, sie war es doch gewesen, die alles kaputtgemacht hatte. Entschlossen setzte Jule sich auf und stopfte das Kissen in den Rücken. Mit zusammengekniffenen Augen starrte sie auf das andere Bett und sagte schließlich: »Warum stöhnst du eigentlich so?«

»Ich stöhne nicht.«

»Doch. Du atmest so demonstrativ unruhig, ich kann überhaupt nicht mehr schlafen.«

Alexandra antwortete nicht, stattdessen setzte auch sie sich auf. Keine von ihnen machte das Licht an. Jule zog die Bettdecke höher und wartete auf eine Antwort, die aber nicht kam. Dann nicht, dachte sie, bis ihr wieder der Brief von Marie einfiel.

»*Ich wusste, dass Alex das Wochenende geschenkt bekommen hatte, ich habe sie angerufen und nach Philipp gefragt, sie hat mir gesagt, dass es eine zufällige Begegnung war und dass nichts passiert ist, was dich verletzen würde. Ich habe ihr geglaubt ...*«

Marie hatte Alexandra geglaubt und deshalb nichts erzählt. Weil sie Angst um ihre Freundschaft gehabt hatte. Und weil sie sich sicher gewesen war, dass tatsächlich nichts passiert war. Jule glaubte es immer noch nicht. Und jetzt saß Alexandra nach all diesen Jahren hier im Nebenbett und stöhnte.

»Warum hast du Marie damals angelogen?« Die Frage platzte einfach so aus Jule raus. »Das hat Marie nicht verdient.«

»Ich habe sie nicht angelogen.« Alexandras Antwort kam prompt und sehr bestimmt. »Was meinst du?«

»Sie hatte dich angerufen und gefragt, was auf Norderney passiert ist. Und du hast ihr gesagt, das Treffen mit Philipp wäre zufällig gewesen und es sei nichts passiert. Das war doch eine Lüge.«

»Nein, das war es nicht.« Alexandra setzte sich gerade hin.

»Es ist nichts passiert. Und das Treffen war ein Zufall, ich habe überhaupt nicht gewusst, dass er auf Norderney ist. Ich wusste auch nichts von dieser Familienfeier, ich habe ihn tatsächlich überraschend auf der Fähre getroffen. Du hast nur nie an deiner Version gezweifelt, weil das für dich im Nachhinein die einfachste Erklärung war. Und du das aus irgendwelchen Gründen glauben wolltest.«

»Das ist doch bescheuert.« Jule spürte Wut in sich aufsteigen. »Ich bin doch nicht blöd. Es hat alles gepasst. Pfingsten danach warst du ganz komisch und zurückhaltend, weil du angeblich so einen Stress im Verlag hattest; wenn ich dich angerufen habe, warst du kurz angebunden, wenn du mal in Hamburg warst, hattest du irgendwelche Gründe, nicht bei mir vorbeizukommen, und wenn wir uns dann doch mal gesehen haben, konntest du mich vor lauter schlechtem Gewissen kaum ansehen. Ich habe damals gedacht, dass ich nur empfindlich bin, wegen meiner Schwangerschaft, aber das waren alles ganz andere Gründe. Hinterher war mir das klar. Und später, als meine Ehe schon schwierig wurde, da hast du mir überhaupt nicht geholfen. Und nach der Trennung hast du Philipp ständig verteidigt. Habt ihr euch eigentlich kaputtgelacht, wenn ihr über mich geredet habt? Über die doofe Jule, die nichts kapiert?« Sie merkte, dass ihr zornige Tränen in die Augen stiegen, es war schon seltsam, wie man diesen Schmerz, der schon so viele Jahre zurücklag, immer noch so tief empfinden konnte. Jule schluckte, diesen Triumph wollte sie Alexandra nicht gönnen, ihr Leben war heute gut und schön. Und jetzt gab es auch noch Torge, sie musste ihrer Vergangenheit überhaupt nicht hinterhertrauern.

»Du irrst dich. Nicht in allem, aber in vielem.« Alexandras Stimme klang jetzt fest. Sie machte eine kleine Pause, bis sie sagte: »Ich hatte ein schlechtes Gewissen, ja, aber nicht, weil ich auf Norderney mit Philipp geschlafen habe, das war nämlich nicht so, sondern weil ich mir das einen kurzen Moment lang gewünscht habe. Ja, ich hatte mich in ihn verliebt, und zwar an dem Tag, an dem du ihn das erste Mal hierher mitgenommen hast. Und du kannst dir nicht vorstellen, wie grauenhaft das für mich war. Ich konnte nichts dafür, er hat mich vom ersten Moment an überwältigt. Aber du warst ja meine Freundin, und dich fand ich auch toll, und deshalb habe ich alles getan, um gegen diese Liebe anzukämpfen. Weil du und deine Freundschaft mir so viel wichtiger gewesen sind. Auf Norderney war ich ganz dicht dran, das zu vergessen, aber nur eben ganz dicht dran. Philipp hätte es gewollt, aber kurz bevor wir aufs Zimmer gegangen sind, bin ich wieder zu Verstand gekommen. Und anschließend war ich heilfroh, dass ich mich für dich entschieden hatte. Und dass da nichts passiert ist. Pfingsten ging es mir wirklich nicht gut, ich war immer noch durcheinander und hatte Angst, dass jemand mir das anmerkt. Aber als ich hörte, dass du schwanger bist, war ich so erleichtert, dass ich mich richtig entschieden hatte. Und ab da hatte ich mein Gefühl im Griff. Dachte ich zumindest.«

Jule starrte auf ihre verschränkten Finger und überlegte, ob das so stimmen könnte. Tatsächlich hatte sie über all die Jahre nie bemerkt, dass Alexandra in Philipp verliebt gewesen war. Es hatte keinerlei Anzeichen dafür gegeben. Hätte Friederike Jahre später Norderney nicht erwähnt, hätte sie es nie erfahren. Es war seltsam, dass die Geschichte verändert wurde, nur weil eine nachgereichte Information allem im Nachhinein eine andere Bedeutung gegeben hatte.

»Aber du hast was mit ihm gehabt. Sonst hättest du doch damals empört reagiert. Oder mich ausgelacht. Oder Friederike beschimpft. Irgendetwas, nur nicht dieses stoische Gesicht mit dem schlechten Gewissen. Das war doch eine sehr komische Reaktion.«

Von der anderen Seite des Zimmers kam keine Antwort, und seltsamerweise war Jules Wut verraucht. Es war so lange her, und es war so schmerzhaft gewesen. Sie räusperte sich und sagte mit einer Ruhe, die sie selbst verwunderte: »Das Schlimmste an dieser Szene damals ist gewesen, dass mit Friederikes Satz die Trennung, an der ich sowieso schon gelitten hatte, tatsächlich noch mal viel grausamer wurde. Philipp war meine große Liebe, und ich habe eine so lange Zeit gebraucht, um über ihn hinwegzukommen. Aber dass ich dann nach Jahren erfahren musste, dass in Wirklichkeit du der Grund für die Trennung gewesen bist, das hat mein ganzes Weltbild zum Einstürzen gebracht. Ich hatte mich damit arrangiert, dass Philipp Affären gehabt hatte, dass er mich nie so gebraucht hat wie ich ihn, aber womit ich nicht gerechnet hatte, war die Tatsache, dass eine meiner Seelenfreundinnen, nämlich du, eine dieser Affären gewesen ist. Weißt du, ich habe mich dir immer unterlegen gefühlt. Du warst immer schon so schön, so klug, du hast diese Wahnsinnskarriere gemacht, die ganze Welt war in dich verliebt, und dann nimmst du dir ausgerechnet meinen Mann. Du hättest doch jeden haben können. Dieser Verrat war fast noch schlimmer.«

»Ich habe dich damals nicht verraten.« Alexandras Stimme war genauso ruhig, fast traurig. »Damals nicht. Aber nach eurer Trennung habe ich mich tatsächlich auf ihn eingelassen. Noch immer mit einem gigantischen schlechten Gewissen, aber mein Gefühl war einfach zu stark, und ich habe mir eingeredet, ich würde ihn dir ja jetzt nicht mehr wegnehmen. Deshalb konnte ich bei unserem Streit nichts sagen, obwohl eure Trennung schon sechs Jahre her war, aber ich war zu der Zeit ja tatsächlich Philipps Freundin. Das habe ich nur nie jemandem gesagt. Weder Marie noch Friederike haben je etwas davon erfahren. Es war immer eine heimliche Beziehung.«

»Was?« Jule beugte sich nach vorn. »Bei unserem Streit war Philipp doch schon mit Steffi zusammen. Und davor hatte er noch diverse andere Frauen. Und du warst doch die ganze Zeit in München. Über welchen Zeitraum hattet ihr denn diese Affäre?«

»Die ganze Zeit.« Alexandra antwortete so leise, dass Jule sie kaum verstehen konnte. »Seit dem Jahr eurer Trennung. Philipp kam mich in München besuchen, um mir zu sagen, dass ihr euch trennt. Und wir haben uns darauf geeinigt, dass wir aus Rücksicht auf dich und Pia nichts sagen, sondern eine Zeitlang abwarten, bis alles in ruhigeren Bahnen ist. Ich habe sehr lange darauf gewartet. Vergeblich übrigens.«

»Das verstehe ich nicht.« Jule schüttelte den Kopf. »Wir haben uns doch wegen dieser Karen getrennt, das habe ich dir damals erzählt. Diese rothaarige Krankenschwester, mit der Philipp was angefangen hatte. Was hattest du denn damit zu tun?«

»Karen war nur das Alibi«, antwortete Alexandra. »Philipp hatte mir gesagt, dass er sie vorgeschoben hatte, damit du nichts von uns erfährst. Sie hatte für ihn keine Bedeutung. Mit ihr war gar nichts.«

»Das ist aber seltsam.« Jules Stimme war jetzt ironisch. »Ich habe die beiden nämlich live und in Farbe erwischt. Eng umschlungen vor der Klinik. Das war bei mir der letzte Tropfen gewesen.«

Alexandra atmete tief aus. Dann schwang sie ihre Beine aus dem Bett und knipste das Licht an. Jule sah sie an und fragte sich, warum sie jemals gedacht hatte, dass Alexandra ihr so haushoch überlegen wäre. Jetzt war ihr Gesicht blass, sie hatte dunkle Ringe unter den Augen, und ihr Ausdruck war so resigniert und traurig, dass nichts mehr an die strahlende Alex von früher erinnerte. Sie sah Jule nachdenklich an und hob den

Kopf. »Es rächt sich wahrscheinlich alles im Leben. Philipp hat mir das mit Karen ganz anders erzählt, ich habe ihm geglaubt. Ihm, nicht dir, das war schon mal der erste Fehler. Der zweite war, dass ich meinen Verstand ausgeschaltet hatte. Nicht auf Norderney, da hatte ich ihn noch, aber in der ganzen Zeit danach war er weg. Ich weiß nicht, ob du wirklich die ganze Wahrheit wissen willst, ich sage sie dir trotzdem: Seit fast zwanzig Jahren, Jule, seit fast zwanzig Jahren bin ich die heimliche Geliebte deines Exmannes. Jetzt erst habe ich die Kraft gefunden, es zu beenden, jetzt, nach Maries Tod, habe ich endlich begriffen, was für eine Lüge und welche Qual die angebliche Liebe meines Lebens war. Er hat mich hingehalten, angelogen, er hat mir immer wieder Hoffnungen gemacht und dann verzweifelt erzählt, warum er es gerade jetzt nicht ändern kann. Als er Steffi kennenlernte, sie schwanger war und dann eine Fehlgeburt hatte, habe ich mich getrennt, wieder mal, aber dann kam er wieder an und hat mir irgendwie die alberne Hoffnung gegeben, diese scheiß Hoffnung, dass er sich irgendwann für mich entscheidet, zu mir steht, für mich einen Neuanfang macht. Er hat es nie getan, es wäre viel zu unbequem gewesen.« Alexandra hatte sich inzwischen in Rage geredet. Und Jule hielt den Atem an, um das Gehörte zu begreifen.

»Es war eine Aneinanderreihung von Demütigungen, Sehnsüchten, Glücksgefühlen, verzweifelten Nächten, Verdrängungen, Hoffnungen und immer wieder abgrundtiefem Elend«, fuhr Alexandra jetzt fort. »Ich war irgendwann neidisch auf dich, weil du ihn hinter dir hattest. Und ich nicht aus dieser Abhängigkeit herauskam. Ich verstehe, dass du damals wütend auf mich warst, weil du dachtest, ich wäre eine von Philipps Affären und damit schuld an deinem Ehe-Aus gewesen.«

Dann schwieg sie, und Jule holte Luft. Ihr kam das Bild von Philipp vor den Toiletten auf Lauras Hochzeit in den Sinn. Er hatte dort gestanden und SMS geschrieben, hatte sich ertappt gefühlt, als er Jule entdeckt hatte. Während oben die furchtbare Steffi saß, hatte ihn Jule vermutlich beim Nachrichtenaustausch mit Alex gestört. Was für ein kaputtes Bild.

»Ich brauche einen Schnaps«, sagte sie und schlug die Bettdecke zurück. »Ich weiß nicht, was ich dazu sagen soll. Zwanzig Jahre. Du lieber Gott.«

Sie ging zur Tür und warf einen Blick auf die immer noch auf der Bettkante kauernde Alexandra. Sie sah so dünn aus in diesem gestreiften Schlafanzug. So klein. Alexandra die Große. Die sie immer beneidet hatte. Und so sehr bewundert.

Jule riss die Tür auf. Sie stand unter Schock, als sie die Treppe hinunterging. Ihr Ex-Mann Philipp hatte in den letzten zwei Jahrzehnten eine heimliche Affäre mit ihrer Ex-Freundin Alexandra gehabt. Und niemand hatte davon gewusst. Sie nicht, Pia nicht, auch Steffi nicht. Bei der Vorstellung, was Steffi dazu sagen würde, spürte Jule eine leise Schadenfreude. Die sie aber sofort runterschluckte. Das ging jetzt nicht.

Die Küchentür war geschlossen, leise drückte Jule die Klinke runter und schob die Tür auf, um gleich darauf erstaunt stehen zu bleiben. Friederike saß am Küchentisch, einen Kapuzenpulli über dem Schlafanzug, vor sich eine Tasse, aus der es dampfte.

»Oh«, sagte sie überrascht. »Hast du auch hormonbedingte Schlafstörungen?«

»Nein«, antwortete Jule, schloss die Tür hinter sich und kam in die Küche. Sie öffnete eine Schranktür und nahm ein Glas raus. »Alexandra hat die ganze Zeit so gestöhnt und mich geweckt. Stand hier nicht gestern noch eine Flasche Obstler?«

»Was ist denn mit dir los?« Irritiert sah Friederike sie an. »Mitten in der Nacht Alkohol? Schlecht geträumt?«

Jule hatte die Flasche entdeckt und kam damit an den Tisch. Sie schenkte sich großzügig den klaren Schnaps ins Glas und trank. Dann erst blickte sie hoch. »Wusstest du, dass Alexandra und Philipp seit mehr als zwanzig Jahren eine Affäre haben?«

»Sie haben – was?!« Mit großen Augen sah Friederike sie an. »Du hast doch schlecht geträumt.«

»Nein.« Jule trank den Rest aus, schüttelte sich kurz und schob das Glas von sich. »Der schmeckt ja widerlich. Alex hat es mir gerade erzählt. Sie musste sich wohl mal ihr ganzes Elend von der Seele reden und fand den Zeitpunkt passend. Hast du da Tee in der Tasse?«

»Das Wasser ist noch heiß, die Teebeutel in der Dose daneben. Was heißt seit mehr als zwanzig Jahren? Das war direkt nach deiner Trennung oder was? Und bis heute? Ernsthaft?«

Jule nickte und stand wieder auf, um sich einen Tee zu machen. »Es ist nicht zu fassen«, sagte sie leise. »Ich kann das gar nicht glauben. Alex und Philipp! Der hat dann alle seine Frauen mit ihr betrogen.«

»Oder Alex mit denen«, korrigierte Friederike. »Das kommt auf den Standpunkt an.« Sie schüttelte den Kopf. »Also war doch was auf Norderney?«

»Sie sagt nein.« Jule setzte sich mit dem Teebecher an den Tisch und zog den Teebeutel hoch, um ihn gleich wieder in der Tasse zu versenken. »Es hat angeblich erst nach der Trennung angefangen. In München. Wahrscheinlich stimmt das sogar. Aber trotzdem. Wir haben uns noch ein paar Jahre gesehen. Hier oder in Hamburg. Und die ganze Zeit über hat sie mit Philipp geschlafen. Und mit mir so geredet, als wäre alles in Ordnung. Kein Wort, keine Andeutung. Hast du wirklich nichts gewusst?«

Achselzuckend sah Friederike sie an. »Das hätte ich nicht gedacht. Zwanzig Jahre als Geliebte. Ausgerechnet Alex. Die hätte doch ganz was anderes kriegen können. Aber ich hatte keine Ahnung, ich hatte damals genug eigene Probleme.« Sie stützte das Kinn auf die Faust und sah Jule an. »Macht es dir heute noch was aus? Du kannst doch eigentlich froh sein, dass du ihn rechtzeitig losgeworden bist. Er hätte dich ja ständig weiter betrogen.«

»Ich weiß es nicht.« Jule zog den Teebeutel aus dem Becher und legte ihn auf einen kleinen Teller. »Nicht wegen Philipp. Aber dass Alex … Sie war doch eigentlich auf meiner Seite, sie war meine Freundin. Und trotzdem … Warum hast du das damals gesagt? Mit Norderney, an diesem Abend. Hast du da schon was geahnt?«

»Nein.« Friederike suchte die richtigen Worte. »Das war einfach eine Bombe, die ich habe platzen lassen. Obwohl ich auch bezweifelt habe, dass da was dran war. Aber du bist mir damals so wahnsinnig auf die Nerven gegangen. Mit deiner Mutterrolle und deiner wilden Theorie, dass Kinder das einzige Glück sind und Ulli der einzige Mann ist, der das kapiert. Ganz im Gegensatz zu mir. Deshalb musste ich diesen blöden Satz raushauen. Du hast mich so wütend gemacht.«

»Wütend?« Jule schüttelte den Kopf. »Warum?«

»Du warst so selbstgerecht.« Friederike sah sie entschuldigend an. »Du hast dich in deine Theorien verstiegen, was ich alles mit Ulli und seinen Kindern falsch gemacht habe. Dass ich mich hätte öffnen müssen, dass Kinder so was Wunderbares sind und alle Fehler bei mir sind und kein einziger bei Ulli. Ich konnte es einfach nicht mehr hören, ja, ich wollte dir wehtun. Und ich wusste, dass dieser Verdacht, dass Alex und Philipp was miteinander haben könnten, dich völlig aus dem Konzept bringen würde. Weißt du, dass ich dich so um Pia beneidet habe? Ich konnte nach der Abtreibung keine Kinder mehr bekommen, ich habe es aber nicht geschafft, es Ulli zu sagen. Er dachte immer, ich wolle keine Kinder, aber es hat mich zerrissen. Und dann hast du da gehockt und die perfekte und aufopfernde Mutter gegeben. Und ich war so neidisch. Das war ich damals oft.«

Jule blickte sie lange an. »Du hast es Ulli nie erzählt?«

Friederike schüttelte den Kopf. »Erst konnte ich es nicht. Und irgendwann war es zu spät.«

»Was war zu spät?« Die Tür hatte sich von ihnen unbemerkt geöffnet, und Alexandra stand vor ihnen. Jule sah sie stumm an, während Alexandra einen Blick auf die Schnapsflasche warf und ein Glas aus dem Schrank holte. »Noch jemand?«

Jule schüttelte den Kopf, Friederike nickte. »Ich nehme jetzt auch einen. Worauf trinken wir denn?«

Alexandra stellte zwei Gläser auf den Tisch, bevor sie sich setzte. »Auf die Wahrheit vielleicht? Und auf Marie, der das wichtig war?«

Friederike hielt ihr das Glas hin. »Ich habe es gerade gehört. Du mit Philipp. Fast zwanzig Jahre. Und ich hatte immer gedacht, du hättest ein tolles Leben.«

»Habe ich auch.« Alexandra hob ihr Glas. »Es war vieles gut. Bis auf diese Geschichte.«

Bevor sie trinken konnte, griff Jule doch nach ihrem Glas und schenkte es zum zweiten Mal voll. Dann sah sie erst Alexandra, danach Friederike, dann wieder Alexandra an. »Ich fasse es trotzdem nicht. Diese ganzen Lügen. Wie hält man das aus?«

»Gar nicht«, antwortete Alexandra. »Manchmal nimmt es einem die Luft. Aber man wartet immer auf ein Happy End. Und es ist schon eigenartig, wie zäh Hoffnung sein kann. Und wie wirksam Verdrängung.«

Sie tranken schweigend, jede in ihre Gedanken versunken, bis Friederike sich zurücklehnte und die Arme vor der Brust verschränkte. »Marie würde sich freuen, wenn sie uns drei jetzt mitten in der Nacht schnapstrinkend in ihrer Küche sehen würde. Wenn sie gerade von ihrer Wolke sieht, wird sie denken, dass ihr Plan aufgegangen ist.«

»Ist er das?« Alexandra hob die Schultern. »Ich weiß es nicht.«

»Immerhin sitzen wir hier zusammen und reden.« Friederike sah sie an. »Darum ging es ihr doch.«

»Auf die Geschichte, die Alex mir gerade erzählt hat, hätte ich auch gut verzichten können«, entgegnete Jule. »Ich finde das zum …, egal, es waren zumindest mehr Informationen, als ich gebraucht habe.« Sie starrte auf ihre Hände, dann sah sie wieder hoch. » Aber vielleicht war es auch gut so.«

»Läuft das denn noch?« Neugierig musterte Friederike Alexandra. Die schüttelte den Kopf.

»Nein. Es ist vorbei.«

»Ja, dann …«, Friederike streckte sich. »Dann sollten wir an dieser Stelle einen Strich machen und ab morgen nicht mehr über die Vergangenheit sprechen. Sie lässt sich sowieso nicht mehr ändern. Die haben wir, so wie sie war, in uns. Und es wird nichts besser, wenn man es immer und immer wieder durchdenkt. Ich …«

»Was ist denn hier los?« Mit verschlafenem Gesicht hatte Hanna die Tür geöffnet. »Ist etwas passiert?«

»Nein.« Friederike stand langsam auf und ging ihr entgegen. »Schlaflos am See. Ich gehe wieder ins Bett. Bis nachher.«

Hanna sah ihr erstaunt hinterher, dann wandte sie sich an Jule und Alexandra. »Es ist vier Uhr morgens. Und um zehn sind wir im *Café Beermann* zum Frühstück eingeladen.«

»Ja.« Auch Jule erhob sich langsam. »Ich weiß. Dann versuche ich auch noch mal zu schlafen. Bis später.«

Alexandra wartete, bis sie Jules Schritte auf der Treppe hörte. Sie blickte Hanna an. »Wir haben Schnaps getrunken.« Ihre Stimme klang verwundert. »Und ich habe Jule Dinge erzählt, die ich seit zwanzig Jahren niemandem erzählt habe. Sehr seltsam.«

Hanna zog den Bademantel über ihrer Brust zusammen und ließ sich auf einen Stuhl sinken. »Sie sind sich alle näher, als Sie denken. Sie haben zu viel gemeinsame Geschichte, die Sie geprägt und verbunden hat, das lässt sich nicht einfach alles vergessen. Auch wenn man das glaubt. Es ist eine Art von Liebe, die vielleicht doch die schlechten Zeiten überdauern kann.«

»Ja, vielleicht.« Alexandra stand langsam auf, griff nach den drei Schnapsgläsern und stellte sie auf die Spüle. »Auch wenn ich mich frage, was wir heute noch mit den drei Mädchen von damals gemein haben. Viel ist das vermutlich nicht.«

»Wer weiß?« Hanna lächelte. »Das herauszufinden kann ja vielleicht ganz spannend werden.«

In Gedanken stieg Alexandra kurz darauf die Treppe hoch, ruhig, leise, auf Zehenspitzen, um Jule, die hoffentlich schon wieder schlief, nicht noch mal zu wecken. Sie öffnete vorsichtig die Tür und verharrte, bis sie Jules ruhige Atemzüge hörte. Erst dann ging sie langsam zu ihrem Bett und entdeckte einen Gegenstand, der auf dem Kopfkissen lag. Erstaunt nahm sie ihn in die Hand, es war ein Bilderrahmen. Sie drehte ihn um. Sie erkannte das Motiv sofort, drei Paar Füße, die Nägel bunt lackiert, die im klaren Seewasser schwebten. Ihre Füße, ihre, Jules und Friederikes. Und Marie hatte hinter ihnen gestanden und das Bild festgehalten.

Alexandra hob den Kopf und sah zu Jule. Hatte sie das Bild auf ihr Kissen gelegt? Sie wandte den Blick wieder zurück und spürte, wie ihr die Tränen kamen. Wenn es Jule gewesen war, dann war das hier vielleicht wirklich ein Beginn.

»Guten Morgen, die Damen.« Michael Beermann stand vor dem Eingang des *Cafés Beermann* und sah ihnen entgegen.

»Früher seid ihr immer so pünktlich gewesen, und jetzt kommt ihr fast eine halbe Stunde zu spät.«

»Marie und Friederike waren immer pünktlich«, entgegnete Jule. »Wir anderen nicht so. Und jetzt hatte ich gerade einen Platten und musste erst pumpen. Meine Schuld, das Ventil war nicht zugeschraubt.«

Sie schlossen die Fahrräder an und gingen langsam auf ihren Gastgeber zu. Hanna erreichte ihn zuerst und küsste ihn leicht auf die Wange. »Guten Morgen, derselbe Tisch wie gestern?«

»Selbstverständlich. Ist schon eingedeckt.« Er wies mit großer Geste ins Haus und umarmte breit lächelnd erst Jule, dann Alexandra und zum Schluss Friederike. »Es ist so schön, dass ihr wieder da seid.«

Er folgte ihnen langsam zu ihrem Tisch, wartete, bis sie sich gesetzt hatten, und sagte. »Wenn es in Ordnung ist, setze ich mich gleich einen Moment dazu? Ich möchte euch noch was zeigen.«

»Aber natürlich«, antwortete Hanna, auch die anderen nickten. Jule warf Hanna einen kurzen Blick zu, bevor sie zu Michael sagte: »Ich bin gespannt.«

»Ich sage nur kurz in der Küche Bescheid, dass ihr da seid, und dann komme ich.«

Als er mitsamt seiner Fröhlichkeit verschwunden war, entstand sofort Stille am Tisch. Jule sah den fünften Stuhl an, dessen Anblick heute nicht mehr ganz so wehtat wie gestern. Sie empfand eine seltsame Ruhe, es war anders als vorher. Ob es an Alexandras Beichte, an Friederikes pragmatischer Haltung beim nächtlichen Schnapstrinken oder an Hannas entspannter Haltung lag, wusste sie nicht. Aber ein großer Teil ihrer Wut und ihrer Trauer hatte sich in nichts aufgelöst und war einem Gefühl von melancholischer Vertrautheit gewichen. Sie mus terte Friederike und Alexandra und überlegte, ob es ihnen ähnlich ging. Alex sah gerade aus dem Fenster auf den See, sie hatte ein bisschen Puder aufgelegt und war nicht mehr so blass wie in der Nacht. Friederike sah auf die Bilder an der Wand, sie runzelte die Stirn und wollte gerade etwas sagen, als die Bedienung mit einem vollbeladenen Tablett an den Tisch kam. »Guten Morgen, ich hoffe, es geht Ihnen gut?«

»Ja«, antwortete Jule. »Guten Morgen, Jutta.«

Überrascht lächelte Jutta sie an und stellte die Platten, den Brotkorb und Marmeladengläschen auf den Tisch. »Guten Appetit.«

Hanna nickte Jule zu, bevor sie den Brotkorb nahm und ihn herumreichte. »Haben Sie heute Nacht in der Küche alles klären können?«

»Sagt mal«, Friederike hatte die Frage von Hanna anscheinend nicht gehört, sie zeigte auf die Wand neben ihnen. »Habt ihr gesehen, dass jemand das Bild ausgetauscht hat?«

»Apropos Bild«, Alexandra folgte nicht dem Fingerzeig Friederikes, sondern sah erst Jule, dann Hanna an. »Hanna, haben Sie mir das Foto von den Füßen aufs Kissen gelegt?«

»Nein.« Hanna schüttelte den Kopf. »Das war ich nicht.«

»Ach.« Alexandras Blick heftete sich auf Jule, die den Kopf gesenkt hielt und sich ganz konzentriert ein Brötchen aufschnitt. »Dann hast du …?«

»Da bin ich wieder!« Mit einem Fotoalbum unter dem Arm kam Michael zurück. »Lässt du mich mal durch, Friederike?«

»Hast du das Bild …?« Sie konnte ihre Frage nicht beenden, Michael war gegen den Tisch gestoßen, und Friederike hatte Mühe, den Absturz ihrer Tasse zu verhindern.

»Sorry.« Er ließ sich schnaufend auf den fünften Stuhl fallen. »Ich müsste dringend abnehmen, bin inzwischen echt zu breit für schmale Gänge. Ach, ist das schön, dass ihr wieder da seid! Auch wenn ich das jetzt schon so oft gesagt habe. Und ich sage es bestimmt noch zehnmal, aber ich meine es auch so. Was für ein Jammer, dass Marie nicht mehr dabei sein kann, sie war sich die ganze Zeit immer so sicher, dass wir irgendwann hier mal sitzen und zusammen frühstücken werden. Nicht wahr, Hanna, und jetzt haben wir es geschafft.« Er strahlte alle an. »Ich habe euch was mitgebracht.« Er hob stolz das braune Fotoalbum hoch, bevor er es auf seinen Schoß legte und vorsichtig über das abgewetzte Leder strich. »Ich habe nämlich genauso viel fotografiert wie Marie. Und nicht nur Friederike. Ich habe mich lange nicht getraut, Marie meine Bilder zu zeigen, sie sollte ja nicht den Eindruck haben, dass ich mich mit ihr messen wollte. Marie war eine Künstlerin, und ich habe halt ein bisschen rumgeknipst. Aber hier, auf diesen Seiten, das ist unsere Zeit, das waren unsere Sommer. Hier, schaut mal.«

Er gab es Alexandra, während Friederike, die neben ihm saß, jetzt wieder an die Wand deutete: »Ist das auch …«

»Erzähl ich später«, unterbrach er sie und legte ihr die Hand auf den Arm.

Alexandra und Jule hatten schon die Köpfe über das Album gebeugt, Alexandra schlug es auf und zuckte sofort zusammen. Auf dem ersten Bild sah sie sich neben Jule und Friederike zum See laufen. Hinter ihnen stand Marie, die Kamera vor dem Gesicht. Das nächste Bild: wieder Marie, dieses Mal bäuchlings, Vor ihr balancierte Jule auf einem Baum. Dann Paul auf einem Trecker, Alexandra und Jule rechts und links von ihm, Friederike dahinter und Marie mit einem Stativ davor. Friederike und Jule beim Kopfsprung von der Badeinsel, Marie im Ruderboot. Alexandra blätterte weiter, während Jule ihr über die Schulter sah. Ein Foto mit Alexandra und Jule, die sich lachend ansahen. Vertrauensvoll, mit großer Zuneigung, ein zärtliches Foto, das Jule fast die Tränen in die Augen trieb.

Langsam hob Alexandra den Kopf. »Das sind ja alles wir. Mit Marie. Immer wieder Marie. Das ist ja eine Liebeserklärung. An sie. Und an uns.«

Michael sah sie jetzt ganz ernst an. »Ja. Wir fanden euch einfach wunderbar. Nicht nur weil ihr immer gute Laune hattet, weil es immer so bunt war bei euch, sondern weil ihr so etwas ausgestrahlt habt, irgendwie war man bei euch immer sicher, dass ihr zusammengehort habt. Ihr vier habt so zueinander gepasst, ihr wart einfach perfekt.«

Friederike sah wieder an die Wand, dann zu Michael. »Auf den Bildern, die ich kenne, ist Marie kaum drauf. Sie hat ja immer selbst fotografiert.«

»Deshalb wollte Michael euch seine Fotos zeigen.« Hanna wies jetzt auch auf die Stelle, die Friederike schon die ganze Zeit, von den anderen unbemerkt, betrachtet hatte. »Man sieht immer nur den Ausschnitt, nie das ganze Leben.«

Alexandra hob den Blick und stutzte. An der Stelle, an der gestern noch das schreckliche Aquarell von Tante Ilse hing, war jetzt im selben Rahmen ein anderes Bild. Deshalb war es ihr nicht aufgefallen, der Rahmen war derselbe. Das Foto zeigte Marie. Sie stand rechts auf dem Bootssteg, leicht nach vorn gebeugt, die Kamera vor dem Gesicht, völlig konzentriert auf ihr Motiv.

Das Motiv waren Jule, Friederike und Alexandra, nebeneinander auf dem Steg, die Füße ins Wasser getaucht. Die Sonne umhüllte sie wie ein goldenes Tuch, Friederike lachte mit zurückgeworfenem Kopf, Alexandras Hand lag auf Jules Rücken – und Marie konzentrierte sich ganz und gar auf die Füße.

»Jule, das ist ja das Bild«, sagte Alexandra leise. »Micha hat Marie dabei aufgenommen, wie sie unsere bunten Füße fotografiert hat.«

»Ja.« Jule sah sie kurz an, dann ging ihr Blick zu Friederike.

»Ich habe was für dich.« Sie bückte sich und zog aus ihrem Rucksack ein flaches Päckchen. »Hier, Friederike. Von Marie.«

Langsam wickelte Friederike das Päckchen aus und betrachtete die sechs Füße mit den bunt lackierten Nägeln im blauen Wasser. Es hatte eine solche Leichtigkeit und Klarheit, dass Friederike meinte, leises Lachen aus dem Hintergrund zu hören. Sie ließ das Bild sinken, dann stand sie auf, um das gerahmte Foto an der Wand anzusehen. Die Entstehung dieser Leichtigkeit. Ihr Blick wanderte von einer zur anderen. Und blieb schließlich an Michael hängen. »Wahnsinn«, sagte sie. »Das war unser Lebensgefühl. Sehr lange. Wir hatten ein solches Glück. Und wir haben es einfach vergessen.«

»Marie hat dieses Glück gemacht.« Alexandra hatte sich zu Friederike gestellt und fuhr jetzt vorsichtig mit dem Finger über Maries schmale Figur auf dem Bild. »Sie hat es gesehen. Und festgehalten.« Eine Träne lief ihr langsam über die Wange. »Wir waren so …«

Da spürte sie plötzlich Jules Hand, die ihre umschloss und drückte. Als sie zu ihr schaute, wich Jule ihrem Blick nicht aus. Sie sah sie fest an mit ihren klaren blauen Augen.

»Man muss immer auch hinter das Bild sehen.« Michaels kräftige Stimme drang wie aus der Ferne wieder in ihr Bewusstsein. »Man darf sich nicht damit zufriedengeben, wie etwas auf den ersten Blick wirkt, man muss auch wissen, wie es entstanden ist, was dazu geführt hat.« Nach einem kurzen Moment tippte er auf das Bild an der Wand: »Wie gesagt: Seht hinter das Bild. Nur dann versteht ihr, wie alles zusammenhängt.«

Schließlich stand er auf, nahm das Bild ab, lehnte es vorsichtig auf seinen Stuhl und strich leicht über den Rahmen. »Ich muss jetzt wieder in die Küche, das Album lasse ich euch da. Das könnt ihr in Ruhe ansehen. Wir sehen uns, oder? Ich sag mal bis bald.«

»Bestimmt.« Friederike stand auf und umarmte ihn. »Danke, Michael.«

Er umarmte auch Jule und Alexandra. »Macht es euch noch schön. Viel Glück.«

Dann ging er, sie sahen ihm schweigend hinterher. Nach einem kurzen Moment griff Hanna nach dem Bild und hielt es Jule hin. Die sah Hanna an und drehte es um. Vorsichtig lockerte sie den Halter und nahm die Pappe ab. Sie runzelte die Stirn, verharrte einen Moment und löste sachte einen Briefbogen, der mit einem schmalen Klebestreifen an der Rückseite des Passepartouts befestigt war. Unter den gespannten Blicken ihrer Freundinnen hob sie den Umschlag hoch. Er war weiß, auf der Rückseite ein rotes Siegel aus Kerzenwachs. Die Beschriftung stammte eindeutig von Marie, es war ihre weiche, runde Handschrift:

Wir in dreißig Jahren

»Aber das ist ja, das sind die … die wir …« Verblüfft drehte Jule den Umschlag wieder um und wollte ihn gerade öffnen, als Hanna ihr die Hand auf den Arm legte. »Wollen Sie sich das tatsächlich hier und sofort ansehen? Wollen wir nicht erst mal zu Ende frühstücken und Sie öffnen ihn nachher ungestört?«

Friederike nickte. »Hanna hat recht. Jule, wir sollten nachher damit auf den Steg gehen. In aller Ruhe. Dieser Umschlag ist über dreißig Jahre verschlossen gewesen, das hat jetzt auch noch einen Moment Zeit. Steck ihn doch ein, wir nehmen ihn mit.«

Jule schob ihn vorsichtig in ihren Rucksack. Dann sah sie hoch: »Kann ich noch das Croissant haben?«

Später auf dem Rückweg fuhr Jule neben Hanna vorneweg,

Alexandra und Friederike folgten in kurzem Abstand. Alexandra hatte ihren Blick auf Jules Rucksack geheftet. Sie konnte sich kaum noch daran erinnern, was sie damals auf diese Bögen geschrieben hatte. Damals, in dem Sommer nach ihrem Abitur, als das ganze Leben noch vor ihnen lag. Jetzt war es für eine von ihnen schon vorbei. Das hatten sie damals nicht geahnt – obwohl sie von Maries Krankheit ja wussten.

»Ich weiß gar nicht mehr, was ich da überhaupt geschrieben habe«, Friederike unterbrach Alexandras Gedanken. »Du?«

Alexandra schüttelte den Kopf. »Nein. Aber ich fand es damals ganz spannend, mir vorzustellen, wie ihr alle später seid. Vermutlich hat sich keine einzige Vorstellung bewahrheitet. Aber es ist vielleicht ganz interessant, das nach all den Jahren zu lesen. Mal sehen.«

Bei dem Gedanken an Marie versetzte es ihr einen Stich. Sie mussten gleich den Mut haben, auch Maries Aufzeichnungen zu lesen. Das würde wehtun.

»Was ist?«, fragte Friederike, die sie von der Seite beobachtet hatte. »Du guckst so komisch.«

»Nichts.« Alexandra riss sich zusammen. »Tritt doch noch mal gegen dein Schutzblech, das nervt.«

Sie hatte keine Ahnung, warum Friederike anfing zu lachen.

Als sie auf den Steg kamen, sahen sie erstaunt, dass dort schon ein Tisch mit drei Stühlen stand.

»Wo kommen die denn her?«, fragte Friederike erstaunt. »Standen die gestern Abend schon hier?«

»Nein.« Jule schüttelte den Kopf. »Ich habe auf dem Steg gesessen. Da stand hier noch nichts. Wo ist denn Hanna?«

»Sie wollte telefonieren.« Alexandra strich mit der Hand über eine Lehne. »Ich glaube, sie wollte uns nicht stören und nicht dabei sein.«

»Sie muss das heute Morgen hierhergeschleppt haben.« Friederike schüttelte den Kopf. »Sie hat die Bühne aufgebaut. Für die Geschichte hinter dem Bild. Ein bisschen ferngesteuert komme ich mir schon vor.«

»Das stammt sicher alles von Marie«, antwortete Jule und sah kurz in den blauen Himmel. »Glaube ich. Nein, ich bin sogar davon überzeugt. Und Hanna setzt das nur um.« Sie blickte zu Alexandra, die sich ihren Pulli über den Kopf zog, es war warm geworden. Sie trug ein kurzärmliges rotes T-Shirt darunter, Jule überlegte, ob sie es noch von damals kannte. So eines hatte Alex früher auch gehabt. Alexandra setzte sich hin und sah Jule fragend an. »Ja?«

»Ach, nichts«, winkte Jule ab. »Ich habe mich nur gefragt, wie lange du dieses T-Shirt schon hast.«

»Zwanzig Jahre?« Alexandra blickte an sich runter. »Das habe ich mir mal in Hamburg gekauft. In diesem Laden bei Marie in der Straße. War teuer. Aber hält ja auch schon lange.«

Jule nickte. Dann setzte sie sich, öffnete den Rucksack und zog den Umschlag hervor. Langsam legte sie ihn auf den Tisch und wartete.

»Wer macht ihn auf?« Friederike legte ihre Hand auf das weiße Papier. »Ich?«

»Ja,« Jule deutete auf den leeren Stuhl. »Und setz dich vorher.«

Während Friederike mit dem Daumennagel das rote Kerzenwachs aufbrach und dann den Umschlag umständlich öffnete, sah Jule abwechselnd zu ihr und Alexandra. Es war seltsam, je länger sie die beiden ansah, desto mehr kamen ihre vertrauten Gesichtszüge zum Vorschein. Sie konnte gar nicht mehr nachvollziehen, warum ihr Friederike beim Notar so fremd erschienen war, sie sah jetzt wieder aus wie früher.

»*Wir in dreißig Jahren – Alexandra*«, las Friederike laut vor und reichte Alex den Bogen. »*Wir in dreißig Jahren – Jule*«, sie beugte sich zu Jule, die ihr Blatt in die Hand nahm. »*Wir in ….*«, jetzt murmelte sie nur noch, legte einen Bogen mit der Schrift nach unten auf den Tisch und fuhr fort: »*Wir in dreißig Jahren – Friederike.* Wer fängt an?«

»Womit?« Jule hatte angefangen, ihren Text zu überfliegen, sie hob den Kopf und runzelte die Stirn. »Sollen wir uns das jetzt gegenseitig vorlesen?«

»Na klar.« Friederike lehnte sich entspannt zurück. »Alex, lies du doch mal vor, was du über Jule geschrieben hast.«

»Echt?« Alexandra sah Jule an. Die nickte. »Ich höre.«

»Okay.« Nach einem Räuspern fing Alexandra an.

»*Jule. Jule wird in dreißig Jahren ihre … Silberhochzeit feiern. Sie hat zwei Kinder, einen Hund, und die Kinder besitzen Zwergkaninchen. Sie wohnt in einem roten Haus mit weißen Sprossenfenstern, der Garten ist verwildert und unordentlich, weil Jule das so mag. Sie arbeitet in einem Krankenhaus, entweder tatsächlich als Physiotherapeutin oder als Krankenschwester und ist mehrfach Mitarbeiterin des Monats geworden. Ihr Mann ist selten da, vielleicht ist er Vertreter für Sportartikel, oder er arbeitet in der Woche in einer anderen Stadt, vielleicht in Berlin oder Köln. Jule findet das gut, sie braucht nämlich im Alltag gar keinen Mann, sie ist nur gern mit einem verheiratet. Sie ist immer noch hübsch und dünn und spielt immer noch Tennis im Verein.*«

Ohne Jule anzusehen, ließ sie das Blatt sinken.

»Silberhochzeit«, sagte Jule und verzog das Gesicht. »Stimmt nicht so ganz. Und daran bist du nicht ganz schuldlos.«

»Jule, wir hatten das Thema doch abgehakt.« Friederike beugte sich nach vorn. »Stimmt denn das mit dem Tennis noch?«

»Ja. Und sogar das rote Haus mit den Sprossenfenstern und dem verwilderten Garten. Aber nur eine Tochter, kein Tier – wobei ich gern einen Hund hätte. Und ich arbeite nicht im Krankenhaus.«

»Aber als Physiotherapeutin.« Friederike grinste. »So falsch lag Alex doch gar nicht. Hier piept irgendwas.« Sie drehte ihren Kopf und lauschte. »Dein Rucksack piept.«

»Oh.« Hastig zog Jule den Rucksack hoch, das Piepen war jetzt lauter. Sie griff nach dem Handy, entsperrte es und sah die SMS von Torge: »*Ich denke gerade an dich und hoffe so, dass alles harmonisch und versöhnlich wird. Du kannst doch mit deinem sonnigen Gemüt gar nicht lange böse sein. Küsse dich und freue mich aufs Wiedersehen.*«

Sie lächelte, während sie die Antwort tippte, und ließ das Handy zurück in den Rucksack gleiten. »Ich hatte vergessen, es leise zu stellen«, sagte sie, schon wieder mit ernstem Gesicht.

»Das sah nach Liebe aus«, bemerkte Friederike amüsiert. »Vielleicht haut das mit der Silberhochzeit ja doch noch hin. Nur ein bisschen später.« Sie hob die Hand, als Jule antworten wollte. »Kein Widerspruch, keine ausweichenden Antworten. Ich will jetzt lieber hören, was du über mich geschrieben hast.«

Jule strich über das Blatt und sah kurz hoch, bevor sie begann.

»Fiedi. Sie ist Chefin. Egal von was. Vielleicht hat sie Mathematik und Informatik studiert und leitet eine Computerfirma. Oder sie hat Sprachen studiert, spricht jetzt acht und dolmetscht in der ganzen Welt wichtige Politiker. Oder sie ist Managerin eines Spitzenhotels. Vielleicht hat sie sich auch immer noch nicht entschieden und macht alles gleichzeitig.

Genauso wie ihr Liebesleben. Sie hat mindestens viermal geheiratet und sich sofort wieder scheiden lassen, weil sie eigentlich alle Männer langweilig findet. Kinder haben sie nie interessiert. Aber sie hat Geld. Richtig viel Geld. Und das gibt sie lieber allein aus. Oder mit uns.«

Jule hob den Kopf, weil sie erwartet hatte, dass Friederike lachte. Das tat sie nicht, mit nachdenklichem Gesicht sah sie an Jule vorbei. Nach einer Weile fragte Alexandra: »Und? Wie hoch ist die Trefferquote?«

Friederike rollte ihr Blatt gedankenverloren zusammen. Schließlich sagte sie: »In den wesentlichen Dingen gleich null, in anderen nicht schlecht.«

»Wo lag ich richtig?«, fragte Jule neugierig.

»Ich bin Chefin, ich spreche acht Sprachen, und ich leite ein Spitzenhotel.«

Jule lachte auf. »Das ist unwesentlich? Bei welchen wesentlichen Dingen lag ich denn daneben?«

Langsam drehte Friederike sich zu ihr. »Ich war nie verheiratet, ich habe in der Liebe immer alles falsch gemacht, ich finde Männer nicht langweilig, ich hätte wahnsinnig gern Kinder gehabt, und es stimmt nicht, dass ich richtig viel Geld habe. Ganz im Gegenteil, ich bin ziemlich pleite und muss mir gerade etwas Grundsätzliches überlegen, um meine Finanzen in Ordnung zu bringen.«

»Was heißt ›ziemlich pleite‹?« Alexandra blickte sie irritiert an. »Du musst als Hotelmanagerin doch gut verdienen.«

»Ja.« Friederike zuckte die Achseln. »Aber ich habe mir mit Ulli damals einen Resthof in der Nähe von Bremen gekauft, vielleicht könnt ihr euch noch erinnern, es war ein Jahr vor unserem Streit. Ihr seid nur nie da gewesen. Die Finanzierung war ziemlich knapp geplant, es wäre nur zu zweit gegangen.

Aber dann kam die Trennung, ich musste es allein hinbekommen, was kaum funktioniert. Es ist ständig was kaputt oder noch nie richtig renoviert worden. Und ich unterstütze Esther, die immer nur fordert und sich nicht einen Deut verändert hat. Sie wird im Alter sogar eher noch schlimmer. Es ist alles ein Fass ohne Boden.«

»Ach du Schande.« Alexandra schüttelte den Kopf. »Und wie willst du da rauskommen?«

»Ich werde den Hof verkaufen.« Friederike nickte, wie um sich selbst zu bekräftigen. »Ich habe es schon lange überlegt, und jetzt habe ich auch noch ein Jobangebot in Hamburg bekommen. Ich habe nach der Nachricht von Marie viel nachgedacht und ein bisschen in meinem Kopf und in meinem Leben aufgeräumt. Wenn ich jetzt keine Entscheidung treffe, mache ich es nie. Von daher wird mein Leben vermutlich jetzt mal langsam ein bisschen leichter.«

»Und dann gehst du wieder nach Hamburg?« Jule sah sie neugierig an. »Gibt es denn einen Partner?«

»Nein.« Jetzt lächelte Friederike und dachte kurz an eine bemalte Apfelsine. »Ich hatte in den letzten Jahren jemanden, von dem ich mich getrennt habe. Im Zuge des Aufräumens. Tom ist ein netter Typ, aber ich habe ihn eigentlich nie geliebt. Nie so, wie es mit Ulli war, und das ist mir jetzt klar geworden. Er hat etwas Besseres verdient. Und nun warte ich ab, was kommt.«

»Hast du noch Kontakt zu Ulli?« Es war eigentlich das, was Jule am meisten interessierte. Sie hatte ihn immer gemocht und nie verstanden, warum Friederike das nicht hinbekommen hatte.

»Nein.« In Friederikes Stimme schwang sehr viel Trauer. »Er wollte keinen Kontakt mehr. Er ist irgendwann wieder zu seiner Frau zurückgekehrt, über zehn Jahre nach der Scheidung.

Danach haben wir nie mehr voneinander gehört. Er wollte wohl nicht mehr an uns erinnert werden.«

»Meine Güte, wie schade.« Jule sah sie mitleidig an. »Ich mochte ihn sehr. Das tut mir leid.«

»Es ist kein gutes Thema. Lass es uns wechseln.« Friederike setzte sich auf und entrollte ihren Bogen. »Alex, ich lese dir mal vor, wie ich deine Zukunft gesehen habe. Hör zu:

Alex. Sie macht was mit Büchern. Oder mit Film. Oder Funk. Entweder schreibt sie Bücher oder hat eine eigene Radio- oder Fernsehsendung. Auf jeden Fall ist sie berühmt und immer noch die Schönste. Sie hat einen Ehemann, der ihr den Alltag organisiert, und mindestens zwei Liebhaber für den Rest. Sie lebt in einer Stadtvilla in München oder Hamburg, fährt einen Porsche und hat einen Jungen aus Peru adoptiert. Der ist in dreißig Jahren auch schon erwachsen und ist ein Model geworden. Mit seinen großen, schönen Augen und den dunklen Locken. Alex hat jede Menge Geld und lädt uns jedes Jahr auf eine Kreuzfahrt ein. Wo sie dann vielleicht einen neuen Roman schreibt, während wir in der Bar sitzen. Mit dem hübschen Peruaner-Kind.«

Sie legte das Blatt weg und sah Alexandra herausfordernd an. »Und?«

»Wie um alles in der Welt bist du auf das peruanische Kind gekommen?«

Friederike hob die Schultern. »Keine Ahnung, ich glaube, ich wollte damals da unbedingt hin. Nach Peru. Also, es gibt kein Adoptivkind?«

»Nein.« Alexandra schüttelte entschlossen den Kopf. »Es gibt auch keinen Ehemann, der meinen Alltag regelt, ich schreibe keine Bücher und ich fahre keinen Porsche. Was stimmt, sind die Bücher, die ich verlege, und dass ich in München bin.«

»Und der Liebhaber.« Jule konnte es sich nicht verkneifen, Friederike warf einen resignierten Blick in den Himmel. »Jule, nicht noch mal. Außerdem ist er ja jetzt nicht mehr ihr Liebhaber.«

»Aber erst seit kurzem.« Mit verschränkten Armen sah Jule zu Alexandra. »Warum bist du damals nach München gegangen? Weil Pia geboren war? War das eine Flucht vor mir? Oder hast du die Möglichkeit geschaffen, Philipp zu treffen, wenn der seine Eltern in München besucht hat?«

»Es war eine Art Flucht, ja.« Alexandras Stimme war fest. »Aber nicht vor dir, sondern vor Philipp. Ich sage es jetzt zum letzten Mal, ich hatte damals nichts mit ihm angefangen, ich war in ihn verliebt, ja, ein Gefühl, das ich deinetwegen nicht haben wollte. Und ich dachte, ich könnte es nur mit genügend Abstand zu euch bekämpfen. Der Verlag hat mir ein Angebot gemacht, und die Entfernung zwischen Hamburg und München schien mir groß genug.«

»Nicht groß genug, um dich nicht doch noch auf ihn einzulassen.«

»Später, Jule, viel später. Nach eurer Trennung. Und sei sicher, wenn ich gewusst hätte, was das alles anrichtet, hätte ich es nicht gemacht.«

Jule sah sie an. Und dachte plötzlich an Pia. Und an Torge. An ihre Praxis. An ihr Bullerbü. Alexandras Leben war vielleicht bunter gewesen, vielleicht auch spannender. Aber sicherlich nicht leichter.

Sie hörte Schritte hinter sich und drehte sich um. Hanna war mit einem Tablett in der Hand unbemerkt durch den Garten gekommen und trat auf den Steg. »Es ist so warm geworden«, sagte sie freundlich. »Ich habe Eistee gemacht. Ich stelle das Tablett einfach hin, bedienen Sie sich.«

Sie wollte gerade wieder gehen, als Friederike sagte: »Hanna?«

»Ja?«

»Möchten Sie vielleicht das Blatt von Marie vorlesen?«

Hanna kam einen Schritt zurück und blieb vor ihnen stehen. »Nein«, sagte sie und schüttelte den Kopf. »Das ist Ihre Geschichte. Wir sprechen ja nachher miteinander. Gern auch über Marie, Sie haben Michas Fotoalbum ja noch gar nicht ganz angesehen, ich würde gern die alten Geschichten von Ihnen allen und Marie hören. Bis später.«

Sie lächelte und ging zurück zum Haus. Die drei sahen ihr nachdenklich nach, bis Jule meinte: »Wir haben nicht vorgelesen, was wir uns für Marie vorgestellt haben. Aber tatsächlich ist weder ihr Tod noch die Tatsache, dass sie eine Frau lieben wird, jemals in meinem Kopf gewesen.«

»In meinem auch nicht.« Friederike stand auf und verteilte die Gläser, dann beugte sie sich über den Krug, in dem Pfirsichstücke schwammen. »Und schon wieder eine Regieanweisung. Auch an den Eistee hat Marie gedacht.«

Alexandra beobachtete sie beim Einschenken und sagte leise: »Marie hat immer an alles gedacht. Wir fanden das selbstverständlich. Ich fühle mich irgendwie ganz schlecht, wenn ich daran denke, dass wir uns eigentlich viel zu wenig gefragt haben, was sie denkt und fühlt. Und bei Hanna sind wir im Moment auch schon wieder relativ gleichgültig. Sie macht hier alles, so wie Marie, dabei trauert sie um ihre Liebe. Wir haben noch nicht einmal mit ihr über sie und Marie und ihre Trauer gesprochen. Und darüber, ob wir ihr vielleicht auch helfen können.«

»Du hast recht.« Friederike reichte ihr ein Glas. »Aber noch sind wir ja hier. Wer liest Maries Blatt vor? Ich kann es nicht.«

Sie gab auch Jule ein Glas und setzte sich wieder. Alle drei sahen auf das umgedrehte Blatt auf dem Tisch. Niemand sprach. Bis Jule plötzlich ihr Glas absetzte, das Blatt nahm, es umdrehte und einmal tief ein- und ausatmete.

Wir in dreißig Jahren – Marie
Alexfiedijulemarie, ja, ich schreibe es zusammen, weil ich mir uns nicht einzeln in der Zukunft vorstellen kann und will. Ich bin mir sicher, dass wir alle unsere Wege gehen werden, manche Strecken sind vielleicht umständlich, wie die von Fiedi, manche Wege sind steil, wie die von Alex, manche sind verschlungen und etwas länger, wie die von Jule. Es wird ganz viele Kreuzungen geben, an denen man nicht genau weiß, in welche Richtung man gehen muss, aber ich glaube und ich hoffe, dass an den unübersichtlichen Kreuzungen immer eine von uns wartet, um der anderen den richtigen Weg zu weisen. Und deshalb werden wir hoffentlich keine Entscheidungen in unserem Leben treffen, die uns in eine falsche Richtung führen. Und falls das doch passiert, weil jeder irgendwann auch mal falsch abbiegt, dann sollten wir anderen da sein, um den Rückweg zu ermöglichen und ihn leicht zu machen. Ich habe mir vorgenommen, an den Kreuzungen zu stehen, und deshalb glaube ich, dass wir in dreißig Jahren alle ein zufriedenes und glückliches Leben haben. Weil wir nie allein sein werden. Und das wird uns tragen. Auch noch in dreißig Jahren.

Jule legte das Blatt vorsichtig zurück auf den Tisch. Alex sah auf ihre verschränkten Finger, Friederike wischte sich wütend eine Träne weg. Nach einer ganzen Weile meinte sie: »Ich hätte das nicht laut vorlesen können. Ich muss schon beim Zuhören heulen.«

»Du warst früher immer so unsentimental.« Jule stieß sie leicht an. »Komm, Marie hat das damals nicht geschrieben, damit du jetzt flennst.«

Friederike lächelte schief. »Das sagt die, die nichts von Rückwegen gehalten hat. Die Marie ermöglichen wollte.«

»Marie ermöglicht sie uns gerade.« Alex stand auf, um den Krug mit Eistee zu holen. Sie stieß an den Tisch und brachte dadurch das Tablett ins Rutschen. Darunter lugte ein Umschlag hervor. Irritiert zog sie ihn hervor und sah die anderen an. »*Alex – Jule – Fiedi*. Das ist auch Maries Schrift. War der auch bei den Blättern?«

»Nein.« Friederike nahm ihn ihr aus der Hand und drehte ihn um. »Den muss Hanna hier hingelegt haben. Als sie das Tablett hingestellt hat.«

»Dann mach ihn doch auf.« Ungeduldig beugte Jule sich nach vorn. Friederike sah sie kurz an, löste vorsichtig die Klappe, zog einen Briefbogen raus und faltete ihn auseinander.

»*Liebe Fiedi, liebe Alex, …*«, ihre Stimme brach ab, sie reichte Alex das Blatt und lehnte sich zurück. »Kannst du das machen?«

Ohne zu zögern, nahm Alex den Brief und fing mit ihrer klaren Stimme an:

»*Liebe Fiedi, liebe Alex, liebe Jule,*
wenn ihr diesen Brief bekommen habt und eine von euch
den jetzt gerade vorliest, dann hat sich mein letzter großer
Herzenswunsch tatsächlich erfüllt. Ich habe Hanna darum
gebeten, euch diesen Brief erst zu geben, wenn ihr am dritten
Tag mit Pfirsicheistee und den Zukunftsblättern auf dem
Steg sitzt, ihr alle, ohne dass jemand abgereist ist. Und nun
lest ihr ihn, und ich freue mich. Ich bin mir übrigens sicher,
dass ich mich freuen werde, ich glaube an das Bild von mir
auf einer Wolke, von der aus ich euch ab und zu sehen und

hören kann. Dieser schlimme Streit damals ist passiert, weil wir alle irgendwann an einer Kreuzung die falsche Entscheidung getroffen haben. Damals hatten wir das Pech, dass keine von uns da war, um der anderen die richtige Richtung zu weisen, aber jetzt steht ihr zu dritt an einer neuen Kreuzung und könnt den Rückweg gemeinsam antreten. Macht es bitte, Rückwege sind oft kürzer, als man glaubt. Ihr werdet vielleicht noch das eine oder andere Gespräch darüber führen, warum wer wann auf den falschen Abzweiger geraten ist, aber wie so oft im Leben ist das im Nachhinein völlig gleichgültig. Es ist passiert, und jetzt kehrt ihr um. Und ich versuche, im Geiste an der nächsten Kreuzung zu stehen und zu sehen, ob ihr wieder auf dem richtigen Weg seid. Ich glaube, dass ihr es schafft. Ich weiß es. Weil wir immer nur zusammen perfekt waren. Und weil ihr das immer noch auch zu dritt sein könnt.

P. S. Micha wird sich in eurer Abwesenheit um das Haus am See kümmern, es ist alles besprochen. Ihr könnt natürlich jederzeit kommen, aber Pfingsten ist Pflicht. Und weil das nächste Pfingstfest noch ein Jahr hin ist, ihr aber einiges nachzuholen habt, richte ich noch einen Wunsch an euch. Meine Hanna hat am 15. August Geburtstag. Ich möchte gern, dass ihr sie gemeinsam in unserem Haus in Flensburg besucht. Damit sie Gesellschaft hat und ihr euch schnell auf den Rückweg in unsere Freundschaft macht. Ich bin froh, dass wir uns damals gefunden haben. Das war ein großes Glück. Für uns vier. Nehmt dieses Glück bitte zurück.

Mit großer Liebe, für immer, eure Marie

Alexandra ließ den Brief langsam in den Schoß sinken und sah ruhig auf den See. Sie wartete einen Augenblick, dann sagte sie: »Wir fahren nach Flensburg? Zu Hanna?«

Jule wischte sich über die Augen. »Natürlich.«

Friederike stand auf und ging langsam an das Ende des Stegs. Sie sah hinüber zum anderen Ufer, dann drehte sie sich wieder zu Jule und Alexandra um. »Und nächstes Jahr, Pfingsten? Hier am See?«

Alex nickte. Jule schaute sie beide abwechselnd an. »Aber ja. Nächstes Jahr, Pfingsten am See.«

Danksagung

Ich bedanke mich bei meiner Lektorin Bianca Dombrowa, meinem Agenten Joachim Jessen, bei Birgit Schmidt und Britta Toebs, bei Rita, bei Carola, Anouk und Anne, für die Hilfe, den Zuspruch und manche Ideen. Ihr standet an den wichtigen Kreuzungen.

ISBN 978-3-423-26249-1

Prolog

Was für ein herrlicher Tag, dachte Mathilda glücklich, während George an den Baum neben Selmas Vorgarten pinkelte. Der Himmel über ihr war blau, die Sonne schien, und obwohl das Laub sich bereits bunt gefärbt hatte und die Luft schon nach Herbst roch, war heute noch mal ein richtig schöner Spätsommertag. Und das im Oktober. Das hatte sie sich nach den Aufregungen der letzten Monate wirklich verdient.

Mathilda sah sich zufrieden um und bewunderte die Blumenpracht in Selmas Garten. Die gelben Rosen vor dem Haus blühten noch immer, dazwischen leuchteten rote Astern, gelbe Dahlien und späte Sonnenblumen, die bis an das Reetdach reichten. Es sah aus wie auf einem Kalenderblatt für englische Gärten. Selma hatte grüne Daumen. Und viel Zeit. Und keine freilaufende Gänse, die den Zaun zum Blumengarten überwinden konnten, so wie das Mathildas Gänse manchmal machten. Ihr Garten war nichts gegen diesen Blütentraum hier. Aber sie wollte sich nicht beklagen, um nichts auf der Welt würde sie ihren Hof tauschen.

»George«, sie rief nach ihrem Hund und setzte ihren Spaziergang langsam fort. Mathilda liebte die Hauptstraße durch ihr Dorf, die alten Kastanienbäume links und rechts rahmten die Allee, seit Mathilda denken konnte. Sie schlenderte an den vertrauten Häusern, Höfen und Gärten vorbei, ohne jemanden zu treffen. Die Straße war wie ausgestorben, eine friedliche Ruhe lag über dem Dorf, ab und an unterbrochen von Möwenschreien und dem Bellen eines Hundes. Niemand war in der Mittagszeit draußen, die Dorfbewohner machten Mittagsschlaf, lasen nach dem Essen endlich in Ruhe die Tageszeitung oder brachten ihre Küchen nach dem Kochen wieder in Ordnung. Langeweile hatte hier niemand.

Am Feuerwehrteich blieb Mathilda stehen, weil George plötzlich wie ein Irrer begann, um den Teich zu jagen, in dem drei Enten ihre Runden drehten. Zwei flogen davon, eine schwamm weiter, der Hund drehte fast durch und setzte seine Jagd fort. Er hatte noch nie eine erwischt, dafür war er zu ungeschickt, fand Mathilda. Und viel zu langsam. Trotzdem setzte sie sich einen Moment auf die Holzbank neben dem Teich und hielt ihr Gesicht mit geschlossenen Augen in die Sonne. Irgendwann würde George erschöpft aufgeben. Manche Dinge regelten sich von selbst. Das hatte doch was Gutes. So wie dieser Tag heute. Sie saß in der Sonne, in ihrem wunderschönen Dorf, an einem wunderschönen Tag. Ihr Hund war zwar ein bisschen verrückt, dafür war ihr Sohn gerade frisch verliebt, ihre Tochter frisch getrennt, ihr Mann gut gelaunt und ihr Bruder wieder gesund. Das Dorf war friedlich, die Vögel zwitscherten, zwei Schmetterlinge flatterten um sie herum, Libellen tanzten über den Teich, die Ente schwamm immer noch im Kreis, und nachher würde Mathilda mit George nach Hause gehen, mit Gunnar eine schöne Tasse Kaffee trinken und den frisch gebackenen Käsekuchen essen. Vorher wollte sie aber noch einen kleinen Abstecher in den Dorfgasthof machen, um da mal Guten Tag zu sagen. Und um zu hören, was es so Neues gab. Es gab meistens irgendetwas Neues. Man musste sich nur für die anderen Menschen und ihre Leben interessieren. Und das tat sie. Weil sie alle mochte, die hier mit ihr in diesem Dorf lebten. Seit sie denken konnte. Mathilda schlug die Augen wieder auf und sah George an, der wie immer ohne Ente, dafür mit hängender Zunge, auf sie zu tappte. Sie beugte sich vor und streichelte seinen Kopf. »Mach dir nichts draus, George«, sagte sie tröstend. »Was willst du auch mit einer Ente? Komm, wir gehen weiter.«

Sie stand auf und sah sich um. Ihr Dorf, ihr schönes Leben. Sie war in diesem Moment sehr glücklich. Und so froh, dass diese turbulenten letzten Monate endlich vorbei waren und nun alles wieder in den richtigen Bahnen lief.

Ein halbes Jahr zuvor
Donnerstag, 23. Mai

1.

»George, aus!« Entschlossen griff Mathilda nach dem Halsband, um das hysterische Bellen des Hundes abzustellen. George fiepte und knurrte, Mathilda schob ihn energisch ins Wohnzimmer und schloss die Tür hinter ihm. Erst dann öffnete sie dem Briefträger. Oder besser, der Briefträgerin. Sie war neu, eine junge Frau, klein und etwas zu dick, und die Nachfolgerin von Horst, der die letzten dreißig Jahre im Dorf die Post gebracht hatte. Ein schweres Erbe.

»Guten Morgen!« Mathilda stand in der offenen Tür und lächelte die Briefträgerin an. »Keine Sorge, George ist weggesperrt. Er ist immer etwas aufgeregt, wenn Fremde klingeln.«

Skeptisch sah die junge Frau an Mathilda vorbei, dann übergab sie ihr einen Stapel Post. »Wenn Sie einen größeren Briefkasten hätten, müsste ich nicht immer klingeln. Aber in Ihren passt ja kaum was rein.«

»Horst hat hier immer seine Frühstückspause gemacht, er hat sowieso geklingelt«, erklärte Mathilda. »Möchten Sie eine Tasse Kaffee trinken? Ist ganz frisch.«

»Nein, danke.« Die Briefträgerin wandte sich schon wieder zum Gehen. »Dafür habe ich echt keine Zeit. Kümmern Sie sich doch bitte um einen neuen Briefkasten. Ich kann die Post ja schlecht vor die Tür legen. Schönen Tag noch.«

George überschlug sich fast beim Bellen, Mathilda sah der Frau nach, die zu ihrem Postauto ging. Was für eine unhöfliche Person. Sie passte mit ihrer pampigen Art überhaupt nicht in das Dorf. Hier ging man freundlich miteinander um und nahm sich zwischendurch auch mal Zeit, ein paar Neuigkeiten auszutauschen. Oder übers Wetter zu reden. Mit Horst war es so viel netter gewesen, die neue Briefträgerin musste wirklich noch viel lernen, bis sie ihn wirklich ersetzen konnte.

Langsam schloss Mathilda die Haustür, ließ George aus dem Wohnzimmer und ging, die Post durchblätternd, in die Küche. Eine Rechnung der Genossenschaft, bei der sie ihr Tierfutter bestellten, der Katalog eines Gartenversands, die Werbung eines Reiseveranstalters und ihre wöchentliche Illustrierte. Mathilda lächelte und strich mit einem Finger über das Titelblatt, auf dem Prinz Harry sie ansah. Sie liebte das englische Königshaus. Und sie kannte sich aus, hatte doch ihre Leidenschaft für diese Familie schon bei der Trauung von Prinzessin Diana mit Charles begonnen. Seither trugen alle ihre Hunde Prinzennamen, wenn sie denn Rüden waren. George hatte vor zwei Jahren den verstorbenen William abgelöst, einen Berner Sennenhund, der mit fast vierzehn Jahren sanft entschlafen war. Es war nur folgerichtig, den neuen Spaniel-Welpen nach Williams Sohn zu benennen. Mathilda hoffte nur, dass der kleine Prinz nicht so laut war, wie der immer noch kläffende Hund. Und nicht so dumm.

»George, jetzt ist aber mal Ruhe«, brüllte Mathilda unvermittelt in den Flur und war überrascht, dass es tatsächlich sofort still war. Der Hund tapste langsam in die Küche, blieb vor Mathilda stehen und sah sie verblüfft an.

»Platz, George«, sie zeigte auf seinen Korb und wartete, bis er sich hingelegt hatte. »Fein gemacht. Und Frauchen trinkt jetzt Kaffee und guckt, was es Neues bei den Royals gibt. Und danach fängt sie an, Kuchen zu backen. Du bleibst da liegen.«

Ihr Sohn Max hatte ihr zu Weihnachten dieses Zeitschriften-Abo geschenkt. Jetzt bekam sie ein Jahr lang jeden Donnerstag mit der Post eine wunderbare Zeitschrift mit wunderbaren Fotos und dem neuesten Klatsch und Tratsch aus den Königshäusern. Das hatte den Donnerstag sofort zu Mathildas Lieblingsvormittag gemacht. Zumal sie an diesem Tag morgens allein im Haus war. Ihre Mutter Ilse ließ sich donnerstags abwechselnd zum Friseur und in der anderen Woche zur Fußpflege fahren. Seit Gunnar in Rente war, übernahm er diese Fahrten. Mathilda genoss es sehr, an diesen Tagen in aller Ruhe mit den Royals Kaffee zu trinken.

Sie schenkte sich eine Tasse ein, setzte sich an den Küchentisch und schlug mit einem wohligen Seufzer die Zeitschrift auf. Sie hatte noch nicht einmal das Inhaltsverzeichnis gelesen, als sie jemanden ins Haus kommen hörte. Hier klingelte normalerweise niemand, die Haustüren waren nie abgeschlossen. Nur die neue Briefträgerin hatte das noch nicht begriffen. George hob träge den Kopf und ließ ihn gleich wieder sinken, er bellte nur bei Fremden. Mathilda ahnte, wer es war.

»Guten Morgen, Mathilda, du musst noch eine Torte backen.« Ihre Nachbarin, Irene Mommsen, stand mit einer Tortenhaube in der Hand schon in der Küche. »Wir haben zu wenig für das Sommerfest. Ich habe dir meine Tortenhaube mitgebracht, falls du keine mehr hast.«

»Noch eine?« Mathilda wartete, bis Irene ihr Mitbringsel auf die Spüle gestellt und Platz genommen hatte. Dann stand sie auf. »Möchtest du einen Kaffee?«

»Ja, gern«, Irene blätterte schon. »Also, ich mag diese Frau von Prinz Harry nicht. Ich finde die arrogant. Schauspielerin eben. Ich glaube ja, dass sie nur irgendeinen Prinzen heiraten wollte, und Harry ist ihr zufällig vor die Flinte gelaufen. Das kann doch nicht gut gehen.«

Mathilda mochte es gar nicht, dass jemand vor ihr das Heft durchblätterte. Es war ihr Heft, und sie wollte die Erste sein, die die Seiten umschlug. Ilse hatte es auch schon ein paar Mal gemacht, Mathilda hatte deshalb das Heft immer versteckt, wenn sie vormittags keine Zeit gehabt hatte, es als Erste zu lesen. Und jetzt blätterte Irene darin. Die sich auch noch bei jeder Seite den Zeigefinger mit Spucke befeuchtete. Mathilda stöhnte leise und Irene sah hoch. »Was hast du gesagt?«

»Warum ich noch eine Torte backen muss?«

»Wir haben zu wenig. Und keiner hat Zeit.« Sie klappte die Zeitschrift zu und schob sie weg. »Und dann bist du mir eingefallen.«

Mathilda stellte die Kaffeetasse vor Irene ab und schob die Zeitschrift wie zufällig noch weiter zur Seite, bevor sie sich wieder setzte. »Aber ich hab schon zwei Kuchen gebacken – und jetzt auch noch eine Torte? Kann das nicht jemand anderes machen?«

»Ach, Mathilda«, Irene lächelte sie an, während sie Milch in die Tasse kippte. »Du hast doch Zeit. Machst du deine Friesentorte? Die kommt doch immer gut an. Und was gibt es sonst so Neues?«

Während Mathilda noch überlegte, ob sie etwas dazu sagen sollte, redete Irene schon weiter. »Hast du mitbekommen, dass Holger wieder zu Hause wohnt?«

»Welcher Holger?«

»Na, der Sohn von Christa und Hans, Holger Kruse. Seine Frau hat ihn rausgeschmissen. Das wundert mich nicht, Holger kommt wirklich nach seinem Vater. Hans hatte früher doch auch dauernd irgendwelche Techtelmechtel. Weißt du noch?

Als der damals mit Hannelore nach dem Schützenfest in der alten Tenne vom Wagner rumgeknutscht hat? Und Christas Vater ihn erwischt hat? Der hat ihn vielleicht versohlt, Mann, Mann.« Irene kicherte schadenfroh, Mathilda sah sie mit hochgezogenen Augenbrauen an. Dass ausgerechnet Irene sich darüber mokierte, war wirklich seltsam. »Irene, das ist Ewigkeiten her, da war Hans siebzehn. Und noch gar nicht mit Christa verheiratet.«

»Aber schon mit ihr zusammen«, entgegnete Irene sofort. »Wie der Vater, so der Sohn. Seine Frau hat Holger auf einer Geschäftsreise überrascht. Wie im Film: mit seiner Sekretärin.«

»Woher weißt du das denn?«

Irene zuckte die Achseln. »Ach, das habe ich irgendwo gehört. «

Das war das Problem mit Irene. Sie hörte immer irgendwo irgendwas und sorgte zuverlässig dafür, dass es sofort die Runde machte. Vor einiger Zeit hatte sie Gunnar im Wartezimmer seines Hausarztes getroffen. Auf dem Rückweg war er noch Tanken gefahren und überrascht gewesen, als der Tankstellenbesitzer ihm beim Bezahlen gute Besserung gewünscht hatte. Irene war vor ihm da gewesen. Gunnar mochte sie nicht. Er hielt sie für eine neugierige, angeberische und sensationslüsterne Ziege. Mathilda musste sie immer verteidigen, das tat sie nicht, weil sie Irene mochte, sondern weil sie keinen Unfrieden in der Nachbarschaft wollte. Für Streit war das Dorf zu klein. Und Mathilda hatte ein großes Herz. Sie liebte Harmonie und Frieden.

»Armer Junge«, sagte sie jetzt und dachte, dass der kleine Holger Kruse mit den roten Haaren und den Sommersprossen damals sehr niedlich gewesen war. Er hatte sie immer ein bisschen an Prinz Harry erinnert. »Wer weiß schon, was da los war. Die Leute reden auch viel dummes Zeug.«

Irene hatte ihren Kaffee ausgetrunken und war aufgestan-

den. »Aber es ist immer was Wahres dran. So, ich muss los.«
Sie wandte sich zur Tür, drehte sich aber noch einmal um.
»Kann es sein, dass Max eine neue Freundin hat? Ich meine, ich
hätte ihn mit so einer Hübschen an der Hand gestern in Husum
gesehen. Wir waren da einkaufen, Nils brauchte neue Schuhe.«

Warum wusste Irene eigentlich sämtliche Neuigkeiten immer früher als alle anderen?

»Das will er uns wohl in Ruhe erzählen. Er kommt ja demnächst, um die Schuppentür zu reparieren.« Mathilda sah
Irene gelassen an. Ganz so, als würde sie die Tatsache, dass ihr
Sohn endlich eine Freundin hatte, kaum interessieren. »Vielleicht bringt er sie ja mit.«

Irene war mit der Antwort zufrieden. »Die war ja so hübsch.
Also dann, danke für den Kaffee und bis morgen.«

An der offenen Haustür stehend fiel Mathilda noch was ein.
»Irene?«

»Ja?«

»Ich glaube nicht, dass sie arrogant ist. Das ist Unsicherheit.
Und er liebt sie.«

»Wer? Wen?«

»Na, Prinz Harry seine Meghan.«

»Ah. Na ja. Tschüs, Mathilda.«

Mit einem sehnsüchtigen Blick auf die Illustrierte beschloss
Mathilda, sofort mit dem Backen anzufangen. Sonst würde sie
das gar nicht alles schaffen. Sie hatte gerade beide Hände in
der Teigmasse, als George kurz anschlug und zur Tür schoss.
Als sie aus dem Küchenfenster sah, fuhr Gunnar den Wagen
auf die Auffahrt. Mathilda knetete weiter. Gunnar stieg umständlich aus, ging um den Wagen und öffnete die Beifahrertür. Ilse würdigte ihren Schwiegersohn keines Blickes und
schritt langsam zur Haustür, um energisch zu klingeln. Mat-

hilda hielt inne, die Finger teigverklebt. Wieso benutzte sie eigentlich nie ihren Schlüssel? Es klingelte lange. Dann zweimal kurz, dann noch mal mit Nachdruck. George fing an zu bellen, während Gunnar noch am Auto stand. Mathilda schüttelte den Teig so gut es ging ab und griff zu einem Geschirrhandtuch, mit dem sie den Türgriff anfasste, es musste ja nicht alles eingesaut werden.

»Hast du geschlafen?« Ilse, frisch frisiert, guckte sie vorwurfsvoll an, bevor sie den Finger von der Klingel nahm. »Du blöder Hund, sei still!«

Sie ging an Mathilda vorbei, Mathilda sah sofort, dass die Laune im Keller war. Das merkte auch George, er wartete ab, bis Ilse an ihm vorbei war, bevor er sich wieder in seinen Korb verzog. Mathilda warf einen kurzen Blick nach draußen, ließ die Tür offen stehen und folgte ihrer Mutter. Die saß mittlerweile am Küchentisch und trommelte mit den Fingern auf der Platte. »Ich habe über eine Viertelstunde auf ihn gewartet«, sagte sie anklagend. »Wie eine Blöde vor dem Friseur. Nur weil dein Mann sich so verträdelt hat.«

Mathilda befeuchtete ihre Hände und ließ sie wieder in den Kuchenteig sinken. Kneten beruhigte. Und Ilse war noch nicht fertig. »Der wird im Alter wirklich immer langsamer. Ich hatte ihm doch gesagt, dass ich um 11 Uhr fertig bin. Und wann war er da, der feine Herr? Um viertel nach. Und ich stand da. Unmöglich, wirklich.«

»Wieso hast du dich denn nicht beim Friseur noch so lange hingesetzt?« Mathilda knetete hingebungsvoll. »Die haben doch einen Wartebereich.«

»Sollen die Leute denken, dass ich im Salon abgeholt werden muss, weil ich zu senil bin und mich draußen verlaufe? Das fehlt ja wohl noch. Nein, der Herr kann vielleicht mal pünktlich sein, das wäre schon ein echter Fortschritt.«

»Möchtest du einen Kaffee?«

»Was backst du da eigentlich alles? Da ist doch schon ein Kuchen im Ofen.«

»Ja. Und das wird der zweite und dann mache ich noch eine Friesentorte. Für das Sommerfest morgen im Gemeindehaus, wir verkaufen wieder für das Rote Kreuz Kuchen.«

»Und wer bezahlt dir die Zutaten? Für drei Kuchen? Lass mich raten: die bezahlen wir doch wieder. Da haben sie ja eine Blöde gefunden. Du kannst auch nie nein sagen.«

Mathilda rollte mit den Augen, ohne dass ihre Mutter das bemerkte. Es war immer dasselbe. Sie drehte sich erst um, als sie ihren Mann reinkommen hörte. »Hallo Gunnar, hast du meine Blumen aus der Gärtnerei abgeholt?«

Gunnar lächelte. »Ich habe sie in die Garage gestellt.«

»Danke«, sie sah ihren Mann liebevoll an. Nächste Woche würde sie Ilse zur Fußpflege fahren, Gunnar brauchte dringend mal eine Pause. »Hat denn alles geklappt?«

»Nein«, blaffte Ilse dazwischen. »Er kam zu spät.«

Die Hände in den Hosentaschen stand Gunnar zwischen Ehefrau und Schwiegermutter und vermied es, Ilse anzusehen. »Die Frau in der Gärtnerei hat die zurückgestellten Pflanzen nicht gleich gefunden und musste erst mal ihren Chef fragen. Ich habe fast eine halbe Stunde warten müssen. Tut mir leid. Das riecht gut hier, nach Kaffee und Kuchen. Hast du noch einen Kaffee für mich?«

»Setz dich doch auf die Terrasse, Schatz«, Mathilda war fertig mit dem Teig und spülte ihre Hände ab. »Ich bringe dir den Kaffee raus.«

Dankbar verzog sich Gunnar, Ilse sah ihm mit hochgezogenen Augenbrauen nach. »Lässt er sich auch noch bedienen, der feine Herr?«

Mathilda nahm unbeeindruckt eine Tasse aus dem Schrank,

erst dann drehte sie sich zu ihrer Mutter um. »Lass ihn doch einfach mal in Ruhe. Er konnte nichts dafür, dass die in der Gärtnerei die Blumen nicht gefunden haben. Ich hatte extra angerufen, damit sie mir die zurückstellen und es deshalb schneller geht.«

»War ja wohl nichts.« Ilse erhob sich umständlich. »Ich gehe jetzt rüber. Was gibt es zum Mittagessen?«

Mit einem erschrockenen Blick sah Mathilda auf die Uhr, es war schon halb zwölf. »Ach, ich kann Bratkartoffeln mit Spiegelei machen, viel mehr schaffe ich nicht, die Kuchen sind ja noch nicht fertig. Um eins gibt es Essen, ja?«

Ilse blieb entsetzt an der Küchentür stehen. »Um eins? Nein, ich muss um halb meine Tabletten nehmen. Also halb eins. Und mach nicht wieder so viele Zwiebeln rein, ich muss sonst dauernd aufstoßen.« Sie sah sich kurz um, dann beugte sie sich nach vorn und nahm Mathildas Zeitschrift vom Tisch. »Die nehme ich mal mit.«

»Ich …«, begann Mathilda, aber Ilse wartete die Antwort gar nicht erst ab, die Haustür fiel schon hinter ihr zu.

»Ich habe sie doch noch gar nicht gelesen«, sagte Mathilda leise, dann goss sie ihrem Mann eine Tasse Kaffee ein und ging damit in den Garten.

»Du hast die Zwiebeln vergessen«, mit angewidertem Gesicht stocherte Ilse in den Bratkartoffeln. »Die Dinger schmecken nach nichts.«

»Du wolltest doch keine«, bemerkte Gunnar. »Du hast gesagt, du müsstest von Zwiebeln immer aufstoßen.«

Ilse ließ ihr Besteck fallen und lehnte sich abrupt zurück. »Mathilda, ich habe gesagt, *wenig* Zwiebeln, ich habe nicht gesagt, *keine* Zwiebeln. Kein Mensch macht Bratkartoffeln ohne.« Mit einem kurzen Blick auf ihren Schwiegersohn fügte sie hinzu: »Es sei denn, man isst das in Polen so.«

»Ich habe keine Ahnung, wie man in Polen Bratkartoffeln zubereitet«, antwortete Gunnar so ruhig, wie er konnte. »Ich war noch nie in Polen. Und ich glaube, das auch hin und wieder mal erwähnt zu haben. « Er tupfte sich langsam mit der Serviette den Mund ab, dann legte er sie neben seinen Teller und stand auf. »Mathilda entschuldige, aber ich muss weiterstreichen, das trocknet sonst zu schnell an.«

Sie nickte. »Mach das, Lieber, lass den Teller ruhig stehen.«

Gunnar stellte ihn trotzdem in die Spüle, bevor er nach draußen ging. Eine Weile war Ruhe, dann hob Ilse den Kopf und sagte: »Wie in einer Pommesbude, jeder steht auf, wann er will. Manieren sind das. Wir sind doch nicht in …«

»Mutter, lass es bitte«, unterbrach Mathilda sie laut. »Ich will solche Sätze in meiner Küche nicht mehr hören. Und dein Gerede über Polen habe ich auch langsam richtig satt, hörst du? Niemand von uns war jemals dort, es ist bestimmt ein schönes Land, nur Gunnar, und das weißt du ganz genau, Gunnar ist in Bremen geboren. In Bremen. Nicht in Polen.«

»Aber seine Eltern sind Polen«, Ilse ließ ihr Besteck klirrend auf den Teller fallen. »Die ganze Sippe ist doch zugezogen.«

»Ostpreußen, Mutter. Seine Familie ist nach dem Krieg aus Ostpreußen gekommen. Damals. Es ist lange her.«

»Sag ich doch«, Ilse stand auf und sah sie mit schmalen Augen an. »Die ganze Sippe.«

Sie ging, und Mathilda stützte seufzend ihr Kinn auf die Faust. Ilse hatte immer das letzte Wort, bevor sie ihren beleidigten Abgang machte. Aber Mathilda war ein friedliebender Mensch. Ansonsten hätte sie schon lange Mord-Gedanken gehabt.